D1213442

COLLECTION FOLIO

Bernard Simonay

LA PREMIÈRE PYRAMIDE

III

La lumière d'Horus

Gallimard

Bernard Simonay, né en 1951, est marié et père de trois enfants. Il a pratiqué différentes activités professionnelles avant de se consacrer uniquement à l'écriture. Passionné par l'histoire et la mythologie, il a publié, aux Éditions du Rocher, plusieurs romans fantastiques (*Phénix*, *La porte de bronze*, *Les enfants de l'Atlantide...*), ainsi qu'un thriller (*La lande maudite*).

*Ce livre est dédié à la mémoire d'Annick Béguin
qui me manque beaucoup.*

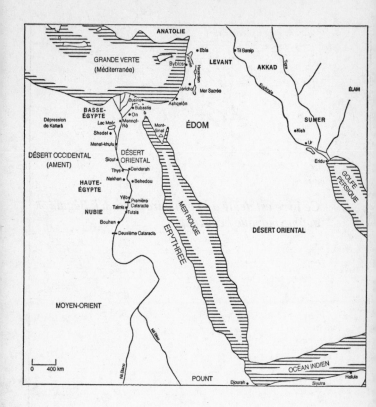

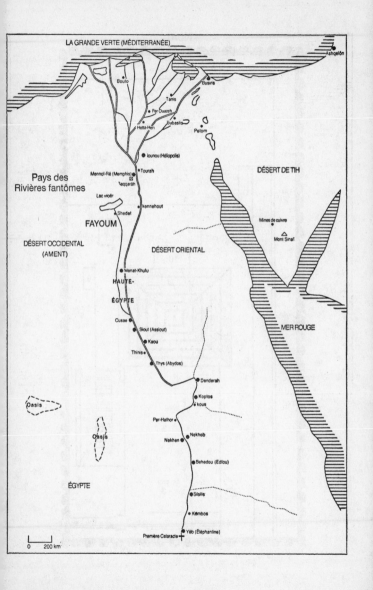

LA GRANDE VERTE (MÉDITERRANÉE)

Ashqelôn

Bouto

Busiris

Tanis

Per Ouazet

Hetta-Heri

Bubastis

Patom

Iounou (Héliopolis)

DÉSERT DE TIH

Mennol-Ré (Memphis)

Tourah

Saqqarah

Lac Moêr

kennehout

Shedet

Mines de cuivre

FAYOUM

Mont Sinaï

Pays des
Rivières fantômes

DÉSERT OCCIDENTAL
(AMENT)

DÉSERT ORIENTAL

Menat-Khufu

HAUTE-
ÉGYPTE

MER ROUGE

Cusae

Siout (Assiout)

Kaou

Thinis

Thys (Abydos)

Denderah

Koptos

Oasis

kous

Per-Hathor

Nekhab

Oasis

Nekhen

Behedou (Edfou)

ÉGYPTE

Silsilis

Kombos

Yêb (Éléphantine)

Première Cataracte

0   200 km

Nord

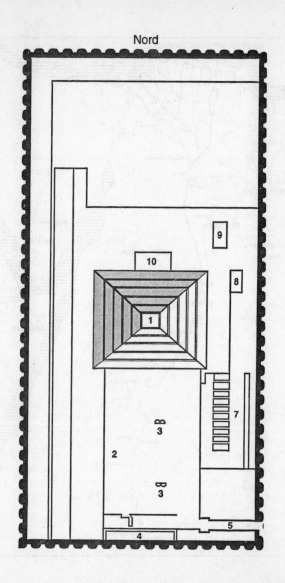

La pyramide à degrés de Saqqarâh

1 : La pyramide
2 : Cour du Heb-Sed
3 : Bornes symbolisant la Haute et la Basse-Égypte
4 : Cénotaphe de la muraille sud
5 : Colonnade
6 : Entrée
7 : Cour des dix chapelles symbolisant la Grande Ennéade de Iounou (Héliopolis)
8 : Maison du Sud
9 : Maison du Nord
10 : Temple nord.

L'enceinte protégeant la cité sacrée de Saqqarâh, conçue par Imhotep, faisait 250 mètres de large sur 500 mètres de long. Cette muraille à redans mesurait entre dix et douze mètres de haut et comportait quinze portes, dont quatorze étaient fausses, construites en trompe l'œil afin de désorienter les pillards. Seule la porte (6) située à l'extrémité sud-ouest permettait de pénétrer dans la cité, par une allée couverte bordée de colonnades (5).

La cour du Heb-Sed (2) : lors de cette cérémonie, le roi devait tourner dix fois autour des deux bornes (3) symbolisant la Haute et la Basse-Égypte, afin de prouver qu'il était encore suffisamment puissant pour diriger le Double-Royaume.

Une autre cour (7), au sud-ouest, abritait les dix chapelles consacrées aux dieux principaux de la grande Ennéade de Iounou. Celle-ci comportait neuf divinités : Atoum, Geb, Nout, Tefnout, Shou, Isis, Osiris, Nephtys, Seth, plus une dixième, Horus, en laquelle elles s'unifiaient.

Une «maison du Nord» (8), consacrée à la Basse-Égypte, et une «maison du Sud» (9), dédiée à la Haute-Égypte, complétaient la cité. Au nord de la pyramide, un temple (10) abritait le serdab du roi Djoser. Encore aujourd'hui, on peut voir la statue qui le représente.

La pyramide (1) fut construite à partir d'un mastaba carré de soixante mètres de côté. On édifia d'abord quatre degrés, puis deux autres, tous adossés à la façade ouest. La hauteur de l'édifice atteignait 63 mètres, ce qui en faisait, à l'époque, le plus grand monument du monde. À la base, elle mesurait 125 mètres sur 109. Au fond du grand puits central se trouvait le tombeau royal, en granit, et orné de faïence bleue. On a découvert sous la pyramide, un réseau de galeries s'étageant sur trois niveaux, dont le plus profond est situé à plus de 30 mètres. Ces galeries ouvrent sur des passages et des chambres abritant les tombeaux de la famille royale. Dans les années trente, Jean-Philippe Lauer y a retrouvé quelque 35 000 vases et pièces de vaisselle ayant appartenu aux rois des deux premières dynasties.

PERSONNAGES PRINCIPAUX

AKHET-AÂ : directeur des approvisionnements du chantier de Saqqarâh®

AKHTY-MERI-PTAH : fils de Djoser et de Thanys (futur Sekhem-Khet)

AMANÂOU (NÂOU) : fils d'Imhotep et de Merneith, frère de Thanys®

ANKHAF : second fils d'Imhotep et de Merneith, frère de Thanys®

ARIA : princesse crétoise, fille de Radhamante

AYOUN : marchand égyptien

DJOSER : second fils de Khâsekhemoui®

GALYEL : roi (minos) de Kytonia

HESIRÊ : maître sculpteur®

HETEP-HERNEBTI (HETTI) : fille de Djoser et de Thanys®

HOBAKHA : capitaine de navire

HO-HETEP : directeur des Greniers (successeur de Nakht-Houy)

IMHOTEP : voyageur, savant, architecte, médecin, grand prêtre égyptien®

INKHA-ES : fille de Djoser et de Thanys®

JOKAHN : mage chypriote

KHIRÂ : fille naturelle de Thanys

MENTOUCHEB : marchand égyptien

MERNEITH : mère de Thanys et épouse d'Imhotep

MOKHTAR-BA : roi de Chypre

MOSHEM : Amorrhéen, directeur des enquêtes royales

NEFRETKAOU (RIKA) : épouse de Piânthy

NEMETER : précepteur de Seschi et Khirâ

NESERKHET : amie de Khirâ

OUADJI : nain, ami d'Imhotep

PASIPHAÉ : reine de Kytonia

PIÂNTHY : ami de Djoser, Général de la Maison des Armes

POLLYS : fils de Mokhtar'Ba, frère jumeau de Tash'Kor

RADHAMANTE : roi (minos) d'Arméni

SEFMOUT : grand prêtre Sem de Mennof-Rê

SEMOURÊ : cousin de Djoser, et neveu de Khâsekhemoui

SENEFROU : régisseur de Djoser, à Kennehout

SESCHI (*Nefer-Sechem-Ptah*) : fils de Djoser et de Lethis

TADOUNKHA : roi hittite

TASH'KOR : fils du roi de Chypre et frère jumeau de Pollys

TAYNA : maîtresse de Tash'Kor

THANYS/NEFERT'ITI : fille de Merneith, épouse de Djoser.

Note : le signe ® indique les personnages ayant réellement existé.

PROLOGUE

An neuf de l'Horus Djoser...

La lumière déclinante du soleil jouait sur les flancs réguliers de la pyramide[1], découpant sur le sol rocailleux du plateau une ombre allongée et mauve, qui contrastait avec les reflets dorés de la fin d'après-midi. Le revêtement d'un blanc éblouissant de calcaire conférait au monument prodigieux une vie étrange, mystérieuse, due à la perfection de ses lignes. On eût dit un vaisseau inconnu, issu d'un monde inaccessible, venu se poser sur le plateau sacré comme l'ambassadeur d'une intelligence supérieure. Jamais encore on n'avait admiré semblable construction, et il ne pouvait s'agir là que d'un édifice inspiré par les dieux. Il comportait déjà trois niveaux, mais les travaux laissaient présager que sa structure ne s'arrêterait pas là. Chaque degré dépassait la hauteur de six hommes, et sa hauteur totale atteignait déjà plus de soixante coudées.

1. Pyramide : le mot égyptien pour désigner ces monuments était « mer ». Le mot pyramide vient en réalité du grec « pyramis », qui était un petit gâteau de blé ayant une forme identique.

Une longue rampe orientée vers le fleuve menait au sommet. Composée de débris de roche, de sable et de briques, elle était recouverte de troncs d'arbres enduits d'argile que des manœuvres ne cessaient d'arroser, pour faciliter la progression des traîneaux chargés de lourds blocs de calcaire. Quelques dizaines d'ouvriers travaillaient sans relâche pour hisser les monolithes sur la plate-forme du troisième niveau. La traction était assurée par des ânes ou des bœufs, parfois par des prisonniers ou des volontaires.

On devinait, sous cette rampe, les vestiges de deux levées successives plus larges, qui avaient servi à édifier les premiers niveaux. Pour l'heure, sous les ordres des contremaîtres, les équipes de tailleurs de pierre travaillaient d'arrache-pied afin d'achever le quatrième degré avant la nouvelle année. Si les prédictions de Moshem l'Amorrhéen s'avéraient, une terrible sécheresse de cinq ans menaçait Kemit, et les travaux en seraient immanquablement ralentis. Aussi les maçons poursuivaient-ils leur tâche jusqu'à la tombée de la nuit.

L'enceinte destinée à protéger la cité sacrée ne comportait encore que les murailles sud et ouest. Mais les fondations de la section septentrionale existaient déjà, ainsi que celles de différents temples et chapelles, dont Bekhen-Rê expliquait le projet au couple royal. Derrière eux s'élevait une succession de murs terminés par des colonnes. L'architecte indiqua qu'à cet endroit se situerait la seule véritable entrée de la cité. Quatorze autres fausses portes seraient aménagées le long des remparts, en trompe l'œil, pour décourager les pillards.

Thanys écoutait à peine ce que disait leur mentor.

Elle connaissait déjà le projet, dévoilé par son père, le grand Imhotep, concepteur de la cité, que ses ouvriers surnommaient le Magicien. Depuis la disparition de la secte maudite des Sethiens, trois ans auparavant, la construction du monument n'avait plus rencontré d'incident majeur. Parallèlement, le royaume des Deux-Terres avait connu un essor formidable que rien n'était venu entraver. Pourtant, Thanys demeurait vigilante. Elle ne parvenait pas à oublier les horreurs provoquées par la secte des fanatiques de Seth-Baâl, le dieu-serpent, les corps exsangues des enfants sacrifiés, les attentats ignobles qui avaient coûté la vie à tant d'innocents, le feu-qui-ne-s'éteint-pas et les guerriers morts dans l'embrasement du temple de la caverne rouge. Malgré les années, les cicatrices n'étaient pas encore refermées. Il arrivait encore à la petite Inmakh, l'épouse de Semourê, de faire des cauchemars au souvenir du sang humain qu'on l'avait contrainte à avaler.

Pour Djoser et pour elle, Thanys, le spectre de la terreur s'était dissimulé sous le masque hypocrite d'une amitié perfide. Derrière le visage chaleureux et sympathique de Kaïankh-Hotep, fils d'un noble fidèle revenu du Levant, s'abritait un ennemi acharné à les détruire : Meren-Seth, descendant de l'usurpateur Peribsen. Pendant plus de deux années, il avait adroitement instauré un climat d'insécurité et d'angoisse, frappant là où on l'attendait le moins, usant de tous les stratagèmes pour déstabiliser la puissance de l'Horus.

Tout s'était achevé par un terrible affrontement au cours duquel le village des serpents, situé dans le désert oriental, avait été détruit. Retournant leur arme monstrueuse contre eux, Djoser avait embrasé les lieux avant de donner l'assaut final. La plupart des prêtres fanatisés transformés en guerriers avaient péri durant les combats. Les quelques dizaines de rescapés avaient rejoint les mines d'or de Nubie où les plus robustes ne résistaient pas plus de trois ou quatre ans. Leurs massacres ignobles n'avaient pas incité le roi à la clémence.

La victoire avait été totale. La disparition de Meren-Seth avait effacé toutes les dissensions existant entre les anciens partisans du dieu rouge et Djoser, qui avait enfin obtenu gain de cause auprès des différents temples : faire reconnaître Horus comme dieu principal de Kemit.

Un doute subsistait pourtant. Si on supposait que Meren-Seth avait succombé au cours de l'affrontement, jamais on n'avait retrouvé son corps. Il avait été impossible de l'identifier parmi les quelque deux cents cadavres calcinés qui jonchaient le campement ennemi. L'un de ses lieutenants survivants avait avoué qu'il semblait avoir disparu peu avant la bataille, sans en être certain. Djoser avait lancé ses guerriers à la poursuite d'éventuels fuyards, mais aucune preuve d'une quelconque évasion n'avait été apportée. Meren-Seth avait vraisemblablement péri au milieu du brasier qui avait anéanti la moitié de son repaire. Mais peut-être s'était-il évanoui au cœur du désert complice, et le khamsin qui s'était levé le lendemain avait effacé ses traces. Une rumeur avait très vite circulé, affirmant qu'il avait survécu, et qu'il reviendrait pour prendre sa revanche.

Ce doute obscur perturbait l'esprit de Thanys. Il lui semblait parfois croiser le sourire trompeur de Meren-Seth, qu'elle continuait d'appeler Kaïankh-Hotep. Leur cousinage avait valu aux deux hommes une ressemblance stupéfiante, qui avait abusé tout le monde. Si le véritable Kaïankh-Hotep était un homme bon et loyal, Meren-Seth était une canaille de la pire espèce, un individu sans scrupules qui avait assis sa monstrueuse popularité sur le sang d'enfants innocents qu'il faisait égorger et dont il offrait le sang à ses disciples. Il se voulait le fondateur d'une nouvelle religion basée sur la terreur et la domination. Avec lui était apparu le spectre d'un dieu terrifiant et destructeur, bien éloigné de l'harmonie voulue par la règle de Maât.

Cependant, depuis trois ans, rien ne s'était produit qui pût laisser penser que Meren-Seth avait survécu à la bataille du désert. Les prêtres fanatiques avaient été condamnés. Peut-être certains d'entre eux avaient-ils réussi à échapper à la vigilance de la police secrète de Moshem, mais ils avaient renoncé à toute activité, car aucune exaction n'avait été commise depuis la disparition du grand prêtre de Seth-Baâl. Cependant, son fantôme continuait de hanter les mémoires, engendrant toutes sortes de récits plus inquiétants les uns que les autres, qui entretenaient la rumeur. On n'avait pas oublié les sinistres apparitions du fantôme de Peribsen. On savait qu'il s'agissait d'un subterfuge pour impressionner les esprits. Pourtant, des personnes influençables doutaient encore. Pour elles, l'usurpateur disparu avait tenté de reprendre le trône volé aux ancêtres de l'Horus. Il avait échoué, mais pouvait-on affirmer qu'il ne reviendrait pas?

Thanys s'expliquait ainsi l'obscure sensation de malaise qu'elle ressentait lorsqu'elle évoquait le souvenir de cet être machiavélique. Au-delà de l'homme, elle devinait, toujours présent, le spectre rampant du dieu effrayant issu de sa mégalomanie et qui cristallisait les aspects les plus ténébreux de l'âme humaine. S'il semblait sommeiller actuellement, il restait à craindre qu'il ne se réveillât un jour ou l'autre.

Chassant ces souvenirs lugubres par un effort de volonté, elle abandonna Djoser et Bekhen-Rê à leurs discussions et quitta l'enceinte sacrée, suivie de ses servantes. Vers le sud s'étendait le petit village construit pour les ouvriers permanents. Depuis plusieurs années, ceux-ci avaient fini par y établir un site animé, où étaient réunis tous les corps de métiers nécessaires au bon avancement du chantier : maçons, tailleurs de pierre, charpentiers, fabricants d'outils, sculpteurs, peintres, élèves architectes qui secondaient Imhotep, ainsi que l'inévitable année de scribes chargés de tenir à jour les plans de la cité et les rémunérations des ouvriers. Des ribambelles d'enfants couraient en tous sens aux alentours. Les plus âgés aidaient leurs parents, apprenant ainsi leur futur métier. Des boulangers fabriquaient toutes sortes de pains aux formes différentes, parfois fourrés aux dattes ou aux raisins secs. Les femmes brassaient une bière épaisse que l'on buvait à l'aide d'une pipette de bois équipée d'un filtre. On y trouvait même un cordonnier et deux tisserands qui fournissaient les familles en toile de lin pour la confection des pagnes et des robes.

L'intendant Akhet-Aâ, qui approvisionnait tout ce monde, s'était fait bâtir une petite maison qui lui permettait de ne pas regagner Mennof-Rê tous les jours. Thanys aimait bien ce personnage perpétuellement inquiet, qui redoutait toujours de manquer de quoi que ce fût pour nourrir ses ouvriers. Persuadé d'être irremplaçable, il ne savait pas comment se décharger d'une partie de ses tâches sur ses collaborateurs. Par chance, il était secondé par Ameni, un paysan de Kennehout[1] spécialisé dans l'élevage des oiseaux. À l'inverse d'Akhet-Aâ, Ameni jouissait d'un caractère heureux, d'une humeur toujours égale. Son calme inébranlable contrastait avec l'agitation permanente de l'intendant. Les deux hommes s'étaient liés d'amitié depuis qu'Ameni avait sauvé la vie d'Akhet-Aâ. Le second puisait souvent dans le premier la force nécessaire à la poursuite de sa tâche.

Jusqu'à la lisière du plateau s'étirait une savane clairsemée, où l'on apercevait parfois des hardes de gazelles ou d'antilopes, plus rarement des groupes de lions ou de hyènes. Les grands fauves, dérangés par les activités humaines, s'étaient réfugiés plus au sud. Au-delà s'étendait le désert rouge de l'Ament, où, selon la tradition, se situait l'accès au royaume des morts. C'était pour cette raison que les entrées des demeures d'éternité construites en bordure du plateau, à proximité de la vallée, étaient tournées vers l'Occident.

Thanys devina, au cœur de la nécropole, la présence de Khirâ et de Seschi, venus apporter des offrandes au dieu bon Khâsekhemoui en compagnie de leur précepteur, Nemeter.

Elle jeta un dernier coup d'œil en direction des vastes étendues rocailleuses du désert. Il lui semblait percevoir l'écho d'une menace en gestation, au-delà de l'horizon, au-delà même, peut-être, de la compréhension humaine. Mais s'agissait-il du fantôme de Meren-Seth, qui refusait de disparaître de sa mémoire, ou bien d'autre chose ? Resserrant autour d'elle la légère cape de lin qui couvrait ses épaules, elle revint vers la cité sacrée.

---

1. Kennehout : domaine appartenant au roi Djoser, hérité de son précepteur, Merithrâ, et situé dans le Sud.

PREMIÈRE PARTIE

La Mort Noire

1

Pleins d'une crainte respectueuse, les deux enfants déposèrent leurs offrandes sur les tables basses en granit, dans les plats de faïence bleue prévus à cet effet. La lumière ocre de la fin d'après-midi pénétrait la chapelle constituant la première salle du tombeau de l'ancien roi. Peu impressionnée par la solennité du lieu, Khirâ recula d'un pas et fit une moue sceptique. Désignant l'ouverture sombre donnant sur le serdab, elle déclara d'un ton incrédule à son précepteur :

— Nemeter, crois-tu qu'il va réellement manger ces fruits ?

— Bien sûr, petite princesse !

— Je n'ai jamais vu une statue avaler quoi que ce soit ! rétorqua-t-elle.

Nemeter la sermonna :

— Khirâ ! Prends garde que tes paroles n'offensent le dieu bon. Il pourrait se fâcher de ton impertinence !

La fillette, butée, ne répondit pas. Son frère, alarmé par sa réaction, expliqua :

— Ce n'est pas une statue ordinaire ! Elle est vivante ! Sefmout a pratiqué sur elle *l'ouverture de la*

27

bouche. Elle est habitée par l'esprit de notre ancêtre, l'Horus Khâsekhemoui.

— C'est exact, Seigneur Seschi, confirma Nemeter. Cette statue est le kâ, c'est-à-dire le double spirituel du roi.

Nemeter prit la main de la petite et l'amena devant l'orifice du serdab. Khirâ, soudain peu rassurée, s'approcha à contrecœur, et glissa un regard à l'intérieur. Une fente pratiquée dans le mur occidental éclairait la pièce d'une lumière parcimonieuse. Mal à l'aise, elle distingua une haute silhouette noire, au regard si réaliste qu'elle sentit une onde de frayeur la parcourir. Sculpté dans l'ébène, le kâ était recouvert par endroits de feuilles d'or, imitant vêtements et bijoux. Une odeur indéfinissable rappelant le bitume, à laquelle se mêlaient les senteurs épaisses et parfumées de l'encens, flottait dans l'air. Khirâ regretta ses paroles désinvoltes. La statue la fixait de ses yeux noirs animés d'un étonnant simulacre de vie. Impressionnée, elle recula et vint se réfugier près de Nemeter. Seschi se moqua gentiment d'elle.

— Tu ne dois pas avoir peur ! dit-il. Le dieu bon Khâsekhemoui était le père de notre père.

— Est-ce… qu'il était comme ça, tout noir ?

Malgré l'austérité du lieu, Nemeter faillit éclater de rire.

— Non, ô jeune maîtresse, répondit-il. Le kâ est une statue en bois d'ébène dont le rôle est de servir de véhicule au défunt pour lui permettre d'accomplir les gestes de la vie quotidienne.

— Véhicule ?

— Le dieu bon est devenu un esprit. Sous la forme d'un oiseau à tête humaine, le Bâ, il a rejoint les étoiles et le royaume d'Osiris. Mais il continue aussi à vivre parmi nous et à veiller sur son peuple, même au-delà de la mort. Cette statue, le kâ, lui permet de rester en contact avec le monde des vivants. C'est pourquoi nous devons lui apporter de la nourriture et des offrandes.

— Alors... la statue va manger les fruits que nous avons apportés ? insista Khirâ.

Embarrassé, Nemeter, déclara :

— Elle ne va pas les manger au sens où tu l'entends. Mais leur vue et leur odeur vont réjouir le cœur et l'esprit de Khâsekhemoui.

La fillette hocha la tête, pas très convaincue. D'une nature pragmatique, elle ne parvenait pas à s'expliquer comment une sculpture de bois pouvait se nourrir de l'odeur et de la vue de victuailles. Chaque fois que l'on pénétrait dans un tombeau, on retrouvait les offrandes précédentes desséchées par les vents du désert, ou dévorées par les rongeurs et les insectes, sauf si quelque pillard était passé par là. Il y avait là un mystère qui lui échappait.

Cependant, elle ne remettait nullement en doute les affirmations de Nemeter. Son savoir était immense, même s'il ne connaissait pas autant de choses que leur grand-père, le sage Imhotep. Alors, son imagination fertile tentait de compenser le mystère, et lui faisait entrevoir le kâ s'animer, le mur s'ouvrir pour lui laisser un passage. La vue hypothétique de la grande sculpture noire marchant sur elle l'effraya tellement qu'elle se mit à trembler et serra plus fort la main de Nemeter.

Cette éventualité n'avait rien d'invraisemblable. Ne disait-on pas que les morts reprenaient vie dans le royaume d'Osiris, et qu'ils continuaient de hanter le monde des vivants ? Les tombeaux étaient leurs demeures d'éternité, reflet de la maison qu'ils avaient habitée pendant leur vie sur les rives du fleuve-dieu.

Âgés de neuf ans, Khirâ et Seschi avaient été confiés à Nemeter, disciple d'Imhotep. Bien qu'ils n'eussent aucune consanguinité, ils se considéraient comme frère et sœur. Seschi, de son nom officiel Nefer-Sechem-Ptah, était le fils de Djoser et de Lethis, une jeune princesse bédouine morte peu après sa naissance. L'enfant ne conservait aucun souvenir d'elle et considérait Thanys comme sa vraie mère. De même, Khirâ avait vu le jour dans le désert du lointain pays de Pount, fille naturelle de Thanys et d'un roi pirate, le terrible Khacheb. Mais elle ignorait tout de sa naissance et il ne faisait aucun doute dans son esprit que le dieu vivant qui gouvernait les Deux-Royaumes était son père. Un père pour lequel elle éprouvait une très grande admiration et une affection quelque peu possessive.

Ni Djoser ni son épouse n'avaient désiré leur révéler la vérité. Élevés ensemble depuis leur plus tendre enfance, ils ne s'étaient jamais posé de questions sur leurs dissemblances physiques et morales.

Grand et élancé, Seschi possédait un visage carré et large, transmis par les gènes paternels, tout comme sa taille supérieure à la moyenne et sa force peu commune pour un enfant de son âge. Djoser avait l'impression de retrouver en lui son propre reflet, quelques années plus tôt. À son exemple, Seschi était le point de mire d'une petite cour d'admirateurs, parmi lesquels son jeune frère Akhty-Meri-Ptah, aujourd'hui âgé de six ans, et Nâou, le premier fils d'Imhotep et de Merneith. Depuis peu, Seschi portait fièrement un petit pagne, alors que les autres enfants, même Khirâ, allaient entièrement nus, ainsi que le voulaient la coutume et le climat. Toutefois, il conservait le crâne rasé, orné de la mèche caractéristique qu'un anneau ramenait sur l'oreille droite. Tout en lui respirait la force, appuyée par une volonté inébranlable.

À l'inverse, Khirâ était bâtie en souplesse et en finesse, au physique comme sur le plan du caractère. Elle avait hérité de la merveilleuse beauté de sa mère, particulièrement de son regard vert incomparable. Si Seschi régnait sur sa petite troupe grâce à son autorité naturelle, Khirâ, son double féminin, exerçait sur tous une séduction irrésistible.

Les liens qui les unissaient étaient très forts, faits de tendresse et de complicité, et d'une étrange rivalité. Dotés tous deux d'une solide personnalité, ils s'opposaient régulièrement pour affirmer leur pouvoir sur leur petit monde d'enfants. Fiers l'un comme l'autre jusqu'à l'arrogance, ils refusaient de céder le pas même lorsqu'ils constataient leurs torts. En vertu de son statut de mâle, Seschi aurait voulu imposer ses vues par la force. Mais Khirâ, encore plus orgueilleuse que lui et farouche comme un chat sauvage, ne l'entendait pas de cette oreille. Ces conflits se terminaient souvent par des pugilats mémorables dont leurs membres conservaient les traces sous la forme de griffures et de morsures, complétées par quelques coups de badine de Nemeter, que ces combats de chiens de rues avaient le don d'irriter.

Toutefois, ils étaient incapables de rester longtemps fâchés, chacun ayant besoin de l'autre comme de l'air qu'il respirait. Aussi, après une courte période de bouderie au cours de laquelle ils ruminaient de sombres projets de vengeance, ils tombaient dans les bras l'un de l'autre et concoctaient quelque nouvelle facétie.

Le pauvre précepteur avait fort à faire pour contenir ces deux natures riches et exubérantes. Il avait parfois l'impression de se trouver face à deux petits fauves indomptables, capables du meilleur comme du pire. Cependant, leur générosité et l'affection profonde qu'ils lui vouaient compensaient largement sa peine.

Leurs caractères se complétaient à la perfection. Remarquablement intelligent et d'esprit ouvert, Seschi comprenait sans difficulté les mystères divins et les sciences que Nemeter leur enseignait chaque jour. Doté d'une curiosité insatiable, il se passionnait pour tous les sujets. Lorsque le grand vizir, Imhotep, leur grand-père, visitait la capitale, il aimait lui tenir compagnie pour lui poser toutes sortes de questions. C'était d'ailleurs cette curiosité qui avait incité Imhotep à proposer Nemeter comme précepteur. Âgé d'une quarantaine d'années, Nemeter faisait partie du cercle secret des Initiés, ces prêtres qui détenaient le savoir du Labyrinthe sacré situé dans le désert oriental.

Khirâ bénéficiait d'une intelligence intuitive. Si elle comprenait facilement, la fillette ne se souciait guère d'étudier. Elle mordait dans la vie à belles dents, faisait preuve d'imagination lorsqu'il s'agissait d'organiser un jeu ou de faire une farce, mais les séances d'écriture étaient pour elle un véritable calvaire. Thanys avait tenu à ce qu'elle apprît la signification des signes sacrés, comme elle l'avait fait en son temps avec Djoser. La petite prétendait que l'écriture hiératique n'était qu'un gribouillis incompréhensible, et elle boudait les hiéroglyphes. Sa mère lui avait fait remarquer que très peu de filles avaient la chance de pouvoir étudier les medou-neters, mais Khirâ s'en moquait. Son charme et sa séduction faisaient que l'on ne pouvait la gronder lorsqu'elle inventait mille ruses pour échapper à la corvée. De plus, sa mémoire phéno-ménale, héritée de sa mère, lui permettait d'apprendre sans trop d'effort. En réalité, elle savait parfaitement lire et écrire, mais cela l'ennuyait au plus haut point. Elle préférait chasser les oiseaux au bâton de lancer et participer aux jeux vigoureux d'ordinaire réservés aux garçons. Elle comptait bien, à l'instar de sa mère, apprendre le maniement des armes. Comme Thanys autrefois, elle possédait déjà un petit arc dont elle savait très bien se servir.

Leur offrande accomplie, les deux enfants suivirent Nemeter hors du tombeau. Un petit groupe de fidèles demeuré par déférence à l'extérieur, les remplaça, les bras chargés de corbeilles emplies de dattes et de figues séchées.

À pas lents, Nemeter et ses jeunes élèves traversèrent la nécropole située en bordure du plateau de Saqqarâh. À cette heure tardive de l'après-midi, les visiteurs venus porter des présents à leurs défunts se faisaient plus rares. Au sud et à l'ouest s'étendait la vaste savane de perséas, de sycomores et de palmiers qui menait jus-qu'aux portes du désert rouge de l'Ament. Quittant la cité des morts, ils se dirigèrent vers la pyramide, dont ils apercevaient le sommet au-delà des grands arbres.

Serrant la main de Seschi, Khirâ éprouvait un malaise incompréhensible. Elle tenait de sa mère une sensibilité exacerbée et ressentait parfois les événe-ments à venir sous la forme d'avertissements mysté-rieux qui montaient du plus profond de son être.

L'éclairage doré du dieu Rê faisait étinceler les parois obliques de la pyramide, lui conférant un aspect irréel, comme si elle n'avait pas appartenu au monde des hommes, mais à quelque rêve venu se poser sur la savane. Au-delà du plateau commençait le désert, le royaume du terrible dieu Seth. On racontait que cette étendue infinie et désolée servait de refuge aux affrits, ces esprits démoniaques qui se jouaient des humains. Les vieux affirmaient que leur simple vue rendait fou, et qu'ils entraînaient leurs victimes au plus profond du désert, où le vent les desséchait tout vifs, comme un feu sans flamme. Aussi loin que la mémoire portait, on avait retrouvé de nombreux corps, le visage figé dans une expression d'horreur, les yeux dévorés par les scorpions et les rongeurs. Pourtant, malgré les légendes sinistres courant sur ce lieu inquiétant, le désert avait depuis toujours exercé sur Khirâ une fascination étrange, mélange de frayeur et d'une attirance inexplicable. Des servantes avaient plusieurs fois murmuré devant elle qu'elle était née dans un désert. S'agissait-il de celui-ci ? Elle avait interrogé sa mère, mais Thanys avait éludé la question. Avec le temps, elle avait fini par s'habituer à sa présence, comme une menace lointaine et permanente. Depuis Mennof-Rê, sur les rives du fleuve-dieu, on ne le voyait pas, mais on le devinait, immensité aride et patiente, qui de temps à autre tentait d'engloutir les terres noires de la vallée.

La nuit suivante, elle eut peine à trouver le sommeil. Un malaise inexplicable s'était emparé d'elle, qui refusait de s'estomper. Dans la soirée, elle avait ressenti une certaine nervosité, partagée par nombre des habitants de la Grande Demeure. Les serviteurs d'ordinaire insouciants affichaient des visages graves et tristes. Le repas du soir, partagé avec Seschi et les autres enfants, s'était déroulé dans un silence inhabituel.

Allongée sur sa natte, Khirâ ne cessait de se retourner. Recrue de fatigue, elle plongeait dans un sommeil agité, dont elle s'éveillait en sursaut, le cœur battant la chamade. D'étranges cauchemars hantaient ses brèves périodes de sommeil, où elle sentait peser sur elle et sur Kemit un danger effroyable, sans forme, sans visage. Elle se voyait dans différents endroits de la cité, ou sur les rives du fleuve-dieu. Tout semblait parfaitement normal, mais elle savait qu'une horreur invisible se dissimulait derrière l'apparence de la sérénité. Une terrible sensation d'étouffement lui broyait la poitrine.

Vers le milieu de la nuit, l'épuisement commença à avoir raison d'elle, et les cauchemars s'espacèrent. Tout à coup, un phénomène insolite l'éveilla de nouveau. Un grondement sourd, à la fois proche et lointain, lui parvenait au travers de la fenêtre masquée par des panneaux de bois à claire-voie. Elle crut être retombée dans ses rêves tourmentés. Puis elle se rendit compte qu'elle ne dormait pas. Des craquements se firent entendre, puis des claquements secs de volets violemment rabattus. Le rugissement s'amplifiait d'instant en instant. Saisie par l'inquiétude, elle se leva et courut à la fenêtre, dont elle ouvrit les vantaux. Elle ne comprit pas tout de suite ce qui se passait. Mais ce qu'elle constata mua instantanément son inquiétude en angoisse.

Dans le ciel nocturne, toutes les étoiles avaient disparu.

2

L'ouragan qui s'était abattu depuis plusieurs jours sur la cité interdisait pratiquement toute activité. Jamais le vent du désert n'avait soufflé avec une telle violence. Il absorbait l'énergie des plus courageux. Même les nuits trop courtes n'apportaient aucun répit. Les hurlements incessants pénétraient le corps et l'âme, comme pour tout emporter, tout balayer, ne laissant derrière eux qu'une profonde lassitude et une angoissante sensation de vacuité. Dans le ciel assombri, crépusculaire, tournoyaient des tornades de sable et de poussière. Des falaises de fureur se déchaînaient sur la cité faisant vibrer les murailles, pénétrant dans les maisons et jusqu'au cœur de la Grande Demeure.

Dévorée d'inquiétude, Khirâ se blottissait contre Nemeter.

— Allons, petite maîtresse, la consolait-il doucement, ce n'est que le vent du désert. Nous approchons de la fin de la saison des moissons, et il ne se passe pas une année sans qu'il souffle à cette période. Bientôt, il se calmera, et tout redeviendra comme avant.

Mais Khirâ ne pouvait détacher ses yeux du Léviathan qui semblait vouloir engloutir la vallée tout entière. Depuis les étendues marécageuses du Nord jusqu'aux abords de la Balance des Deux-Terres, et même au-delà, il balayait Kemit dans un grondement d'apocalypse. Elle connaissait déjà le khamsin. Il ralentissait toute activité pendant les trois ou quatre jours durant lesquels il soufflait, puis disparaissait comme il était venu, laissant derrière lui des monticules de sable rouge entassés le long des demeures et dans les jardins, que les serviteurs mettaient plusieurs jours à ôter.

Cette fois pourtant, c'était différent. Khirâ ressentait derrière ce nouvel assaut du vent du désert la manifestation d'une divinité mauvaise, dont les conséquences seraient bien plus graves que d'habitude. Sur le chantier de la cité sacrée, le travail avait cessé. Ouvriers et contremaîtres, maçons et sculpteurs avaient gagné l'abri de leurs maisons. La fillette imaginait la silhouette massive de la pyramide inachevée, dressée tel un énorme navire immobile, défi colossal jeté à la face des éléments.

Malgré la température accablante, elle frissonnait. Au cœur de l'haleine infernale de l'ouragan, elle avait l'impression d'entendre hurler la voix épouvantable du dieu rouge. Un sentiment de mal-être lui tordait les entrailles, comme si son enfance se dissolvait dans les grondements de la tempête. Elle sentait, sans pouvoir l'expliquer, que le vent maudit apportait avec lui un cortège de catastrophes, contre lesquelles même la puissance formidable de son père, le dieu vivant qui régnait sur les Deux-Terres, ne pourrait rien.

Par les fenêtres du palais, protégées par des panneaux de bois tendus de papyrus, Djoser et Thanys contemplaient la grande place du palais, ouverte sur la large avenue menant à l'oukher, le port. À l'entrée se dressaient deux hautes statues. L'une représentait Horus, le dieu suprême. L'autre incarnait Ptah, le démiurge, celui qui avait créé le monde par la puissance de sa pensée. Ptah, *le dieu au beau visage*, était le neter originel de Mennof-Rê. À droite et à gauche de la place s'amorçaient des ruelles menant vers les différents quartiers. On distinguait, à travers un voile mouvant, les silhouettes fantomatiques des artisans harassés de fatigue, emmitouflés, malgré la chaleur, dans des capes, afin de se protéger du sable. Celui-ci s'infiltrait partout, jusque dans la nourriture, et faisait crisser les dents. Le palais n'était pas épargné. De longues tramées rousses, semblables à du sang séché, s'étiraient sur le dallage des pièces, dans la salle du Trône, et même dans le naos, le lieu sacré où veillait la statue d'Horus.

La tempête durait depuis près de dix jours à présent, et rien ne permettait d'espérer une accalmie. Des rumeurs commençaient à courir selon lesquelles le dieu Seth avait déchaîné sur Kemit le serpent monstrueux Apophis, la divinité épouvantable qui, chaque matin, tentait d'empêcher le soleil de poursuivre sa course.

Le roi observa sa compagne à la dérobée. Avec les années, malgré ses grossesses et les épreuves traversées, Thanys n'avait rien perdu de sa beauté. Cependant, cette beauté seule ne justifiait pas l'amour exclusif qu'il lui portait. Au-delà de l'apparence physique, de la femme épanouie et magnifique qui subjuguait la Cour tout entière et les ambassadeurs des pays lointains, il aimait sa merveilleuse joie de vivre, sa solidité sans faille, il aimait son regard brillant, couleur de malachite, son profil fin et racé. Elle savait lui redonner confiance lorsque le doute l'assaillait. Souvent, il remerciait les dieux d'avoir placé à ses côtés une femme de cette trempe.

Alors que les souverains qui l'avaient précédé avaient toujours eu plusieurs épouses et concubines — parfois pour des raisons politiques —, il n'avait jamais éprouvé l'envie, bien que sa position lui en donnât le pouvoir, de faire entrer une autre femme dans sa couche. Thanys demeurait la seule, l'épouse unique qu'il aimait d'un amour exclusif. Aucune ne saurait partager avec lui la complicité extraordinaire qui les unissait.

Bien sûr, si Lethis, sa petite princesse du désert, avait vécu, il aurait continué de l'aimer. Mais, par respect de la mémoire de l'une, et par amour de l'autre, il avait décidé de ne jamais céder aux propositions à peine voilées des femmes de la Cour. Il n'avait pas encore appris à se lasser du corps de sa compagne, qui conservait, malgré les années, la même fougue amoureuse. Qu'aurait pu lui apporter une concubine ? Il n'avait pas à se forcer pour offrir à son peuple l'image du couple que tous vénéraient. Il aimait profondément Thanys.

Cette image de couple uni réjouissait les Égyptiens, qui avaient en haute estime l'amour conjugal. La solidité du couple royal était, à leurs yeux, le garant de la puissance du Double-Pays. Par le passé, rien n'avait prévalu contre Djoser et Thanys, reflets vivants d'Horus et d'Hathor : ni la rancœur du roi Sanakht, ni les sombres manœuvres du sinistre Nekoufer, ni les abominations commises au nom du dieu rouge par Meren-Seth, descendant de l'usurpateur Peribsen.

Aussi, malgré la tempête, les habitants de Mennof-Rê continuaient d'accorder une confiance aveugle aux dieux humains qui les gouvernaient.

Djoser le savait. Il lui suffisait d'effectuer une promenade dans les rues de sa cité bien-aimée pour sentir sur lui les regards affectueux de ses sujets. N'avait-il pas noué une alliance indestructible avec les neters ? N'avait-il pas vaincu le terrible Nekoufer avec l'aide de Rê lui-même ? N'était-il pas, selon les prêtres d'Iounou, l'incarnation d'Horus, le dixième dieu, le principe unificateur de la Grande Ennéade ?

Il aurait souhaité ne ressentir que l'aspect divin qui vibrait en lui. Mais souvent, son côté humain et mortel s'exprimait, et le doute s'insinuait dans son esprit, corrodant ses certitudes, déstabilisant sa force de demi-dieu à la tête d'un puissant État. Car Djoser se sentait désarmé face à la tempête qui ravageait les Deux-Terres. Il aurait voulu la chasser, l'anéantir, tout comme l'aurait fait son double divin, Horus, s'il avait réellement possédé ses pouvoirs. Mais il souffrait de s'en sentir parfaitement incapable. En ces circonstances, il prenait plus que jamais conscience de son humanité, de sa faiblesse. Les dieux l'avaient placé sur le trône du plus beau pays du monde, et l'on se tournait vers lui pour quêter les réponses aux mystères insondables de l'espace infini. Mais, à lui-même, qui répondrait ?

Parfois, il enviait le plus humble de ses paysans, qui ignorait le secret des lois du monde et les subissait sans se poser de questions. Il en venait à penser que les neters s'étaient trompés, qu'il n'était pas à sa place à la tête des Deux-Royaumes. Alors, il puisait en Thanys la force de continuer à assumer sa tâche. Elle ne doutait jamais de lui.

— C'est ta part humaine qui doute, disait-elle. Tu dois te tourner vers la part divine, le reflet d'Horus. Laisse-le te guider; il saura toujours te montrer la voie.

Il ressentait en lui-même l'écho de l'inquiétude qui avait envahi la jeune femme face à l'ouragan. Mais il n'avait pas besoin de la rassurer : elle était assez forte pour faire face seule à la menace. Elle était son double, son alter ego. Il savait qu'elle ne faiblirait jamais devant l'adversité, et qu'il pouvait s'appuyer sur elle.

À l'extérieur, le khamsin soufflait sans relâche. Djoser n'ignorait pas ce que cela signifiait. Ayant reçu de son dieu, Ramman, le don d'interpréter les rêves, Moshem l'Amorrhéen avait traduit les songes étranges du roi. Il avait prédit que Kemit connaîtrait cinq années d'abondance, suivies de cinq années de sécheresse. Par la suite, Imhotep avait confirmé les paroles du jeune homme.

Effectivement, durant les cinq années précédentes, le dieu du fleuve, Hâpy, et Renenouete, la déesse serpent de la moisson, s'étaient montrés très généreux. On avait pu engranger les surplus qui permettraient de faire face à une éventuelle famine. Ho-Hetep, le directeur des Deux-Greniers, avait fait preuve d'intransigeance. Ses scribes, répandus sur le Double-Pays comme une armée de fourmis, avaient scrupuleusement tenu les comptes des récoltes, et les silos renfermaient désormais de grandes quantités d'orge et de blé. Les troupeaux avaient été particulièrement soignés. Mais cela suffirait-il pour lutter contre une sécheresse de cinq ans?

Dans l'après-midi, bravant l'ouragan, le roi et son épouse se rendirent sur les rives du fleuve divin pour y jeter des lotus sacrés afin de se concilier les dieux. L'inondation aurait dû faire son apparition depuis déjà plusieurs jours. Chaque matin, les guetteurs descendaient dans le nilomètre, le puits gravé construit par le grand vizir Imhotep pour déterminer les hauteurs de crue, scrutant les marques qui auraient permis de déceler la moindre élévation des eaux. Mais le niveau du fleuve demeurait désespérément bas. Lorsque le couple royal revint vers la Grande Demeure, seul le vent rouge et brûlant continuait à souffler sur la ville et la vallée, comme s'il avait voulu les engloutir.

Djoser regagna le palais la mort dans l'âme. Ce retard laissait présager le pire. Et si Moshem s'était trompé ? Si cette tempête n'était que le signe annonciateur d'un cataclysme bien plus grave ? Depuis plus de dix jours, le ciel avait disparu derrière cet épouvantable écran de poussière, de rocaille et de sable. Apophis n'aurait-il pas réussi à vaincre Rê, le dieu-soleil ?

Un élément l'inquiétait particulièrement, même s'il pouvait paraître futile *a priori* : la petite Khirâ semblait avoir perdu le goût du jeu et faisait preuve d'une gravité qu'on ne lui connaissait pas. Sans doute avait-elle hérité de sa mère cette intuition étonnante qui lui permettait de pressentir les événements. Depuis le début de l'ouragan, elle ne s'était plus chamaillée avec Seschi, son frère d'adoption, à la grande stupéfaction de leur précepteur, Nemeter. La proximité du danger paraissait avoir tissé entre eux des liens plus forts.

De retour au palais, il se rendit, en compagnie de Thanys, dans les appartements réservés aux enfants. Lorsqu'ils pénétrèrent dans leur salle de jeux, Seschi et Khirâ, conscients de leurs responsabilités d'aînés, expliquaient d'une voix rassurante que la tempête allait bientôt disparaître, pour laisser place au vent du nord annonciateur de la crue. La sincérité du jeune garçon était telle que l'Horus et son épouse eurent envie de le croire, de s'asseoir parmi les bambins pour écouter ses paroles.

Parmi eux, la petite Inkha-Es, une enfant fragile et délicate, posait sur le monde un regard inquiet. Elle tenait fermement la main de son compagnon, né deux mois après elle. Prénommé Ankhaf, il était le second fils de Merneith et d'Imhotep. En effet, malgré leur âge avancé, les dieux leur avaient accordé un nouvel enfant, qui avait apporté une troisième jeunesse au couple. À quarante-sept ans, Merneith avait retrouvé sans difficulté les gestes des jeunes mères, et resplendissait de santé. Quant à Imhotep, qui avait dépassé les cinquante ans, il n'était pas peu fier de cet héritier tardif.

Le petit groupe se composait d'une douzaine d'enfants issus des plus nobles familles. Le fils légitime du couple royal, Akhty-Meri-Ptah, surnommé plus simplement Akhty, avait été désigné par les prêtres pour succéder à son père. Ils avaient en effet décrété que Thanys avait été *visitée* par le dieu qui avait insufflé sa semence en elle afin de donner naissance au nouvel Horus. Cette perspective ne troublait guère le jeune garçon, qui, à six ans, vouait une admiration sans bornes à son frère aîné, Seschi. La force surprenante de ce dernier l'impressionnait, et il avait à cœur de l'imiter. Ou de tenter de le faire.

Amanâou, dit Nâou, le premier fils d'Imhotep et de Merneith, était, tout comme le petit Ankhaf, le frère de la Grande Épouse. Petit garçon solide, au regard intelligent, il avait reçu de son père le don d'imaginer les machines les plus invraisemblables. Âgé de sept ans, il ressemblait beaucoup à Akhty, sans doute en raison de leur sang commun.

Seschi et Khirâ régnaient sans partage sur ce petit monde, inspirant les jeux, calmant les angoisses, consolant les peines, expliquant avec leurs mots d'enfants les mystères de l'univers. Chaque leçon de Nemeter, parfois interprétée de façon fantaisiste, était immédiatement transmise aux plus jeunes, qui écoutaient, bouche bée, le savoir des deux aînés.

La tempête avait contraint le grand vizir à abandonner la construction de la cité sacrée, et les ouvriers demeuraient cloîtrés dans leur village du plateau, attendant la fin du cataclysme avec impatience. Le seul à y trouver son compte était Akhet-Aâ, le fournisseur de vivres du chantier, qui pouvait, pour la première fois depuis longtemps, souffler un peu.

En raison des fêtes épagomènes, Imhotep et Merneith avaient élu domicile à Mennof-Rê, délaissant quelque temps leur petit palais de Iounou. Les festivités avaient été réduites à leur plus simple expression, se limitant à quelques processions de jeunes filles agitant des sistres, précédant la litière royale et une foule de courtisans résignés qui mâchaient du sable. On avait pensé attirer ainsi la clémence des dieux, mais ceux-ci étaient restés indifférents au sort des hommes.

Trois jours plus tard, le vent du désert cessa enfin, laissant derrière lui une ville recouverte d'une épaisse couche de poussière, de débris de branchages et d'objets divers que les prisonniers esclaves furent chargés d'enlever. Mais le fleuve continua de rouler des flots mornes, qui s'insinuaient avec lenteur autour de longues bandes sablonneuses, refuges des crocodiles, les terribles fils du dieu Sobek. Les canaux étaient à sec, encombrés de détritus et de sable. Seul le grand canal, qui reliait le Nil au bras desservant le plateau de Saqqarâh, permettait encore la navigation. Mais le trafic s'était considérablement ralenti.

Avec la fin de l'ouragan, on avait espéré que la crue d'Hâpy se manifesterait rapidement. Pourtant rien ne se passa. Djoser descendait en personne chaque jour jusqu'au nilomètre afin de surveiller l'évolution du fleuve. L'étoile Sothis, qui annonçait la nouvelle année, était apparue depuis près de dix jours lorsque enfin le niveau consentit à monter. Cependant, il ne s'éleva guère plus de six coudées, contre quinze à vingt habituellement. Les eaux atteindraient leur plus haut niveau aux alentours de la fin du mois de Paophi. Mais il ne dépasserait sans doute pas huit ou neuf coudées.

Très vite, on se rendit compte que cette crue modeste ne pourrait pas recouvrir plus du tiers des champs et des prés. Ce n'était pas la première fois que le Double-Pays connaissait une crue faible. Mais jamais celle-ci n'avait été aussi basse. Or, si l'on possédait du grain en suffisance pour ensemencer les terres, il ne germerait pas s'il n'était pas arrosé régulièrement. Cultiver seulement le tiers des champs donnerait une récolte insignifiante, et engendrerait la famine. La population de Mennof-Rê s'était développée dans de telles proportions qu'il fallait rapidement trouver des solutions

Mais le problème paraissait insoluble. Quelle que soit la manière dont on l'abordait, on se heurtait toujours à la même difficulté : comment irriguer des champs habituellement recouverts par la crue ?

En désespoir de cause, Djoser s'adressa à Imhotep, occupé par ailleurs à organiser le travail des paysans. Le roi lui rendit visite sur le chantier de Saqqarâh, en compagnie de Thanys et de ses proches, Semourê, Moshem et Piânthy. Avec la fin de la tempête, le travail avait repris, sous la conduite des Directeurs des travaux, pour la plupart d'anciens ouvriers formés par le grand vizir.

Celui-ci accueillit le roi avec un plaisir évident et entreprit de lui expliquer l'avancement des travaux avec sa passion coutumière. On utilisait différents appareils pour mettre les blocs en place. L'un d'eux consistait en un trépied de madriers épais, au sommet duquel était fixé un bras équipé, à une extrémité, d'un panier dans lequel on déposait les pierres, et, à l'autre extrémité, d'un contrepoids qui facilitait le déplacement, et permettait d'élever les blocs de plusieurs coudées pratiquement sans effort.

Le groupe royal fut invité à gravir la rampe pour observer les travaux de plus près. Sur le passage de Djoser, les ouvriers baisaient le sol avant de reprendre leur tâche. Depuis l'étroite esplanade formée par le second degré, on bénéficiait d'une vue magnifique sur le plateau sacré, ainsi que sur la vallée, au-delà de la savane.

— Mon cœur est lourd, mon ami, dit le roi. Depuis cette maudite tempête, la terre de Kemit est aussi sèche que l'Ament. Le fleuve n'a pas recouvert assez de terre cultivable. Le grain stocké ne peut nourrir le peuple tout entier.

Le grand vizir ne répondit pas immédiatement. Il se frotta le menton tout en observant le bloc de calcaire qu'un maçon venait de mettre en place. Enfin, il déclara :

— Je connais ton tourment, ô Lumière de l'Égypte. En vérité, le problème est terriblement simple. Si la surface inondée par le fleuve n'est pas suffisante, il faut l'augmenter en amenant l'eau au-delà des limites de l'inondation actuelle.

— Mais comment faire sortir l'eau du fleuve ? s'exclama Djoser.

— Je l'ignore, Seigneur. J'y réfléchis depuis plusieurs jours, mais les dieux ne m'ont guère inspiré.

Djoser baissa la tête, accablé. Si le grand Imhotep lui-même était à bout de ressources, personne ne pourrait soustraire Kemit à la famine qui la menaçait. Il salua l'architecte et redescendit la rampe à pas lourds, comme si le poids des morts à venir pesait déjà sur ses épaules.

Désemparé, Imhotep regarda le roi s'éloigner. Il devinait les paroles de réconfort prodiguée par sa fille, Thanys, à son époux. Il aurait tellement aimé offrir une réponse positive à son ami. Mais il avait beau retourner le problème dans tous les sens, rien n'y faisait. Chaque année, le fleuve sacré inondait la vallée pendant quatre mois, apportant une inimaginable quantité d'eau chargée de limon qui recouvrait les terres jusqu'à l'extrémité du Delta. Les digues et les canaux ne retenaient qu'une faible partie de ces eaux fertilisantes dans les champs, mais cela suffisait pour permettre des récoltes abondantes.

Cette année, la plus grande partie des canaux était restée à sec, malgré les efforts des esclaves pour extraire les pierres et la terre qui les encombraient. Par quel miracle amener dans les champs arides la phénoménale quantité d'eau nécessaire à les irriguer ? On ne pouvait soulever un fleuve comme un monolithe.

Embarrassé, il se retourna vers les ouvriers, occupés à mettre un bloc en place à l'aide de la grue. La lourde pierre calcaire était retenue par des tresses de cordes que l'on ôta dès qu'elle fut posée sur son lit de mortier. L'instant d'après, un qenou — un maçon — effectuait les derniers ajustements, redoublant de zèle en raison de la présence du grand vizir. Pourtant, Imhotep regardait à peine le travail de l'ouvrier. Ses yeux restaient fixés sur la grue au contrepoids de granit, à laquelle un manœuvre s'agrippait afin d'amener le panier de cordage jusqu'à l'étage inférieur. Celui-ci fut chargé promptement, puis l'ouvrier manipula habilement le contrepoids afin d'amener le bloc suivant en place. Bien qu'il eût conçu cet appareil lui-même, la rapidité de la manœuvre étonna Imhotep. Aussitôt, son esprit créatif engendra de nouvelles idées. Et si l'on remplaçait le panier de cordes par un récipient étanche…

— Démontez cette grue ! ordonna-t-il soudain, à la grande stupéfaction des ouvriers et du contremaître.

— Mais, Seigneur…

— Obéissez ! Je veux que l'on amène immédiatement cet appareil sur les rives du fleuve.

On était trop habitué aux idées étranges du grand vizir pour s'en étonner outre mesure. Et il ne serait venu à l'idée de quiconque de discuter ses ordres, même si ceux-ci paraissaient parfois fantaisistes. On découvrait toujours par la suite qu'ils étaient motivés par des idées remarquables.

Cette fois encore, ce fut le cas. Impatiemment, Imhotep attendit que le cortège royal eût quitté le chantier sacré, puis il gagna les rives du Nil en compagnie d'une petite équipe d'ouvriers et de l'architecte Bekhen-Rê, arrivé entre-temps. Le grand vizir tenait à effectuer une première expérience avant de fournir un espoir à son royal ami.

Un peu plus tard, le petit groupe installait la grue à trépied sur les rives malodorantes du fleuve, à la limite d'un champ protégé par une digue. Le panier fut hâtivement équipé d'une outre en vessie d'antilope. Un seul homme était capable de manœuvrer l'appareil sans aucune difficulté. L'opération se révéla très vite concluante. Le champ se couvrit rapidement d'une étendue d'eau génératrice de vie. Imhotep explosa d'un rire joyeux, presque enfantin. Il venait de trouver le moyen de chasser le spectre de la famine. Autour de lui, ses assistants l'imitèrent avec allégresse. Tous avaient compris par quel procédé on allait amener l'eau indisciplinée jusqu'aux champs les plus éloignés, et la retenir prisonnière des digues et des canaux surélevés aussi longtemps qu'on le souhaiterait.

Le lendemain, la manœuvre fut répétée devant Djoser et Thanys, éberlués. L'idée était tellement simple qu'Imhotep se reprochait de ne pas y avoir pensé plus tôt.

— Imagine des centaines de ces appareils installés sur les rives du fleuve. On peut ainsi irriguer la presque totalité du pays.

— Mon ami, tu es prodigieux ! Je vais donner des ordres en conséquence.

Dans les jours qui suivirent, des menuisiers dressèrent de nombreuses grues en bordure du fleuve. Travaillant inlassablement, ils permirent aux paysans de remplir le réseau de canaux, de digues et de rigoles, irriguant ainsi une surface suffisante pour les nouvelles semences.

Cette entreprise colossale eut cependant une répercussion sur le chantier de Saqqarâh : mobilisés par la construction des grues à eau et l'irrigation des champs, les paysans ne purent apporter leur contribution à la construction de la cité sacrée et les travaux ralentirent.

Passionné par sa nouvelle invention, Imhotep délaissa pour un temps la pyramide, dans le but d'élaborer un vaste plan d'ensemble des canaux de la Balance des Deux-Terres[1]. Simultanément, des maîtres artisans rapidement formés furent envoyés, sur les ordres de Djoser, jusque dans les provinces les plus reculées afin d'enseigner aux paysans la construction de ces étranges grues que, bien plus tard, leurs lointains descendants appelleraient des chadoufs.

---

1. Mennof-Rê : Balance des Deux-Terres, ainsi nommée en raison de sa situation géographique, à la jonction de la Haute et de la Basse-Égypte.

3

An douze du règne de l'Horus Neteri-Khet...

Les chasseurs avaient quitté Mennof-Rê depuis le matin, avant même l'apparition de Khepri-Rê à l'horizon oriental. Après avoir contourné le plateau de Saqqarâh par le nord, ils avaient pénétré profondément au cœur de la savane desséchée, jusqu'aux limites du désert de l'Ament. Puis, tandis que les guerriers demeuraient en arrière, le roi et ses compagnons s'étaient dispersés en petits groupes armés seulement d'arcs et de lances.

Parce que les enfants se chicanaient pour suivre Djoser ou Thanys, on avait eu recours au tirage au sort. Celui-ci avait désigné Khirâ pour porter l'équipement de l'Horus, tandis que Seschi devait seconder Thanys. Outre le couple royal, plusieurs seigneurs proches participaient à la chasse, dont Moshem et Piânthy, suivis par Akhty et Nâou.

Khirâ était ravie. Elle aimait ces instants privilégiés où elle se retrouvait seule avec celui qu'elle considérait comme son père. Depuis toujours, il avait été présent, dieu vivant devant lequel se prosternait tout un peuple, mais aussi homme attentionné envers ses enfants. Malgré ses lourdes responsabilités, il leur réservait chaque jour de longs moments au cours desquels il les interrogeait sur leurs études, s'inquiétait de leurs soucis, jouait avec eux. De même, il s'intéressait à leur entraînement guerrier. Bien que ce domaine fût d'ordinaire réservé aux garçons, Khirâ, à l'image de sa mère, avait voulu apprendre à se battre et à manier l'arc, discipline dans laquelle elle excellait.

Depuis l'aube, Djoser et elle pistaient une harde de ces antilopes à cornes spiralées que l'on appelle addax. À présent, le soleil au zénith inondait la savane d'une lumière éblouissante. Étouffant de chaleur, Khirâ n'aurait cédé sa place pour rien au monde, malgré la douleur sourde qui lui torturait le ventre depuis la veille. Elle s'était bien gardée d'en parler. Elle savait que Djoser appréciait sa présence. La chasse la passionnait. Elle aimait sentir la tension monter en elle à mesure que l'on approchait du gibier, sous le couvert des buissons d'épineux qui lui griffaient les jambes. Pour se placer sous le vent, ils avaient dû contourner une vaste dépression. Mais la tactique avait payé, et le troupeau était là, rassemblé autour d'un point d'eau minuscule, pauvre reflet d'un étang d'ordinaire plus étendu.

Khirâ observa la silhouette de Djoser, à l'affût derrière un bloc rocheux. Les muscles du roi roulaient comme ceux d'un fauve sous sa peau dorée par le soleil. D'un signe discret de la main, il lui intima le silence le plus absolu. C'était un conseil inutile : depuis longtemps déjà, la fillette savait se fondre au décor afin de ne pas effrayer le gibier. Elle s'apprêtait à lui tendre une flèche lorsqu'il lui indiqua d'armer son propre arc. Par gestes, il lui fit comprendre qu'il lui abandonnait l'honneur de tirer la première flèche. Une bouffée de fierté inonda la fillette. C'était là la plus belle manière de reconnaître sa valeur de chasseresse. Tandis qu'il s'écartait pour lui laisser le champ libre, elle banda son arc, se concentra. Puis le trait jaillit, imparable. Elle faillit hurler de joie lorsque la flèche se ficha dans le cou d'un animal, qui s'écroula, mortellement touché. L'instant d'après, Djoser tirait à son tour, abattant une autre antilope. Le troupeau marqua un court instant d'affolement, tâchant de repérer l'ennemi invisible. Khirâ en profita pour décocher une seconde flèche, aussi sûre que la première. Djoser lui adressa un sourire rempli d'admiration.

— L'adresse de ma fille est remarquable, dit-il de sa voix chaude. Je doute que Seschi ait fait mieux.

Khirâ se redressa, gonflant ses seins naissants avec orgueil. L'instant d'après, il lui sembla qu'on lui enfonçait une lame dans le bas-ventre. Elle se tordit de douleur et s'écroula sur le sol rocailleux, sous le regard inquiet de Djoser. Très vite, celui-ci comprit la raison du malaise de la fillette. Un filet de sang coulait le long des cuisses de Khirâ. Le roi sourit.

— Rassure-toi, ce n'est rien de grave. Mais il va falloir t'attendre à cet inconvénient toutes les lunes.

— Toutes les lunes ? s'étonna la fillette.

Puis elle se rendit compte de ce qui lui arrivait. Sa première réaction fut la déception. Thanys lui avait parlé de ce phénomène. Elle n'avait pas vraiment voulu y croire. Elle avait d'autre chose à faire que de subir ce saignement stupide pendant plusieurs jours. La menstruation lui interdirait d'accompagner son père à la chasse, de s'entraîner au maniement des armes.

— Je déteste être une fille ! grogna-t-elle.

Djoser faillit éclater de rire. Thanys avait eu la

même réaction bien des années plus tôt. Lorsqu'elle voulut se relever, un nouvel étourdissement saisit Khirâ. Malgré la chaleur, elle se mit à trembler. Le roi la prit dans ses bras et l'emporta.

Un peu plus tard, les différents groupes se rassemblèrent. Le roi ne s'était pas trompé ; Seschi n'avait abattu qu'un animal. Il émit un grognement de dépit en apprenant l'exploit de sa sœur. Depuis toujours, ils rivalisaient d'adresse à l'arc. Mais depuis quelque temps, Khirâ avait pris l'avantage sur lui. Cependant, elle n'avait pas encore réussi à égaler l'exceptionnelle maîtrise de Thanys, qui avait abattu quatre addax à elle seule.

Se défaisant du némès, la coiffure qu'il affectionnait particulièrement, Djoser s'étira face au soleil déclinant. Son crâne rasé luisait dans la lueur dorée de la fin d'après-midi. Khirâ ressentit pour lui une grande bouffée d'affection. Thanys lui avait raconté qu'il possédait en réalité une magnifique chevelure brune et épaisse. Cependant, sa qualité de premier religieux du Double-Royaume exigeait qu'il se rasât les cheveux et toute pilosité tous les trois jours, en signe de purification. Il n'existait qu'une dérogation à cette tradition : lors de la perte d'un être cher.

Après que la troupe se fut désaltérée et restaurée, on reprit le chemin de la vallée. Khirâ ressentait la peine qui rongeait le cœur de Djoser à la vue de son pays ravagé par le fléau. Malgré la douleur qui lui tiraillait le ventre, elle avait refusé de monter sur l'un des ânes qui accompagnaient les chasseurs. Elle voulait rester près de son père. Elle serra plus fort sa petite main dans la sienne. Le bavardage de l'enfant était comme un baume sur l'esprit de Djoser. Trois années entières s'étaient écoulées depuis le début de la sécheresse, et la nouvelle crue s'était révélée encore plus désastreuse que les précédentes. Cette fois, le niveau s'était élevé d'à peine deux coudées. Bien sûr, la prédiction de Moshem avait permis d'éviter la famine. Mais les réserves s'épuisaient inexorablement et les troupeaux dépérissaient dans les pâturages à l'herbe jaunie. Sur le chantier de Saqqarâh, les travaux avaient pratiquement cessé. Les paysans, qui habituellement se trouvaient désœuvrés, devaient se consacrer à l'irrigation des champs à l'aide des grues à eau.

Parvenu à la limite du contrefort rocheux dominant la vallée un peu au nord de Mennof-Rê, Djoser contempla leurs silhouettes caractéristiques, plongeant sans cesse dans les eaux boueuses du Nil. Se tournant vers Moshem, il déclara :

— Ces machines ont sauvé le peuple de Kemit, mon ami, mais j'aurais tellement voulu que ton dieu ait menti.

— Les prédictions qu'il m'adresse se sont toujours avérées, ô Lumière de l'Égypte. Mais nous devons lui en être reconnaissants. Depuis trois ans, nos réserves et cet appareil inventé par le très sage Imhotep nous permettent de lutter contre la disette. Ton peuple mange encore à sa faim.

— D'après toi, comment expliquer une telle sécheresse ?

— Telle est la volonté de Ramman, Seigneur. Lui seul tient notre destin entre ses mains.

Djoser eut un pâle sourire.

— Je connais ta croyance. Mais je ne peux admettre qu'un dieu juste punisse sans raison un peuple tout entier.

Thanys intervint.

— Il y a peut-être une autre explication, mon frère. Peu avant ton avènement, le monde a connu une période d'inondations telles qu'on n'en avait encore jamais vues. Sans doute la Maât a-t-elle voulu compenser cette période de pluies abondantes par une longue période d'aridité, par souci d'équilibre.

— Mais nous sommes au début de la quatrième année de sécheresse, et le niveau du fleuve n'a pratiquement pas bougé. On dirait que les crues ont disparu. Se pourrait-il que le serpent de Seth, Apophis, ait tué le bienveillant Hâpy ?

— Kemit a connu des périodes similaires par le passé, et la crue a toujours fini par revenir. Cette fois, les dieux, par l'intermédiaire de Moshem, nous ont prévenus à l'avance de ce fléau. Qu'ils en soient remerciés, car ils nous ont permis de lui faire face. Ta prévoyance nous a mis jusqu'à présent à l'abri de la famine. Nous ne pouvons que patienter et lutter pour tirer le meilleur parti de nos récoltes.

Djoser acquiesça en silence. Thanys avait raison : il était inutile de se révolter contre les dieux. Il fallait patienter. La situation était encore pire ailleurs. Les voyageurs revenant du Levant racontaient que les gens mouraient là-bas comme des mouches. Les rois de certains pays avaient appris que Kemit possédait des réserves. Les négociants Mentoucheb et Ayoun avaient reçu des propositions pour acheter du grain au Double-Royaume. On leur avait offert de véritables fortunes, dont une partie en métal hedj[1]. Jusqu'à pré-

1. Hedj : l'argent. Au début de l'Ancien Empire, ce métal était plus rare que l'or.

sent, Djoser avait repoussé toutes les propositions. Les Égyptiens avaient besoin de ce grain. Une fois les réserves épuisées, les fortunes en or ou en argent ne les nourriraient pas. Mais les quémandeurs se montraient parfois obstinés.

Le lendemain, à la demande de Semourê, chef de la Garde royale, Djoser réunit le conseil. Autour du roi étaient rassemblés ses plus fidèles collaborateurs : le grand vizir Imhotep, Sefmout, le grand prêtre Sem, Moshem, Directeur des Enquêtes royales, Ho-Hetep, Directeur des Deux Greniers, et Piânthy, général de la Maison des armes. Thanys, assise au côté de son mari, écoutait attentivement les paroles de chacun. Depuis toujours elle participait à ces séances, tant parce que Djoser se sentait conforté par sa présence que parce qu'elle lui apportait souvent une vision différente des problèmes.

Semourê prit la parole :

— Seigneur, je dois t'informer que le roi de l'île de Chypre, Mokhtar-Ba, m'a adressé un émissaire. Il est en route pour te supplier de l'aider.

— Chypre ? N'est-ce pas de cette île que venaient les Peuples de la Mer qui ont attaqué Mennof-Rê sous le règne du dieu bon Sanakht ?

— C'est exact, ô Taureau puissant. Mais cet envoyé m'a assuré que son maître n'avait rien à voir avec cette agression. Son royaume est le refuge de nombre de peuplades incontrôlées qui rançonnent les villages de ses paysans. Mokhtar-Ba est en lutte incessante contre eux.

— Cet homme t'a-t-il semblé digne de foi ?

— Les émissaires possèdent l'art de faire croire à

leur sincérité. Je reste méfiant, mais je dois reconnaître que ce Mokhtar-Ba démontre un véritable courage en se livrant ainsi à toi.

— Il faut que son peuple meure de faim pour qu'il prenne de tels risques. Je pourrais m'emparer de lui et le faire exécuter pour complicité avec les Peuples de la Mer.

— Peut-être dit-il la vérité, intervint Imhotep.

— Que sait-on de lui ? demanda Djoser à Semourê.

— Peu de chose. Nos navires marchands font rarement escale sur les rivages chypriotes, réputés pour abriter de véritables flottes pirates. Mokhtar-Ba est un homme âgé, qui règne par la force sur Chypre depuis bientôt trois décennies. Les quelques relations que nous entretenons avec ce royaume ont lieu à Byblos, par l'intermédiaire de nos négociants.

— Quelle est ton opinion, mon cousin ?

— Il est certain qu'il serait intéressant de nouer des liens avec ce roi, en exigeant de lui qu'il lutte contre les pirates qui infestent ses côtes et s'en prennent à nos navires. Mais sommes-nous en mesure de l'aider ?

Ho-Hetep prit la parole.

— Notre situation n'est pas catastrophique, ô Lumière de l'Égypte ! Bien sûr, les récoltes des trois dernières années ont été mauvaises, les troupeaux ont diminué, mais le peuple de Kemit est parvenu à se nourrir. Les précautions que nous avons prises en emmagasinant le surplus de la période d'abondance se révèlent aujourd'hui fort utiles. Si le seigneur Moshem ne s'est pas trompé, il nous reste encore deux années difficiles à traverser. Avec l'aide des dieux, nous y parviendrons. Les réserves encore disponibles dans les silos devraient permettre à ton serviteur de compenser le déficit en grain dû aux mauvaises moissons. De plus, les élevages d'oiseaux construits par Ameni fournissent un bon apport en viande. Nous triompherons de la famine, ô Taureau puissant !

Djoser hocha de nouveau la tête. Ce qu'il devinait de la Vallée par les fenêtres du palais tempérait l'optimisme de son conseiller. Mais il connaissait l'intégrité de celui-ci. Plus avenant que son prédécesseur, Nakht-Houy, il menait cependant ses armées de scribes d'une poigne sans faiblesse, et la rigueur de sa gestion était le garant de son efficacité. Si Ho-Hetep pensait que l'on traverserait la sécheresse sans devoir affronter la famine, on pouvait lui faire confiance.

— Donc, nous sommes en mesure d'aider ce Mokhtar-Ba.

— La sagesse voudrait que nous tissions des relations diplomatiques avec ce peuple. Mais si la sécheresse doit encore durer deux années, nous ne pouvons nous permettre de nous démunir. Le seigneur Imhotep a déjà été contraint d'arrêter les travaux de la Cité sacrée pour que les paysans puissent travailler leurs champs dans les meilleures conditions possibles. Ce n'est qu'au prix de ce sacrifice que nous triompherons de cette malédiction. De plus, rien ne nous dit que ce roi tiendra parole après avoir reçu ce qu'il demande.

Imhotep ajouta :

— Je suis également partisan de refuser, Seigneur, mais pour une autre raison. Si nous accédons à la demande de ce roi, d'autres viendront, et réclameront eux aussi ton aide. Nous ne pourrons satisfaire tout le monde, et tu n'y gagneras que des ennemis. Mieux vaut recevoir ce roi avec les honneurs dus à son rang, et lui dire que nos réserves sont épuisées.

Djoser hocha la tête en signe d'assentiment.

— C'est bien. Je recevrai donc Mokhtar-Ba. Et je lui ferai savoir que nous ne pouvons rien pour son peuple, sinon lui offrir quelques jarres de semence.

Djoser n'ignorait pas que le roi de Chypre n'était guère en position de défendre sa requête. Il pouvait se permettre de la repousser sans craindre de représailles. Mais on dit qu'un battement d'aile de papillon peut parfois déclencher une tempête à l'autre bout du monde…

4

Quelques jours plus tard, au début du mois de Paophi...

Une chaleur infernale régnait sur le Double-Pays. La nuit n'apportait qu'une faible rémission au cœur de l'enfer. Dans les appartements réservés aux enfants, Khirâ dormait sur un lit de nattes tressées. Bien que son âge lui permît désormais de porter un pagne, elle était entièrement nue, incapable de supporter le moindre vêtement sur sa peau brûlante. Depuis quelques mois, elle avait abandonné la coiffure enfantine pour laisser pousser une chevelure abondante, d'un noir de jais, qui lui tombait sur les épaules. Ses traits délicats, sa bouche aux lèvres charnues et sensuelles annonçaient déjà la femme superbe en laquelle elle se métamorphosait.

Pour lors, Khirâ se souciait peu de sa beauté et de l'effet que sa sensualité juvénile pouvait exercer sur les hommes. Sa menstruation récente l'avait vivement contrariée. Elle n'en voyait pas l'utilité, même si Thanys lui avait expliqué les raisons de cette transformation. Elle envisageait d'un mauvais œil d'abandonner ses compagnons, leurs parties de chasse et leurs jeux vigoureux. Peut-être en raison des douleurs sournoises qui de temps à autre lui traversaient le ventre dans son sommeil, celui-ci était peuplé de cauchemars dont certains prenaient les couleurs d'une réalité effrayante.

Elle errait sur les rives du fleuve. Des silhouettes mouvantes et indistinctes l'accompagnaient. Le groupe fantomatique déboucha bientôt dans une clairière éclairée d'une lumière couleur de sang. Des cris d'enfants résonnaient, étouffés par une rumeur venue de nulle part, symbole de la menace angoissante qui pesait sur les lieux. Khirâ peinait à se mouvoir. Il lui semblait que ses membres étaient englués dans une boue épaisse, à la fois brûlante et froide. Quelqu'un lui tenait la main. Elle se détourna avec lenteur et reconnut sa sœur, Inkha-Es, la plus belle petite fille que Kemit ait connue. Mais elle était plus âgée : huit ans, peut-être dix. Khirâ reconnut le visage de sa mère, un visage déformé par la fatigue et l'angoisse. Autour d'eux évoluaient des ombres d'esclaves et une ribambelle d'enfants silencieux. Une sensation d'épouvante envahit Khirâ. Quelque chose n'allait pas, un danger terrifiant planait sur eux. Elle aurait voulu quitter cette clairière, retrouver la lumière, la fraîcheur de l'eau, la douceur des jardins du palais. Mais l'air paraissait gluant, visqueux… Soudain, tout sembla s'accélérer. La bouche de Thanys s'ouvrit sur un hurlement qui ne pouvait pas sortir. Khirâ fit brusquement volte-face, et aperçut Inkha-Es, la face couverte de sang, les traits déformés par la souffrance. Elle aurait voulu crier, mais une force insidieuse l'étouffa, enserra sa poitrine. Elle se mit à haleter. Une terreur liquide coula en elle lorsqu'elle vit un flot d'écarlate jaillir de la bouche de sa sœur, qui s'écroula sur le sol comme une fleur coupée.

Un hurlement strident explosa enfin, très près, très loin, déchirant le silence oppressant. Elle s'éveilla, la respiration hachée par l'angoisse, l'esprit en déroute. Puis elle poussa un nouveau cri ; une silhouette s'était matérialisée près d'elle, qu'elle ne reconnut pas immédiatement : Seschi. Le cœur battant la chamade, il lui fallut plusieurs instants avant de reprendre son souffle.

— Tu as crié ! dit le garçon.

Elle se jeta dans ses bras sans se rendre compte que ses joues ruisselaient de larmes.

— J'ai… j'ai fait un rêve horrible, sanglota-t-elle.

Elle lui raconta sa vision d'une voix hachée, puis le repoussa soudain avec brusquerie et se précipita dans la chambre de sa sœur. La fillette dormait à poings fermés, emberlificotée dans ses nattes comme à son habitude. Khirâ tomba à genoux près du lit. Elle adorait Inkha-Es. Seschi tenta de la rassurer.

— Tu as fait un cauchemar. Il fait tellement chaud…

— C'était réel, Seschi. Je ne sais même pas ce qui est arrivé. J'ai seulement vu son visage couvert de sang. On aurait dit que… quelque chose l'avait frappée. Crois-tu que l'on puisse lui vouloir du mal ?

— C'est impossible ! Notre père a anéanti ses ennemis il y a plusieurs années, et la paix règne sur Kemit. De plus, Inkha-Es n'est qu'une petite fille. Pourquoi voudrait-on la tuer ?

Il lui serra la main avec force.

— Et puis nous serions là pour la défendre, n'est-ce pas ?

Khirâ acquiesça en silence. Elle se pencha sur l'enfant, qu'elle réinstalla correctement sur son lit. Elle savait que c'était peine perdue. Dans quelques instants, Inkha-Es aurait repris l'une de ces poses fantaisistes qu'elle affectionnait, mais le contact de la peau tiède de la petite rassura quelque peu Khirâ. Avec des gestes doux, elle ôta de son cou le collier portant le nœud Tit, symbole de la protection d'Isis, qui ne la quittait jamais, et le passa à sa petite sœur. Celle-ci ne s'éveilla même pas.

Le lendemain, l'angoisse qui étreignait la fillette depuis son cauchemar ne l'avait pas quittée. Redoutant d'alarmer sa mère à tort, elle garda son rêve pour elle, et demanda à Seschi de tenir sa langue. Contrarié par le tourment dont Khirâ était victime, le jeune garçon lui proposa une partie de chasse en lisière du Delta, en limite septentrionale du nome des Murs Blancs. À cet endroit, le Nil se séparait en deux grands bras. Celui situé à l'orient prenait parfois les allures d'un grand lac sinueux, à partir duquel se tissait un réseau d'innombrables bras secondaires.

À cette époque de l'année, les champs auraient dû disparaître sous une étendue d'eau immense, dont seules émergeraient les hautes terres, les koms, sur lesquels étaient construits les villages. Mais le niveau du Nil n'avait pratiquement pas bougé, et les vastes plaines marécageuses se desséchaient lentement sous l'action implacable du soleil. C'était là, dans les fourrés de papyrus jaunis, que les jeunes nobles aimaient chasser les oiseaux au boomerang, à l'arc ou au filet.

Seschi avait une préférence pour le boomerang, ou bâton de jet, qu'il projetait avec une force et une précision extraordinaires. À douze ans, il avait presque atteint la taille d'un homme, et promettait de devenir un colosse encore plus puissant que son divin père.

D'une force peu commune pour un garçon de son âge, il n'hésitait pas à se mesurer avec des adolescents de quatre ou cinq ans plus vieux que lui. Bien peu lui résistaient.

D'un tempérament curieux et enthousiaste, il se passionnait pour tous les domaines, assaillant le pauvre Nemeter de questions. Il émanait de lui une force de vie qui rappelait un peu la puissance d'un cyclone. Généreux et altruiste, il témoignait à l'égard de ses sœurs d'une tendresse parfois brusque et maladroite. La rivalité qui de temps à autre l'opposait à Khirâ ne s'était pas atténuée avec le temps. Comme par le passé, il leur arrivait encore de s'affronter, voire de se livrer à quelques vigoureuses empoignades. Bien qu'il la dominât de deux têtes, Khirâ n'hésitait jamais à bondir sur lui lorsque la tension explosait. Cela ne les empêchait pas de s'aimer profondément. Seschi ne supportait pas de la voir malheureuse. L'angoisse sourde qui la tenait depuis la nuit dernière l'embarrassait, et il ne savait que faire pour la distraire.

Entre ces deux tempéraments débordant d'énergie, Akhty-Meri-Ptah faisait preuve de pondération. D'un tempérament posé, calme et observateur, il modérait les excès de ses aînés. Il leur avait plus d'une fois évité de se fourrer dans les pièges invraisemblables où les entraînaient leurs esprits imaginatifs. Cependant, rempli d'admiration et d'affection pour eux, il n'envisageait pas de gouverner plus tard sans leur concours. Bien que de trois ans leur cadet, il paraissait plus âgé qu'eux. Cette sagesse devait beaucoup à l'enseignement de son précepteur, Anherkâ, compagnon de Nemeter et d'Imhotep. Les oracles ayant déterminé qu'il était le seul véritable héritier des Deux Couronnes, il était instruit dans l'art de gouverner et dans l'étude de la théologie, domaine qui le passionnait particulièrement.

Dans son esprit, il envisageait déjà sa future cour. Côté cœur, la question ne se posait même pas : il épouserait Mina, sa sœur de lait. Nourris au même sein, ils ne s'étaient jamais séparés. Il régnait entre eux la même complicité que l'on connaît aux jumeaux, et il ne voyait pas une autre fille partager sa couche. Nâou, d'un an son aîné, était pour lui comme un second frère. Il en ferait son grand vizir, car il avait hérité de l'esprit inventif de son père.

Seschi prendrait le commandement de la marine. Akhty n'ignorait pas qu'il était passionné par les bateaux, particulièrement ceux capables d'affronter la Grande Verte. Souvent, Seschi entraînait la petite bande sur les quais de l'oukher, lorsque de lourds navires chargés de bois et d'épices arrivaient du lointain Orient. Là, il bavardait avec les marins, les interrogeait sur la structure du vaisseau, demandait à le visiter, ce qu'on ne lui refusait jamais. À douze ans, Seschi connaissait les différentes pièces d'un bateau aussi bien que les meilleurs navigateurs.

Seschi et Akhty poussèrent un double hurlement de triomphe lorsque la flèche de Khirâ atteignit le héron en plein vol. Sous les regards admiratifs de la petite bande, la jeune fille s'avança d'un pas léger vers l'endroit où était tombé le volatile, suivie par le groupe d'enfants enthousiastes. Une demi-douzaine de guerriers commandés par Kebi, le capitaine que Djoser avait désigné pour leur protection, les accompagnait. Les rudes hommes de troupe ne pouvaient s'empêcher d'éprouver un trouble équivoque devant la beauté de leur princesse. Malgré ses douze ans, sa silhouette élancée était déjà celle d'une femme. Vêtue d'un pagne de lin blanc très fin, elle rayonnait de beauté et de sensualité, avec d'autant plus de naturel qu'elle n'y prenait pas garde. Ses jambes longues et fines faisaient penser à une gazelle dont elle avait la démarche souple et gracieuse. Ses yeux, soulignés par le khôl et la poudre de malachite, s'ourlaient de longs cils dont elle ignorait le pouvoir de séduction. «Les plus beaux yeux du monde», estimaient les jeunes courtisans attirés aussi par sa poitrine naissante. Mais Khirâ se souciait peu de l'effet qu'elle produisait sur les hommes. Si son corps était celui d'une femme en formation, son esprit demeurait celui d'une fillette. D'un geste vif, elle arracha la flèche qui avait tué le héron. Puis elle contempla le fleuve à peine élargi par la crue modeste. L'endroit où elle se trouvait aurait dû être recouvert par les eaux depuis plusieurs jours.

Soudain, un spectacle insolite attira son attention. En aval du bras oriental, trois navires remontaient en direction de la capitale, mollement poussés par un faible vent du nord. Intriguée, la petite troupe se rapprocha de la rive avec des cris d'excitation.

— Regardez! s'écria Seschi. Ce ne sont pas des vaisseaux égyptiens.

Khirâ demeura à l'écart. Sans raison apparente, une obscure sensation de malaise s'était emparée d'elle, semblable à celle qui l'avait saisie le jour où le khamsin s'était levé sur le désert, juste avant la sécheresse. Son pressentiment ne l'avait pas trompée. Depuis que le fléau s'était installé sur le Double-Pays, elle avait assisté à des scènes terrifiantes : elle avait vu les feuilles des grands arbres jaunir, se dessécher, comme brûlées par un feu sans flammes ; elle avait vu les eaux sombres du fleuve-dieu charrier des charognes d'animaux. Lors d'un voyage dans le Sud, où elle avait accompagné le roi, elle avait vu les crocodiles se disputer les cadavres décharnés d'êtres humains ; elle avait vu des enfants mourir de faim, le regard brûlant de fièvre et les côtes saillantes ; elle aurait voulu les aider, leur offrir de quoi manger et survivre. Mais son père lui-même ne pouvait secourir tous les pauvres harcelés par la famine. Malgré ses efforts, dans certains nomes, nombre de familles n'avaient plus de quoi se nourrir.

Sa nature généreuse avait refusé les souffrances et le désespoir des Égyptiens, qu'elle devinait derrière leur courage et leur obstination. Mais elle se sentait impuissante à lutter contre le fléau. Au fil des années, elle avait senti son enfance se défaire lentement, s'effilocher, un peu comme on se dépouille d'un vêtement usé. Derrière le masque des jeux et de l'insouciance, même si elle avait toujours voulu l'ignorer, la femme qu'elle portait en elle se développait inexorablement. Peut-être était-ce pour cette raison qu'elle dédaignait les regards appuyés des hommes sur son corps, qu'elle s'accrochait avec une sorte de désespoir farouche à ses jeux, à ses parties de chasse insouciantes dans les marais. Elle savait pourtant qu'elle n'arrêterait pas le cours des choses.

La vue des navires inconnus lui causait une impression bizarre. Une voix intérieure lui hurlait de fuir, de se cacher. Sans pouvoir expliquer pourquoi, elle sentait que ces navires dissimulaient une menace qui la concernait directement. Pourtant, une curiosité irrépressible la clouait sur place. Elle entendit Seschi commenter les caractéristiques des trois bateaux mus chacun par une soixantaine de rameurs, mais elle ne comprit pas tout ce qu'il disait. Elle se traita de sotte. Quel danger pouvaient représenter ces vaisseaux étrangers face à la flotte imposante qui protégeait Mennof-Rê : une centaine de navires de guerre qui constituaient sans doute l'armada la plus puissante du monde connu…

Fièrement campée sur ses jambes de gazelle, inconsciente de la séduction qui se dégageait de sa silhouette juvénile, elle observa les visiteurs. Elle distingua clairement les personnages debout à l'avant du navire de tête. L'un d'eux attira aussitôt son attention. C'était un jeune homme au visage long et fin, aux yeux curieusement étirés vers les tempes, et vêtu d'une cape rouge. Près de lui se tenait un homme plus âgé, aux cheveux blancs. Attiré par son regard, le jeune homme la fixa à son tour. Mal à l'aise, Khirâ pensa s'enfuir. Mais une force supérieure la retenait. Elle se sentait comme un oiseau hypnotisé par un serpent. L'inconnu ne détacha pas son regard avant que le vent n'eût emporté les vaisseaux hors de vue. Un moment, il lui avait semblé voir ses yeux s'allumer d'une lueur rouge. Mais peut-être s'agissait-il d'un reflet du soleil sur les remous du fleuve.

Une réflexion d'Akhty la tira de sa méditation.

— Je n'ai jamais vu de navires semblables ! D'où viennent-ils ?

Nâou lui fournit la réponse.

— Sans doute de Chypre. On a annoncé la visite du roi de cette île.

— Alors, rentrons ! s'exclama Seschi. Nous arriverons à temps pour les voir débarquer.

Un concert d'enthousiasme lui répondit. Ce fut alors qu'il remarqua le malaise de Khirâ.

— Eh bien, petite sœur ! Tu ne veux pas venir ?

— J'ai peur, Seschi. J'ai croisé le regard de l'un d'eux. Ce n'était pas le regard d'un humain.

5

Depuis trois jours, la délégation chypriote avait été accueillie dans la capitale. Plus exactement, on lui avait accordé le droit d'accoster dans un endroit éloigné de l'oukher. En raison des relations ambiguës existant entre les deux nations, l'Horus ne s'était pas déplacé jusqu'au port pour accueillir son visiteur, comme il l'eût fait volontiers pour un nomarque ami. C'était sa manière de marquer ses distances. Il gardait en mémoire l'invasion menée quinze ans auparavant par les Peuples de la Mer en compagnie des Édomites. Même si Mokhtar-Ba niait toute responsabilité vis-à-vis des tribus pirates qui hantaient son île, Djoser ne lui accordait sur ce plan qu'une confiance limitée.

Le roi étranger avait dû passer la première nuit à bord de son navire, en compagnie de sa petite cour. Bien peu de Chypriotes avaient osé s'aventurer à terre. Une sourde hostilité émanait de la population, qui n'avait pas oublié non plus les combats passés. Quelques jets de pierre avaient même amené Semourê à poster une escouade de gardes bleus à proximité des navires des visiteurs, afin d'éviter tout incident. Lui-même était monté à bord afin de souhaiter la bienvenue à Mokhtar-Ba et le prévenir que l'Horus Neteri-Khet lui accorderait une audience « dans les plus brefs délais ». Il enregistra sans sourciller la déconvenue de son interlocuteur, qui s'exprimait par l'intermédiaire d'un interprète, et s'était paré de ses plus riches vêtements pour le recevoir. L'autre escomptait ainsi se mettre en valeur. Mais il était en position de demandeur et son seul atout consistait à faire admettre à Djoser qu'une alliance avec lui constituerait un avantage indispensable pour le développement du commerce avec le Levant.

Semourê avait écouté, imperturbable, le discours volubile de Mokhtar-Ba, par lequel il laissait entendre qu'il était sur le point d'anéantir les tribus de pirates infestant son royaume. Bientôt, d'après lui, les navires égyptiens pourraient naviguer en toute tranquillité jusqu'à leurs comptoirs de Byblos et d'Ashqelôn. Semourê s'était retenu de sourire. Il soupçonnait fortement Mokhtar-Ba d'être de mèche avec les chefs pirates, qui lui versaient un tribut pour établir leurs villages sur ses terres. Quant à la sécurité des vaisseaux égyptiens, elle était désormais assurée par de puissants navires escorteurs qui décourageaient les plus audacieux. En vérité, une alliance avec les Chypriotes n'était pas de grande utilité, et Mokhtar-Ba savait pertinemment que sa position était indéfendable. Il fallait que la situation de son royaume fût véritablement critique pour qu'il entreprît une telle démarche.

Au bout des trois jours, la tension du début s'était apaisée. Les Égyptiens, intrigués par ces étrangers qui n'avaient peut-être pas été leurs ennemis, finirent par leur témoigner une indifférence calquée sur celle de leur nomarque. Un peu rassurés, les Chypriotes commencèrent à débarquer. Certains d'entre eux lièrent contact avec une population plutôt méprisante, mais aussi très curieuse.

Khirâ n'ignorait rien de ces tergiversations d'ordre politique. En temps normal, elle ne s'en serait guère souciée, mais le souvenir de l'inconnu ne la quittait pas. Elle ne parvenait pas à définir l'impression causée par le regard du jeune Chypriote. Par moments, une terrible sensation d'angoisse la dominait, qui lui donnait envie de fuir loin du palais pour attendre le départ de son navire. Elle ne pouvait oublier l'éclair de feu qui avait un instant illuminé ses yeux. Elle l'interprétait comme un avertissement : ces étrangers ne pouvaient rien apporter de bon.

Cependant, malgré ses préventions, elle ne pouvait chasser le trouble qui l'avait envahie. Le regard de l'inconnu avait éveillé dans sa chair et sur sa peau des sensations nouvelles, équivoques. Elle se savait belle, mais ne s'en souciait guère. Les garçons qui l'entouraient n'avaient pas treize ans. Tout comme elle, ils ne se passionnaient que pour la chasse et les jeux vigoureux. Et si parfois l'un d'eux se permettait un geste trop familier, elle répliquait par un solide coup de poing qui décourageait l'audacieux.

Ce matin-là, Seschi décida d'emmener sa petite bande pêcher en amont du port. La veille, Kebi et les serviteurs avaient préparé des nacelles en tiges de papyrus. Au dernier moment, Khirâ refusa de suivre ses compagnons. Seschi la traita d'idiote, encaissa sans broncher deux bourrades, puis s'éloigna de son pas tranquille de jeune géant sûr de sa force.

Elle ne pouvait lui avouer pourquoi elle désirait

demeurer à Mennof-Rê. Il n'aurait pas compris qu'elle espérait revoir le jeune Chypriote aperçu quelques jours plus tôt. Elle-même ne s'expliquait pas sa réaction, qui lui paraissait n'être que de la faiblesse. Elle s'en voulait d'éprouver une émotion aussi inhabituelle, à laquelle elle était pourtant incapable de résister. Elle ne parvenait pas à oublier son regard mystérieux, à la fois attirant et inquiétant.

Après avoir flâné dans la bouillonnante capitale, son errance mélancolique la mena dans les jardins de la Grande Demeure. Hormis deux porte-sandales nubiennes qui suivaient à quelques pas, seule Inkha-Es l'accompagnait. La petite sentait qu'un tourment habitait le cœur de sa grande sœur et, d'instinct, elle devinait qu'elle avait besoin de sa présence. La fillette bénéficiait d'une intelligence et d'une finesse inattendues chez une enfant de cinq ans. Elle ne parlait pas, se contentait de tenir fermement la main de Khirâ, pour lui communiquer un peu de chaleur. La complicité qui les unissait était presque celle de deux femmes.

Déambulant au milieu des volières, des cages et des fosses où vivaient les animaux offerts à sa mère, elles aperçurent soudain la silhouette familière de Rana, la lionne apprivoisée, surgissant d'un bouquet de tamaris Les deux filles se précipitèrent vers l'animal pour le caresser. Bébé lion recueilli par Semourê au cours d'une partie de chasse, Rana n'avait jamais connu d'autre environnement que le grand parc du palais. Copieusement nourrie, elle n'avait jamais appris à chasser. Gazelles et antilopes ne la redoutaient pas, et il n'était pas rare de les voir trotter près du fauve. Très douce et aussi fidèle qu'un chien, Rana régnait sur son petit royaume comme une reine habituée à recevoir les hommages de ses sujets.

Tout à coup, quelques bredouillements attirèrent l'attention de Khirâ. Elle se retourna et sentit son cœur lui remonter dans la gorge. L'inconnu du vaisseau chypriote la contemplait, les yeux remplis d'effroi. Elle comprit aussitôt la raison de sa frayeur : il ne s'attendait pas à la voir jouer avec une lionne. Elle eut envie d'éclater de rire devant sa mine inquiète, mais elle se retint ; une curieuse langueur se répandit dans son ventre et ses reins. L'arrivant était très beau. Vêtu d'un pagne de lin fin, souligné de fils d'or, et d'une cape écarlate retenue à l'épaule par une broche en argent, il paraissait plus jeune qu'elle ne se l'était imaginé. Elle estima son âge à dix-sept ou dix-huit ans.

Se sentant investie d'un pouvoir qu'il ne possédait pas, elle se redressa d'un air crâne et l'apostropha sur un ton de moquerie.

— Aurais-tu peur des lions ?

Il déglutit difficilement et répondit dans un égyptien teinté d'un fort accent :

— Non ! Mais je trouve que c'est une drôle d'idée d'apprivoiser un fauve. Ils sont dangereux !

— Rana n'est pas méchante. Veux-tu la caresser ?

— Merci, non ! En général, je n'approche les lions qu'avec mon arc et mes flèches.

Inkha-Es, qui avait suivi la conversation, s'insurgea :

— Tu voudrais la tuer ? Si tu fais ça, je te tue aussi !

Le jeune homme sourit de la véhémence de l'enfant.

— Ne crains rien, petite princesse. Je ne veux aucun mal à ta lionne. Je parlais des lions sauvages du désert.

Inkha-Es se renfrogna et tourna ostensiblement le dos à l'intrus. Celui-ci ne lui plaisait pas beaucoup, d'autant plus que sa sœur le regardait d'une manière qu'elle ne lui connaissait pas, et qui l'inquiétait. Pour elle, l'entretien était terminé. Restant prudemment à distance, le Chypriote contempla longuement Khirâ sans mot dire, ranimant chez elle le trouble qui l'avait un instant quittée. Ce diable d'étranger avait les plus beaux yeux du monde, d'un bleu très pâle, couleur de turquoise, qui contrastait avec ses cheveux d'un noir de jais.

— Mon nom est Tash'Kor, dit-il enfin. Je suis le fils du roi de Chypre, le grand Mokhtar-Ba.

— Sois le bienvenu dans la vallée de Kemit, répondit la jeune fille d'une voix mal assurée. Mon nom est Khirâ, princesse royale, fille de l'Horus Neteri-Khet et de la grande épouse Nefert'Iti.

— Je sais, je me suis renseigné sur toi.

— Ah oui ?

— Je n'ai pas oublié notre première rencontre, il y a trois jours.

— Ah, c'était toi, répondit-elle d'un ton désinvolte qui sonnait tout à fait faux.

— Lorsque je t'ai aperçue dans la lumière du soleil, au milieu de ce marais, j'ai cru voir notre déesse Cypris.

— Cypris ?

— Pour nous, elle représente l'amour.

Le cœur de Khirâ se mit à battre plus vite. Elle aurait voulu remettre le garçon à sa place, mais le courage lui manquait. Tash'Kor insista :

— Je n'ai jamais vu de femme aussi belle que toi. Depuis trois jours, mes pensées et mes rêves sont peuplés de toi. J'ai fui le navire de mon père pour errer dans la ville en espérant te rencontrer. Je suis heureux que les dieux aient dirigé nos pas l'un vers l'autre. Je suis sûr qu'il ne s'agit pas d'un hasard.

Tout en parlant, il la détaillait, s'attardait sur sa poitrine déjà formée, sur ses jambes. Un sursaut de révolte s'empara de Khirâ et elle répondit d'une voix sèche :

— Je te trouve bien impertinent de parler sur ce ton à la première fille de l'Horus.

— Mais moi aussi, je suis prince, riposta Tash'Kor, douché par l'attaque inattendue.

— Peuh ! Le prince d'un petit royaume qui rançonne les flottes marchandes de Kemit. Il en faudrait plus pour attirer mon attention.

Vexé, le jeune homme gronda :

— Pourtant, j'ai l'intention de demander ta main à ton père.

— Comment ça ? s'insurgea Khirâ. Je ne te le permets pas !

— Mon père désire conclure une alliance entre Chypre et Kemit. Cette alliance pourrait être scellée par notre mariage.

— Tu peux toujours demander ma main, répliqua-t-elle. Je refuserai, et jamais mon père ne me contraindra à épouser un homme sans mon accord.

Pour toute réponse, il lui adressa un grand sourire et tourna les talons. Agacée, Khirâ le regarda s'éloigner, puis revint vers Inkha-Es. La petite était visiblement ravie de la manière dont elle avait chassé l'intrus.

Mais Khirâ n'était pas satisfaite. Elle s'en voulait de s'être montrée si désagréable avec ce garçon. Il n'avait commis d'autre crime que de lui faire des compliments, et souhaitait l'épouser. À la réflexion, c'était plutôt flatteur. En vérité, elle s'était sentie terriblement maladroite. Elle avait beau se répéter qu'elle n'avait que douze ans, et qu'elle n'était pas préparée à ce genre de conversation, elle était furieuse contre elle-même. Elle s'était conduite avec Tash'Kor comme avec ses petits amoureux. Or, il était déjà presque un homme. Sans doute avait-il dû la trouver ridicule.

— Moi, quand je serai grande, je ne me marierai pas ! affirma Inkha-Es d'un ton péremptoire.

— Pourquoi ? demanda Khirâ, soudain amusée.

— Les garçons sont bien trop bêtes ! expliqua-t-elle. Et puis, ils sont laids !

— Celui-là est beau !

— Tu l'as mal regardé ! Il ressemble à un loup des sables !

Khirâ renonça à répondre. Elle avait décelé dans la voix de sa petite sœur le reflet d'une jalousie sans concession. Mal à l'aise, elle prit la main d'Inkha-Es et se mit en route, aussitôt suivie des porte-sandales. Elle éprouva une brusque envie de retrouver ses frères Seschi et Akhty. Elle leur conterait son aventure, et tous en riraient. Elle dirigea ses pas vers l'oukher, dans l'espoir de repérer l'endroit où ils étaient allés pêcher. Flânant dans les ruelles encombrées d'artisans qui les saluaient avec affection, il leur fallut un certain temps avant d'atteindre les rives du fleuve, un peu en amont du port.

Soudain, le cœur de Khirâ bondit de nouveau dans sa poitrine. À l'ombre de palmiers, elle reconnut Tash'Kor, entouré d'une demi-douzaine de jeunes Égyptiennes, qui le regardaient avec fascination. D'une longue harpe posée sur le sol devant lui, il tirait une mélodie douce et magique. Ainsi, ce barbare savait jouer de la musique…

Une brusque bouffée de jalousie broya les entrailles de Khirâ. Après ce qu'il lui avait déclaré tout à l'heure, comment pouvait-il tenter de séduire ces filles stupides ? Elle marcha sur lui d'un pas rageur.

— Je constate que tu n'as pas perdu de temps pour te consoler avec d'autres ! cracha-t-elle.

Le jeune homme s'arrêta de jouer et la contempla d'un air surpris. Il laissa passer un silence, puis répliqua doucement, avec un sourire étrange :

— Je ne faisais que jouer de la harpe. Ne te froisse pas.

— Eh bien, continue, si c'est tout ce que tu sais faire ! D'ailleurs, cela ne m'étonne pas de la part de quelqu'un qui a peur d'un lion apprivoisé.

— Un lion apprivoisé…

Visiblement, il faisait semblant de ne pas comprendre, sans doute à cause de sa cour d'admiratrices. Furieuse, Khirâ tourna les talons et s'éloigna sans attendre de réponse.

6

Le surlendemain, par l'intermédiaire de Semourê, Djoser fit savoir à Mokhtar-Ba qu'il était prêt à le recevoir. La délégation chypriote parcourut l'avenue menant au palais dans un mélange d'hostilité et d'indifférence. La foule silencieuse massée sur le passage n'était guère nombreuse. Des gardes royaux la surveillaient sans trop de zèle. Si quelques pierres jaillissaient, on ne se presserait pas trop de rechercher les coupables. Mokhtar-Ba avait souhaité se montrer à son avantage en arborant une tenue clinquante. Cependant, au fur et à mesure de sa progression vers le cœur de la capitale, une sourde angoisse s'insinuait en lui. La populace ne l'aimait pas, et le lui faisait clairement comprendre par ce silence lourd de sous-entendus. Il n'avait pas pris part personnellement aux combats qui s'étaient déroulés ici quinze ans plus tôt, mais quelques-uns de ses capitaines étaient présents. Depuis toujours, les relations entre les Chypriotes et les pirates qui hantaient les côtes étaient basées sur l'ambiguïté. Les Peuples de la Mer, insaisissables, sans scrupules, sans foi ni loi, avaient établi leurs repaires en différents points de l'île. Les rois de Chypre avaient déjà suffisamment de difficultés à maintenir un semblant d'unité entre les différents princes qui se partageaient le territoire qu'il leur était difficile de lutter directement contre les pirates. Lui-même avait été contraint plusieurs fois de composer avec eux, et de supporter sans sourciller le pillage de petits villages de l'intérieur. Il ne disposait pas d'une armée assez puissante pour lutter contre ces êtres évanescents. Attaquer leurs bases ne résolvait rien : ils fuyaient et les reconstruisaient plus loin. De plus, certains nobles chypriotes n'hésitaient pas à se mêler à eux pour participer à leurs razzias.

L'inquiétude de Mokhtar-Ba avait une autre origine. Ce qu'il découvrait de Mennof-Rê le déroutait. Jamais il n'aurait imaginé une cité aussi vaste et aussi belle. La haute enceinte à redans qui protégeait la ville étincelait d'un blanc éclatant à la lumière du soleil. Les demeures étaient parfaitement entretenues. Depuis sa litière, portée par une douzaine de ses guerriers, il devinait de superbes jardins ornés d'arbres et de bassins alimentés en eau malgré la sécheresse. Il fut tout d'abord envahi par un sentiment de jalousie, qui se changea bientôt en une admiration non feinte. Un peuple capable de bâtir une cité aussi prodigieuse méritait le respect.

À Chypre, les gens mouraient de faim par centaines. Les dieux indifférents ou hostiles avaient laissé les démons envahir l'île sous la forme d'épidémies dévastatrices. Des hordes de gueux en haillons hantaient la campagne et attaquaient les villages isolés, pillant les maigres réserves de grains, abattant le bétail, massacrant les habitants. On lui avait même rapporté plusieurs cas d'anthropophagie.

À Mennof-Rê, les citadins semblaient manger à leur faim. Les champs entrevus depuis le fleuve paraissaient verts, malgré la sécheresse. Les troupeaux, nombreux, se composaient de bêtes superbes. Le roi de ce pays possédait sans aucun doute l'art de la magie, et disposait d'une puissance sans commune mesure avec la sienne. Il n'avait nul besoin de son alliance, ni de son argent. Avant même de l'avoir rencontré, Mokhtar-Ba savait déjà que son entrevue se solderait par un échec. Il l'avait deviné en abordant à Busilis, la cité maritime située à l'est du Delta, où autrefois les Égyptiens avaient vaincu son peuple, allié aux Édomites. La ville avait été reconstruite, et elle était plus grande encore qu'Alashia, la capitale chypriote.

Au palais, on attendait la délégation avec la même indifférence que le peuple. Personne n'avait envie de rencontrer le petit roi arrogant qui protégeait les écumeurs de la Grande Verte. Le roi avait hésité à le recevoir. Mokhtar-Ba s'était quasiment imposé en envoyant un émissaire alors qu'il avait déjà débarqué sur le sol de Basse-Égypte. Djoser avait réduit les fastes de la réception au strict minimum. Seuls ses plus proches conseillers assisteraient à la visite, ainsi que la famille royale.

Khirâ attendait avec impatience l'arrivée des Chypriotes. Depuis ses deux rencontres avec Tash'Kor, elle n'avait cessé de penser à lui. Elle s'en voulait de cet intérêt inexplicable. Il lui semblait parfois ne plus s'appartenir. Pourtant, même si elle avait la sensation de l'avoir remis vertement à sa place, il s'était bien moqué d'elle. Il ne lui avait pas fallu longtemps pour séduire d'autres filles. Elle le détestait. Mais elle était très curieuse de le revoir. Pour bien lui montrer qu'il ne pouvait espérer épouser ainsi la fille de l'Horus Neteri-Khet.

Cependant, la satisfaction vengeresse de Khirâ se mua en stupéfaction lorsque la délégation chypriote entra dans la salle du trône. Derrière le roi Mokhtar-Ba marchaient *deux Tash'Kor* ! Elle se crut l'objet d'une hallucination et mit plusieurs instants avant de comprendre qu'il s'agissait de jumeaux. Vêtus de manière identique, il était impossible de les distinguer l'un de l'autre. Elle s'expliquait à présent pourquoi Tash'Kor avait eu l'air surpris lorsqu'elle l'avait retrouvé sur les rives du fleuve : elle s'était adressée à son frère.

Mokhtar-Ba et ses fils s'avancèrent vers le trône orné de pattes de lion sur lequel Djoser avait pris place. Le souverain des Deux-Terres avait coiffé la double couronne rouge et blanche, et tenait, croisés sur la poitrine, les insignes de son pouvoir, le Heq et le Nekheka, la crosse et le fléau. La barbe postiche de cuir tressé ornait son menton. À son front se dressait Ouadjet, la déesse-cobra, symbole de la colère de Rê, qui était censée foudroyer les ennemis de Kemit. À ses côtés, Thanys portait une robe de lin blanc d'une finesse extrême, dont le drapé brodé d'or mettait sa silhouette en valeur. Sur sa tête était posé un diadème d'électrum incrusté de lapis-lazulis et de turquoises, pierres de la déesse Hathor.

Malgré sa richesse, la tenue du roi chypriote n'était pas aussi élégante et manquait de raffinement. Il affichait un visage hautain, pour bien montrer son insatisfaction d'avoir été contraint de patienter plusieurs jours. Affectant de ne pas parler l'égyptien, il s'adressa à Djoser par l'intermédiaire de son interprète. L'Horus n'ignorait pas qu'il connaissait la langue de la Vallée sacrée, mais c'était une manière pour Mokhtar-Ba de se placer sur un pied d'égalité avec son hôte. Sans être dupe, Djoser ne réagit pas.

À la suite d'éloges dithyrambiques, le roi chypriote en vint à l'objet de sa visite. Il sollicitait une aide de son ami, le roi de Haute et de Basse-Égypte, pour nourrir son peuple qui se mourait de faim en raison de la sécheresse. Il savait de source sûre que Kemit regorgeait de réserves, et il désirait acheter du grain et quelques troupeaux. Il avait apporté dans ce but trois coffres remplis d'argent. Le grand Horus Neteri-Khet ne pouvait manquer d'être intéressé par cette proposition, car Mokhtar-Ba n'ignorait pas que les Égyptiens pensaient que les os de leurs dieux étaient faits de ce métal. Il était ainsi heureux de pouvoir contribuer à leur élever des temples.

Djoser dissimula un sourire : il était fort probable que cet argent provenait des somptueuses rapines opérées par les pirates chypriotes. Mais Mokhtar-Ba, emporté par sa propre éloquence, poursuivit. Les dieux eux-mêmes, ajouta-t-il, considéraient d'un regard favorable l'alliance entre les deux puissants royaumes. N'avaient-ils pas permis à son fils Tash'Kor de rencontrer la plus belle des princesses égyptiennes, et d'en tomber éperdument amoureux ? Il avait confié à son père qu'il désirait l'épouser. Mokhtar-Ba avait aussitôt donné son accord, car il ne fallait pas contrarier la volonté des dieux. Aussi était-il prêt, si ce mariage agréait à l'Horus et à la très belle reine Nefert'Iti, à accueillir la jeune princesse Khirâ dans son palais, comme la fille que les dieux lui avaient refusée jusqu'à présent. Tash'Kor s'avança, ce qui permit à Khirâ de le différencier de son frère.

Elle jeta un regard désespéré à sa mère. La vision des jumeaux lui inspirait une étrange sensation de malaise. Elle n'avait aucune envie de quitter Kemit pour se retrouver prisonnière d'un royaume dont elle ignorait tout. Et surtout, aucune main d'homme ne s'était encore posée sur elle. Thanys décela le désarroi qui l'habitait. Malgré sa silhouette aux formes sensuelles, son esprit demeurait celui d'une enfant de douze ans. Le prince de Chypre ne s'était pas rendu compte de sa jeunesse. Elle glissa quelques mots à Djoser, qui adressa un sourire de connivence à Khirâ, pour la rassurer. La fillette ressentit un vague soulagement, mêlé d'un inexplicable regret.

L'Horus médita quelques instants, puis donna sa réponse. Avec un mélange de diplomatie et de fermeté, il expliqua que le roi de Chypre avait été mal informé, et que les réserves de Kemit étaient à peine suffisantes pour assurer les prochaines semences. Les troupeaux eux-mêmes voyaient leur nombre diminuer inexorablement. En conséquence, il était impossible d'accorder au roi Mokhtar-Ba ce qu'il désirait. Enfin, la princesse Khirâ était bien trop jeune pour songer à se marier. Tout en étant flatté de la proposition, il ne pouvait accorder sa main au prince Tash'Kor. Cependant, afin d'apporter son aide à son visiteur, il consentait à lui fournir, sans aucune contrepartie, quelques jarres de blé et d'orge, destinées aux semences.

Mokhtar-Ba étouffa sa déconvenue, puis ordonna à ses serviteurs de remporter les trois coffres d'argent. Khirâ évita les yeux de Tash'Kor, qui ne cessait de la fixer. Son visage s'était figé sur une expression de colère rentrée qui provoqua chez la jeune fille une incoercible sensation d'angoisse.

Deux jours plus tard, les Chypriotes quittaient Mennof-Rê. Peu avant l'embarquement, Khirâ se rendit sur le port afin d'assister au départ. Intérieurement, elle se jugeait stupide. Elle n'avait rien à faire en ce lieu. Elle avait obtenu ce qu'elle voulait : l'Horus avait refusé sa main à Tash'Kor. Alors, quelle force incompréhensible la poussait à l'apercevoir une dernière fois ? Le regard mauvais qu'il lui avait adressé avant de quitter le palais avait fait naître en elle une frayeur proche de la panique. Elle aurait voulu lui expliquer, lui dire qu'elle était très jeune, qu'elle aimait trop ses parents pour les quitter ainsi, qu'elle le connaissait trop peu. Puis elle se disait que Tash'Kor n'était qu'un barbare, un pillard qui rançonnait les navires égyptiens. Elle n'avait rien à faire avec une brute de cette espèce

Rien…

Soudain, une silhouette se dressa devant elle. Une brusque poussée d'adrénaline lui bloqua la respiration. Tash'Kor, entouré de quelques guerriers chypriotes, la contemplait avec dureté.

— Ainsi, la princesse a obtenu gain de cause ! persifla-t-il. L'Horus Djoser n'a pas accepté que je t'épouse. Mokhtar-Ba est donc obligé de repartir pour Chypre les mains vides. Les dieux seuls savent quel accueil lui sera réservé par son peuple, qui a placé tous ses espoirs en lui. Je sais que vous pouviez nous aider. Tu aurais dû tenter de convaincre ton divin père. Mais tu n'as rien fait. Alors, tu devras penser chaque jour et chaque nuit aux enfants de mon île qui crieront de faim avant de mourir. Mourir par ta faute !

— Ce n'est pas vrai ! s'insurgea-t-elle. Crois-tu

que les enfants des Deux-Terres soient mieux lotis ? Là-bas, dans le Sud, ils meurent par centaines !

— Tais-toi ! J'ai cru t'aimer, mais c'est un souvenir de haine que j'emporte de toi. Alors, prends garde !

Il lui montra d'un geste sec le bateau de son père.

— Tu vois cet homme en noir, là-bas ? Il s'appelle Jokahn. C'est le plus grand magicien que le monde ait jamais connu. Il a le pouvoir de déclencher la malédiction sur ton pays. Et il le fera, parce que je vais le lui demander. Bientôt, de grands malheurs s'abattront sur Kemit. Tu sauras alors *qui* les aura provoqués.

Sans attendre de réponse, il tourna les talons et se dirigea vers son vaisseau. Pétrifiée, Khirâ n'osait plus faire un geste. Les paroles du jeune homme résonnaient dans sa tête comme une condamnation. Ce n'était pas possible, il ne pouvait pas la tenir pour responsable du refus de son père. Elle n'avait fait que repousser sa demande en mariage, parce qu'elle était trop jeune. S'il avait eu la patience d'attendre…

Puis elle rejeta violemment son image hors de son esprit. Il avait voulu lui faire peur. Ce n'était qu'un imbécile orgueilleux.

Pourtant, le soir suivant, le malaise qui l'avait saisie depuis l'arrivée de la délégation chypriote s'était amplifié. Malgré le calme apparent revenu sur la cité, il lui semblait discerner les menaces obscures qui se levaient au loin, et qui bientôt fondraient sur le Double-Royaume.

Au fil des mois qui suivirent, elles parurent pourtant s'estomper. Jusqu'au jour où elles resurgirent sous une forme aussi inattendue que terrifiante.

7

Khirâ n'avait pas osé parler à sa mère de la menace proférée par Tash'Kor. Elle imaginait que Djoser, immédiatement informé, aurait lancé sa flotte de guerre à la poursuite des Chypriotes. Elle s'en ouvrit cependant à Seschi, plusieurs jours après le départ des étrangers. Contrairement à ce qu'elle redoutait, il ne la traita pas d'idiote. Il se rendait compte qu'elle était bouleversée, et tenta de la rassurer.

— Ce sont des paroles d'Isfet[1], affirma-t-il. Cet imbécile a compris que tu avais peur, et il a voulu t'effrayer, pour se venger du refus de notre père. C'est la colère et le dépit qui l'ont inspiré. Tu n'as donc rien à craindre. Mais tu aurais dû le dire à l'Horus; ce chien méritait d'être châtié pour son insolence. Si jamais je le retrouve…

— Non! Tu ne feras rien. Il faut le comprendre. Son père comptait beaucoup sur cette aide.

— Ce Mokhtar-Ba aurait dû se préoccuper bien

---

1. Isfet : Déesse de la Discorde et du Chaos, par opposition à la Maât, symbole de justice, de vérité et d'harmonie. Tenir les paroles d'Isfet, parler la langue d'Isfet : mentir.

avant du sort de son peuple, au lieu d'abriter des pirates. Notre père fut sage de refuser.

— De toute manière, nous ne les reverrons jamais, conclut Khirâ.

Seschi ne répondit pas. Il devinait le trouble qui avait envahi sa sœur. Un trouble lié à ce crétin de Tash'Kor. Il voulut dire quelque chose, mais renonça. L'émotion qui la tenait le déroutait, car elle faisait appel à des sentiments nouveaux, dont il ignorait tout. Intuitivement, il savait qu'il eût été cruel de se moquer d'elle. Alors, il la prit dans ses bras et la serra très fort. Elle n'osa pas lui dire qu'il lui faisait un peu mal.

Quelques mois plus tard, Khirâ avait presque oublié la menace chypriote. À force d'un travail acharné, les paysans avaient réussi à irriguer la majeure partie des champs, dans lesquels ils avaient semé le blé et l'orge, ainsi que quantité de légumes : oignons, concombres, salades…

Au début de Chemou, la saison des moissons, une fraîcheur relative apporta, le matin, une faible rosée qui favorisa la germination. La terre noire de Kemit se couvrit d'une brume d'un vert tendre, promesse d'une récolte honnête sinon abondante. Les céréales avaient à peine atteint une coudée de haut lorsque le fléau se matérialisa dans toute son horreur.

Khirâ ne comprit pas immédiatement ce qui se passait. Plus tard, elle se souviendrait avoir aperçu Djoser, dans la cour du palais, écouter les explications d'une douzaine de paysans affolés. Puis Seschi lui prit la main et dit :

— Viens, il se passe quelque chose d'anormal.

Instantanément, elle sut que la raison de la panique

des paysans était très grave, et l'image de Tash'Kor
resurgit dans son esprit. Suivant son frère, elle courut
à l'extérieur. Akhty et Nâou leur emboîtèrent le pas.
Elle imagina toutes sortes de cataclysmes, tous plus
effrayants les uns que les autres, l'apparition du serpent Apophis, une invasion ennemie, un tremblement
de terre.

Dans les rues de la cité, des groupes s'étaient formés, qui conversaient avec agitation. Des mains se tendaient en direction du sud; les visages reflétaient
l'effroi. Seschi entraîna ses compagnons jusqu'aux
remparts, sur lesquels se massait déjà une foule importante. Escaladant un escalier menant sur le chemin de
ronde, les enfants royaux parvinrent au sommet de la
muraille à redans qui protégeait la cité, et qui avait valu
son nom au nome de la capitale : les Murs Blancs.

Le cœur battant, ils s'approchèrent du parapet. Au
loin vers le sud, la plaine s'étendait de part et d'autre
du fleuve, très large à cet endroit. Après la faible inondation, les eaux étaient redevenues bleues et coulaient
lentement. Les champs noyés de soleil s'étiraient entre
les palmeraies, porteurs de la future récolte.

— Par les dieux, murmura Seschi. Qu'est-ce que
c'est que ça ?

À la limite de l'horizon méridional se déployait une
gigantesque masse mouvante, un peu semblable à une
colonie d'arondes. Le monstre protéiforme paraissait
s'enfler par endroits, puis s'abattait sur la plaine pour
en resurgir en tourbillons vastes et fluides, qui couvraient toute la vallée. Malgré la distance, l'écho
d'une rumeur sourde parvenaient aux habitants.

— On dirait des oiseaux, dit Akhty, d'une voix
qu'il voulait rassurante.

On n'avait jamais redouté une invasion de volatiles, même s'ils causaient quelques dégâts aux cultures.

— Ce ne sont pas des oiseaux, rectifia une voix grave derrière eux.

Ils se retournèrent. Nemeter les avait suivis. L'angoisse des enfants remonta au zénith devant le visage sombre de leur précepteur.

— Ce sont des sauterelles, expliqua-t-il.

La réponse inattendue provoqua un éclat de rire. Nemeter voulait se moquer d'eux.

— Des sauterelles ? s'exclama Khirâ, soulagée. Elles sont moins dangereuses que les scorpions ou les serpents.

— Ne ris pas, petite princesse ! Il arrive parfois que les dieux déchaînent sur la vallée une invasion de ces insectes. Nul ne sait d'où ils viennent, mais ils sont alors en si grand nombre qu'ils dévorent tout sur leur passage. C'est une catastrophe plus grave encore que la sécheresse, car ils ne nous laisseront rien.

— Elles vont nous manger, nous aussi ? s'inquiéta Inkha-Es, qui serrait très fort la main de Khirâ.

— Non, bien sûr. Elles ne s'attaquent qu'aux plantes. Elles détruisent tout, les feuilles, les tiges, les jeunes pousses. Rien ne peut les arrêter, pas même le feu.

Akhty comprit aussitôt ce que cela signifiait.

— Elles vont anéantir la récolte à venir, s'exclama-t-il. Et nous n'aurons plus rien à manger.

Une brusque sensation de malaise broya le cœur de Khirâ. Les paroles de Tash'Kor hantaient sa mémoire : « Bientôt, de grands malheurs s'abattront sur Kemit. Tu sauras alors que c'est moi qui les aurai provoqués. »

Elle se découvrit l'envie de pleurer. Ce n'était pas possible, il ne pouvait être responsable de cette terrible catastrophe. De quels pouvoirs monstrueux le magicien chypriote disposait-il pour exercer une telle malédiction ? Seschi avait raison : Tash'Kor désirait l'effrayer, et il y avait réussi. Son regard bleu pâle ne la quittait pas. Au fond d'elle-même, elle était persuadée que ce cataclysme n'était pas une coïncidence. On l'avait délibérément attiré sur Kemit en invoquant les dieux des ténèbres, peut-être ce Baâl que son père avait combattu quelques années avant la sécheresse.

Devant le désarroi de sa sœur, Seschi la prit par les épaules.

— Chasse tes mauvaises pensées, petite sœur. Tu n'es responsable de rien. Nemeter affirme que ce n'est pas la première fois qu'un tel fléau se produit. Le dernier remonte au règne de notre arrière-grand-père, le dieu bon Sekhemib-Perenmaât.

Pendant les jours qui suivirent, la masse grondante se rapprocha inexorablement de la capitale. Le fleuve se couvrait par endroits de nappes épaisses d'insectes noyés. Il amena également des flots de réfugiés amaigris qui avaient fui leurs champs dévastés. Déjà, quelques colonies avancées de sauterelles avaient investi les champs cultivés des Murs Blancs. Les paysans agitaient des brandons enflammés pour tenter de les chasser. Mais c'était peine perdue. Partout, la terre résonnait du bruissement des élytres. Par endroits, le ciel s'assombrissait tant le nuage était dense.

— Pouvons-nous faire quelque chose ? demanda Djoser à Imhotep.

— Hélas, ô Lumière de l'Égypte, je crains que nous ne soyons impuissants à lutter contre ces criquets.

— Ne pourrait-on pas les brûler ? suggéra Semourê.

— Ce serait inutile. J'ai assisté à un phénomène semblable au cours de mes voyages, bien loin au-delà de la Nubie. Nul ne sait pourquoi, il leur arrive de se multiplier dans des proportions hallucinantes. Rien ne peut les arrêter. Leur nombre va augmenter jusqu'au moment où ils n'auront plus rien à manger. Alors, ils mourront par millions, et tout rentrera dans l'ordre[1].

Même dans ses pires cauchemars, Khirâ n'aurait jamais imaginé semblable horreur. Les criquets étaient partout, en nuées ondoyantes et bourdonnantes. Pris individuellement, ils n'étaient aucunement dangereux pour l'homme. Mais les ravages qu'ils causaient étaient apocalyptiques. Sous l'action de leurs mandibules impitoyables, les cultures se désintégraient lentement. Ils périssaient par centaines par milliers et les pieds nus écrasaient leurs cadavres ou leurs larves rampantes. Le ciel avait pris une teinte grise, que les rayons du dieu Rê lui-même avaient peine à percer. Il était impossible de s'en débarrasser. Par endroits, on alluma de grands feux, en espérant ainsi détruire les œufs pondus dans le sol par les femelles. Mais celles-ci étaient trop nombreuses, et les cultures elles-mêmes étaient sacrifiées.

Le fléau dura le premier mois de la saison de Chemou. La mort dans l'âme, Djoser parcourait les champs, environné d'une nuée d'insectes que des serviteurs tentaient désespérément de disperser à l'aide de grands éventails. Plusieurs fois, il surprit des paysans à pleu-

---

1. Encore de nos jours, les criquets constituent un véritable fléau en Afrique et en Asie. Au moment où la fécondation est la plus forte, le nombre de sujets à l'hectare peut atteindre 400 000.

rer, le nez dans la poussière, sur leur récolte détruite. Dans certaines maisons, on faisait frire les criquets dans de l'huile d'olive pour ne pas mourir de faim.

Les arbres eux-mêmes croulaient sous des agglomérats d'insectes bruissants. Des grappes de sauterelles mortes tombaient des branches dépouillées de leurs feuilles. On en trouvait dans les jardins, dans les demeures, jusqu'à l'intérieur du palais où ils venaient mourir après avoir dévoré les arbustes d'ornement.

Bientôt, les champs prometteurs ne présentèrent plus que des tiges racornies par le soleil. Enfin, le nuage se déplaça lentement vers le Delta, abandonnant derrière son passage un paysage désolé. Cependant, Imhotep fit remarquer que son importance avait diminué.

— Ils ont atteint leurs limites, expliqua-t-il. D'ici une ou deux décades, ils périront, et les champs de Basse-Égypte seront épargnés.

Il n'en restait pas moins que la totalité des cultures du nome de la capitale avait été détruite, ainsi que celles de huit provinces proches de Haute-Égypte. Bien qu'il y eût peu de chances pour qu'une nouvelle récolte levât à cette époque de l'année, Djoser ordonna malgré tout la distribution de nouvelles semences, que les silos hermétiquement clos avaient protégées. Harassés de fatigue, les paysans se remirent à l'ouvrage. On irrigua les champs dévastés, et on sema blé et orge en priant les dieux afin qu'ils se montrassent cléments. Mais Imhotep ne s'était pas trompé. Moins d'un mois plus tard, le nuage de criquets s'était résorbé de lui-même.

Ce fut alors qu'une malédiction encore plus grave s'abattit sur le Double-Royaume.

8

Port de Busiris...

Le navire arrivait de Byblos, chargé de grumes de
cèdre en provenance des hautes collines de l'arrière-
pays. Épuisé par le voyage, le capitaine demanda au
directeur du port le nom d'un médecin pour deux de
ses marins. Depuis le départ, quatre jours plus tôt,
ceux-ci souffraient d'une fièvre qui refusait de guérir.

— Je crois qu'ils sont affaiblis par la faim. Avec la
sécheresse, nous ne mangeons plus suffisamment,
expliqua-t-il. J'avais à bord une cargaison de poisson
séché, mais ça n'a pas suffi.

Le directeur lui indiqua la demeure de Nefer-Kherou, disciple du grand Imhotep, qui venait de s'établir
dans la cité. Il ne faisait aucun doute qu'il remettrait
très rapidement les marins sur pied. Les malades
furent donc transportés dans la modeste villa du jeune
médecin.

Nefer-Kherou, qui venait de *fonder une maison*[1],
les reçut avec courtoisie et compassion, ainsi que l'enseignait le maître. Il les installa dans une chambre et

---

1. Fonder une maison : se marier.

chargea ses serviteurs de leur trouver très vite un peu de nourriture. La meilleure façon de lutter contre le mal était de manger à sa faim. Puis il prépara une décoction destinée à faire tomber la fièvre.

Le lendemain, pourtant, celle-ci s'était encore aggravée. Malgré ses soins, les deux hommes s'affaiblissaient à vue d'œil. Trois jours plus tard, il remarqua deux plaques rouges sous les aisselles de l'un d'eux. L'autre se mit à vomir un sang épais. Il comprit qu'ils étaient en train de mourir, et que son savoir était impuissant à les sauver. Dans l'après-midi, le capitaine du navire fut amené à son tour, en compagnie de trois autres marins. Tous quatre présentaient les mêmes manifestations : une forte fièvre accompagnée de vomissements.

— Tu dois nous soigner, médecin ! dit le capitaine d'une voix rauque. J'ai l'impression que ma langue gonfle et emplit ma gorge.

Pris au dépourvu, le jeune praticien installa les nouveaux malades dans sa maison, sur des lits de fortune. Un sentiment de panique commença à s'emparer de lui. Jamais il n'avait rencontré de tels symptômes. Sa jeune femme, Meri-Nout, qui l'assistait, demanda avec inquiétude :

— Mon cher époux sait-il de quoi souffrent ces marins ?

— Non, hélas ! J'ignore de quelle maladie il s'agit, et encore moins comment la soigner. Un seul homme pourrait peut-être tenter quelque chose. Je dois le prévenir, mais je crains que d'ici son arrivée, certains de ces marins ne soient morts.

Maîtrisant à grand-peine un tremblement nerveux, le médecin tenta de mettre de l'ordre dans ses idées,

échafaudant toutes les hypothèses. Mais celles-ci abou-
tissaient toujours à la même conclusion : il se sentait
incapable d'aider ces hommes. Et surtout, Meri-Nout
et lui les avaient touchés, les avaient soignés. Il était
donc probable que le mal terrifiant les avait atteints,
eux aussi. Une nausée lui tordit l'estomac. D'une voix
blanche, il déclara :

— Écoute-moi ! Tu vas te rendre à Iounou, où
réside mon maître, le grand Imhotep. Décris-lui bien
comment se manifeste l'affection. Il doit apprendre ce
qui se passe ici. Tâche de le convaincre de venir nous
aider.

— Mais toi, que vas-tu devenir ?

— Je dois rester pour soulager mes malades. Peut-
être Isis me prendra-t-elle en pitié. Mais fais vite, ma
sœur !

— Nefer-Kherou ! gémit-elle.

— Va !

Les yeux remplis de larmes, l'esprit en déroute, la
jeune femme quitta la demeure sous le regard inquiet
des serviteurs.

Deux jours plus tard, elle parvint à Iounou où elle
se rendit immédiatement auprès d'Imhotep. Celui-ci
l'accueillit avec amitié. Il connaissait bien Meri-Nout
puisqu'il avait lui-même célébré son mariage avec son
disciple Nefer-Kherou, qu'il tenait en grande estime.
À mesure que la jeune femme racontait son histoire, le
visage du grand homme pâlissait. Lorsqu'elle eut terminé, il déclara :

— Je dois me rendre immédiatement sur place.
Fassent les dieux que cette maladie ne soit pas ce que
je redoute.

Il prit à peine le temps d'emporter quelques vêtements et les coffres contenant sa pharmacie et ses instruments, puis, après avoir salué son épouse Merneith et son ami Ouadji, il monta à bord de la felouque qui avait amené Meri-Nout.

Le surlendemain, lorsqu'il arriva chez son disciple, trois des marins avaient succombé, et six autres avaient été accueillis par Nefer-Kherou. Imhotep examina rapidement les survivants, puis entraîna le jeune couple hors de la salle des malades. Le visage décomposé, il murmura :

— La Mort Noire[1] ! C'est bien ce que je craignais. Que les dieux nous protègent !

Il fit quelques pas nerveux, puis leur demanda

— Comment vous sentez-vous ?

— Je suis fatigué, ô mon maître. Mais je n'ai ni fièvre, ni vomissements, répondit Nefer-Kherou.

En revanche, la jeune femme s'était enveloppée dans une couverture dès son retour.

— J'ai des frissons, Seigneur. Depuis ce matin, je tousse un peu.

Imhotep soupira.

— Il faut que tu boives beaucoup. Le plus que tu pourras. Et secoue tes serviteurs pour qu'ils te trouvent de quoi manger en suffisance. Essentiellement des fruits frais.

Des larmes emplirent les yeux de Meri-Nout.

— Je... je vais mourir, Seigneur ?

— Seuls les dieux pourraient te répondre. Il n'est pas forcé que tu tombes malade à ton tour. Mais, pour avoir été en contact avec ces hommes pendant plu-

1. La peste.

sieurs jours, tu t'es gravement exposée Tout comme ton mari.

— Nous avons agi ainsi que tu me l'as enseigné, ô mon maître ! répondit Nefer-Kherou.

— Je n'ai pas oublié que tu fus mon meilleur élève. Mais cette fois, je crains que toutes mes connaissances soient impuissantes. Nous devons pourtant tenter quelque chose. Tu m'as dit que ces deux hommes avaient été amenés par un navire.

— Oui, Seigneur.

— Alors, il est probable que les autres membres de l'équipage étaient déjà contaminés. Sais-tu ce qu'est devenu ce navire ? Est-il reparti ?

— Je… je ne crois pas, Seigneur. Les marins sont descendus à terre.

— Et ils ont sans doute rendu visite aux filles du port, lesquelles partagent leur couche avec tout un chacun. Il faut absolument empêcher les habitants de Busiris de quitter leur ville. Peut-être n'est-il pas trop tard.

Imhotep s'isola pour méditer. Il devait à tout prix empêcher l'épidémie de se répandre, ou bien elle risquait de décimer la population des Deux-Royaumes. Mais comment l'arrêter ? Si des hommes porteurs de la Mort Noire avaient quitté Busiris, ils avaient sans doute déjà transmis la maladie dans le Delta. La Basse-Égypte risquait fort d'être touchée entièrement. En revanche, il existait peut-être une chance de sauver la Haute-Égypte. Il ignorait comment se transmettait exactement la Mort Noire, mais il savait, de par son expérience passée, que l'on parvenait à sauver des populations en les isolant totalement. Il écrivit une lettre à l'attention de Djoser, dont il chargea son fidèle

Chereb. Celui-ci se mit en route aussitôt. Il avait ordre de ne pas s'arrêter avant d'avoir atteint Mennof-Rê, et surtout de ne prendre personne à son bord.

Malheureusement, comme Imhotep l'avait redouté, le fléau s'était déjà répandu dans le Delta. Il y avait maintenant dix jours que le navire était arrivé. Les marins, sitôt débarqués, avaient couru rejoindre les prostituées. Des hordes de rats avaient fait leur apparition dans les rues de Busiris, surgissant des entrepôts, des fondations des maisons, des canaux évacuant les eaux usées. Ces animaux, d'ordinaire si vifs et si prudents, venaient mourir près des hommes, la gueule pleine de sang et le corps déformé par de vilaines pustules. Dans les trois jours qui suivirent l'arrivée d'Imhotep, plusieurs autres cas se déclarèrent. Parmi les premiers malades admis dans la maison de Nefer-Kherou, près des trois quarts avaient péri.

Face à la montée de la terreur, Imhotep usa de sa forte personnalité pour mobiliser toutes les bonnes volontés. Malgré les récriminations du nomarque, il exigea de disposer d'un grand local où seraient installés tous les malades. La demeure de Nefer-Kherou s'était très vite révélée trop exiguë. Quelques jours plus tard, le nombre des cas avait dépassé les cent. Une puanteur insupportable s'alourdissait sur la cité, émanant des cadavres des animaux et des humains.

Une atmosphère d'angoisse s'était répandue. On commençait à parler d'une malédiction. Malgré l'interdiction de quitter la ville imposée par Imhotep, plusieurs habitants s'enfuirent vers l'intérieur des terres, espérant ainsi échapper à la mort. Mais ils ne faisaient que l'emporter avec eux.

Quelques jours après son retour de Iounou, la fièvre

de Meri-Nout empira. La maladie qui semblait devoir épargner son mari l'avait frappée. Nefer-Kherou l'avait installée à part dans leur propre demeure, désertée par la moitié des serviteurs. Imhotep lui rendait visite au moins une fois par jour. De toute la force de sa volonté, elle luttait pour demeurer lucide, mais la fièvre était telle parfois qu'elle ne reconnaissait même pas son visiteur. Lors de ses rares périodes de conscience, la jeune femme prenait la main d'Imhotep.

— Ne crains-tu pas pour ta propre vie, Seigneur ?

— Si, petite ! Mais le rôle d'un médecin est de demeurer près de ses malades, quels que soient les risques. Et puis, j'ai déjà affronté la Mort Noire, il y a de nombreuses années. J'ai touché les malades, crevé leurs abcès, lavé leurs plaies. Malgré cela, le mal m'a épargné.

— Sais-tu pourquoi certains résistent, tandis que d'autres, qui paraissent plus forts, succombent ?

— Je l'ignore. Si je le savais, sans doute pourrais-je en guérir un plus grand nombre.

— Je vais mourir, n'est-ce pas ?

— J'aimerais pouvoir te rassurer, mais je ne saurais te mentir. Malgré mes connaissances, je suis incapable de te répondre. Peut-être vas-tu rejoindre le royaume d'Osiris, mais il est également possible que tu guérisses. La seule chose que je puisse te conseiller, c'est de lutter, de toutes tes forces, de toute ta volonté.

Depuis l'heure de Khepri jusqu'à la disparition d'Atoum-Rê à l'horizon occidental, les deux médecins travaillaient sans relâche, prodiguant des soins aux souffrants, consolant les mourants. De courageux volontaires se chargeaient des cadavres, que l'on emportait dans le désert. Là, ils étaient ensevelis sous une couche de sable. La chaleur du soleil aidant, ils se dessécheraient et finiraient par se momifier.

À la demande d'Imhotep, de grandes fosses avaient été creusées, dans lesquelles on entassaient les cadavres des rats et des animaux. Lorsqu'elles étaient pleines, on les arrosaient de naphte et l'on mettait le feu. Ainsi espérait-on brûler le mal.

Tandis que la Mort Noire progressait inexorablement le long des bras du fleuve-dieu, Chereb arriva à Mennof-Rê. Il se rendit au palais où, le roi étant absent, il fut reçu sans délai par la reine. Thanys aimait beaucoup ce guerrier nubien, frère jumeau de son fidèle Yereb, mort bien des années auparavant lors de leur fuite désespérée hors de Kemit. Le soldat délivra son message et ajouta :

— Le seigneur Imhotep a exigé que je reparte immédiatement après t'avoir remis sa lettre, ô ma reine. Bien que je paraisse en bonne santé, il redoute que je ne sois atteint et il ne veut pas que je contamine la cité royale.

— Je loue ton courage, mon ami. Mon père a eu raison de te choisir. Je te laisse donc repartir vers lui. Mais, auparavant, je vais ordonner que l'on charge ta felouque avec des jarres de grains.

— Sois remerciée, ô ma reine.

Après le départ du visiteur, un grand froid envahit Thanys. Depuis quelques jours, elle assumait seule le gouvernement du Double-Pays. Djoser avait quitté la capitale quelques jours plus tôt pour le Delta. Il désirait surveiller l'évolution des récoltes après le passage du nuage de criquets. Piânthy et quelques capitaines l'avaient accompagné. Thanys voulut espérer qu'ils seraient épargnés, mais la lettre d'Imhotep se montrait très pessimiste.

Après l'avoir relue, elle réagit et prit les décisions recommandées par son père. Avant toute chose, elle ordonna à Kebi d'emmener les enfants à Kennehout, sous la protection du vieux Senefrou, qui s'était remis de ses jambes brisées par les sbires de Meren-Seth. Il en conservait une claudication désagréable, mais il continuait à gérer le domaine de l'Horus comme s'il s'était agi du sien propre.

— Que se passe-t-il ? demanda Khirâ. Pourquoi devons-nous quitter Mennof-Rê ?

— Un séjour à Kennehout vous fera le plus grand bien, répondit Thanys évasivement. N'avez-vous pas envie de revoir Senefrou ?

— J'aurais préféré rejoindre mon père dans le Delta ! répliqua la jeune fille.

Thanys ne sut que répondre. La manière dont elle avait prononcé « mon père » témoignait de l'amour qu'elle portait à Djoser. Il ne faisait aucun doute dans l'esprit de Khirâ qu'il lui avait donné la vie. Jamais elle ne devrait apprendre qu'elle n'était pas vraiment sa fille. Elle en souffrirait trop.

Malgré les protestations des enfants, la souveraine se montra inflexible. Sans comprendre pourquoi, ils durent embarquer très vite en direction du la haute vallée.

Cependant, en dépit des efforts pour conserver l'information secrète, la nouvelle se répandit dans la population : la Mort Noire frappait Busiris et progressait inexorablement le long du bras principal du Nil. Un vent de panique souffla aussitôt sur la capitale, que Thanys ne réussit pas à contrôler. La rumeur parvint sur le bateau qui s'apprêtait à emporter les enfants vers le sud. Khirâ pâlit. Une fois encore, il ne faisait aucun doute dans son esprit que les responsables de tous ces malheurs n'étaient autre que Tash'Kor et son magicien. Un profond désespoir envahit la jeune fille. Pourquoi n'avait-elle pas accepté de le suivre à Chypre ? De nombreuses vies eussent été épargnées. Plus que jamais, elle se sentait coupable du nouveau fléau qui touchait Kemit.

À Busiris, Meri-Nout luttait toujours contre la mort. Chaque jour qui passait la voyait s'accrocher à la vie avec l'énergie du désespoir. Mais, malgré les efforts d'Imhotep, elle s'affaiblissait inexorablement. Ses périodes de lucidité se faisaient de plus en plus rares. Enfin, des ganglions apparurent sous ses aisselles, qui gonflèrent jusqu'à devenir aussi gros que des œufs de pigeon. Imhotep sentit le désespoir l'envahir. Ces infects bubons constituaient la phase ultime de l'affection, et annonçaient la mort prochaine du malade.

Meri-Nout ne survécut que trois jours à leur apparition. Un matin, Nefer-Kherou la trouva sans vie. Au prix d'un terrible effort de volonté, il parvint à étouffer le cri de douleur qui voulait jaillir de ses entrailles. Au moins, Meri-Nout avait fini de souffrir. Afin de ne pas risquer de sombrer dans la folie, le jeune médecin redoubla d'efforts, travaillant sans relâche depuis avant l'aube jusqu'à une partie avancée de la nuit. Avant de s'accorder quelques heures de sommeil, il faisait part à son maître de ses observations de la journée. Tous deux remplissaient des papyrus de notes, puis finissaient par s'écrouler sur les nattes que les serviteurs leur avaient installées.

Chaque jour, Imhotep différait son retour à Iounou. Il y avait tant à faire à Busiris. Il avait appris que Per Bastet, la ville où se trouvait l'Horus Djoser, était touchée elle aussi par le fléau. Il comprit que rien ne pourrait l'arrêter. Un matin, il reçut un message angoissant, l'avertissant que la Mort Noire avait atteint la cité du soleil. Par chance, Nâou et Ankhaf avaient été envoyés à Kennehout en compagnie des enfants royaux.

Mais Merneith restait seule.

9

Immédiatement après le départ des enfants, Thanys avait organisé la défense de la cité. Dans sa lettre, Imhotep expliquait qu'il fallait établir, à la hauteur de Mennof-Rê, un barrage interdisant à tout navire de pénétrer dans le nome des Murs Blancs ; il était persuadé que la Mort Noire se transmettait par contact direct et qu'il fallait isoler la Haute-Égypte. Bien sûr, il eût été préférable d'installer un barrage plus en aval, mais il était impossible de surveiller efficacement tous les bras du fleuve. La tâche serait donc plus aisée à la hauteur du nome des Murs Blancs. Il était vital d'empêcher toute personne, quel que fût son rang, de passer de Basse-Égypte en Haute-Égypte. Se conformant rigoureusement aux instructions, Thanys chargea Semourê de mettre en place une puissante ligne de défense entre les deux royaumes.

En l'absence de Piânthy, Semourê regroupa les soldats de la Maison des Armes et les gardes royaux pour établir un cordon sur toute la largeur de la vallée, y compris sur le fleuve, où les navires militaires interdirent tout trafic en provenance de Basse-Égypte. Les négociants et les pêcheurs se plaignirent, mais Semourê se montra inflexible : nul ne devait passer.

Très vite, toutes relations furent arrêtées entre les deux royaumes. Djoser lui-même avait adressé un courrier à Thanys, l'avertissant qu'il demeurait à Per Bastet, malgré les objurgations du nomarque, qui l'incitait à repartir pour Mennof-Rê. Plusieurs de ses hommes avaient été touchés, et il ne voulait pas courir le risque de ramener la Mort Noire en Haute-Égypte, sous prétexte qu'il était l'Horus. Son corps était celui d'un homme, et donc aussi vulnérable à la maladie que celui de n'importe lequel de ses sujets. Il devait montrer l'exemple.

La mort dans l'âme, Thanys fit promulguer un édit stipulant que toute personne qui tenterait de forcer le cordon militaire serait immédiatement abattue par les archers royaux. Cette décision désespérait la jeune reine. Elle aurait voulu posséder un pouvoir assez puissant pour repousser le fléau. Elle savait que des gens allaient mourir en essayant d'enfreindre les ordres, et elle en tremblait d'avance. Cependant, elle n'avait pas le droit de risquer la vie des citadins de Mennof-Rê et des nomes suivants.

Ce rigoureux barrage militaire impressionna fortement les habitants de la capitale, déjà éprouvés par le nuage de criquets. Par l'imagination, on tenta de deviner ce qui se passait en Basse-Égypte, et l'on frémissait, parce que le roi lui-même était « de l'autre côté ». On craignait pour sa vie, et cela ne contribuait pas à rassurer le peuple. La plupart des habitants ignoraient de quelle manière se manifestait la Mort Noire. Aussi celle-ci revêtait-elle un aspect encore plus terrifiant. Certains, avides de sensations, racontaient à leur façon la lente agonie des malades. Selon eux, le visage et le corps gonflaient, se couvraient de vilaines boursouflures violacées. Les mourants s'étouffaient dans leurs propres vomissures. Les souffrances étaient si insupportables qu'on acceptait la mort comme une délivrance. De plus, on délirait tant que l'on voyait des démons aux yeux rouges ramper vers soi. On disait aussi que les intestins enflaient et éclataient à l'intérieur du corps, puis se nouaient en provoquant des renflements annelés qui bougeaient comme si un serpent s'était déplacé sous la peau. Les spectateurs grelottaient de terreur. Les fabulateurs eux-mêmes finissaient par croire à leurs histoires et n'en dormaient plus la nuit.

Face au spectre silencieux de la Mort Noire, dont on guettait avec anxiété les signes avant-coureurs sur le visage de ses proches, chacun se protégeait comme il pouvait. Plus que jamais on invoquait les dieux. On se rendait dans les temples pour sacrifier une oie ou un agneau. On visitait plus fréquemment la nécropole de Saqqarâh, pour demander leur protection aux défunts. Il ne faisait aucun doute dans l'esprit des Égyptiens que ceux-ci étaient toujours vivants dans le royaume d'Osiris. Ainsi un veuf écrivit-il à son épouse morte trois ans plus tôt :

« Ceci est une lettre d'Akhouti-Hotep, grand scribe de l'Horus Neteri-Khet, à son épouse bien-aimée Nefernet, afin qu'elle intercède auprès du très puissant Osiris pour la protection de son époux.

« Bonjour, comment vas-tu ? Ici, les choses vont plutôt mal. Après que les champs ont été détruits par les criquets, Seth nous envoie une terrible maladie dont je suis en grand danger de périr bientôt. Ne va pas croire que je n'ai pas envie de me retrouver près de toi, ma bien-aimée, mais j'aimerais rester encore un peu, si cela ne te contrarie pas, bien sûr. Tu sais que je n'ai pas prononcé les formules du bout des lèvres lorsque j'ai proclamé ton nom sur terre. Tu as pu apprécier les offrandes que je t'ai apportées, même lorsque j'avais si peu à manger moi-même. Alors, implore le grand dieu Osiris afin qu'il ne me fasse pas mourir trop tôt, et surtout pas de cette affection abominable dont on dit qu'elle provoque d'interminables souffrances. Tu ne peux pas vouloir que ton époux bien-aimé endure une si violente douleur, n'est-ce pas? En échange, je te promets de couvrir ta table de présents[1]. »

Au cas où les morts eussent fait la sourde oreille, on portait sur soi des amulettes de toutes sortes, taillées dans les matières les plus diverses : or, cuivre, argent, bois, os, ivoire, corne de gazelle… La plus répandue était le Ankh, symbole du souffle de la vie. On rencontrait aussi beaucoup de nœuds Tit de couleur rouge, censés attirer la protection d'Isis. Le pilier Djed, rattaché à Osiris, était un symbole très ancien, dont l'origine provoquait chez les prêtres d'interminables discussions. Certains voulaient y voir l'image d'une botte de blé retenue par quatre liens. Osiris étant également le *dieu à peau verte*, le neter de l'agriculture, cette forme ne pouvait donc être discutée. D'autres au contraire estimaient qu'il s'agissait de la représentation symbolique de la colonne vertébrale du dieu, notamment ses vertèbres cervicales, là où, comme chacun sait, se tient le pouvoir magique, le heqaou. C'était d'ailleurs pour cette raison que l'on glissait un pilier Djed sous la nuque des défunts momifiés. Une amu-

---

1. Cette lettre est inspirée par les messages que de nombreux Égyptiens adressaient à leurs défunts pour attirer leur protection ou leur donner des nouvelles de leur famille.

lette particulièrement puissante était l'oudjat, l'œil d'Horus, qui apportait la plénitude et la vigueur, et qui permettait de recouvrer la santé après la régénération du corps et le retour à l'équilibre.

Ces amulettes se portaient sous forme de bagues, de pectoraux, de boucles d'oreilles, de pendentifs, et les artisans bijoutiers durent redoubler d'activité pour répondre à la demande.

Tandis que la capitale vivait dans l'angoisse de voir le fléau franchir la barrière imposée par les guerriers, la Mort Noire faisait des ravages en Basse-Égypte. Une onde de mort s'était propagée sur l'ensemble du Delta, jusque dans l'occidentale Bouto, une entité terrifiante et aveugle qui frappait indifféremment le seigneur et le paysan, le prêtre et l'artisan. Elle avait atteint Tanis, Per Ouazet, Hetta-Heri, Per Bastet, et enfin la ville sacrée, Iounou.

Dès qu'il avait su que l'épidémie avait touché sa cité, Imhotep avait quitté Nefer-Kherou, qui tentait d'oublier son chagrin en s'abrutissant de travail. Lorsqu'il s'embarqua à bord de son navire, il jeta un dernier coup d'œil à Busiris. La vision de la ville lui serra le cœur. Une fumée épaisse planait sur ce qui restait de la cité, provenant de l'incinération des cadavres d'animaux et des incendies, car, par précaution, on brûlait les maisons des défunts. Des centaines d'hommes, de femmes et d'enfants de tous âges et de toutes conditions avaient péri. La Mort Noire avait frappé près du tiers des habitants, dont la plupart rejoindrait le Champ des roseaux[1]. Bien sûr, Imhotep avait eu la consola-

1. Champ des roseaux : autre nom du royaume des morts.

tion de voir guérir quelques-uns de ses malades, mais il était incapable d'expliquer pourquoi, et cette ignorance terrible le désespérait.

Empruntant le bras oriental du fleuve, il remonta en direction du sud. Les eaux lourdes et sombres charriaient d'innombrables cadavres d'humains et d'animaux. En chemin, il s'arrêta à Per Bastet où il retrouva Djoser. Si la robuste constitution du roi lui avait permis d'échapper jusqu'à présent à la maladie, il avait déjà perdu une douzaine de ses compagnons.

La ville était en effervescence. Près de la moitié de ses habitants l'avait désertée pour se réfugier dans les marais, ou pour fuir vers le sud. Sur ceux qui restaient, à peine trois mille, plus de quatre cents avaient été victimes de la Mort Noire. Le médecin envoyé par le grand vizir était mort la veille.

— Que pouvons-nous faire, mon ami ? demanda Djoser, dont le visage portait les stigmates d'une fatigue intense. Je procède à l'élévation de la Maât chaque jour dans le naos. Je fais des offrandes à Bastet, à Isis, à Horus, à Ptah, et même à Seth. Mais ils demeurent sourds à mes prières.

— Nous traversons une époque d'épreuves, ô Lumière de l'Égypte. Kemit n'est pas seule touchée. J'ai appris par des navigateurs que la Mort Noire ravageait le Levant et la Mésopotamie. Les morts se comptent là-bas par milliers. Des villes entières sont anéanties.

— Est-ce le sort qui attend les Deux-Terres ?

— Je l'ignore, mon ami. Personne ne peut dire où s'arrêtera cette abomination.

Le surlendemain, Imhotep atteignait Iounou. Lorsqu'il arriva, l'un de ses serviteurs se jeta à ses pieds, les yeux pleins de larmes.

— Pardonne au serviteur que tu vois, ô mon maître bien-aimé. Il a une bien triste nouvelle à t'apprendre. Notre maîtresse, Dame Merneith, a été frappée par la maladie. Elle attendait ton retour avec impatience.

La gorge nouée, Imhotep se précipita dans sa demeure, jusqu'à la chambre de son épouse. Depuis son lit, celle-ci lui adressa un pauvre sourire. Il constata que la maladie était déjà très avancée. Minée par la fièvre, Merneith n'était plus que l'ombre d'elle-même. De vilaines plaques rouges marquaient sa poitrine, et elle respirait avec de grandes difficultés. Imhotep s'agenouilla près d'elle.

— Ma sœur bien-aimée, murmura-t-il.

— Mon cher Seigneur, dit-elle doucement, j'ai reçu un courrier de Thanys. Elle dit que nos fils sont en sécurité à Kennehout.

Une bouffée d'affection saisit le grand vizir. Même agonisante, Merneith s'inquiétait seulement pour leurs enfants. Elle ajouta d'une voix triste :

— Quant à moi, je crains de bientôt devoir rejoindre le royaume d'Osiris.

Il aurait voulu pouvoir lui mentir, lui redonner quelque espoir. Mais il avait vu trop d'hommes et de femmes mourir pour ne pas savoir ce qui l'attendait.

— Je vais te préparer une tisane qui te soulagera, souffla-t-il, la gorge nouée.

Ouadji survint alors qu'Imhotep aidait Merneith à boire sa décoction calmante. Le nain se jeta aux pieds de son ami.

— Pardonne-moi, mon compagnon, dit-il en pleurant. Je n'ai rien pu faire pour soigner ton épouse. Elle s'est montrée très courageuse.

Il s'était dépensé sans compter, organisant les soins

aux malades, encourageant les bien portants, faisant creuser des fosses pour ensevelir les cadavres d'animaux. Tout comme sur Imhotep, la Mort Noire ne semblait pas avoir de prise sur lui, peut-être parce qu'il avait déjà traversé une épidémie semblable de nombreuses années plus tôt. Depuis le début de la maladie de Merneith, il l'avait veillée bien souvent. Mais tous ses efforts se révélaient impuissants.

Le retour d'Imhotep avait donné un regain de force à Merneith. Pourtant, le grand vizir pâlit lorsqu'il constata l'apparition de bubons près de la poitrine de sa compagne. La petite Meri-Nout et nombre d'autres avaient présenté les mêmes symptômes, annonçant leur fin prochaine. Un sursaut de révolte le saisit. Perdu pour perdu, il ne serait pas dit qu'il accepterait d'abandonner son épouse sans combattre. À plusieurs reprises, il avait constaté que certains malades survivaient après que leurs pustules avaient crevé. Il se demanda ce qui se passerait s'il provoquait la chose lui-même. Pris d'un espoir soudain, il prit les mains de Merneith entre les siennes.

— Je connais peut-être le moyen de te sauver, ma bien-aimée, dit-il avec fièvre. Mais il va falloir te montrer vaillante.

La flamme qu'elle lut dans les yeux de son compagnon redonna confiance à la malade.

— Je sais que tu peux tout, mon frère. Je saurai faire preuve de courage.

Il lui adressa un sourire, puis donna ses ordres. Après avoir fait apporter un brasero, il y plongea une lame de cuivre effilée. Lorsque la lame rougie s'approcha de sa chair, Merneith ferma les yeux et serra les dents. Une douleur abominable vrilla son corps, tandis qu'une infecte odeur de grillé se répandait, mêlée à une autre, qui était la puanteur de la maladie elle-même. Un liquide épais s'écoula de la plaie. Puis Imhotep lava la blessure avec une eau dans laquelle avaient macéré des herbes cicatrisantes. Il renouvela l'opération avec chaque bubon. Merneith avait l'impression que son torse n'était plus qu'une plaie béante. Mais le remède s'avéra efficace. Le lendemain, la fièvre avait baissé. Lorsqu'elle s'éveilla, elle sut qu'elle était sauvée. Une violente bouffée d'amour l'envahit, adressée à cet homme exceptionnel qui partageait sa vie. Il ne faisait aucun doute dans son esprit qu'il était bien l'incarnation du dieu Thôt, le magicien qui détenait toutes les connaissances de l'univers. Elle tourna les yeux pour le remercier. Le dieu Thôt, les yeux rougis par la nuit de veille qu'il venait de passer, pleurait de soulagement, en silence.

La Mort Noire avait instauré un climat de démence dans le Delta, exacerbant les comportements humains. Certains s'étaient découvert un courage insoupçonné, et assistaient les médecins dans leurs tâches, méprisant la maladie ; d'autres, au contraire, passaient leurs journées à trembler, attendant la mort avec un mélange de panique et de résignation. Sans doute le manque de nourriture n'était-il pas étranger à cette attitude. Mais cette atmosphère d'apocalypse engendra un autre phénomène bien plus grave. Une véritable folie s'était emparée des habitants de certains villages, qui repoussaient les réfugiés avec la dernière violence. Des combats fratricides avaient ainsi opposé des petites cités voisines. Le manque de nourriture était tel que l'on ne désirait pas partager le peu qui restait. Il n'y avait donc pas de place pour ceux qui fuyaient l'épidémie.

Ces fuyards avaient fini par constituer des troupes errantes. Si certaines avaient rapidement disparu, décimées par le fléau, d'autres s'étaient regroupées pour former des bandes puissamment armées. Ces individus, furieux d'avoir été rejetés, et conscients de n'avoir plus rien à perdre, se livraient sans remords à tous les excès. S'ils devaient mourir, d'autres périraient avec eux. Depuis quelque temps, les petits villages subissaient les attaques impitoyables de ces bandes incontrôlables. Les habitants étaient massacrés, les femmes violées et éventrées, les demeures pillées et incendiées. Dans les ruines, on avait également retrouvé les cadavres de certains attaquants, rongés par la maladie et abandonnés par leurs compagnons. Les pillards faisaient main basse sur tout ce qu'ils pouvaient trouver, maigres richesses, animaux qu'ils dévoraient parfois sur place, nourriture, semences, bijoux. Aucune troupe ne pouvaient s'opposer à eux, puisque le quart des garnisons instaurées par Djoser pour protéger les villageois souffrait de la maladie. Quant aux hommes valides, ils n'étaient guère en état de combattre ces hordes hystériques qui surgissaient au cœur de la nuit pour y replonger après avoir perpétré leurs crimes.

À Mennof-Rê, le cordon militaire s'était révélé efficace. Aucun cas ne fut signalé dans la capitale. Commandée avec rigueur par Semourê, l'armée royale interdisait à toute personne, quel que fût son rang, de pénétrer en Haute-Égypte. Les messagers envoyés par Imhotep ou Djoser se contentaient de déposer leurs rouleaux à distance, dans des endroits convenus.

La vie se poursuivait tant bien que mal. Plusieurs personnes avaient rejoint le royaume d'Osiris, mais on ne pouvait en tenir la Mort Noire pour responsable. Seule la malnutrition en était la cause. En l'absence de Djoser, Thanys continuait d'assumer seule son rôle de régente. Chaque jour, elle dirigeait le Conseil des ministres, écoutait les rapports, recevait les doléances des différentes corporations d'artisans, s'entretenait avec les juges, les Bouches de Mennof-Rê. Elle surveillait avec anxiété l'évolution des nouvelles récoltes, résultats des semences hâtives que l'on avait effectuées après le passage du nuage de criquets. Elle avait aussi constitué un corps de médecins qui avaient pour charge de surveiller l'apparition du moindre cas de fièvre suspecte.

Semourê lui rendait des visites quotidiennes, lui rapportant les derniers incidents. Il dirigeait lui-même les phalanges armées qui patrouillaient sans relâche à la frontière septentrionale du nome, abattant inexorablement ceux qui tentaient de passer. Une vingtaine de fraudeurs avaient déjà péri de cette manière. Cependant, même si cette terrible décision avait porté ses fruits, Thanys en ressentait une culpabilité qui la poursuivrait sa vie entière.

— Mon âme souffre, mon cousin. Qui suis-je pour avoir ordonné ces meurtres ? Chaque nuit, je ne peux m'empêcher de penser à tous ces malheureux qui ont été sacrifiés sur mon ordre, et qui n'avaient commis pour tout crime que de vouloir fuir la mort en venant se réfugier dans la capitale. Il y avait des femmes et des enfants parmi eux. Il me semble les voir tomber sous les flèches de tes archers. Crois-tu qu'Anubis et Osiris me pardonneront de tels crimes lorsque mon heure sera venue de gagner le Champ des roseaux ?

— Nous partagerons ces crimes, ô ma reine bien-aimée. Ces gens étaient prévenus. Mes guerriers ont tout fait pour les dissuader de passer. Mais ils ont désobéi et ont voulu forcer le barrage. Nous n'avions pas le choix. Le grand Imhotep, ton père, a ordonné qu'aucun contact n'ait lieu entre les personnes venant des régions où sévit la Mort Noire et celles de la Vallée du Lotus[1].

— Ces malheureux avaient peur pour eux, pour leurs enfants.

— Mais ils représentaient un danger bien trop grand.

— Que font les autres ?

— Ils ont installé un campement à peu de distance du barrage, et attendent patiemment que l'épidémie ait cessé pour pouvoir rentrer chez eux. Il en vient d'un peu partout.

Le lendemain, elle demanda à Semourê de la mener sur les lieux. Elle désirait se rendre compte par elle-même des conditions dans lesquelles vivaient les réfugiés. Vers le milieu de la matinée, le navire royal les déposa à proximité du barrage. Sur le fleuve, celui-ci se composait d'une vingtaine de navires qui patrouillaient sans relâche, interdisant aux felouques des pêcheurs de franchir une certaine limite. Sur les rives, de nombreuses phalanges de guerriers avaient pris position à distance régulière, constituant une véritable barrière humaine qui s'étendait jusqu'à la lisière des déserts occidentaux et orientaux. La presque totalité de l'armée de Mennof-Rê avait été mobilisée dans ce but.

Sur une rive comme sur l'autre, on avait compris qu'il était inutile de tenter de passer. Vers le sud, les

---

1. Vallée du Lotus : autre nom de la Haute-Égypte. Le Delta était le Pays du Papyrus. La ligature symbolique des deux plantes cristallisait la réunion des Deux-Royaumes.

bateaux demeuraient rares. Personne n'était désireux de se frotter de trop près à la menace effroyable qui pesait sur le Delta. Vers le nord, la tâche était plus difficile. Chaque jour voyait de nouveaux arrivants essayer d'obtenir le droit de se réfugier à Mennof-Rê. Ceux qui avaient déjà échoué essayaient de les dissuader, mais beaucoup insistaient. Les guerriers utilisaient alors l'intimidation. Bien souvent, quelques flèches se révélaient suffisantes pour refouler les plus obstinés.

Étudiant les lieux, Thanys comprit que le Sud était relativement bien protégé. En effet, le fleuve remontait vers le nord, et emportait vers la mer tout ce qui aurait pu contaminer la capitale. Elle se rendit compte que, dans le cas inverse, c'est-à-dire si la Haute-Égypte avait été touchée avant le Delta, le courant eût amené la maladie avec lui, et le barrage militaire n'eût été d'aucune utilité. Elle rendit un hommage muet à son père, dont la clairvoyance lui avait permis de deviner que la Balance des Deux-Terres était le seul endroit où l'on pouvait tenter d'arrêter le fléau efficacement.

Après avoir salué les capitaines des vaisseaux, descendus à terre pour venir s'incliner devant elle, elle se dirigea vers la ligne de front, d'où l'on apercevait le village de réfugiés. Ce jour-là, une certaine agitation régnait sur le camp. Elle estima la population à plus de trois mille personnes, femmes et enfants compris. Une fumée épaisse s'élevait à différents endroits, que le vent du nord ramenait lentement vers le barrage. Une puanteur indicible pénétrait les poumons.

— Ils n'ont pas le courage d'emporter les défunts jusqu'aux sables du désert, expliqua Semourê. Alors, ils les brûlent. Ils n'ont presque plus rien à manger.

De temps à autre, je leur fait parvenir un bateau chargé de ce que je peux trouver. Mais ici aussi, nous manquons de tout.

— Je sais, répondit Thanys.

Un étau lui broyait les entrailles. Djoser était de l'autre côté, avec Piânthy et une vingtaine de ses capitaines. Elle savait, par le brave Chereb qui continuait de la renseigner, qu'il n'avait pas été touché par la Mort Noire, mais elle n'ignorait pas qu'une demi-douzaine de ses compagnons avaient péri. Un dernier courrier de son père l'avait informé que sa mère avait été malade, mais qu'il avait réussi à la guérir en tentant une opération audacieuse, dont il lui donnait les détails.

Soudain, une rumeur sourde naquit dans le village des réfugiés. On l'avait reconnue. En quelques instants, un véritable flot humain se dirigea vers elle. Une ligne d'archers se forma autour de la reine. Elle leva la main.

— Non ! Attendons de voir ce qu'ils veulent.

Une femme de son âge — une trentaine d'années — semblait entraîner la foule. Parvenue à portée de flèche, elle apostropha Thanys.

— Écoute la servante qui te parle, ô Grande Épouse ! Je sais quelle bonté est la tienne. Je suis arrivée hier de Per Bastet où les gens meurent aujourd'hui comme des mouches. J'ai ainsi perdu deux enfants. Il m'en reste trois, que je veux sauver. Notre seule chance est de fuir vers la Haute-Égypte, où les dieux nous prendront en pitié, puisqu'ils vous ont épargnés jusqu'à présent.

— Ce ne sont pas les dieux qui nous ont pris en pitié ! répondit Thanys. La Mort Noire ne nous a pas touchés parce que nous avons interrompu tout trafic entre les deux royaumes. Mais si un seul individu porteur de la maladie pénètre dans le nome, il lui permettra de se propager, et des milliers de personnes mourront.

— Je ne peux te croire, ô ma reine. Je pense au contraire que les dieux vous protègent, et qu'ils nous protégeront si nous vous rejoignons.

— C'est faux ! Tu mettrais en danger toute la population du Lotus. Ainsi parle le grand Imhotep.

Désemparée, la femme poussa un rugissement de colère étouffée.

— Je sais que tu es une femme digne de respect, et animée par les sentiments les plus nobles, et je ne veux pas croire tout ce qu'on m'a raconté depuis que je suis arrivée, c'est-à-dire que ceux de la Haute-Égypte veulent garder pour eux les récoltes à venir, qui seront insuffisantes pour nourrir tout le monde. Alors, la Mort Noire vous permet de sacrifier facilement une bonne partie de la population, ce qui fera autant de bouches de moins à nourrir.

— Cela est totalement absurde, riposta Thanys avec virulence. Tu oublies que mon époux, l'Horus Neteri-Khet, est, lui aussi, à Per Bastet. Il a refusé de revenir aux Murs Blancs par peur de propager la maladie. Crois-tu que je ne tremble pas pour son sort ? Ne peux-tu pas te montrer aussi courageuse que lui ?

— L'Horus ne risque rien : il est protégé par les dieux, clama la femme. Je ne puis accepter tes paroles !

Elle désigna, à ses côtés, trois gamins dont le plus âgé n'avait pas dix ans. Tous trois étaient nus, le crâne rasé, orné de la tresse recourbée sur l'oreille droite.

— Je sais que tu es bonne, ô ma reine. Tu n'auras

pas le courage de m'empêcher de passer avec mes enfants, afin qu'ils soient sauvés.

Sans attendre de réponse, elle se mit à avancer d'un pas lent, tout en fixant Thanys dans les yeux. Un grand froid envahit la reine. Dans le regard de la femme, elle lisait une détermination farouche. Elle comprit alors que les paroles seules seraient insuffisantes pour l'arrêter ; la réfugiée était décidée à jouer le tout pour le tout. Mais il était impossible pour autant de lui permettre de pénétrer en Haute-Égypte. Un peu plus loin, la foule attendait en grondant sourdement. Si Thanys cédait, elle se précipiterait vers la frontière et forcerait le barrage, et derrière elle viendraient les réfugiés dont beaucoup portaient la maladie. Un cruel dilemme broyait le cœur de la reine. Jamais elle n'avait été amenée à prendre une décision aussi effrayante. Mais laisser entrer cette femme et ses enfants revenait à condamner plusieurs milliers d'Égyptiens à mort. Elle serra les dents, puis ordonna à un guerrier de lui donner son arc. L'homme s'exécuta. Du côté des soldats, un silence total s'était fait. En face, la foule grondait de plus en plus fort. Thanys clama d'une voix ferme :

— Je n'ai rien contre toi, femme. Et surtout, je ne désire pas ta mort. Mais je te préviens : si tu continues à avancer, je t'abats.

Joignant le geste à la parole, elle décocha une flèche qui vint se ficher à moins d'une coudée devant la femme. Celle-ci marqua un temps d'arrêt, puis sans cesser de regarder Thanys, reprit sa marche lente, tout en tenant ses enfants par la main.

— Arrête-toi ! hurla Thanys.

— Non, ô ma reine. J'ai confiance en toi ! Tu ne peux vouloir ma mort.

— Je ne la désire pas. Mais je te tue si tu fais un pas de plus, car tu mets toute une ville en danger.

La femme n'écouta pas et poursuivit sa marche. Un silence de mort s'était appesanti sur les lieux. Les yeux brouillés par les larmes, Thanys arma de nouveau son arc. Elle ne sentait plus la chaleur du soleil impitoyable. Une nausée incoercible lui tordit l'estomac. Mais elle n'avait pas le droit de faiblir. La femme n'était plus qu'à une vingtaine de pas.

— Pardonne-moi, ma sœur ! hurla Thanys.

La flèche frappa la rebelle en plein cœur. Un étonnement sans borne se peignit sur ses traits, puis elle s'écroula, sans lâcher la main de ses enfants qui se mirent à hurler de terreur. Un grondement de fureur explosa dans les rangs des réfugiés, des insultes fusèrent. Aux côtés de Thanys, les archers armèrent leurs arcs et lâchèrent quelques flèches dissuasives qui firent reculer les plus agressifs.

Bouleversée, Thanys éclata en sanglots. Semourê la prit dans ses bras. Mais elle le repoussa doucement et revint parmi les guerriers. S'adressant à la foule, elle déclara :

— Mon cœur saigne pour cette femme et ses enfants. Son regard restera à jamais gravé dans mon esprit, car je n'avais aucune haine contre elle, bien au contraire. Je l'aimais, comme j'aime chacun de vous. Vos souffrances sont les miennes, et c'est pour sauver vos frères de Haute-Égypte que j'ai accompli ce geste. Il demeurera en moi comme une plaie qui ne se refermera jamais. J'aurais agi de même si la situation avait été inversée, et si la Mort Noire avait frappé Mennof-Rê. Mais sachez que je suis déterminée à recommencer si un seul d'entre vous tente de nouveau de passer.

De retour au palais, Thanys s'enferma dans ses appartements. Le visage de la femme la hantait.

— Je me fais horreur! dit-elle à Semourê qui l'avait accompagnée. Comment ai-je pu commettre une telle abomination?

— Parce que tu es une grande souveraine, Thanys. Tu as vu comme moi le corps de cette malheureuse; elle était amaigrie, rongée par la fièvre; sa peau était couverte de plaques. Il ne fait aucun doute qu'elle aurait apporté la maladie à Mennof-Rê, et au-delà, jusqu'à Kennehout, Nekhen, jusqu'à Yêb, même.

Il lui prit la main.

— Ton geste demandait beaucoup de courage. Nous ne devons faire montre d'aucune faiblesse et maintenir ce barrage de soldats. Il a fait la preuve de son efficacité. À ce prix-là seulement nous pourrons sauvegarder la Haute-Égypte des ravages de la Mort Noire.

— Oui! Je sais que tu as raison.

Cependant, ce qu'elle avait aperçu du village des réfugiés l'inquiétait. Leur réaction hostile après la mort de la femme lui faisait redouter le pire. Ils arrivaient chaque jour plus nombreux. Si la situation perdurait, il était à craindre qu'ils ne décidassent de forcer le barrage. Les soldats ne pourraient les contenir tous, et il s'ensuivrait un terrible massacre, qui aboutirait immanquablement à la contamination de la Haute-Égypte. La nuit suivante, son sommeil fut peuplé de cauchemars.

Il faisait encore nuit lorsque Semourê, les yeux rougis par la fatigue, vint la réveiller.

— Thanys, Chereb est arrivé au barrage. Il a de graves nouvelles à te communiquer. Il ne veut parler qu'à toi.

10

Thanys parvint au barrage au moment où la sphère rouge de Khepri s'élevait à l'orient dans un ciel désespérément bleu. De l'autre côté de la ligne de guerriers, à distance, Chereb l'attendait. Le Nubien se prosterna sur le sol dès qu'il aperçut la jeune femme.

— Pardonne à ton serviteur de te rapporter une information aussi dramatique, ô ma reine, déclara-t-il. Ton époux, l'Horus Neteri-Khet — Vie, Force, Santé — a été à son tour frappé par la Mort Noire.

Une onde d'angoisse parcourut Thanys. Depuis bientôt deux mois, elle vivait dans la peur. Et voici que celle-ci se matérialisait dans toute son horreur. Maîtrisant son émotion par un violent effort de volonté, elle demanda :

— Comment le sais-tu ?

— Il y a quatre jours, mon maître, le grand Imhotep, m'a envoyé à Per Bastet. La ville a été durement touchée depuis le début de l'épidémie. L'Horus, grâce aux dieux, avait été épargné. Mais, lors de ma dernière visite, on m'a appris qu'il était atteint, tout comme le général Piânthy.

— L'as-tu vu ?

— Oui, ô ma reine. Il est lucide, et il lutte avec courage. Je suis ensuite revenu à Iounou, où mon maître m'a ordonné de venir t'avertir.

— Je te remercie, Chereb. Tu vas attendre. Je vais te confier un message pour mon père.

De retour au palais, Thanys s'enferma dans ses appartements. Elle ne voulait pas montrer un visage défait à ses sujets. Ils lui avaient voué une confiance équivalente à celle qu'ils avaient en Djoser. Devant la menace terrifiante qui planait sur eux, elle avait su les rassurer, maîtrisant ses propres doutes. Cette fois pourtant, déchirée entre son devoir de reine et l'amour qu'elle portait à son compagnon, elle ne savait plus quelle décision prendre. Le premier lui commandait de demeurer à Mennof-Rê pour assurer la régence au cas où il arriverait malheur au roi. Le second lui hurlait de courir à son secours et de partager son sort. Rika lui tenait compagnie. Leurs peines étaient identiques, car Piânthy avait, lui aussi, été touché par la Mort Noire.

Il ne fallut qu'une demi-journée à Thanys pour prendre sa décision. Si Djoser devait périr, elle voulait être à ses côtés. Peu lui importerait alors de mourir aussi. Elle confia son projet à Rika.

— Emmène-moi, Thanys. Ma place est auprès de Piânthy.

— Tu sais ce que tu risques !

— Je ne redoute pas la mort.

Thanys convoqua ensuite Semourê et le vieux Sefmout, auxquels elle exposa ses intentions. Semourê laissa exploser sa colère.

— Tu n'y penses pas ! Djoser lui-même te l'interdirait.

— Il a besoin de moi !

— Si vous disparaissez tous les deux, qui dirigera le pays ?

— Imhotep n'est pas affecté par la Mort Noire. Il assurera la régence jusqu'à ce que notre fils, Akhty-Meri-Ptah, puisse monter sur le trône de Kemit. Je ne veux risquer la vie d'aucun de mes serviteurs. Seule Rika souhaite m'accompagner.

Semourê poussa un énorme soupir. Il savait qu'il était inutile de s'opposer à la volonté de Thanys.

— Quels seront tes ordres au cas où tu reviendrais ? Dois-je te faire abattre par mes archers ? fit-il remarquer avec une ironie amère.

— Je ne reviendrai que lorsque l'épidémie aura cessé. D'après mon père, il y aurait de moins en moins de cas à Busiris et à Iounou. Il semblerait que la Mort Noire commence à reculer.

— Raison de plus pour patienter, insista Semourê sans trop y croire. Les réfugiés te haïssent depuis l'incident d'hier. Ne crains-tu pas qu'ils désirent se venger ?

— Aussi vais-je d'abord aller vers eux. Leur haine tombera d'elle-même si je leur montre que je ne crains pas de partager leur sort.

— C'est de la folie.

Elle lui adressa un sourire radieux et toucha le nœud Tit qui ne l'avait jamais quittée depuis son enfance.

— J'ai affronté des dangers bien pires par le passé. N'aie crainte, Isis me protégera.

Le lendemain, à l'aube, Thanys et Rika franchissaient la ligne militaire, sous les yeux stupéfaits des soldats. Au dernier moment, Semourê avait voulu les accompagner, ainsi qu'une vingtaine de guerriers volontaires. Mais la reine avait refusé.

— Tu dois rester, mon cousin. S'il m'arrive malheur, Kemit aura besoin d'hommes de ta valeur.

Il poussa un rugissement de colère, puis attendit qu'elles fussent parties pour donner ordre à ses hommes d'armer leurs arcs. Au moindre signe d'hostilité, il donnerait l'ordre de tirer. Chereb ne put contenir son étonnement lorsqu'il vit les deux femmes franchir la ligne.

— Mais, que fais-tu, maîtresse ?

— Tu vas nous mener à Per Bastet, auprès de l'Horus.

— C'est un voyage très dangereux ! Des bandes de pillards rôdent un peu partout. Je dois dépenser des trésors de prudence pour les éviter. Et as-tu pensé à la Mort Noire ?

Elle balaya ses récriminations d'un geste et lui fit signe de les suivre jusqu'au village des réfugiés. À mesure qu'ils approchaient du campement, un sentiment d'horreur envahit les deux femmes. De loin, on ne se rendait pas compte de la misère qui frappait les malheureux. Installé sous les frondaisons des palmiers aux longues feuilles desséchées par le soleil, le campement s'étirait le long du fleuve jusqu'à l'endroit où il se séparait en deux grands bras. Minés par la maladie et la faim, les réfugiés offraient des visages creusés, aux yeux rougis. Les plus courageux partaient chaque jour en quête d'une hypothétique nourriture. On avait fabriqué à la hâte des nacelles destinées à pêcher le poisson. D'autres avaient confectionné des filets avec lesquels ils attrapaient des oiseaux dans les fourrés de papyrus. Mais le gibier se faisait rare et il fallait aller de plus en plus loin pour avoir une chance de ne pas revenir bredouille. Depuis longtemps, les dattes et les figues avaient disparu, dévorées par les criquets. Les petits champs où poussait la prochaine récolte de concombres, salades et oignons avaient été pillés dès le début et l'on avait commencé à manger les pousses, les feuilles des arbustes. Quelques-uns fabriquaient de la farine avec l'écorce de certains arbres.

Çà et là, Thanys entrevit les fosses dans lesquelles on faisait brûler les cadavres. La puanteur du camp était presque insoutenable. Les enfants demeuraient près de leur mère, le visage émacié, les côtes saillantes. Une nausée tordit l'estomac des deux femmes.

À l'approche de la reine, il y eut quelques mouvements contradictoires. Puis une barrière humaine se forma. Thanys continua d'avancer, suivie de Rika et de Chereb, pas très rassurés. Un grondement menaçant s'éleva, qui s'estompa bientôt pour faire place à un silence né de l'étonnement. La reine avait revêtu sa tenue de combat. Son grand arc était passé en travers de sa poitrine ; un carquois empli de flèches pendait dans son dos. De même, son glaive de bronze était passé à sa ceinture et elle tenait une grande lance dans la main droite. Enfin, un vieillard se décida à l'aborder.

— Viens-tu pour nous tuer à notre tour ? demanda-t-il d'une voix peu assurée.

— Non, vieil homme ! Il ne vous sera fait aucun mal si vous ne tentez pas de franchir le barrage. La femme qui a désobéi hier m'a accusée de vouloir provoquer votre mort en vous interdisant de gagner Mennof-Rê, où elle pensait que vous seriez sauvés. Elle se trompait. La capitale ignore la Mort Noire parce qu'aucun malade n'a pu y pénétrer. Mais si un seul d'entre vous passait de l'autre côté, il déclencherait la mort de milliers de personnes.

— Alors, pourquoi es-tu ici ? demanda une femme mûre d'un ton agressif. Nous avions confiance en toi, et tu as tué l'une des nôtres de sang-froid. Tu n'es plus digne d'être notre reine.

— Tu voulais voir notre misère de plus près, renchérit un colosse.

Un grondement hostile fit écho à leurs paroles. Thanys leva les bras.

— Taisez-vous, et écoutez-moi !

Son autorité naturelle joua une fois de plus. Après quelques hésitations, le silence se fit. Elle s'avança vers le vieil homme qui l'avait apostrophée et clama d'une voix ferme :

— Cessez de vous plaindre ! Je connais vos malheurs. Mon geste d'hier hante ma conscience. Mais sachez que si l'occasion se représentait, j'agirais de même, car cette femme menaçait, sans le vouloir, tous les citadins de Mennof-Rê, et de la Haute-Égypte. Or, ils ne sont pas responsables de votre misère.

— Pourquoi as-tu franchi le barrage ? insista la femme âgée.

— Peut-être ignorez-vous que l'Horus Neteri-Khet se trouve à Per Bastet.

— Je le sais ! répliqua-t-elle. J'étais là-bas.

— Ce que vous ignorez peut-être, c'est que la Mort Noire vient de le frapper à son tour. C'est pourquoi je me rends auprès de lui.

Il y eut un instant de flottement, puis la vieille femme repartit, d'un ton moins menaçant.

— Tu risques ta vie. À moins que les neters ne t'aient accordé leur protection..

— Je dois porter secours au roi. Désormais, il m'est impossible de revenir à Mennof-Rê. Et ma vie, tout comme la vôtre, est en danger, car les dieux ne me protègent pas plus que vous. Mais, si mon époux doit mourir, je désire partager son sort.

Un long murmure accueillit ses paroles.

— Et tu pars sans escorte... s'étonna le colosse.

— Plusieurs guerriers ont souhaité me suivre, mais j'ai refusé. Je n'ai pas le droit de les sacrifier.

— Peut-être ignores-tu que le pays est aux mains de hordes de démons qui massacrent les villageois ? D'ici à Per Bastet, tu risques d'être tuée cent fois, et non par la Mort Noire.

— On les appelle les Égorgeurs, précisa un autre. Dans le nome du Grand Taureau noir, ils ont exterminé les habitants de trois villages. Ils sont menés par des chefs qui se réclament du dieu rouge. Ils disent qu'il a jeté sa malédiction sur Kemit, et que tout le monde va périr.

— Et tu veux traverser la Basse-Égypte, seule, jusqu'à Per Bastet ? reprit le colosse. Je crois que tu es folle, ma reine !

— Rien ni personne ne m'empêchera de passer !

Sa détermination et son regard farouche ébranlèrent l'assistance. Soudain, le géant se décida :

— Dans ce cas, permets-moi de t'accompagner ! La maladie ne m'a pas encore frappé, et avec ça, je saurai faire reculer tes ennemis.

Il brandit un énorme casse-tête à pointe de silex. L'instant d'après, quelques hommes se rangeaient autour de lui, proposant eux aussi leur aide.

— J'accepte avec gratitude, répondit Thanys. Mais

130

dans ce cas, il va nous falloir un bateau plus grand que celui de Chereb. Suivez-moi !

Quelques instants plus tard, Semourê vit Thanys revenir en compagnie d'une dizaine de gaillards armés jusqu'aux dents. Il faillit éclater de rire. Une fois de plus, elle avait réussi à imposer sa volonté. Il fit préparer une petite felouque de guerre. Récupéré par la reine, le navire s'engagea bientôt dans le bras oriental du fleuve, en direction de la cité du soleil.

Thanys n'avait pas oublié la manière de diriger une felouque. Les dix hommes qui s'étaient spontanément rangés sous ses ordres avaient pris place au banc de nage, cinq de chaque côté. Écrasées sous un soleil impitoyable, les rives du fleuve se couvraient d'une végétation desséchée, jaunie. Les arbres eux-mêmes survivaient avec peine. L'air était chargé de poussière en suspension. Dans la journée, un cadavre à demi dévoré par les crocodiles heurta l'embarcation. Rika ne put retenir un cri d'horreur. L'homme n'avait plus de visage.

À l'arrière du bateau, Chereb manœuvrait l'une des deux gouvernes. Thanys l'observait à la dérobée. Ce voyage au cœur de l'enfer lui en rappelait un autre, bien des années plus tôt, en compagnie du frère jumeau du Nubien, son fidèle Yereb, qui avait péri pour la protéger.

Au soir du premier jour, ils bivouaquèrent dans une petite crique abritée située en aval de Iounou, à distance d'un petit village de pêcheurs. Dans la journée, ils avaient évité par précaution les établissements riverains. Ceux-ci semblaient avoir été désertés par leurs habitants, mais il n'était pas indispensable de se frotter trop tôt à la maladie.

Après avoir posté des sentinelles, Thanys et Rika tentèrent de reprendre quelques forces. Il ne faisait pas encore jour lorsque des craquements étranges tirèrent la reine de sa somnolence. Elle saisit ses armes et fit signe aux guerriers de se tenir prêts à toute éventualité. Les bruits provenaient du village. Dans la lueur bleue de la nuit, Thanys entrevit quelques dizaines d'ombres s'introduire au cœur du hameau, qui ne comptait qu'une vingtaine de demeures. Quelques instants plus tard, des hurlements de terreur retentirent. Un peu partout s'allumèrent les taches incandescentes de torches décrivant des paraboles avant de venir toucher les demeures. Des foyers d'incendie naquirent, illuminant des silhouettes d'hommes, de femmes et d'enfants tirées hors de leur maison. La plus grande confusion régnait dans les lieux. Certains villageois tentèrent de fuir, mais les assaillants, qui semblaient surgir de partout, les frappaient sauvagement à coup de casse-tête, de bâtons, de haches. Un épouvantable carnage commença. Dissimulée derrière un écran de papyrus, Thanys écumait de fureur.

— Nous ne pouvons les laisser faire ! gronda-t-elle en dégainant son glaive.

Hourakthi, le colosse, n'eut que le temps de la saisir à bras-le-corps pour l'empêcher de se jeter dans la mêlée. Elle tenta de se dégager, mais il était trop puissant pour elle.

— Pardonne-moi, ô ma reine, nous ne pouvons rien pour ces villageois. Les pillards sont vingt fois plus nombreux que nous. Tu te ferais tuer inutilement.

Comprenant qu'il avait raison, Thanys parvint à se maîtriser. Certaines informations, transmises par Imhotep, lui revinrent. Un peu partout, des individus sans scrupules profitaient de la panique générale pour dévaster les petits villages. En bandes plus ou moins organisées, ils parcouraient la Basse-Égypte équipés d'armes de fortune. Parmi eux se trouvaient des déserteurs de l'armée royale, qui avaient abandonné tout espoir et décidé de profiter au maximum de la vie avant de la perdre.

La rage au cœur, Thanys et ses compagnons assistèrent, impuissants, au massacre des paysans. À la lueur des incendies, des haches s'abattaient sur les crânes, tranchaient les membres, des lances perforaient les ventres. Les femmes et les filles étaient forcées, violées, puis éventrées ou décapitées sans aucune pitié. Animés par une terrifiante folie meurtrière, les assaillants frappaient, taillaient, mutilaient, égorgeaient, tandis que d'autres tiraient les animaux, vaches ou porcs, hors des étables. D'autres enfin avaient découvert les réserves de vin et de bière, si bien que le carnage épouvantable se doubla d'une beuverie sans nom jusqu'aux premières lueurs de l'aube, sous le regard écœuré de Thanys et des siens.

Dès l'apparition de Khepri à l'orient, les ombres des assassins s'évanouirent dans les marais, laissant derrière eux un décor d'apocalypse. Thanys et ses guerriers attendirent un long moment avant de se risquer hors de leur cachette. La reine passa son arc et son carquois autour de sa poitrine et prit la direction du village, espérant trouver quelques survivants. En pénétrant dans les lieux, elle dut serrer les dents pour ne pas vomir. Les assassins n'avaient laissé aucune chance à leurs victimes. Certaines avaient été pendues par les pieds aux branches des arbres, et écorchées vives. Parmi les morts figuraient des pillards dégouli-

133

nant d'un sang épais. Terrassés par la Mort Noire, ils avaient été abandonnés par leurs complices.

Un gémissement leur parvint. Ils découvrirent alors un homme dont les viscères avaient été répandus sur le sol. Contre toute attente, il vivait encore. Mais il souffrait le martyre. Il tendit les mains vers Thanys, la suppliant de l'achever. Elle comprit qu'il n'y avait rien à faire pour lui. Alors, les yeux brouillés de larmes, elle dégaina son glaive de bronze. Caressant le front du supplicié, elle murmura.

— Qu'Osiris t'accueille dans son royaume.

Puis, d'un geste vif et précis, elle plongea son arme dans le cœur du malheureux. Chancelante, elle se redressa et éclata en sanglots dans les bras de Rika.

— Quelle folie a donc frappé le monde ? gémit-elle. En trois jours, j'ai tué deux Égyptiens de ma propre main.

— Ces individus se conduisent plus horriblement que les hyènes ou les chacals ! gronda Rika, nauséeuse.

La puanteur qui se dégageait du village était insoutenable. Plusieurs des victimes étaient, elles aussi, touchées par la Mort Noire. À l'extérieur du hameau, ils découvrirent une fosse, dans laquelle on avait jeté des corps marqués de sinistres plaques mauves.

Ils s'apprêtaient à revenir vers la felouque lorsqu'un concert de hurlements leur glaça le sang dans les veines. À l'autre extrémité du hameau apparut une troupe effrayante. Thanys comprit que les Égorgeurs revenaient sur les lieux. Au bout de leurs lances étaient plantées des têtes humaines, ou des membres sectionnés, qu'ils brandissaient comme des trophées en braillant des obscénités. Elle préféra ne pas se demander pourquoi ils avaient fait demi-tour et cria :

— Courez !

Derrière eux, la poursuite s'organisa aussitôt. Ils n'eurent que le temps de pousser l'embarcation à l'eau et de bondir à bord. S'arc-boutant sur les longues perches, ils écartèrent la felouque du rivage. Déjà les fauves humains déboulaient sur la grève en vociférant. Thanys arma son arc et tira. L'un des assaillants s'écroula, la gorge transpercée. Visiblement épuisés par leur nuit d'orgie sanglante, les attaquants ne purent riposter. Injures et grossièretés fusèrent, quelques pierres jaillirent. Mais l'embarcation était déjà loin. Thanys décocha deux nouvelles flèches, qui firent mouche, puis la felouque dépassa le village martyre et se dirigea vers le nord, en direction de Per Bastet.

En aval, la situation était désastreuse. Le long du fleuve se pressaient des groupes de réfugiés hagards, ravagés par la maladie et la famine, qui n'avaient même plus la force de les appeler. Par endroits, on apercevait des cadavres efflanqués sur lesquels bourdonnaient des nuages de mouches. Comment les dieux pouvaient-ils permettre une telle abomination ?

Vers le milieu de la matinée, Rika poussa un cri.

— Thanys ! Ils nous suivent !

En effet, les pillards qu'ils avaient affrontés le matin même n'avaient pas renoncé. En quelques instants, l'amont du fleuve se couvrit d'une multitude de nacelles et de felouques d'où émanait un grondement hostile. Peu désireux de tomber entre les mains des Égorgeurs, les rameurs redoublèrent d'effort et parvinrent à maintenir la distance avec leurs poursuivants.

Soudain, vers le début de l'après-midi, une vingtaine de petits navires débouchèrent d'un bras transversal, menaçant de leur couper la route. À leur bord, des hordes d'individus surexcités leur promettaient les pires atrocités.

— Ils m'ont reconnue, souffla Thanys. Ils veulent me tuer.

Près d'elle, Rika s'était mise à trembler. Habituée à la douceur de la vie de la capitale, elle n'était guère préparée à affronter une telle épreuve. Pourtant, lorsque Thanys voulut la réconforter, elle lui adressa un sourire crispé et déclara :

— Donne-moi une arme ! S'ils nous rattrapent, ils ne me prendront pas aussi facilement.

Mais Chereb connaissait son affaire. Manœuvrant habilement, il sut utiliser les courants pour éviter la capture du bateau. Malheureusement, les rameurs, épuisés par leur longue nuit de veille, perdaient inexorablement du terrain. Des hurlements de victoire anticipée jaillirent des navires ennemis.

Alors apparurent les murailles de Per Bastet.

11

La vue des fortifications redonna de l'ardeur aux compagnons de Thanys. Afin de décourager d'éventuels agresseurs, la jeune femme arma son arc et décocha quelques flèches. Malgré l'instabilité de la felouque, trois d'entre elles atteignirent leur but. Avec des grognements de rage et des injures, les poursuivants finirent par abandonner leur traque, d'autant que des guerriers, alertés par le tumulte, apparaissaient déjà sur le chemin de ronde. Hourakthi se mit à hurler pour prévenir que la Grande Épouse se trouvait à bord. Les portes de la ville s'ouvrirent. Quelques instants plus tard, Thanys et ses compagnons débarquaient et pénétraient à l'intérieur de l'enceinte.

Dans la cité de la douce Bastet, la déesse-chatte, régnait un climat de fin du monde. De nombreuses demeures, des plus modestes aux plus riches, avaient été brûlées afin de détruire le mal. Une puanteur effrayante prenait à la gorge, faite de l'odeur des cadavres et des relents d'incendies. Des réfugiés avaient trouvé un abri derrière les murailles, mais nombre d'entre eux souffraient de la maladie. Véhiculée par les insectes, et notamment par les puces, la Mort Noire avait frappé

Per Bastet, apportée par ces fuyards ayant abandonné leurs villages. Des hommes aux yeux hagards, des femmes en haillons, des enfants nus aux côtes saillantes s'éteignaient lentement le long des ruelles, couverts de nuages de mouches. Thanys et les siens durent se boucher le nez avec des linges mouillés pour ne pas respirer l'odeur infecte. Des individus résignés transportaient, sur des litières, des corps qu'ils allaient basculer dans les fosses où on les incinérait. Sur cet enfer pesait un soleil implacable, qui desséchait la peau poussiéreuse des habitants.

Thanys et ses compagnons parvinrent devant le palais du nomarque, où Djoser avait établi ses quartiers. Sethotep, le capitaine commandant la garde, se mit à trembler lorsqu'il reconnut la reine dans la femme armée jusqu'aux dents qui se tenait devant lui.

— Mais comment se fait-il…

— Plus tard ! Conduis-moi à mon époux !

— Suis-moi, ô ma reine.

Durant le voyage, Thanys avait redouté d'arriver trop tard. Mais Djoser conservait encore assez de force pour exploser de colère lorsqu'il l'aperçut.

— Pourquoi es-tu ici ? Qui dirige Kemit en ton absence ?

— J'ai confié le pouvoir à Semourê et Sefmout. Ils sont parfaitement capables de l'assumer. De plus, j'ai envoyé un courrier à mon père l'avertissant de ma décision.

— Serais-tu devenue folle ? Te rends-tu compte du danger que tu cours ?

— Je l'ai accepté. Ma place est auprès de toi.

— Certainement non ! Tu devais rester à Mennof-Rê.

138

— Personne ne saurait te soigner. Imhotep est parvenu à sauver ma mère. Dans sa dernière lettre, il m'explique comment il a opéré. Je peux t'aider !

— As-tu pensé à nos enfants ? Que se passerait-il si nous périssions tous les deux ?

— Mon père assurerait la régence. Et puis, je n'ai pas l'intention de mourir ! ajouta-t-elle avec véhémence. Et toi non plus ! À présent, tu vas cesser de grogner et te reposer.

Djoser voulut répliquer, mais il comprit qu'il n'aurait pas le dernier mot. Au fond, il était heureux que Thanys fût là. Depuis plusieurs jours, il luttait pied à pied contre la douleur insidieuse qui l'envahissait. Mais il sentait ses forces l'abandonner un peu plus à chaque réveil. Il devait faire des efforts de volonté permanents pour conserver vis-à-vis de ses hommes le visage d'un chef. Près de la moitié d'entre eux avait été touchée, dont un tiers avait déjà péri. Il ne redoutait pas la mort, puisqu'elle n'était qu'un passage vers le royaume d'Osiris. Mais il ne pouvait accepter de partir encore : sa tâche n'était pas terminée. Il devait aider son peuple à traverser cette épreuve terrifiante. Tous les matins, il demandait à ses capitaines de le soutenir jusqu'au naos où il accomplissait encore, malgré sa faiblesse, l'élévation de la Maât. Chassant les brumes doucereuses qui lui brouillaient l'esprit, il adressait de ferventes prières aux dieux, et notamment à Isis la Guérisseuse afin qu'elle l'aide à détruire l'abomination qui frappait le Delta. Depuis deux jours, il fallait le porter. Ses jambes lui refusaient tout service. Par deux fois, sa volonté féroce avait cédé devant la fièvre et les douleurs qui le torturaient. Il s'était surpris à appeler du secours en une prière muette, qu'il avait étouffée avec rage au fond de lui, afin de ne pas faire perdre courage à ses guerriers valides. Jamais, tant qu'il en serait le maître, il ne laisserait son esprit baisser pavillon devant la maladie. Et la présence de Thanys lui apportait un secours inespéré.

Sur un lit proche de celui de Djoser reposait Piânthy. Rika, penchée sur lui, lui tenait la main en silence. Thanys s'approcha. La jeune femme releva vers elle des yeux remplis de larmes et déclara :

— Je suis arrivée trop tard, ô ma reine ! Je crains qu'il ne se réveille plus jamais.

Thanys examina le malade sans un mot. Son front était brûlant et sa respiration saccadée. Son cœur battait très vite, d'une manière irrégulière.

Il mourut le surlendemain. Ayant constaté sa mort, Rika s'écroula dans les bras de Thanys, anéantie. L'esprit vide, elle vit des ombres aux allures guerrières emporter le corps. Elle entendait à peine les mots de réconfort que lui prodiguait la reine, contre laquelle elle s'était réfugiée.

Djoser serra longuement la main de Thanys. Ils n'avaient pas besoin de parler. Une part de leur jeunesse venait de s'éteindre à jamais. Depuis toujours, Piânthy avait partagé leur vie. Une foule de souvenirs se bousculaient en eux, qui remontaient à leur petite enfance, les parties de chasses, la révolte contre Khâsekhemoui, où il avait enduré la prison plutôt que de les trahir, les campagnes militaires au cours desquelles il avait fait preuve de courage et d'un grand talent de meneur d'hommes. Ses soldats de la Maison des Armes l'aimaient et lui vouaient une confiance totale.

Rika n'avait pas partagé cette époque, mais elle avait chaque jour remercié les dieux de lui avoir

140

donné un compagnon aussi tendre et aussi fidèle. À l'instar de son roi, il n'avait jamais éprouvé le besoin d'avoir plusieurs concubines.

D'une voix faible, Djoser demanda à Thanys :

— Je ne veux pas que l'on brûle son corps. Qu'il soit conservé dans du natron. Lorsque la Mort Noire aura fui le Delta, les prêtres d'Anubis l'embaumeront, et je lui ferai élever une demeure d'éternité sur le plateau du Faucon sacré.

La reine acquiesça sans un mot, puis se leva pour aller donner ses ordres. Ce fut alors qu'elle remarqua les renflements qui commençaient à apparaître sous les aisselles de son époux. Grâce à un sursaut de volonté, elle parvint à maîtriser la terreur glaciale qui s'infiltrait en elle, puis quitta la chambre pour transmettre ses instructions.

Elle s'apprêtait à retourner près du roi lorsque le capitaine Sethotep, qui commandait la garnison, l'aborda, visiblement en proie à une intense agitation. Il était accompagné de Hourakthi.

— Pardonne mon audace, ô ma reine, mais j'ai de graves nouvelles à t'annoncer. Des réfugiés sont arrivés ce matin. Il semblerait que les pillards se soient regroupés pour attaquer la ville. Cet homme te le confirmera.

Hourakthi prit la parole.

— C'est vrai, ô ma reine. Hier, je suis allé chasser dans les marais du nord en compagnie de Chereb le Nubien. Nous avons repéré plusieurs troupes. Elles ne sont pas très bien organisées, et nous avons réussi à nous infiltrer dans l'une d'elles. Nous avons écouté ce qui s'y disait. Ils sont persuadés que les silos sont pleins de grains et que nous gardons des troupeaux en réserve à l'intérieur de l'enceinte. Ils pensent aussi que les temples regorgent de richesses dont ils veulent s'emparer.

— Combien sont-ils ?

— Nous en avons aperçu plusieurs centaines, mais je sais qu'il y en a d'autres. J'ai noté parmi eux la présence de nombreux soldats déserteurs. Ils sont bien armés. Ils m'ont fait peur, ô ma reine. La moitié présente les signes de la maladie. Je crains que le pillage ne soit pas leur seule motivation. En fait, ils n'ont plus rien à perdre. Ils pensent que le Grand Hurleur[1] a envoyé la Mort Noire pour se venger, et qu'il les épargnera s'ils lui offrent des vies en sacrifice.

— Qui les dirige ?

— D'après ce que j'ai compris, leurs chefs sont d'anciens capitaines de garnisons, ou des maires de petits villages dévastés par la maladie. Mais j'ai entendu parler d'un homme, un commandant suprême, qui dit être envoyé par Seth lui-même.

Thanys pâlit. Un seul homme était capable de rassembler ainsi des fanatiques autour du dieu rouge : le terrible Meren-Seth. Le souvenir de l'expédition lancée à sa poursuite lui revint aussitôt en mémoire. Elle était certaine à présent qu'il n'avait pas péri dans l'incendie de son campement. Elle devait immédiatement en avertir le roi.

— Où est Chereb ? demanda-t-elle.

Hourakthi baissa la tête.

— Je l'ignore, ô ma reine. Nous avons été séparés lorsque nous avons quitté les pillards. J'ai pensé qu'il

---

1. Dans le *Livre des Morts*, Seth est appelé le Grand Hurleur, ou le Grand Criard.

allait rejoindre Per Bastet de son côté. Mais il n'est pas revenu. Je ne sais pas ce qu'il est devenu.

Mais tous deux ne le devinaient que trop. Thanys ferma les yeux pour dissimuler son émotion.

— Accompagnez-moi, dit-elle aux deux hommes.

Quelques instants plus tard, ils pénétraient dans la chambre où reposait Djoser. Une sourde angoisse envahit Thanys lorsqu'elle constata qu'il avait sombré dans un sommeil agité et fiévreux. Rika le veillait, essuyant régulièrement son front luisant de sueur. La reine comprit qu'elle se retrouvait seule face à cette terrible situation. Elle s'adressa à Sethotep.

— Réunis immédiatement les commandants militaires dans la grande salle du palais. Que le nomarque Nerou-Maât soit présent également.

— Bien, ô ma reine.

— Par Horus, nous n'avions pas besoin de cela en plus, soupira le gouverneur, un homme affable dont l'embonpoint avait fondu à la suite des privations, et dont les traits fatigués se creusaient de rides.

Grand prêtre de Bastet, il aimait les chats et la vie. Débonnaire, il ne comprenait pas quelle mouche avait piqué les dieux pour envoyer dans le Delta de tels désastres.

— Rien ne prouve qu'il s'agisse de Meren-Seth, fit remarquer un capitaine.

— Non, bien sûr. Mais je ne connais aucun autre chef de guerre susceptible de rallier ainsi des hommes autour du Grand Criard. Rappelez-vous que nous avons toujours douté de sa mort, il y a quatre ans. De plus, le guerrier Hourakthi a entendu les pillards parler de sacrifices offerts au dieu rouge, afin de lui redonner la fertilité. C'était l'une des caractéristiques de la secte honnie qu'il avait fondée. Il ne fait aucun doute que nous avons affaire à Meren-Seth.

— Comment cela serait-il possible ? demanda un autre. Comme tu viens de le dire, ô grande reine, il a disparu depuis plus de quatre années.

Thanys se tourna vers Hourakthi, qu'elle avait convié à participer à la réunion. Le colosse, impressionné de se retrouver entouré par de hauts chefs militaires, semblait se recroqueviller sur lui-même. Elle le présenta :

— Voici un homme qui a eu le courage de s'introduire hier au sein des hordes ennemies. Quelle est ton opinion, Hourakthi ?

— Ma reine, ce que j'ai surpris des conversations de ces chacals me fait penser qu'ils veulent détruire entièrement la ville et ses habitants. Le pillage n'est qu'un prétexte. En réalité, ils se savent déjà condamnés, et je crois que leur seul but véritable est de tuer l'Horus, responsable, selon leur chef, de tous leurs malheurs.

Thanys écarta les bras.

— La mort de Neteri-Khet n'était-elle pas le but de Meren-Seth ? Je suis convaincue que c'est lui qui est derrière tout cela. Après la destruction de son camp, il a dû fuir Kemit, s'exiler, avec l'espoir de revenir un jour pour se venger. Il lui fallait reconstituer ses forces : la quasi-totalité de ses partisans avait été tuée ou envoyée dans les mines d'or de Nubie. Il a donc certainement regroupé de nouveaux adeptes autour de lui, et il a décidé de revenir en Égypte. Mais, à son retour, il n'a rencontré que la sécheresse et la Mort Noire. Peut-être en est-il lui-même atteint. Dans ce cas, il n'a plus rien à perdre, et il n'hésitera pas à se sacrifier pour anéantir l'Horus. Il a dû apprendre qu'il était bloqué dans Per Bastet, et c'est pour cette raison qu'il concentre ses troupes ici. Nous devons donc nous attendre à une bataille sans merci, qui ne s'achèvera que par l'anéantissement de l'un ou l'autre parti. De combien de soldats disposons-nous ?

— À peine six cents, ô ma reine, précisa Sethotep. Mais le tiers est malade. Quant à la population, elle peut fournir six ou sept cents hommes valides, qui ignorent malheureusement le maniement des armes.

— Donc, un millier de guerriers dans le meilleur des cas. Hourakthi, à combien estimes-tu les troupes ennemies ?

— Je n'ai vu que quelques centaines de guerriers dont beaucoup sont malades. Il y a aussi des femmes parmi eux. J'ai eu l'impression que la Mort Noire et la faim les rendaient fous.

— Et tu as pu t'introduire parmi eux sans difficulté, fit remarquer un capitaine, l'œil suspicieux.

— Oui, seigneur ! J'étais parti avec un compagnon pour chasser les oiseaux dans les marais du nord. À moins de deux miles[1] de la cité, nous avons repéré plusieurs groupes de pillards. Nous avons songé à nous enfuir, mais il était trop tard. Il en venait de partout. J'ai cru venu pour moi le temps de rejoindre le Champ des roseaux. Mais ils nous ont pris pour deux des leurs. Je n'ai pas compris pourquoi, jusqu'au moment où j'ai constaté que plusieurs bandes se réunissaient. Chacun devait penser que nous appartenions à un autre clan. Nous avons donc décidé de jouer le jeu.

---

1. Un mile égyptien : 2,5 km. Voir en annexe (glossaire) les mesures égyptiennes.

Nous avions tué trois hérons, et il nous fut facile de les amadouer.

— S'ils ne sont que quelques centaines, nous en viendrons facilement à bout, déclara Nerou-Maât.

— Pardonne à ton serviteur, seigneur, poursuivit Hourakthi, mais je pense qu'ils sont beaucoup plus nombreux que cela. En partageant notre chasse avec eux, nous avons appris qu'ils attendaient l'arrivée d'autres troupes, mais aussi de celui qu'ils appellent leur roi.

— As-tu entendu prononcer son nom ? demanda Thanys.

— Non, ma reine. Ils disent seulement « le roi ».

Un silence lourd suivit ces paroles. Enfin, Thanys déclara :

— Nobles capitaines, vous savez que l'Horus Neteri-Khet n'est pas en état d'assurer votre commandement. Le général Piânthy a rejoint le royaume d'Osiris ce matin même. Vous n'avez donc plus de chef. Je veux que vous choisissiez parmi vous celui que vous estimez le mieux à même de vous diriger.

Embarrassés, les capitaines se regardèrent, puis Sethotep prit la parole.

— Ô Grande Épouse, nous ne sommes que de simples capitaines, comme tu l'as fait remarquer. Notre général bien-aimé, le valeureux seigneur Piânthy, a péri. J'ai assumé pour ma part le commandement de la Garde royale depuis sa maladie, mais je ne possède pas ses qualités, et je ne me sens pas capable d'organiser comme il convient la défense de la cité. Mes compagnons sont tous dans le même cas.

— Il faudra pourtant quelqu'un pour vous diriger ! Qui suggérez-vous ?

146

Sethotep consulta ses compagnons du regard, puis se décida enfin :

— Reine Thanys, nous pensons que tu es la seule à pouvoir nous commander.

— Moi ? Mais tu n'y penses pas ! Je suis une femme, et je ne suis pas soldat.

— Tu as prouvé ta valeur à de nombreuses reprises, ô ma reine, répondit Sethotep avec flamme. Tu connais l'art des armes. N'es-tu pas venue à Per Bastet en tenue de combat ? Tu manies l'arc bien mieux que le plus adroit des guerriers. Ton courage est un exemple pour nous. Tu es l'incarnation de la belle déesse Hathor, mais aussi de la lionne Sekhmet. Nos ennemis trembleront devant nous s'ils savent que c'est toi qui nous commandes.

— C'est toi que nous voulons, insista un autre.

— Je dois m'occuper de l'Horus, tenta-t-elle de se défendre. Il a besoin de ma présence.

Hourakthi reprit la parole.

— Et tu vas les mener à la victoire ! Tu doutes... en surface. Mais, si tu regardes au plus profond de toi, tu verras que tu es la seule personne suffisamment forte pour prendre le destin de cette ville en main.

— Et si je me trompais ? Si je ne prenais pas les bonnes décisions ?

— Je suis sûre que tu les prendras. Tu n'as qu'à écouter ton intuition. Je sais que les dieux t'inspireront.

Thanys serra Rika contre elle.

— Tu es une amie précieuse !

Elle s'essuya les yeux et se força à sourire.

— Et tu as raison. Allons ! Je vais leur montrer un visage de futur vainqueur.

— Si seulement Moshem était avec nous, grommela-t-elle à l'intention de Hourakthi. Il saurait comment arrêter ces chiens. Il a toujours d'excellentes idées.

Elle s'était rendue sur les remparts, d'où l'on dominait le Nil. Jamais le fleuve-dieu n'avait atteint un niveau aussi bas. Les marais eux-mêmes étaient desséchés par le soleil. Une chaleur torride baignait les étendues mornes, sur l'autre rive. Thanys scruta l'horizon. Un calme étrange s'était répandu sur les lieux. Aucune felouque ne naviguait. Nul attaquant n'était en vue, ni sur la rive de Per Bastet, ni sur la rive opposée.

— Peut-être Hourakthi s'est-il trompé, dit enfin Sethotep. L'ennemi semble avoir disparu.

— Et pourtant, il est là, répliqua doucement Thanys. Il se prépare à attaquer.

— Comment le sais-tu?

— Les voix des marais se sont tues. On n'entend pas les oiseaux. D'ordinaire, ils ne cessent de crier. Aujourd'hui, ils se taisent. Ils ont peur, parce qu'un ennemi inconnu a investi leur territoire. Nous devons nous préparer à une attaque d'un instant à l'autre. Où en sont les citadins?

— Nous leur avons distribué les quelques armes qui nous restaient, mais c'est bien peu. Les autres se sont équipés de fléaux, de haches, de crosses de bergers.

Thanys acquiesça d'un signe de tête. Puis ses yeux se reportèrent sur la forêt de palmiers située sur l'autre rive. Elle devinait, parmi les fourrés de papyrus, la présence d'une armée nombreuse et impitoyable, dont les guerriers avaient perdu la raison à cause de la maladie terrifiante qui les décimait inexorablement. Ils étaient donc fragiles, et faciles à fanatiser. Elle les avait vus à l'œuvre, elle avait contemplé ce qui restait de leurs victimes après l'attaque d'un village. Au plus profond d'elle-même rampait une angoisse sourde et insidieuse. Elle pensa tout d'abord qu'elle était due à cet ennemi invisible qui se préparait pour la curée. Puis elle se rendit compte qu'il y avait autre chose. Il lui semblait percevoir, parmi les ombres allongées dessinées par le soleil couchant, la silhouette incertaine d'un homme qui s'était longtemps fait passer pour leur ami. Elle revoyait nettement le visage avenant de Kaïankh-Hotep, son rire sonore, ses plaisanteries joyeuses, son enthousiasme communicatif. Elle se souvenait de son charme, auquel les femmes ne savaient pas résister. Elle-même devait avouer qu'il avait exercé sur elle une fascination étrange, contre laquelle elle avait dû se défendre. Pourtant, sous ces dehors séducteurs se dissimulaient l'hypocrisie la plus consommée, l'âme la plus noire qu'elle ait jamais croisée. Lorsque le masque était tombé, il avait révélé un être mégalomane, animé par la haine et l'ambition les plus folles.

Cette fois, elle était seule pour combattre ce fantôme issu d'un passé de cauchemar. Il n'y aurait pas de quartier. La lutte se terminerait par l'anéantissement de l'un ou de l'autre. Par un violent effort de volonté, elle chassa son angoisse. Elle ne laisserait pas détruire Per Bastet sans lutter de toutes ses forces. Elle serra les dents et respira profondément. Une énergie nouvelle gonflait ses veines. C'était comme si la colère de la déesse-lionne montait en elle. Jamais, elle vivante, la cité ne tomberait.

— Possède-t-on des réserves de bitume, de naphte et d'huile ? demanda-t-elle.

— Quelques jarres ! répondit Sethotep.

Elle désigna le port où sommeillaient plusieurs dizaines de felouques désœuvrées.

— L'oukher est le seul point vulnérable de Per Bastet. C'est ici qu'ils risquent de porter leur attaque. Je veux que l'on déverse sur ces bateaux des jarres de naphte et de bitume. Des archers se tiendront sur les remparts, avec des flèches enflammées.

— Ce sera fait, ô ma reine.

— Je vais retourner auprès de l'Horus. Que l'on m'avertisse dès qu'il se passe quelque chose.

Revenue près de Djoser, elle constata que la fièvre de ce dernier avait encore empiré. Elle fit préparer par une servante une décoction dont son père lui avait confié le secret afin d'abaisser la température du roi, puis s'allongea aux côtés de Rika sur une natte de fortune. Elle sombra dans un sommeil entrecoupé de cauchemars.

Soudain, une silhouette monstrueuse se dressa devant elle au milieu d'un cercle de flammes éblouissantes. Elle poussa un cri, puis reconnut Hourakthi qui hurlait :

— Ils attaquent, ô ma reine !

12

Le jour se levait à peine lorsque Thanys arriva sur les remparts. Sur le fleuve, la lumière rasante dévoilait un spectacle impressionnant. L'ennemi avait profité de la nuit pour se rassembler sur la rive occidentale. Hourakthi avait vu juste : les Égorgeurs étaient plusieurs milliers. Une multitude de felouques et de nacelles couvrait les eaux sombres en amont et en aval de Per Bastet. Visiblement, l'assaillant avait attendu le jour pour lancer son offensive, sans se soucier d'un quelconque effet de surprise. Il savait qu'il disposait de l'avantage du nombre.

— Que les dieux nous protègent, murmura Thanys. Ils sont au moins cinq fois plus nombreux que nous.

Autour d'elle surgissaient des guerriers et des citadins munis d'armes de fortune.

— Ils vont attaquer par le port, fit remarquer Sethotep.

— As-tu fait ce que je t'ai demandé hier ?

— Oui, ô ma reine. Nous y avons consacré la moitié de nos réserves. J'espère seulement que ce sacrifice servira à quelque chose.

Thanys ne répondit pas. Il lui semblait être revenue plusieurs années en arrière, lorsque Djoser, de retour de son expédition victorieuse de Nubie, avait affronté son oncle, le sinistre Nekoufer. Il était parvenu à éviter une bataille en invoquant l'aide de Rê-Horus. Et il avait triomphé, empêchant ainsi les Égyptiens de s'entre-tuer. Cette fois pourtant, les dieux ne leur viendraient pas en aide, et le sang de Kemit allait couler, dans un conflit absurde.

L'aspect des attaquants aurait fait reculer les plus braves. Malgré la distance, Thanys constata que près de la moitié semblait saisi de tremblements et présentait des corps décharnés. Apparemment, ils étaient touchés par la Mort Noire dans son premier stade. Le teint rouge, les yeux luisants, ils combattaient leur faiblesse physique par des hurlements hystériques censés effrayer l'ennemi. La maladie et la famine les avaient déjà réduits à l'état de spectres. Sans doute ne tenaient-ils debout que grâce à l'alcool. Certains, à demi nus, présentaient de vilaines plaques sombres sur la peau. Ces hommes ne paraissaient plus s'appartenir. Ils étaient sûrs de mourir prochainement, et n'avaient donc plus rien à perdre. Le corps barbouillé de khôl et de malachite, ils s'étaient constitué un étrange maquillage de guerre destiné à les rendre encore plus terrifiants. Certains brandissaient des lances au bout desquelles étaient empalés des objets indistincts. Thanys pâlit en constatant qu'il s'agissait de têtes humaines, sans doute celles de leurs dernières victimes. Il avait dû être facile pour Meren-Seth de manipuler ces dégénérés, de les persuader qu'il fallait faire couler un maximum de sang pour redonner la fertilité au dieu rouge. Il n'y aurait avec eux aucune trêve, aucun compromis. La démence la plus totale avait remplacé le bon sens, et seule une inextinguible soif de meurtres et de violences les hantait.

Il ne fallut guère de temps à la flotte adverse pour traverser le fleuve. Les défenseurs, sous les ordres de Thanys, avaient gagné leurs postes sur les remparts et aux abords du port. Le vacarme montant des poitrines des assaillants semblait une tempête prête à submerger la cité. Les soldats, sur l'ordre de la reine, demeuraient parfaitement immobiles, attendant ses instructions. Lorsque les premiers bateaux touchèrent la rive, il y eut quelques mouvements de panique chez les défenseurs. Plusieurs jeunes hommes, en proie à la terreur, lâchèrent leurs armes, dont ils ne savaient pas se servir, et s'enfuirent dans le dédale des ruelles.

— Restez en place ! hurla Thanys.

Sa voix perça le tumulte extérieur, redonnant confiance aux guerriers. Lentement, elle saisit une flèche dont elle trempa la pointe dans un mélange de bitume et de naphte et arma son arc. Elle la plongea ensuite dans un brasero. Le trait s'enflamma. Une vingtaine d'archers l'imitèrent. Déjà des flots de guerriers se déversaient sur la grève et sur les quais, au milieu des navires de Per Bastet. Une véritable marée humaine se rua vers les murailles. Des échelles de fortune apparurent, que l'ennemi voulut dresser contre les remparts. Soudain, une volée de traits enflammés jaillit des murailles et vint se ficher dans les flancs des navires. L'instant d'après, de hautes flammes s'élevaient, désarçonnant les attaquants. Le sol lui-même, imprégné de liquides inflammables, s'embrasa sous les pieds de l'ennemi. Des hurlements de rage et de terreur jaillirent, tandis que certains assaillants se transformaient en torches humaines. Surpris par cette riposte inattendue, les attaquants marquèrent un instant d'hésitation que les archers, sur l'ordre de Thanys, mirent à profit pour les harceler de traits mortels. Djoser lui avait longuement conté ses campagnes militaires. À son imitation, elle avait organisé trois rangs d'archers, dont les tirs se succédaient avec régularité, ne laissant aucun répit aux assaillants. Cette tactique se révéla payante, et bientôt, des dizaines de corps jonchèrent le port. Malheureusement, l'ennemi était nombreux, et de nouveaux bateaux ne cessaient d'arriver, qui contournèrent l'incendie. Rendus furieux par la mort de leurs compagnons, les attaquants se ruèrent à l'assaut des murailles avec une ardeur redoublée. Malgré les pluies de flèches qui s'abattaient sur eux, des échelles furent bientôt posées contre les remparts, et des hordes de braillards aux yeux injectés de sang les escaladèrent en hurlant. Ils furent accueillis par les guerriers de la garde royale, des combattants émérites entraînés par Semourê et Djoser lui-même. À leurs côtés, malgré leur ignorance de l'art du combat, les citadins de Per Bastet se battaient avec courage.

Thanys elle-même luttait avec férocité en compagnie de Hourakthi, dont l'énorme casse-tête taillait des coupes claires dans les rangs ennemis. La vaillance de la reine galvanisait les défenseurs qui parvinrent, en dépit de leur nombre tragiquement limité, à tenir tête aux assaillants. Ils reçurent un secours inattendu de la part des femmes de Per Bastet, qui s'étaient équipées de tout ce qu'elles avaient pu trouver, pelles, haches, briques crues dont elles apportèrent de pleins paniers. Encouragées par l'exemple de Thanys, quelques meneuses avaient su convaincre les autres de venir prêter main-forte aux soldats. Bien décidées à ne pas se laisser massacrer sans réagir, elles montèrent sur le chemin de ronde, aux endroits où les guerriers faiblissaient. Les projectiles volèrent, les haches, dont elles savaient se servir, frappèrent avec une énergie redoublée, désarçonnant un ennemi stupéfait de rencontrer une telle résistance de la part de femmes.

Peu à peu, l'assaut fut repoussé, les échelles basculèrent, emportant des grappes hurlantes qui durent reculer sous une pluie de flèches et de briques. Comprenant que la ville ne céderait pas aussi facilement, l'ennemi rembarqua dans ce qui restait de ses navires et remonta vers le nord.

Le bras dolent d'avoir trop frappé, Thanys put enfin souffler.

— Nous avons vaincu ! s'exclama un homme dont l'épaule ruisselait de sang.

— Ne te réjouis pas trop vite, rétorqua la reine. Ils reviendront demain. Et ils sont encore très nombreux.

Parmi les défenseurs, on dénombrait une centaine de tués ou blessés. Mais les assaillants avaient perdu près de cinq cents combattants, dont les cadavres jonchaient la grève, au pied des remparts. Thanys aurait voulu pouvoir offrir à ses guerriers de quoi se restaurer à suffisance. Mais, contrairement à ce que pensait l'ennemi, les réserves de Per Bastet étaient pratiquement épuisées. On dut se contenter d'un pain hâtivement cuit avec un peu de bière tiède. Cependant, cette demi-victoire de la veille avait métamorphosé les citadins, dont la plupart ignoraient l'usage des armes. De même, depuis leur intervention décisive, ils considéraient leurs femmes différemment. Leur courage et leur détermination supérieurs à ceux de bien des hommes leur valaient un respect nouveau. La peur avait déserté les cœurs. Les jeunes hommes ayant fui les combats aux premières heures étaient revenus rapidement porter secours à leurs compagnons, honteux de leur faiblesse momentanée, et plusieurs d'entre eux avaient payé leur intrépidité de leur vie. Désormais, on vivait comme en état second, indifférent à la Mort Noire, au trépas possible au cours des combats qui reprendraient dès le lendemain. Une fraternité nouvelle était née entre les défenseurs, hommes et femmes réunis.

Le soir, on resta sur les remparts pour partager le pain et la bière. Thanys fit le tour de la cité, bavardant avec chacun, écoutant les observations. Elle nota que certains combattants présentaient eux aussi les marques de la Mort Noire. Elle dut faire un violent effort sur elle-même pour ne pas céder au découragement. Les hommes étaient-ils donc si stupides pour se livrer un combat imbécile alors qu'une épidémie effroyable risquait de les anéantir tous, sans distinction de croyances, de fortune ou d'appartenance à l'un ou l'autre camp ?

Plus tard, alors que la nuit était déjà tombée, elle se rendit auprès de Djoser, dont la fièvre avait encore empiré. Elle constata que les bubons s'étaient développés. Fébrilement, elle relut la lettre de son père dans laquelle il racontait la manière dont il avait guéri Merneith. Elle hésita longuement. Aurait-elle le courage de pratiquer le même traitement sur Djoser ? Comme le disait Imhotep : il n'était même pas sûr que ce fût ce remède qui avait contribué à sauver son épouse. Épuisée par les tourments et les combats, elle finit par sombrer dans un sommeil sans rêves.

Le lendemain, elle regagna son poste sur les remparts. Mais quelque chose avait changé pendant la nuit. Poussées par un violent vent venu du septentrion, des nuées sombres étaient apparues, envahissant le Delta d'un bord à l'autre de l'horizon. En d'autres circonstances, elle s'en serait réjouie, car ces nuages annonçaient, sinon la fin, tout au moins une trêve dans la sécheresse. La chaleur aride qui baignait Per Bastet fit bientôt place à une moiteur encore moins supportable. Pourtant, elle n'empêcha pas l'ennemi de revenir à la charge dès le début de la matinée.

Cette fois, les felouques débarquèrent simultanément au nord et au sud de la ville, pour tenter de diviser les forces des défenseurs. Très vite, des combats d'une violence extrême s'engagèrent un peu partout. La fureur des attaquants n'avait pas faibli depuis la veille. Chaque guerrier qui tombait entre leurs mains était aussitôt impitoyablement massacré, déchiqueté par des grappes d'individus sous l'emprise de la folie et de l'alcool. Car, malgré l'heure matinale, les assaillants empestaient la bière et le vin. Sans doute avaient-ils passé la nuit à s'enivrer. Cela n'atténuait pas pour autant leur ardeur. Le ciel tourmenté semblait refléter la démence des hommes.

Malgré la vaillance des défenseurs, Thanys crut qu'ils allaient être bientôt débordés. Mais un allié imprévu leur apporta un secours inespéré. Bientôt, un vent violent et froid se mit à souffler, perturbant les assaillants. Au moment où tout paraissait perdu, une première goutte tomba, puis une deuxième. En quelques instants, un véritable déluge s'abattit sur les belligérants, ralentissant les affrontements. Très vite, la pluie se transformant en un orage de grêle, Thanys comprit que l'intempérie était à la démesure de la sécheresse qui avait précédé.

— Vite, hurla-t-elle. Il faut vous mettre à l'abri !

En plusieurs endroits, les combats avaient cessé. Le corps criblé par les grêlons, les assaillants durent reculer. Obéissant aux ordres de la reine, les défenseurs trouvèrent refuge un peu partout, sous l'abri des murailles, dans les demeures. En revanche, l'opposant, rejeté au-delà de l'enceinte, ne bénéficiait d'aucune protection. Des hurlements de douleur retentirent, déchirant les grondements de l'orage qui redoubla encore de violence. Réfugiée derrière la porte de la ville, Thanys observa l'ennemi en déroute. Bientôt, les grêlons atteignirent la taille de gros cailloux, qui percutaient les crânes, les membres, les torses. Sous les yeux de la reine effarée, plusieurs hommes titubants furent littéralement déchiquetés par les projectiles de glace tombés des nuées. En quelques instants, ils se couvrirent de sang, s'écroulèrent. Ils étaient déjà morts que leurs corps continuaient de tressaillir sous les impacts. Thanys dut se mordre les lèvres pour ne pas céder à la panique. Le sort des citadins n'était guère plus enviable. Si la plupart avaient réussi à trouver un abri, les toits des demeures et les murailles souffraient grandement de cette tempête infernale et dévastatrice. Bientôt, les toits céderaient, et s'écrouleraient sur les réfugiés. Elle se crut revenue quelques années en arrière, lorsqu'elle avait affronté le déluge en compagnie du vieux Ziusudra, à Til Barsip.

En moins d'une demi-heure, le sol se couvrit d'un épais tapis blanc. À l'extérieur, il ensevelit momentanément les corps des assaillants déchiquetés. Puis tout s'arrêta en quelques secondes, comme si les dieux de la nature avaient voulu effrayer les belligérants en poussant une énorme colère. L'orage gronda encore durant le reste de la journée. Lorsque les grêlons ne furent plus qu'une pluie battante, les citadins sortirent de leurs abris et livrèrent leurs corps à l'eau bienfaisante et fraîche.

— C'est la fin de la sécheresse, s'exclamaient certains.

Mais Thanys savait qu'un tel orage ne serait d'aucun secours s'il n'était pas suivi d'une période d'intempéries. Les énormes quantités d'eau tombées du ciel en quelques instants auraient tôt fait de gagner le lit du fleuve et d'être emportées. Le phénomène s'était déjà produit l'année précédente, apportant un espoir vite démenti. Cependant, elle se garda bien de détromper les citadins.

La tempête avait au moins eu l'avantage d'interrompre les combats. Les assaillants avaient-ils été impressionnés par la violence de la grêle ? Ils s'étaient retirés sur l'autre rive pour panser leurs plaies et dénombrer leurs morts. Il n'y eut aucune autre attaque durant le reste de la journée.

Thanys en profita pour retourner auprès de Djoser. Parcourant les ruelles transformées en torrents de boue, elle constata que plusieurs hommes avaient péri pendant les combats, victimes de la Mort Noire. Leurs cadavres gisaient le long des maisons. Personne n'avait le courage de les ramasser.

Dans la chambre de Djoser, Rika l'attendait avec impatience.

— Son état a encore empiré, ô ma reine. Il a perdu connaissance vers la fin de la matinée et ne s'est pas réveillé depuis.

Elle éclata en sanglots.

— J'ai fait tout ce que j'ai pu. Il délirait. Il disait qu'il voulait te rejoindre. Il a tenté de se lever, mais il n'avait plus aucune force. Un capitaine m'a aidée à le remettre dans son lit.

Thanys examina le roi, et nota que les ganglions s'étaient encore développés. Anxieusement, elle relut la lettre d'Imhotep. Elle n'avait plus le choix. Si elle ne tentait pas sa chance, Djoser ne survivrait pas plus de deux jours. Une partie de son être se révoltait de terreur devant ce qu'elle voulait tenter. Mais l'autre demeurait étrangement sereine. Elle avait vu trop d'hommes mourir en ce jour. Des cadavres jonchaient les rues. Partout rampait la Mort Noire. Elle était au cœur de l'enfer. Peut-être était-elle atteinte elle-même. Mais une certitude restait incrustée dans son esprit : jamais elle ne céderait. Elle lutterait jusqu'à ce qu'elle ait épuisé ses dernières réserves.

— Appelle les gardes ! Je veux que l'on m'amène un brasero, de l'eau bouillie et des linges.

Elle eût aimé bénéficier de la présence d'un prêtre de Thôt ou d'Horus, mais ceux-ci étaient tous malades. Tant pis, elle se passerait des formules magiques. Son père lui avait glissé une fois, en confidence, qu'elles étaient surtout destinées à mettre le patient en confiance. Les soins ne constituaient que la moitié de la guérison. L'autre moitié reposait sur la foi en cette guérison.

Lorsque le brasero fut prêt, Thanys y plongea son poignard, dont elle avait aiguisé longuement la lame. Suivant les instructions d'Imhotep, elle approcha ensuite la lame rougie des bubons. Impressionnée, Rika l'observait. Thanys n'hésita qu'un court instant. D'un geste précis, elle perça les ganglions l'un après l'autre. Djoser réagit à peine. Tout au plus tenta-t-il d'échapper, par réflexe, à la morsure du feu. Un sang noir s'écoula, inonda le lit. Sans perdre un instant, Thanys nettoya les plaies avec des linges trempés dans la décoction cicatrisante. Puis elle se lava abondamment les mains. Elle fit ensuite changer les nattes du lit, ordonnant que l'on brûlât les anciennes.

Enfin, recrue de fatigue, elle s'étendit au côté de Djoser et le prit dans ses bras. Sa fièvre était telle que, malgré la touffeur extérieure, il ne cessait de trembler. Mais il n'y avait rien à faire de plus, à présent, sa vie reposait entre les mains des dieux. Adressant une fervente prière à Isis et à Horus, elle sombra dans une torpeur agitée.

Le lendemain, lorsqu'elle s'éveilla, elle découvrit le visage de Djoser penché sur elle. Il lui souriait. Elle faillit hurler de joie. Il était encore très faible, mais avait repris conscience. Il avait trouvé la force de se redresser sur un coude pour la regarder dormir.

— Je t'aime ! murmura-t-il d'une voix rauque.

Elle n'eut guère le temps de lui répondre. Sethotep surgit dans la chambre.

— Les combats ont repris, ô ma reine ! Cette fois, ils attaquent par la muraille nord. Ils tentent de forcer les portes.

Oubliant qu'elle ne portait strictement rien, Thanys bondit du lit et passa sa tenue de combat à la hâte, sous l'œil éberlué du capitaine. Une seule idée occupait son esprit : Djoser était sauvé. Et avec lui, c'était Kemit qui allait renaître. Elle n'allait pas se laisser abattre par une horde de pillards, tout de même !

— Viens, mon compagnon ! dit-elle en prenant

familièrement le bras de Sethotep. Nous allons anéantir ce ramassis de fripouilles.

Une armée classique eût depuis longtemps abandonné le combat. Les chefs des assaillants auraient dû comprendre qu'ils ne parviendraient jamais à prendre la cité, abritée derrière ses fortifications. En raison de l'invasion des Édomites, quinze années auparavant, Djoser avait ordonné aux nomarques de protéger leurs cités par des enceintes. Les Égorgeurs en faisaient aujourd'hui la difficile expérience. Même s'ils parvenaient à prendre pied sur les chemins de ronde, les pertes occasionnées par ces courtes victoires étaient bien trop lourdes. Mais ils n'étaient animés que par la rage et une haine démesurées. Se sachant condamnés, ils avaient perdu tout instinct de survie. Ils se battaient tant qu'il leur restait un souffle de vie. Très vite, les combats reprirent, dépassant en horreur tout ce que l'on avait vécu depuis deux jours. Les citadins, harassés par une longue nuit de veille occupée à soigner les blessés, combattaient avec l'énergie du désespoir. Mais il leur semblait lutter contre des hordes d'animaux sauvages à visages humains, des êtres dégénérés par l'alcool et la maladie qu'ils ne pouvaient vaincre qu'en les anéantissant.

Thanys avait l'impression que les assaillants étaient plus nombreux que la veille. Elle comprit qu'ils avaient reçu des renforts. En raison de ses échecs précédents, Meren-Seth avait sans doute rassemblé toutes ses forces à Per Bastet afin d'anéantir Djoser. Vers le milieu de l'après-midi, les agresseurs parvinrent à enfoncer l'une des portes de la cité. Un flot de démons vociférants investit les rues. Peu à peu, les combats se répandirent dans la cité tout entière. On luttait d'une ruelle à

162

l'autre, dans les demeures, dans les jardins dévastés par la sécheresse et l'orage de grêle.

Malgré leur courage et leur détermination, Thanys comprit que les siens ne pourraient tenir longtemps. Les combats ne cesseraient que lorsque l'un ou l'autre parti serait exterminé. En quelques heures, Per Bastet se transforma en un véritable charnier, où les attaquants frappaient jusqu'aux malades sans forces qui rampaient le long des murs pour tenter de leur échapper.

Thanys et ses compagnons furent peu à peu repoussés en direction du palais du nomarque. Celui-ci avait été tué aux premières heures de la matinée.

— Il faut défendre le palais, hurla-t-elle à Sethotep

Hourakthi ne la quittait pas d'une semelle. Blessé à plusieurs reprises, il continuait néanmoins à la protéger comme un fauve.

Soudain, alors qu'ils étaient acculés devant l'entrée du palais, ils constatèrent que les assaillants hésitaient. Des mouvements contradictoires les agitaient.

— Il se passe quelque chose ! s'exclama Thanys.

— Ce sont des renforts ! hurla Hourakthi.

En effet, de nouvelles troupes investissaient Per Bastet, par les portes méridionales. Thanys reconnut immédiatement les deux hommes qui les dirigeaient : Chereb et Khersethi.

Derrière eux suivaient plusieurs centaines de guerriers dont certains portaient la crinière de lion adoptée par les compagnons de son père. Il s'agissait des soldats d'élite dont il avait fait sa garde durant son long exil. Ces hommes, qui tous auraient donné leur vie pour lui, constituaient une phalange redoutable, dont chaque membre valait cinq soldats à lui seul. Leur efficacité ne tarda pas à se faire sentir.

Tandis que Khersethi, le capitaine des gardes de Iounou, lançait ses troupes à l'assaut de l'ennemi, Chereb vint au-devant de Thanys et expliqua :

— Lors de la partie de chasse avec ton ami Hourakthi, j'ai compris que les pillards avaient décidé d'attaquer Per Bastet et qu'ils étaient très nombreux. Je savais aussi que le roi ne disposait pas d'un nombre suffisant de guerriers pour leur résister longtemps. Alors, je me suis rendu à Iounou, où j'ai expliqué la situation à mon maître Imhotep. Aussitôt, il a ordonné à ses guerriers de venir te secourir, et il m'a chargé de les diriger.

— Sois remercié, Chereb. Tu es arrivé à temps.

— Mais je ne suis pas venu seul. Ton père est là également. Lorsqu'il a appris ta présence, il a failli se mettre en colère, parce qu'il était inquiet pour toi. Et puis il a éclaté de rire, parce qu'il pensait que tu lui ressemblais.

— Où est-il ?

— Il dirige l'arrière-garde. Il voulait se battre lui aussi. J'ai dû user de diplomatie pour lui faire comprendre qu'il devait se préserver, qu'il était plus utile comme médecin que comme guerrier. Il a fini par me donner raison.

— Fais-le avertir que je suis dans le palais, avec le roi.

— Bien, ô ma reine !

Thanys dut toutefois attendre deux bonnes heures avant que son père pût la rejoindre. Malgré l'arrivée des renforts, les pillards continuaient à combattre avec un fanatisme terrifiant. Mais ils ne pouvaient lutter contre la détermination des guerriers royaux, galvanisés par les secours inattendus. De plus, la mort rampante et les longues journées d'errance et de massacre avaient épuisé les assaillants. Les combats dégénérèrent en une boucherie sans nom, jusqu'à ce que l'on capturât le petit groupe qui semblait les diriger. Hurlant le nom du dieu Seth, les capitaines ennemis se battaient avec une sorte d'hystérie. Il fallut les abattre l'un après l'autre. Enfin, une flèche adroite transperça celui qui les commandait. Alors seulement, les survivants déposèrent les armes, tandis que d'autres tentaient de s'enfuir. Quelques instants plus tard, Thanys rejoignait Imhotep sur les lieux. Le père et la fille tombèrent dans les bras l'un de l'autre.

— Je devrais être furieux contre toi d'avoir abandonné Mennof-Rê, dit Imhotep. J'ai tremblé, et si j'avais encore des cheveux, ils seraient devenus blancs. Mais sans toi, Per Bastet aurait succombé, et l'Horus aurait été massacré. Sans doute la volonté des dieux était-elle de guider tes pas jusqu'ici.

Thanys le serra avec force dans ses bras. Des larmes de joie et de reconnaissance lui brûlaient les yeux. Puis il s'approchèrent du « roi », étendu parmi les corps de ses compagnons. Un masque à l'effigie de Seth dissimulait son visage. La flèche fichée avait traversé son cou de part en part, mais le mouvement régulier de sa poitrine indiquait contre toute attente qu'il vivait encore. Vivement émue, Thanys se pencha sur lui et ôta le masque. Puis elle recula vivement. Elle avait peine à reconnaître Meren-Seth dans les traits ravagés par la maladie. De mauvaises plaques violacées marbraient la face de l'homme, le rendant méconnaissable. La Mort Noire avait déjà fait son œuvre. Sans doute était-ce pour cette raison qu'il avait mené ses troupes vers un combat total, suicidaire.

Soudain, son regard injecté de sang se posa sur la reine. Il eut un mouvement pour arracher la flèche, mais celle-ci avait touché une artère. Un flot de sang noir jaillit de sa bouche, et il mourut sans avoir eu le temps de parler. Thanys recula, intriguée.

— Ce n'est pas Meren-Seth! déclara-t-elle.

— Non, mais c'est encore plus incroyable, s'exclama un capitaine! On dirait… Nekoufer.

Un flot de souvenirs revint à la mémoire de Thanys. Ce n'était pas possible. Djoser avait lui-même tué son oncle Nekoufer, qui s'était emparé du trône illégalement. Tous avaient vu son corps tomber dans les eaux du Nil, avant d'être emporté par des crocodiles.

— Ce ne peut être Nekoufer! déclara Imhotep. Il aurait aujourd'hui près de soixante ans. Cet homme est trop jeune.

— Alors qui est-il? demanda Thanys.

— Je pense qu'il s'agit de son fils, Neferkherê, intervint Sethotep. Je l'ai connu. C'était un individu fruste et brutal. Sur l'ordre de son père, il fréquentait peu la Cour du dieu bon Khâsekhemoui. Lorsque Nekoufer s'est emparé du trône d'Horus, il a été nommé chef des gardes de Mennof-Rê. Il a fait régner la terreur pendant la courte période où il a assumé le commandement.

— Je m'en souviens, reprit Thanys. Il a disparu lorsque nous sommes arrivés à Mennof-Rê. Sans doute s'est-il exilé. Mais pourquoi avoir resurgi ainsi, après une absence de douze années? Et comment a-t-il réussi à regrouper derrière lui autant de nouveaux partisans de Seth?

— Nous ne le saurons probablement jamais, soupira Imhotep. Il a emporté son secret avec lui.

Intrigué, il se pencha sur le cadavre.

— Quel étrange joyau ! dit-il.

Autour du cou du mort, un médaillon d'or martelé présentait un symbole gravé dans le métal, représentant un crocodile stylisé. Imhotep connaissait bien sa signification : l'agressivité. S'il était justifié compte tenu des circonstances, il ne rappelait en rien le signe du serpent de Mèren-Seth.

Après la fureur des combats, après l'euphorie de la victoire, chacun se retrouvait seul avec lui-même. C'était comme si l'on s'éveillait d'un cauchemar. Les bras endoloris par les coups portés, le corps fourbu, marqué parfois par des blessures plus ou moins profondes, les combattants voyaient resurgir dans leur esprit des images de la bataille. Certains n'auraient jamais imaginé tenir un jour une arme. Et pourtant, ils gardaient en mémoire les visages des ennemis qu'ils avaient tués, des faces grimaçantes déformées par la souffrance, des images abominables d'amis succombant sous les haches ou les lances adverses, éventrés, décapités. L'ivresse du triomphe ne laissait derrière elle que des visions atroces, écœurantes, comme la vague tumultueuse qui abandonne sur le sable des déchets d'algues et des poissons morts.

L'heure était au bilan. Si la quasi-totalité des pillards avait péri, plus de deux cents guerriers avaient été tués, et une centaine d'autres blessés. Imhotep avait amené avec lui une douzaine de ses élèves médecins, qui se mirent aussitôt à l'ouvrage. Mais le grand vizir apportait une nouvelle réconfortante : la Mort Noire commençait à reculer. À Iounou, plus aucun nouveau cas ne s'était déclaré depuis quatre jours.

Quelques jours plus tard, après une longue journée où elle avait assisté son père dans les soins aux malades, Thanys rejoignit Djoser qui s'était levé pour la première fois. Tandis que la sphère incandescente d'Atoum-Rê descendait vers l'occident, la reine prit la main de son compagnon. Ils firent une promenade dans les rues de la cité dévastée avant de se rendre au temple de Bastet à laquelle le roi désirait rendre hommage.

Repoussant les conseils d'Imhotep, Djoser avait négligé la litière. Il avait cru ne plus jamais marcher. Et, malgré la fatigue profonde qui le tenait encore, il savourait chaque pas. Il n'avait accepté que le soutien de sa femme. À son côté, Thanys lui serrait le bras silencieusement. Elle avait abandonné sa tenue guerrière pour ses habits royaux. Bien sûr, la victoire était totale. Mais une gêne obscure demeurait ancrée en elle. Pendant plusieurs jours, elle avait cru affronter un fantôme, le spectre d'un individu machiavélique disparu depuis des années. Elle s'était trompée. Elle n'avait combattu que le fils d'un usurpateur cruel, éliminé par Djoser douze ans auparavant. Tout semblait donc indiquer que Meren-Seth avait bien été tué dans l'enfer de la bataille du désert. Et pourtant, le doute la taraudait. Elle demeurait convaincue que lui seul était capable de rassembler autant de fanatiques derrière lui.

13

Depuis plusieurs jours, Khirâ ne vivait plus. Elle avait appris par un courrier de Semourê que l'Horus avait été frappé par la Mort Noire, et que sa mère avait quitté Mennof-Rê pour le rejoindre à Per Bastet. Depuis, elle n'avait plus aucune nouvelle. Chaque nuit, des cauchemars la hantaient. Elle était persuadée de ne jamais revoir ses parents vivants. Les informations glanées par hasard auprès des visiteurs qui remontaient le Nil, les rumeurs récoltées çà et là lui donnaient une vision amplifiée et déformée des ravages causés par le fléau.

Aussi la lettre adressée par la reine à ses enfants lui causa-t-elle un grand soulagement. Jamais la fillette n'avait été aussi heureuse de savoir déchiffrer les medou-neters, les signes sacrés. Dans son message, Thanys les informait que l'épidémie régressait, et qu'il y avait beaucoup moins de malades. Avec l'aide de Thôt, l'Horus Djoser avait triomphé du mal. Quant à elle, elle n'avait pas été atteinte. Elle leur apprenait aussi la triste nouvelle de la mort de Piânthy.

À la demande de Thanys, Moshem en personne avait quitté Mennof-Rê pour porter la lettre. Lorsque, après deux jours de voyage par bateau, il arriva à Kennehout en compagnie de son épouse, Ankheri, il comprit que la petite cité avait beaucoup souffert du passage des criquets. En raison du soleil impitoyable, les semailles effectuées après le fléau n'avaient guère porté de fruits. Le vieux Senefrou accueillit Moshem avec de grandes démonstrations d'amitié. Il n'ignorait pas que l'Amorrhéen avait été à l'origine des mesures d'économie effectuées pendant les années d'abondance, et il lui en savait gré. Les deux hommes avaient en commun le goût de l'organisation.

— Ah, seigneur, nous vivons des jours bien étranges. Il semble que les dieux aient décidé de s'acharner sur nous. Après le passage de ces maudites sauterelles, il ne me reste même pas de quoi nourrir les serviteurs du domaine. Quant aux paysans, ils en sont réduits à fabriquer de la farine avec des racines. Même les élevages d'oiseaux d'Ameni ne parviendront pas à nous sauver de la famine. Cela est d'autant plus incompréhensible que les derniers caravaniers arrivés de l'oasis de Bahariya affirment qu'elle a été moins touchée que nous par la sécheresse. Imagines-tu cela ? Ces terres de sable et de rocailles, perdues au cœur du désert de Seth, épargnées par le cruel Apophis. C'est à n'y rien comprendre.

— L'oasis de Bahariya serait donc si riche ? Où se situe-t-elle ?

— Vers l'ouest, au cœur de l'Ament à environ cent miles de Kennehout. Ses habitants estiment faire partie du Double-Royaume depuis qu'ils se sont ralliés à l'Horus Djed, voici bien longtemps. Mais pour ma part, je les considère comme des sauvages apparentés aux tribus nomades, qui sont les incarnations des affrits.

Ce disant, il roulait des yeux inquiets. Depuis toujours, les habitants des petits villages échelonnés le long de la vallée avaient redouté les attaques imprévisibles des pillards venus du désert occidental.

— Nous entretenons pourtant de bonnes relations commerciales avec Bahariya, n'est-ce pas ?

— On élève là-bas l'un des meilleurs vins d'Égypte, seigneur Moshem, confirma le vieil intendant. Ils nous fournissent des dattes et des peaux ; ils possèdent également des troupeaux importants.

— Dans ce cas, pourquoi ne pas leur demander de te venir en aide ? N'as-tu donc plus rien à leur proposer en échange ?

— J'y ai bien pensé, Seigneur. Kennehout, grâce à la générosité de l'Horus Neteri-Khet — Vie, Force, Santé —, jouit de sa fortune propre en or et en pierres. Mais je ne dispose pas d'une troupe suffisante.

— Le roi ne t'a-t-il pas envoyé des guerriers afin de protéger les enfants ?

— Une cinquantaine, Seigneur. Et ces soldats coûtent cher à nourrir, se lamenta-t-il.

— Eh bien justement ! Ils pourraient assurer la défense de ta caravane.

— Mais je n'ai pas le pouvoir de les faire obéir. Je ne suis que l'intendant du roi pour son domaine de Kennehout.

— Moi, je l'ai, ce pouvoir. Le roi m'a confié un sceau ordonnant à tous ses serviteurs de se mettre à ma disposition. Qui les commande ?

— Ils sont dirigés par le capitaine Kebi.

— Je le connais ! C'est un homme brave.

Il lui montra l'œil d'Horus et insista :

— Nous ne pouvons laisser la population de Kennehout dépérir lentement de faim. N'oublie pas qu'elle abrite les enfants royaux. Combien de temps faudrait-il pour joindre Bahariya ?

— Environ cinq jours, Seigneur. Mais te rends-tu compte des risques que tu prends ? Cette région est infestée par des tribus de Bédouins. Certaines sont pacifiques, mais d'autres rançonnent les caravanes. C'est pourquoi les voyageurs sont si peu nombreux.

— Nous aurons notre propre armée. Outre les cinquante guerriers de Kebi, j'ai amené avec moi mes fidèles compagnons, des soldats que j'ai formés moi-même. Ils sont une trentaine. Nous y ajouterons une cinquantaine de serviteurs sachant manier le bâton et la hache. Je suis sûr qu'aucune bande de pillards n'osera s'attaquer à notre caravane.

— Si tu prends cette responsabilité, Seigneur, je t'obéirai. Mais tu oublies un point important !

— Lequel ?

— Ces hommes sont destinés à garder les enfants, pas à escorter un convoi.

— J'emmènerai les enfants avec moi. S'ils restent à Kennehout, ils risquent fort de manquer de nourriture d'ici peu.

— Les emmener ?

— Bien sûr ! Il me faudra aussi des ânes. De combien en disposes-tu ?

— Je... une trentaine.

— C'est bien. Nous allons donc constituer cette caravane. Tiens-toi prêt à l'annoncer aux serviteurs.

Depuis près de deux mois qu'ils étaient bloqués à Kennehout, les enfants accueillirent la nouvelle avec enthousiasme. La perspective du voyage à Bahariya les enchantait. La vie morne du village commençait à leur peser. De plus, ils adoraient Moshem, qui racontait avec humour les histoires de son pays. Quant à Kebi, il ne fit aucune difficulté pour se ranger à l'avis de Moshem. Depuis quelques jours déjà, il avait peine à trouver de quoi nourrir ses guerriers. Les rations avaient été diminuées, et calmaient à peine la faim. L'idée de se rendre dans un endroit où la nourriture était encore suffisante ravit les soldats.

Très vite, la nouvelle se répandit. Moshem avait fait savoir qu'il avait besoin de porteurs et de serviteurs. Une foule importante se pressa bientôt devant la demeure de Djoser pour offrir ses services.

Quelques jours plus tard, la caravane quittait Kennehout. Khirâ, montée sur un petit âne, regarda sans regrets s'éloigner le village. Depuis toujours, elle avait entendu les conteurs narrer les exploits de son père et de sa mère, et elle éprouvait l'envie secrète de vivre des aventures similaires. Cette expédition au cœur du désert occidental constituait une merveilleuse opportunité. Lors des parties de chasse, elle n'avait jamais dépassé de plus de quelques miles la savane qui bordait Saqqarâh à l'ouest. Cette fois, on allait passer cinq ou six nuits à la belle étoile, pour parvenir dans ce lieu dont le nom comportait un parfum de mystère . Bahariya.

Elle avait pris Inkha-Es contre elle. Depuis son horrible cauchemar, elle ne se séparait plus de sa petite sœur. Bien entendu, elle ne lui en avait jamais parlé, mais sa vigilance ne s'était jamais relâchée. Satisfaite d'être ainsi entourée d'attention, ravie aussi du voyage, Inkha-Es faisait la conversation à sa grande sœur, s'étonnant de tout ce qu'elle voyait, des animaux étranges comme les hérissons aux longues oreilles qui hantaient la savane aux abords du désert, les renards des sables, les gerboises bondissantes, ou encore ces gros lézards que l'on appelle fouette-queue, dont précisément la queue hérissée d'épines acérées constituait un plat fort apprécié de ceux qui traversaient le désert. Khirâ adorait l'écouter bavarder.

Bercée par les pas lents et réguliers de sa monture, elle contemplait le désert. Depuis toujours, celui-ci l'avait fascinée. Elle ne comprenait pas pourquoi certains y voyaient le royaume des démons. Au contraire, il se dégageait des vastes étendues balayées par les vents tièdes une sensation de paix et d'éternité. Elle avait conscience de leur beauté extraordinaire et de leur puissance, une puissance qui inspirait le respect. Car ici l'homme n'avait pas sa place. Il ne faisait que passer, son regard ne faisait qu'effleurer le sommet des dunes mouvantes, montagnes éphémères que les vents déplaçaient au gré de leur fantaisie. Elle ne se lassait pas de les admirer. Mais à qui faire partager l'émotion qui l'étreignait devant le paysage sans cesse renouvelé et pourtant immuable, éternel? Inkha-Es était trop jeune pour comprendre cette beauté fabuleuse. Quant à ses compagnons, ils ne cessaient de scruter l'horizon à la recherche d'un ennemi éventuel. Pourquoi fallait-il donc que les hommes fussent ainsi obsédés par les combats, au lieu de s'extasier devant les merveilles dont ils étaient entourés?

Au soir de la première nuit, elle s'étonna que Kebi lui confiât une couverture. Le soleil luisait dans un ciel sans nuages, et la température du désert était suffocante. Lorsqu'il lui affirma qu'il allait faire très froid pendant la nuit, elle ne le crut pas. Pourtant, la nuit venue, elle comprit l'utilité de la couverture. La température avait chuté d'une manière spectaculaire. Il faisait encore tiède lorsqu'elle s'endormit, ses bras enveloppant Inkha-Es pour la protéger. Lorsqu'elle s'éveilla, le lendemain matin, ses yeux incrédules découvrirent une légère couche de givre sur les pierres proches, tandis qu'un air vif pénétrait ses poumons. Heureusement, dès le début de la matinée, cette sensation de froid se dissipa très vite pour laisser de nouveau place à une chaleur étouffante.

Sans doute la présence d'une centaine de combattants bien armés fut-elle suffisante pour dissuader d'éventuels pillards de s'attaquer à la caravane. Celle-ci parvint sans encombre à Bahariya six jours plus tard. Il sembla cependant à Khirâ que l'on était parti depuis bien plus longtemps. Au matin du sixième jour, elle découvrit, depuis le sommet d'une dune, une importante dépression rocailleuse étirée sur plus de dix miles, qui abritait une étendue verdoyante de palmiers et d'arbustes. Au centre s'étirait une succession de petits étangs qui parfois prenaient les dimensions de lacs. Sur les rives du plus important d'entre eux s'élevaient quelques demeures de briques crues recouvertes de calcaire blanc. Mais la plupart des habitations n'étaient que des tentes entourées de petits troupeaux de chèvres et de mouflons.

Les indigènes différaient des peuples de la Vallée. Leur vêture et leur attitude rappelaient celles des Bédouins. Ils observèrent les arrivants avec une certaine méfiance. Pourtant, lorsque Moshem se présenta, la curiosité porta la foule vers les nouveaux venus. Le premier moment de surprise passé, on sacrifia aux lois de l'hospitalité, et les Égyptiens furent conviés à boire un gobelet d'eau fraîche tiré des sources qui alimentaient l'oasis. Des nuées d'enfants inquisiteurs vinrent sans vergogne interroger les caravaniers.

Une bâtisse un peu plus grande que les autres abritait le gouverneur de Bahariya ; il ne portait pas le titre de nomarque, mais en assumait cependant les fonctions. C'était un homme au visage long et sec, aux traits marqués par le désert. Son nom était Medi-Nefer. Il était difficile de lui donner un âge. Son regard perçant impressionna beaucoup les enfants, sur lesquels il exerçait une étrange attraction. Khirâ sentit qu'il existait entre cet homme et elle un curieux lien de parenté. Lui aussi aimait le désert.

Tandis que rôtissaient un mouton et un chevreau, Medi-Nefer, de sa voix profonde, parla de sa tribu, de son peuple, qui avait depuis des générations conclu une alliance avec les souverains de la Vallée noire. Pendant une partie de la nuit, il raconta des légendes de l'oasis, que les enfants écoutèrent bouche bée, même les plus jeunes.

— Connaissez-vous la légende de Nehri, petits princes ? Nehri était le fils d'un grand chef de tribu du désert. Un jour, il voulut gagner l'oasis de Dakhla et emporta des vivres qu'il chargea sur son âne. Parmi ces vivres, il y avait une grande quantité de dattes. Nehri se mit en chemin d'un cœur léger, car il devait épouser la fille d'un autre chef de tribu. En raison de la chaleur, il voyageait la nuit et dormait le jour, abrité sous un surplomb rocheux, ou dans une caverne, lorsqu'il en trouvait une. Chaque soir, avant de se mettre en route, il prenait un solide repas et rêvait de sa future épouse, qu'il n'avait jamais vue, car le mariage avait été conclu par les deux chefs de tribu.

«Peu à peu cependant, ses vivres s'épuisèrent et, bientôt, il ne lui resta plus que des dattes. Il les mangeait à la lumière d'un croissant de lune, avant d'entreprendre sa traversée nocturne. Bien sûr, il n'y voyait pas grand-chose, et il plongeait les mains dans son sac de dattes, qu'il dévorait chaque soir avec un peu plus d'appétit. Car chaque soir, les dattes lui semblait meilleures. Il pensa que la faim augmentait son appétit, mais il ne se sentait pas particulièrement affamé. Et, toujours, tandis qu'il mangeait, il se plaisait à se représenter le visage de sa fiancée, la couleur de ses yeux, la minceur de sa taille, la finesse de ses traits, la douceur de son caractère.

«Et puis un soir, alors qu'il était presque arrivé au terme de son voyage, il mangea ses dernières dattes. Au moment où il prenait l'une d'elles, la lune pleine, dévoilée par un nuage, éclaira le fruit qu'il tenait en main. Il s'aperçut alors qu'elle était pourrie et abritait un gros ver. Il la rejeta au loin et en prit une autre. L'autre aussi était pourrie. Il vida le sac sur le sable et constata que depuis plusieurs jours, il mangeait des fruits avariés. Il fut d'abord pris d'une nausée, et pensa que Thôt, le dieu de la Lune, lui avait joué un bien vilain tour, et il lui adressa des reproches. Puis, avant de se mettre en route, il songea une nouvelle fois à sa bien-aimée, dont il allait faire enfin la connaissance le lendemain. Mais quelque chose le gênait. Il ne parvenait plus à l'imaginer de la même manière. Il ne comprenait pas. Il aurait dû éprouver de la joie, il ne ressentait que de la méfiance. Puis il regarda de nouveau vers la lune, et soudain, il se prosterna dans sa direction. Thôt n'avait pas voulu lui jouer un tour, mais bien l'avertir. Et si les rêves qu'il se construisait chaque soir étaient à l'image des dattes?

«Peut-être ne s'agissait-il que d'une coïncidence, mais il valait mieux s'en assurer. Aussi, lorsqu'il atteignit Dakhla le lendemain, il se fit passer pour un voyageur égaré, et évita de montrer la bague qui disait son rang. Personne ne s'occupa de lui. On attendait en effet un visiteur important, qui devait épouser la fille du chef. Ce stratagème lui permit d'approcher discrètement sa promise. Il constata alors que celle dont il s'était représenté les charmes durant toutes ces nuits magiques passées dans le désert était en réalité fort laide, avec un visage porcin et de gros yeux de crapaud. Cela n'eût été que demi-mal si, sans doute à cause de son titre, elle n'avait fait preuve d'un caractère autoritaire et détestable. Nehri repartit le jour même pour Bahariya, sans se faire connaître, et bien plus vite encore qu'il n'était venu. Les gens de Dakhla crurent qu'il avait péri dans le désert. De retour chez lui, Nehri fit chaque jour des offrandes à Thôt pour le remercier de lui avoir évité un si mauvais mariage.»

Dès son arrivée, Khirâ s'était liée d'amitié avec la fille de Medi-Nefer, Neserkhet. Âgée, comme elle, d'une douzaine d'années, Neserkhet faisait preuve d'un caractère doux, toujours égal, qui contrastait avec l'esprit bouillonnant et rebelle de Khirâ. Celle-ci suscitait l'admiration de sa compagne. Neserkhet l'enviait de ne pas redouter les esprits qui hantaient le désert, et la trouvait très courageuse. En vérité, Khirâ apportait à son amie le grain de folie qui lui faisait défaut.

Le soir, avant d'aller dormir sous les tentes de peau que les soldats avaient installées, les deux fillettes accompagnaient Medi-Nefer dans sa promenade en lisière du désert. Au loin se découpaient les ombres noires des montagnes du sud. Les lacs que n'agitait nul souffle de vent s'étiraient dans leurs écrins de palmiers et de champs cultivés. Tous trois s'asseyaient en silence sur le sable. Neserkhet glissait sa petite main dans celle de son père.

Khirâ aimait le désert. Elle en écoutait attentivement tous les bruits, des rumeurs mystérieuses qui semblaient provenir de partout à la fois. Elle aurait aimé pouvoir s'aventurer plus loin, au cœur des sables et des roches, simplement pour entendre les appels des prédateurs nocturnes, chauves-souris, chacals, fennecs, rapaces. Les légendes affirmaient que l'Ament était le royaume des morts. Pourtant, elle ne cessait d'y découvrir la vie, résolument agrippée à la moindre aspérité rocailleuse sous les formes les plus diverses. Des plantes aux écorces rudes y résistaient aux terribles vents de sable. Les insectes, lézards, scorpions et serpents y grouillaient, s'enfonçant dans le sable pendant la journée pour ne pas périr de chaleur. La nuit, lorsque se déployait la draperie des étoiles de Nout dans le ciel, la clarté bleue de la lune inondait les étendues infinies d'une lumière magique, fabuleusement belle.

Khirâ respirait profondément l'air de la nuit. Cette légende concernant les affrits était stupide. Personne n'en avait jamais vu. Les hommes redoutaient le désert. Il en avaient fait le royaume de Seth le rouge, l'orée du royaume des morts. Au contraire, elle éprouvait face à l'immensité mystérieuse une formidable sensation de sérénité. En elle vibrait un étrange sentiment de confiance absolue. Elle savait que rien de mal ne pourrait lui arriver dans le désert, parce qu'il la protégerait.

Soudain, la voix chaude de Medi-Nefer déclara :

— Il existe à Bahariya une très vieille légende, bien plus ancienne que celle d'Osiris lui-même, car elle remonte sans doute à la création du monde par Atoum. Elle dit qu'autrefois, le fleuve de la Vallée noire empruntait la route des oasis, depuis Doung, Karghi, et Dakhla, pour aller se jeter dans le lac Moer. Puis un jour, un tremblement de terre d'une violence extraordinaire, dû à la colère du Noun, dieu du Chaos, changea le cours du fleuve. L'ancien lit s'assécha, et les oasis ne sont plus que les ombres de ce fleuve fantôme. Son esprit flotte encore sur Bahariya et la protège. Pourtant, dès que l'on s'éloigne de la dépression fertile, il faut redoubler de prudence. Les sables ne sont pas le royaume des hommes.

Au loin, une hyène lança un appel plaintif, à mi-chemin entre un rire moqueur et le pleur d'un nouveau-né. Medi-Nefer ajouta :

— Le désert est magnifique, mais dangereux. Il faut le respecter. Il abrite des créatures qui ne sont ni de chair ni de sang, qui dévorent l'âme et le corps. Ne vous aventurez jamais seules loin du village.

— Je connais ces démons, répondit Khirâ. À Mennof-Rê, on les appelle les affrits. Mais je n'en ai jamais vu et je n'y crois pas.

— Parce que les dieux veillaient sur toi, petite princesse. Mais prends garde ! Plusieurs jeunes gens et jeunes filles ont disparu du village. On ne les a jamais retrouvés.

14

Khirâ aimait la vie de l'oasis. Sans doute était-ce dû à la proximité du désert, qui l'attirait un peu plus chaque jour. Bien qu'elle se fût rendu compte qu'une certaine crainte régnait chez les indigènes, elle n'avait pas tellement pris l'avertissement de Medi-Nefer au sérieux. Depuis sa plus tendre enfance, elle avait l'habitude de tout remettre en question, et ne croyait guère aux histoires que l'on racontait aux enfants.

— Les adultes veulent nous empêcher de faire certaines choses, d'aller dans certains endroits, expliqua-t-elle à Neserkhet. Alors, ils inventent des contes destinés à nous effrayer.

— Tu as tort de ne pas prendre mon père au sérieux, rétorqua son amie. Il ne t'a pas menti. Depuis plusieurs mois, une douzaine d'enfants et d'adolescents ont disparu sans laisser de traces.

— Ils ont sans doute été tués par des lions ou des hyènes.

— Je ne crois pas ! Il est rare que les fauves parviennent à emporter l'un des nôtres. Mon père lui-même pense qu'il s'agit d'esprits mauvais.

— Je suis sûre que ces enfants disparus avaient commis des imprudences.

Elle posa crânement la main sur son glaive de cuivre.

— Si j'avais été là, je les aurais défendus. Je ne redoute pas les démons du désert.

— Ne dis pas ça ! s'exclama Neserkhet en roulant des yeux effrayés. Tu ne sais pas qu'ils peuvent nous entendre ? Ils savent se rendre invisibles. Peut-être nous regardent-ils en ce moment.

— Eh bien, qu'ils se montrent, ces lâches ! Et nous verrons s'ils sont aussi terribles que tu le dis !

Neserkhet jeta des regards anxieux autour d'elle et se mit à trembler. Khirâ haussa les épaules avec mépris. Elle n'avait jamais eu peur de rien ; ce n'était pas aujourd'hui qu'elle allait commencer.

La caravane devait rester plusieurs jours à Bahariya, le temps pour Moshem de négocier une quantité de nourriture suffisante pour sauver Kennehout de la famine et tenir jusqu'aux récoltes de l'année suivante. Tandis que les porteurs réunissaient les marchandises, Khirâ, Seschi et leurs compagnons effectuaient des parties de chasse à la lisière du désert, sous la surveillance de Kebi et d'une vingtaine de guerriers. Devant une Neserkhet éberluée, Khirâ fit avec orgueil la démonstration de ses qualités de chasseresse. Elle n'avait pas sa pareille pour suivre le gibier à la trace dans les étendues rocailleuses qui cernaient la dépression verte.

Un jour, elle crut apercevoir une silhouette furtive, vaguement humaine, abritée derrière des rochers en surplomb. Elle avertit ses compagnons, et l'on grimpa jusqu'à l'endroit repéré. Mais il n'y avait rien. Elle scruta les environs, sans succès. Neserkhet avait pâli.

— Tu as vu un affrit, gémit-elle. Le malheur est sur nous !

Khirâ poussa un juron épouvantable, appris au contact des soldats, et éclata :

— C'est ridicule ! Les affrits n'existent pas. C'était sans doute un babouin trop curieux.

— Tu ne crois jamais à rien ! riposta Neserkhet. Les affrits prennent les apparences les plus diverses ; parfois même, ils s'introduisent au milieu des humains sans que l'on puisse les reconnaître. Tu ne peux pas comprendre, toi, tu vis au cœur de la ville. Mais ici, nous sommes à la limite de leur royaume.

Butée, Khirâ s'éloigna de quelques pas. Soudain, en provenance du désert, retentit un bruit étrange, à mi-chemin entre le crissement produit par un serpent et une plainte quasiment humaine. Cela ne dura que quelques secondes, et s'acheva sur une sorte de rire [1]. Il y eut quelques instants de silence, puis le bruit reprit, en provenance d'un autre endroit. Neserkhet pâlit.

— Là ! Tu as entendu. Je suis sûre qu'un esprit mauvais nous guette. Il tourne autour de nous.

Décontenancée, Khirâ répliqua :

— Tu es stupide ! J'ai déjà entendu ce bruit. Ce ne peut être qu'un animal, ou encore le vent.

En vérité, elle n'en était pas très sûre. Mais elle refusait de baisser pavillon. Neserkhet demeura pétrifiée. Jamais Khirâ ne lui avait parlé sur ce ton. Elle éclata en sanglots et s'enfuit en direction du village,

1. Ce phénomène singulier n'est pas une invention. Par moments, les dunes laissent entendre une sorte de plainte, dont on pense, d'après des études récentes, qu'elles seraient produites par le frottement du sable.

dont on apercevait les premières demeures à moins d'un mile. Meda, sa servante, la suivit.

Un peu embarrassée de s'être laissée emporter, Khirâ la rappela, mais Seschi lui fit signe qu'un troupeau d'addax approchait par le sud. L'instinct de la chasse reprit le dessus et elle le suivit. Après tout, elle n'allait pas manquer sa proie à cause d'une gamine trouillarde. Elle se réconcilierait avec elle le soir même. Pourtant, elle ne put se défaire d'une désagréable sensation de malaise durant le reste de la journée.

Le soir, lorsque la petite troupe de chasseurs regagna le village, elle chercha Neserkhet. Sans succès.

— Elle doit bouder dans son coin, fit remarquer Nâou.

Inquiète, Khirâ se rendit à la demeure de Medi-Nefer. Mais la fillette n'était pas là.

— Je croyais qu'elle était partie chasser avec toi, dit le gouverneur.

— Je... elle... enfin, nous nous sommes disputées. Elle est repartie en direction du village, dont nous n'étions pas très éloignés. Je l'ai appelée, mais elle a refusé de m'écouter.

— Par les dieux, gémit Medi-Nefer, brusquement pâle. Meda n'est pas là, elle non plus. Il faut les retrouver.

Averti entre-temps par Seschi, Moshem survint en compagnie d'Ankheri. Le gouverneur lui expliqua la situation.

— Mon ami, ne t'inquiète pas encore, dit l'Amorrhéen. Les enfants ne sont pas allés chasser loin. Elle a dû se cacher quelque part pour inquiéter Khirâ. Nous allons tous la chercher.

184

— À moins qu'elle n'ait été enlevée par les affrits, dit le gouverneur d'un ton lugubre.

La douleur de Medi-Nefer faisait peine à voir. Khirâ en ressentit un mélange de gêne et de colère. Elle se sentait responsable de la disparition de Neserkhet. Si elle ne s'était pas chamaillée avec elle, rien ne serait arrivé. Cramponnant Seschi par le bras, elle déclara :

— Nous devons la retrouver, mon frère. J'ai peur qu'il ne lui soit arrivé malheur.

Impressionné par l'angoisse qu'il devinait dans les paroles de Khirâ, Seschi ne discuta pas ses ordres. Armé de la lourde massue dont il ne se séparait jamais, il suivit les guerriers en direction du désert. On retourna sur les lieux de la chasse, distants d'un peu plus d'un mile. Alertés, la plupart des habitants du village se joignirent aux soldats. On fouilla les abords du lac, on sonda les eaux avec des bâtons, on envoya des hommes jusqu'au village voisin, situé à plus de trois miles, personne n'avait vu les deux fillettes. Après plusieurs heures de recherches infructueuses, il fallut se rendre à l'évidence, Neserkhet et Meda avaient disparu, comme les autres enfants avant elles. Effondré, Medi-Nefer ne cessait de gémir. Il adorait sa fille.

Allongée sous la tente près de Seschi, et d'Inkha-Es qui dormait déjà, Khirâ ne parvenait pas a trouver le sommeil.

— Tout est de ma faute, se lamentait-elle. Jamais je n'aurais dû lui parler si durement. J'aurais dû deviner qu'elle était vraiment effrayée, et ne pas me moquer. C'est à cause de moi qu'elle a été enlevée.

— Par qui ? demanda Seschi d'une voix étouffée par la fatigue.

— Je… je ne sais pas.

Tout le monde avait fini par admettre que les affrits avaient capturé Neserkhet et Meda, et qu'on ne les reverrait jamais. Mais Khirâ refusait toujours de croire à l'existence des démons. Cette nouvelle disparition devait avoir une autre explication.

— Nous n'avons pas cherché où il faut. Je suis sûre qu'elle a été emportée par une tribu du désert.

— Même si tu as raison, où la chercher ? s'énerva Seschi. Le désert nous cerne de toutes parts. Toi qui connais tout, quelle piste veux-tu suivre ? Dans quelle direction se trouve-t-elle ?

Khirâ poussa un solide juron, signifia à son frère qu'il n'était qu'un imbécile, puis lui tourna le dos. Repensant à la journée, elle se souvint de l'apparition furtive entrevue au sommet d'une éminence rocheuse. Elle avait cru qu'il s'agissait d'un singe, mais peut-être était-ce bien un homme. Elle était certaine que cet événement avait un rapport avec la disparition de son amie. C'était immédiatement après cet incident que Neserkhet et Meda avaient repris le chemin du village. L'inconnu pouvait très bien avoir agressé les deux filles un peu plus loin. Il y avait à cet endroit suffisamment de formations rocheuses où se dissimuler. Un formidable espoir gonfla soudain le cœur de Khirâ. Elle devait retourner sur place. Mais personne n'accepterait de la suivre en pleine nuit. Il ne fallait pourtant pas perdre de temps. Elle était responsable de la disparition de Neserkhet ; elle savait ce qui lui restait à faire.

Elle attendit que Seschi fût endormi, puis elle réunit ses armes et se glissa hors de la tente. Prenant soin d'éviter les sentinelles, elle se faufila à l'extérieur du campement, et gagna en rampant l'extrémité du village. Son expérience de chasseresse lui permit de s'esquiver sans donner l'alarme.

Silencieuse comme un chat, elle se faufila jusqu'à l'endroit où elle avait aperçu la silhouette. C'était une légère surélévation rocheuse qui dominait, vers l'ouest, une succession chaotique de dépressions peu profondes au creux desquelles s'abritait une maigre végétation. Scrutant attentivement le sol, elle recherchera un indice, des traces de pas. Khirâ bénéficiait d'un odorat plus développé que la normale. Le souvenir d'une odeur épaisse et rance flottait dans l'air nocturne, qu'elle n'eut aucune peine à identifier : une peau de mouflon mal tannée. Un homme s'était donc tenu à cet endroit, et non un affrit. Mais d'où venait-il ? Les paysans de l'oasis portaient des pagnes de lin, voire, pour les plus pauvres, de corde ou de fibre de palme. Personne ne se vêtait de peaux de mouflon.

Poursuivant ses recherches, elle descendit au creux d'une dépression à la végétation arbustive située à l'ouest et finit par trouver, accroché aux branches d'un épineux, un lambeau de fourrure. Elle tenait sa preuve : les esprits, à sa connaissance, ne portaient pas de peaux de bête. Étudiant les lieux avec circonspection, elle découvrit d'autres indices, C'étaient des détails infimes, à peine visibles : poils agrippés à l'écorce, traces de pieds nus dans le sol, quelques gouttes de sang. Un homme avait été griffé par les épines d'un arbuste. Ressortant de la dépression, elle parvint à la limite du désert.

Elle hésita. Les traces découvertes étaient ténues, mais elles indiquaient clairement la direction empruntée par les ravisseurs. Cependant, qui allait la croire, et accepterait de se risquer à sa suite ? Seschi, peut-être… Mais si elle l'avertissait, il l'empêcherait de poursuivre ses investigations. Il ne lui fallut guère de temps pour prendre sa décision : le remords la taraudait ; elle partirait donc seule à la recherche de son amie.

S'éloignant résolument en direction de l'ouest, elle resserra la couverture dont elle avait pris soin de se munir, et suivit la piste que lui indiquait son intuition. Ainsi avait-elle toujours agi avec le gibier, et jamais elle ne s'était trompée. Djoser lui-même s'était étonné de ce don particulier, qui expliquait pourquoi il aimait faire équipe avec elle lors des parties de chasse.

Par moments, elle se traitait de folle. Elle risquait à tout instant de rencontrer un lion ou une horde de hyènes. Mais elle savait que ceux-ci chassaient de préférence à l'aube et au crépuscule. Et que ferait-elle lorsqu'elle aurait rattrapé les hommes sauvages qui avaient enlevé Neserkhet ? Espérait-elle les vaincre à elle seule ? Elle était trop fatiguée pour réfléchir sainement. Elle ne savait qu'une chose : elle avait commis une faute envers Neserkhet et elle devait la réparer.

Peut-être ces chiens espéraient-ils une rançon. Pourtant, lors des précédentes disparitions, il n'y avait jamais eu la moindre demande de rachat. Alors, quelle était la véritable raison de ces disparitions ?

Refusant d'écouter les douleurs qui irradiaient ses membres, elle continuait à marcher, scrutant les moindres indices laissés par les ravisseurs. De loin en loin, elle découvrait de nouvelles traces de leur passage, à peine visibles.

Soudain, une sensation désagréable l'envahit. Quelqu'un marchait derrière elle. Il lui sembla entendre comme l'écho d'un murmure ou d'une respiration. Elle s'arrêta et se retourna. Mais il n'y avait rien, rien que l'immensité impressionnante du désert. Pour la première fois, elle se rendit clairement compte que son expédition relevait de l'inconscience la plus totale. Puis son orgueil reprit le dessus et elle se remit en route.

Marchant sans relâche, elle parcourut ainsi près de cinq miles. Elle ne sentait plus ses pieds, écorchés par les pierres coupantes. Cependant, la rage et l'obstination lui avaient permis de tenir tête à la fatigue qui lui broyait les jambes. Le ciel commençait à pâlir lorsqu'elle atteignit un petit massif rocheux. Se faufilant prudemment au milieu des blocs sculptés par les vents, elle arriva bientôt à une sorte de cirque abrité, plongé dans une demi-pénombre. Visiblement, l'endroit était désert. Aussi silencieuse qu'un chat, elle se laissa glisser au fond de l'arène naturelle. Une forte odeur de chair en décomposition flottait dans les lieux. Elle imagina qu'un animal était venu mourir là. Poussée par la curiosité, elle jeta un coup d'œil circulaire. Soudain, elle aperçut, le long de la paroi rocheuse, un amoncellement d'ossements. Sans doute un fauve avait-il dévoré ici l'une de ses proies. Pourtant, un élément l'intrigua : certains ossements paraissaient calcinés. Mue par la curiosité, elle s'approcha. Puis elle fit un bond en arrière, tandis qu'une poussée d'adrénaline inondait son corps. Dans un coin gisaient des vêtements déchirés. Des vêtements de femme. Une violente nausée lui tordit l'estomac.

La gorge nouée, elle s'avança. Un peu plus loin, deux charognards becquetaient quelque chose qu'elle ne parvint pas à distinguer clairement, en raison de l'obscure clarté de l'aube. Elle poussa un cri pour effrayer les oiseaux qui s'écartèrent prudemment. Elle dut se mordre les lèvres pour ne pas pousser un cri d'horreur. L'objet sur lequel s'acharnaient les nécrophages n'était autre qu'une tête humaine, sur laquelle adhéraient encore quelques lambeaux de chair et des cheveux. Les jambes lui manquèrent et elle s'écroula sur le sable. Elle comprit alors pourquoi on n'avait jamais demandé la moindre rançon pour les jeunes gens enlevés. Leurs ravisseurs les avaient dévorés. Une onde de terreur glaciale courut le long de son épine dorsale. Elle éprouva une soudaine envie de fuir. Jamais elle n'avait entendu parler de telles abominations, sinon au sujet de certaines tribus nyam-nyams. Mais celles-ci vivaient dans le sud de la Nubie, à des centaines de miles de Bahariya.

Son angoisse était si forte qu'elle faillit céder à la panique et se mettre à pleurer. Et si les légendes disaient vrai ? Peut-être l'endroit était-il hanté par des démons, ces monstrueux affrits qui mangeaient les voyageurs après les avoir égarés. Tout au long de la nuit, il lui avait semblé entendre des bruits étranges, qui ressemblaient à des voix humaines déformées. Elle était sûre à présent qu'il s'agissait d'esprits. Et elle était tombée dans leur piège. Elle se plaqua contre la paroi rocheuse et scruta les alentours, brisée par l'angoisse. Pourtant, rien ne se produisit. Le souffle court, elle se demanda ce qu'elle devait faire. La prudence lui recommandait de fuir à toutes jambes pour chercher du secours auprès des guerriers. Mais le temps qu'ils interviennent, Neserkhet serait sacrifiée et dévorée. D'ailleurs, peut-être avait-elle déjà été tuée. Elle refusa cette terrible hypothèse. Il était possible que les esprits ravisseurs les aient conservées en vie afin de ne pas être obligés de les porter jusqu'à leur repaire. Celui-ci ne devait pas se situer très loin.

Elle en aurait hurlé de dépit et de frayeur. Elle ne pouvait se résoudre à abandonner son amie. Mais que faire contre ces démons ? Elle n'osait plus retourner sur ses pas, sans toutefois trouver le courage de poursuivre son chemin. Elle imaginait les crocs acérés des monstruosités se refermer sur sa chair, sur celle de Neserkhet. Elle quitta la dépression rocheuse et contempla longuement le désert, tentant de deviner dans quelle direction les affrits avaient emporté leurs victimes.

Soudain, un bruit insolite attira son attention. Elle se retourna vivement et poussa un hurlement de terreur. Trois silhouettes monstrueuses s'étaient matérialisées derrière elle.

15

Elle crut mourir de frayeur, jusqu'au moment où elle reconnut le visage familier de Kebi. Un guerrier lui avait plaqué la main sur la bouche pour l'empêcher de continuer à crier. Le capitaine lui fit signe de se calmer, puis ordonna à l'homme de la relâcher. Les jambes flageolantes, elle les suivit au-delà de la dépression, pour découvrir une centaine d'hommes armés jusqu'aux dents, commandés par Moshem. Celui-ci l'accueillit fraîchement.

— Quelle folie t'a prise de partir ainsi toute seule ?

Khirâ éclata en sanglots. La découverte de la tête de la femme, suivie de l'émotion ressentie lorsque les trois hommes l'avaient retrouvée, avait eu raison de son audace.

— Je voulais sauver Neserkhet, dit-elle en pleurant.

— Et tu pensais y arriver toute seule ?

— Je… j'avais peur que l'on me prenne pour une folle. Tout le monde croyait qu'il s'agissait d'affrits.

— Et à présent, qu'en penses-tu ?

— Je… je ne sais pas.

— Par chance, Seschi t'a trouvée bizarre. Il s'est douté que tu allais commettre une bêtise, et il m'a averti.

— Seschi, de quoi se mêle-t-il ? grogna Khirâ, retrouvant d'un coup son assurance.

— Tu peux le remercier, rétorqua Moshem sur le même ton. Sans lui, nous ne t'aurions pas suivie. Que comptais-tu faire maintenant ?

— Je voulais délivrer Neserkhet, s'obstina-t-elle.

— En affrontant seule une tribu entière ?

La fillette ne répondit pas. Moshem soupira.

— Je devrais te faire donner le fouet pour avoir commis une si grande imprudence. Mais je ne le ferai pas, parce que tu as fait preuve de courage. Et puis, tu as réussi à suivre la piste des ravisseurs de Neserkhet. Car tu avais raison : ce ne sont pas des démons, mais des hommes. Nous avons découvert des traces qui indiquent qu'il s'agit sans doute d'une tribu qui vit non loin d'ici, dans une petite oasis. Sans toi, nous n'aurions rien pu faire.

— Je comprends pourquoi j'ai entendu des voix dans le désert. C'était vous.

— Lorsque tu as quitté Bahariya, j'ai pensé t'empêcher de continuer. Mais j'ai constaté que tu suivais une piste. J'ai alors décidé de te laisser faire. S'il y avait la moindre chance de sauver Neserkhet, il fallait la tenter.

Khirâ reprit soudain espoir. Elle n'était plus seule.

— Alors, il faut faire vite. Ils vont les dévorer.

— Je l'avais compris. Nous avons nous aussi trouvé des restes humains un peu plus loin. Les soldats bahariyans qui nous accompagnent m'ont confié qu'une petite tribu vit non loin d'ici. La sécheresse l'a vraisemblablement réduite à la famine, et ils sont devenus anthropophages pour survivre. C'est sans doute là que nous trouverons Neserkhet, si elle vit encore.

— Allons-y immédiatement ! s'exclama Khirâ.

Moshem lui aurait bien dit de demeurer en arrière. Mais la fillette ne l'entendait pas de cette oreille. Elle n'avait pas parcouru près de six miles au cœur de l'Ament pour qu'on la reléguât ensuite à un poste d'observatrice. L'Amorrhéen se dit qu'après tout, elle savait se servir de son arc mieux que le plus adroit de ses guerriers.

Khepri inondait l'orient d'une lumière rose lorsque la troupe, ombres noires silencieuses, s'approcha de l'oasis de Beten, d'où venaient les ravisseurs. Sur l'ordre de Moshem, les guerriers encerclèrent la dépression rocheuse au cœur de laquelle s'abritait un petit lac nourri par les eaux de deux sources. Mais celles-ci étaient pratiquement taries. Il ne restait du lac qu'une étendue bourbeuse couverte d'une végétation desséchée. Là s'élevaient quelques tentes autour desquelles s'affairaient déjà une trentaine d'individus squelettiques. Un petit troupeau de chèvres paissait à peu de distance.

Des gémissements parvinrent aux Égyptiens.

— Elles sont vivantes, souffla Khirâ.

En effet, les prisonnières étaient attachées à un piquet. Un peu plus loin, les femmes préparaient un feu. Tout à coup, un homme enveloppé dans une longue couverture bleue, suivi de quatre guerriers, s'approcha des captives. Il tenait un poignard de silex en main. Les deux fillettes se mirent à hurler de terreur.

— Ils vont les tuer, gémit Khirâ.

— J'ai vu.

Il leva le bras pour donner à ses guerriers l'ordre d'attaquer. Mais Khirâ estima que les soldats ne parviendraient jamais à temps pour sauver Neserkhet.

Elle arma son arc, bondit hors de sa cachette et dévala la pente menant au creux de la dépression, indifférente aux cris de ses compagnons. La stupéfaction pétrifia l'homme à la couverture bleue. Khirâ posa un genou à terre, banda son arme. Le trait jaillit, imparable, meurtrier, et vint se planter dans la poitrine du sacrificateur. L'instant d'après, les Égyptiens envahissaient l'oasis. Les Beteniens, furieux de voir leur repas du jour leur échapper, ivres de colère, se jetèrent sur eux, brandissant des armes dérisoires.

Le combat ne dura guère. Les Égyptiens étaient trois fois plus nombreux, et mieux armés. Pourtant, les cannibales combattaient avec l'énergie du désespoir. La faim les avait transformés en bêtes sauvages, y compris les femmes qui se jetèrent sur les premiers soldats pour les mordre. L'un d'eux eut même un morceau de cuisse arraché. Il n'y eut pas d'autre solution que d'exterminer toute la tribu.

Khirâ courut délivrer Neserkhet et sa servante, qui pleuraient à la fois de terreur et de soulagement.

— Sans elle, nous ne t'aurions jamais retrouvée, déclara Moshem. Khirâ est partie seule à ta recherche.

— Tu as… risqué ta vie pour moi ? sanglota Neserkhet.

— Tout est de ma faute. Je n'aurais pas dû te parler si durement. Pardonne-moi !

— Je n'ai rien à te pardonner. Tu m'as sauvée. Aussi, je veux devenir ta servante. Ma vie t'appartient !

— Je préférerais que tu sois mon amie.

Les deux filles tombèrent dans les bras l'une de l'autre.

Un peu plus loin, un guerrier retourna le cadavre d'un vieil homme qui s'était jeté sauvagement sur lui, et auquel il avait dû fendre le crâne. Auprès de lui gisait un objet qu'il était en train de mâchouiller. Une violente nausée lui tordit l'estomac. C'était une main humaine. Dans les habitations troglodytiques creusées dans les parois rocheuses, on retrouva d'autres ossements humains, de toutes tailles. Un élément surprit Kebi.

— On dirait qu'il n'y avait aucun enfant ici.

Moshem examina les charniers et déclara d'une voix altérée :

— La réponse est là : ils les ont sacrifiés avant de s'attaquer à ceux de Bahariya.

— Quelle horreur ! s'exclama Khirâ.

— Pour eux, c'était une question de survie. Les voyageurs en provenance du Levant affirment que, dans certaines régions, la famine est telle que les habitants se mangent entre eux. L'histoire de cette tribu n'est pas unique, malheureusement.

— Ils avaient des chèvres.

— Ils les avaient sans doute épargnées pour leur lait, et depuis qu'ils avaient découvert un autre moyen de se ravitailler à Bahariya.

Khirâ prit la main de Neserkhet. Une fatigue effroyable lui broyait le corps. À présent que la tension était retombée, elle se sentait vidée de toutes ses forces. Durant le voyage du retour, les guerriers durent se relayer pour la porter.

Une angoisse l'avait envahie, qui ne la quittait plus. Si Moshem ne s'était pas trompé, la sécheresse durerait encore plus d'un an. Alors, les habitants de Kemit n'en viendraient-ils pas à s'entre-dévorer à leur tour ?

16

Comme si les dieux des ténèbres avaient enfin étanché leur soif de souffrance, la Mort Noire régressa rapidement après la victoire de Per Bastet. En moins de deux décades, les nouveaux cas se raréfièrent, puis disparurent totalement.

Peu avant les jours épagomènes, Djoser et Thanys décidèrent de regagner Mennof-Rê, où ils furent accueillis avec un enthousiasme délirant. On connaissait le combat que le souverain avait livré contre la maladie, l'aide que lui avait apportée la Grande Épouse. Les guerriers revenant de l'enfer se chargèrent de raconter par le détail la bataille remportée par Thanys contre les Égorgeurs. La légende de la reine s'en trouva renforcée.

Le barrage instauré à la hauteur de la Balance des Deux-Terres avait rempli son office. La Mort Noire n'avait pu franchir les limites de la Haute-Égypte. En revanche, dans le Delta, l'épidémie avait emporté près du tiers de la population, n'épargnant aucune classe de la société. Cette hécatombe eut un effet bénéfique pervers : du fait qu'il y avait désormais moins de bouches à nourrir, la famine toucha moins durement le royaume du Papyrus.

Si l'épidémie avait provoqué la mort de milliers de personnes parmi le peuple, elle n'avait pas épargné l'entourage du roi. Outre la disparition de Piânthy, qui avait été pour lui comme un frère, il déplorait la perte de plusieurs de ses capitaines, et de nombre de guerriers qu'il avait formés lui-même. Certains grands personnages de la Cour avaient péri, comme Mekherâ, le grand prêtre de Seth, pris au piège du Delta. Le brave Nebekhet et sa nouvelle épouse Mérénée avaient succombé dans l'enfer de Busiris. La Mort Noire n'avait pu atteindre Mennof-Rê, mais une grande figure du royaume s'était éteinte. Le corps usé par les privations, le vieux Sefmout avait lui aussi rejoint les étoiles.

La vie avait repris son cours inexorable, rythmé par des journées brûlantes et arides, où l'on avait l'impression angoissante de voir le monde se consumer lentement sous l'effet d'un feu sans flamme, né de la volonté d'un dieu-soleil impitoyable. La tempête de Per Bastet n'apporta aucun répit. Cependant, la trêve apportée par la disparition de la Mort Noire avait redonné un courage nouveau aux Égyptiens, et l'on attendit l'inondation avec un regain de confiance. Djoser espérait qu'en raison des souffrances subies par Kemit depuis une année, les dieux feraient preuve d'indulgence. L'année précédente, la crue avait été quasiment inexistante. Jamais le Nil n'avait atteint un niveau aussi bas. La plupart des canaux d'irrigation étaient comblés par la poussière et la rocaille. En prévision du retour d'Hâpy, on avait commencé à les dégager ; les paysans harassés de fatigue, la bouche sèche et l'estomac vide, travaillaient avec une sorte d'énergie rageuse. Il fallait préparer le lit de l'*humide Seigneur des montagnes*, et chacun y consacrait ses dernières forces.

Vers le milieu du mois de Thôt, premier de la saison d'Akhet, Djoser passa un long moment dans le naos du temple d'Horus. De toute la puissance de sa foi, il invoqua le Maître du ciel et des étoiles, Horus, pour qu'il fit preuve de mansuétude envers ses enfants ; il implora la Maât coiffée de la plume d'autruche de rétablir enfin l'harmonie dans le Double-Royaume. Puis il pria Hâpy d'apporter la vie et la prospérité au sol supplicié de Kemit. Lorsqu'il eut terminé, il sortit du temple et se dirigea vers le fleuve. Derrière lui se forma la longue procession des prêtres, prêtresses et ouabs appartenant aux différents neters. Revêtu de ses attributs royaux, le nomarque effectua le trajet pieds nus, suivi bientôt par une foule silencieuse, aux yeux creusés par les privations.

Arrivé sur la rive du Nil, Djoser entonna un chant dont l'origine se perdait dans la nuit des temps, une mélopée aussi vieille que le fleuve-dieu lui-même :

Viens, Hâpy, ô dieu parfait !

Viens, humide Seigneur des montagnes !

Que tes doigts nous apportent la richesse et l'abondance !

Multiplie les grains d'orge et de blé comme les grains de sable !

Que tes eaux généreuses jaillissent des Deux Cavernes !

Que ton esprit nous apporte la joie et la prospérité !

Engloutis les îles de sable sous tes eaux

Apporte-nous la vie !

Apporte-nous la vie !

Le peuple reprit les paroles rituelles :

Ô Hâpy, emporte dans tes eaux les mauvaises

maladies, et que tes flots noient les démons oukhe-
dous qui nous menacent !

Puis on lança dans le fleuve toutes sortes d'objets : pâtisseries, bijoux, fleurs de lotus, jarres de lait ou de miel, différentes amulettes, des statuettes symbolisant Hathor et Isis. C'était là une manière d'amadouer le puissant dieu, lui donner des forces pour que la puissance mâle des eaux qui grondait en lui vînt féconder l'essence féminine de la terre.

Malgré la prophétie, on se prit à croire à la magnanimité des dieux, et on attendit la montée des eaux avec espoir. Mais les neters se montrèrent sourds une fois de plus aux prières des hommes. Conformément aux prédictions de Moshem, la crue fut quasi inexistante : lorsque enfin le niveau des eaux consentit à s'élever, il ne dépassa pas les deux coudées.

Une vague de résignation et d'amertume s'abattit sur les Deux-Terres. Ce cataclysme sans précédent durait à présent depuis si longtemps que la période d'abondance qui avait précédé semblait appartenir à un autre monde. On avait peine à imaginer, devant les champs arides où le blé et l'orge grillaient sitôt sortis de terre, que des champs verdoyants s'étaient étendus là autrefois. Les animaux périssaient par dizaines, les flancs squelettiques, la tête et les yeux couverts de mouches. On ne pouvait même pas songer à quitter la vallée sacrée pour une contrée plus accueillante. Les nouvelles apportées par les rares caravaniers et navigateurs faisaient état d'une catastrophe plus grave encore dans les pays lointains.

Malgré la puissance de sa foi, Djoser ressentait tout au fond de lui un malaise angoissant. Bien sûr, Moshem avait annoncé cette cinquième année de sécheresse, mais qu'en serait-il exactement ? Rien ne prouvait qu'Hâpy reviendrait l'année suivante fertiliser la vallée de son limon noir. Une terrifiante sensation de vacuité s'était emparée du souverain. Et si les hommes avaient commis des crimes ayant indisposé les dieux ? L'aridité n'était-elle pas le reflet de la colère de Rê ? Le dieu du Soleil n'avait-il pas déchaîné sa terrible fille, la lionne Sekhmet, sur les Deux-Terres ? Thanys tenta de le rassurer, mais l'esprit du roi était à l'image de la vallée. La sécheresse et la famine dévastaient Kemit, le pessimisme ravageait les convictions de Djoser.

Certains jours, il se surprenait à ne plus croire à rien. Chaque matin, il se rendait dans le naos pour procéder à l'élévation de la Maât. Mais, en prononçant les paroles rituelles, en effectuant les gestes consacrés, il avait parfois l'impression d'un vide incommensurable. Envahi par un profond découragement, il en venait à douter de la bienveillance des dieux égyptiens. Le soleil, Rê-Horus, son père, qui apportait au Double-Pays sa lumière incomparable, y semait désormais la mort et la désolation. Djoser en éprouvait un intolérable sentiment d'impuissance. À quoi lui servait-il d'être lui-même un dieu s'il ne pouvait protéger son peuple ? La foi lumineuse qui l'avait habité durant les premières années de son règne se desséchait, comme la poussière et le sable qui envahissaient chaque jour un peu plus les rues de la capitale.

Parce qu'il avait décelé le trouble de son suzerain et ami, Imhotep le prit à part et lui expliqua qu'il ne fallait jamais renoncer ni laisser le découragement s'installer en soi. Au contraire, la fatalité finissait toujours par reculer devant la volonté humaine.

— N'oublie jamais que tu es l'incarnation d'Horus, insista le grand vizir. À cause de ton peuple, tu n'as pas le droit de faiblir. Grâce aux prédictions de Moshem, sans doute envoyé par les dieux, tu as pu prévoir la période de sécheresse, et l'Égypte a mieux résisté que les autres pays. Tu savais dès le départ que le fléau durerait cinq années. Il reste donc encore près d'un an à souffrir. Ensuite l'abondance reviendra.

« Si elle revient », songea Djoser. Puis il chassa cette pensée négative de son esprit. Imhotep avait raison : la prophétie de l'Amorrhéen avait permis d'éviter une catastrophe plus grave encore. Il fallait continuer à lutter. Il se fit la réflexion qu'il ne serait pas aussi puissant sans la présence d'Imhotep.

Pourtant, une gêne obscure subsistait en lui. Il lui semblait avoir oublié quelque chose de très important, comme s'il détenait au fond de lui la clé de la fin de la sécheresse. Par moments, la solution lui paraissait proche. Il sentait qu'elle avait un rapport avec un événement vécu dans un passé datant d'avant son règne. Mais, bien qu'il se concentrât au maximum, il ne parvenait pas à se souvenir duquel.

Parfois, il songeait à abandonner la construction de la cité sacrée et à abdiquer. L'instant d'après, il se reprochait amèrement ces moments de faiblesse. Son peuple était encore plus désemparé que lui. Il avait besoin d'un souverain sans faille, capable de le protéger. Tel était le rôle que lui avait confié le Maître du ciel en faisant de lui son fils spirituel. Mais lui, qui l'aiderait, qui le soutiendrait ? Vers quel dieu se tourner, puisque Hâpy et Horus semblaient avoir abandonné les Deux-Royaumes ?

De son côté, Thanys refusait de céder à la mélanco-lie qui minait l'esprit de son compagnon, et à la déso-lation qui s'était abattue sur le pays. Parce qu'elle avait eu trop peur de le perdre, elle partageait très sou-vent sa couche. Ce fut une période étrange, située hors du temps, où d'épouvantables images de mort han-taient leurs esprits, mais où ils s'étourdissaient dans des joutes amoureuses épuisantes, comme pour affir-mer à la face du dieu des Ténèbres que la vie finirait malgré tout par triompher, et que jamais ils ne faibli-raient devant lui. Thanys gardait une entière confiance dans les prédictions de son ami Moshem. Les dieux ne pouvaient se montrer si cruels. Sa présence rassu-rante et sa foi constante finirent par ébranler le pessi-misme qui taraudait le roi, et il parvint à chasser ses pensées moroses.

Elle disait vrai : il allait se passer quelque chose...

Une nuit d'un bleu métallique, constellée d'étoiles, inondait le désert oriental, d'où sourdait en contre-point une étrange lueur rouge. Mais le paysage n'était pas celui de Mennof-Rê. Dans l'esprit de Djoser, il paraissait surgir d'un passé lointain, qui avait sans doute appartenu à une autre vie. Deux îles se formè-rent sous ses yeux, au milieu du Nil. Sur l'une d'elles s'érigeait une sorte de tumulus, qu'il reconnut aussi-tôt. C'était l'Abaton, où avait été enterrée la jambe d'Osiris. Il se trouvait donc dans la région de Yêb, à la frontière nubienne.

Dans cette demi-nuit baignée par une aurore de feu, Djoser, sous la forme d'un faucon, planait au-dessus des eaux glauques du fleuve parsemé de longues émer-gences sablonneuses. Celles-ci semblaient attendre quelque chose. Poussé par une volonté supérieure à la sienne, il prit son essor et s'envola très haut, comme pour atteindre le rideau d'étoiles. Devant lui, en direction du nord, s'étendait la vallée interminable de la Haute-Égypte, sur laquelle régnait la sécheresse impitoyable. Les épis se tordaient de douleur sous la morsure du soleil implacable qui luisait malgré la nuit...

Il percevait les cris de souffrance de son peuple, les gémissements des bêtes dans les prés à l'herbe rare et jaune. La mort dans l'âme, il revint se poser à la limite de la Première cataracte. Soudain, une forme étrange se dressa devant lui, immense, impressionnante. Le corps était celui d'un homme, mais la tête était celle d'un bélier de grande taille, aux cornes torsadées et allongées. Ses yeux contemplèrent avec bienveillance Djoser qui avait repris son apparence humaine.

— Je connais ton nom, dit le roi dans son rêve. Tu es Khnoum, le dieu-potier qui insuffle la vie dans le corps de chaque être, depuis le plus humble jusqu'à l'homme lui-même.

— Je suis heureux que tu te souviennes de moi. J'ai reçu ta visite voici de nombreuses années. Tu avais pensé à l'époque me faire bâtir un temple, mais tu n'étais pas encore roi. Le temps est venu pour toi de tenir ta promesse. Car je suis aussi le maître de l'eau du Nil. Mon talon repose sur les deux cavernes d'où elle ne demande qu'à jaillir. Je possède le pouvoir de libérer Hâpy et de répandre sur le Double-Pays les eaux et la boue fertilisante.

Une intense bouffée d'espoir envahit le roi.

— Que dois-je faire, ô Maître des artisans?

— Reconstruis mon sanctuaire de Yêb, et je libérerai pour toi les eaux du Nil.

L'apparition mystérieuse s'effaça lentement. Alors, une grande sérénité envahit le roi, mêlée à une exaltation formidable. Il sentait, quelque part, au loin, bouillonner des flots prometteurs d'une eau fraîche qui redonnerait la vie à l'Égypte.

Il savait ce qui lui restait à faire.

17

Gênée par la chaleur éprouvante, Thanys ne dormait pas. Son attention fut attirée par les gémissements que poussait Djoser. Elle s'inquiéta, mais son visage reflétait la plénitude. Brusquement, il s'éveilla à son tour et la contempla. Un instant surpris de se retrouver dans son palais, il bondit du lit et se mit à marcher de long en large, en proie à une vive excitation.

— Cette année connaîtra la fin de la sécheresse, déclara-t-il enfin d'une voix enjouée. Le dieu Khnoum m'est apparu. Il désire que je lui fasse bâtir un temple à Yêb. Alors, il libérera les eaux du Nil.

— Djoser ! Il reste moins de dix mois avant la prochaine crue. Sera-ce suffisant pour construire un temple ?

— Imhotep est un magicien, ma sœur bien-aimée. Il bâtira pour Khnoum le plus beau sanctuaire dont le dieu puisse rêver.

— Mais il a repris la construction de la cité sacrée.

— Bekhen-Rê est capable de diriger seul les travaux. Nous emmènerons également Merneith, Ouadji, et tous les enfants. Un tel voyage sera formateur pour eux. Et puis, il est bon que les peuples de Haute-

Égypte reçoivent notre visite. Je vais faire préparer le navire royal et envoyer des messagers pour annoncer notre venue.

Gagnée par son enthousiasme, Thanys ne douta pas un instant que son compagnon eût dit la vérité : celle-ci confirmait trop bien les prédictions de Moshem.

L'euphorie trouva aussitôt un écho chez les enfants. La petite bande était revenue de Kennehout, augmentée d'un membre. Pleine d'admiration pour Khirâ, Neserkhet avait insisté pour demeurer près d'elle. Flattée, la jeune princesse avait accepté. Neserkhet, preuve vivante de son héroïsme, était devenue sa confidente.

L'expédition s'organisa très rapidement. Le lendemain matin, Djoser rencontra Imhotep et lui raconta son rêve. Le grand vizir adhéra immédiatement au projet. Son esprit fertile se lança aussitôt dans des spéculations architecturales.

— La réalisation des plans ne devrait guère me demander de temps, dit-il enfin. Mais il va falloir trouver des carrières sur place. Je vais emmener Api-Hoptah, le directeur des sculpteurs, et Mernak, le maître des ébénistes. Anherkâ et Nemeter m'assisteront pour la direction des maçons.

Djoser forma les équipages, et les confia à Hanekht, le jeune commandant qui avait succédé à Setmose, mort quelques années auparavant en tentant d'arrêter le *démon de feu*[1]. Il chargea ensuite Semourê et Moshem d'assurer la direction du Double-Royaume en son absence.

---

1. Voir : *La cité sacrée d'Imhotep.*

À peine une dizaine de jours plus tard, la nef royale, suivie d'une escorte imposante, remontait lentement le ruban majestueux du fleuve, poussée par le vent du nord et par ses quatre-vingts rameurs. Confortablement installée à l'arrière sous la cabine tendue de toiles de lin blanc et de nattes colorées, Thanys contemplait la vallée ravagée par la sécheresse. D'un nome à l'autre, les paysages desséchés, griffés par l'aridité, se succédaient, apportant le même spectacle de désolation. Par endroits, la reine se demandait si le désert n'avait pas définitivement triomphé. Les puissantes tempêtes avaient recouvert les champs d'une épaisseur de sable fin, faisant disparaître la couche de limon noir, ce kemit qui avait donné son nom à la vallée.

Pourtant, des groupes de paysans s'acharnaient sur la terre torturée, s'obstinaient à l'irriguer à l'aide des grues à eau d'Imhotep, creusaient de nouveaux canaux pour préparer les semailles à venir. Partout la vie s'accrochait avec énergie.

Dès qu'ils apercevaient la flotte royale, les agriculteurs abandonnaient leurs travaux et se précipitaient sur les rives pour saluer les souverains. Des messagers avaient annoncé la raison de ce voyage dans le lointain Sud. Très vite, le bruit avait couru que l'Horus allait demander le secours du dieu du premier nome. On s'était répété son nom : Khnoum, le dieu à tête de bélier, l'un des créateurs du monde, le divin potier qui façonnait sur son tour toutes les créatures vivantes. Il régnait sur Yêb, la capitale du pays des éléphants, et le roi allait lui bâtir un temple. Alors, Khnoum libérerait les eaux qu'il retenait prisonnières dans deux cavernes profondes situées sous ses talons. Malgré la chaleur et la fatigue, une vague d'espoir courait sur le pays, depuis les plaines marécageuses du Delta jusqu'à la vallée resserrée de Haute-Égypte. Ce souffle nouveau donnait un regain d'ardeur aux artisans, aux ouvriers du chantier de Saqqarâh, aux manœuvres qui nettoyaient les canaux. La prochaine crue chasserait le souvenir des cinq années de disette que venait de traverser le pays. La foi de tout un peuple accompagnait le somptueux navire royal, car il ne faisait aucun doute que le Nil apporterait bientôt l'eau salvatrice et la boue généreuse.

Lorsqu'ils avaient appris la nouvelle, des maçons, des sculpteurs, des menuisiers s'étaient mis en route de leur côté afin d'offrir leurs services au grand Imhotep. On aurait certainement besoin de beaucoup de bras si l'on voulait achever l'édifice avant la nouvelle inondation. Plusieurs flottilles de petites felouques se joignirent ainsi au convoi. Un vent du nord complice gonflait les voiles de tous les navires, comme si les dieux, satisfaits de la décision prise par l'Horus, voulaient aider les humains à accomplir leur projet. Les ouvriers se transformaient à l'occasion en pêcheurs ou en chasseurs, et approvisionnaient la Cour en viande et poisson. Quoique celui-ci ne fut guère apprécié des nobles, Djoser donna l'exemple en capturant lui-même quelques perches superbes qu'il demanda ensuite à son cuisinier de préparer.

Thanys était complètement rassurée. Depuis son retour à Mennof-Rê et le songe inspiré par le dieu Khnoum, le roi s'était métamorphosé. Ses doutes s'étaient envolés, et une énergie nouvelle coulait dans ses veines. Il ne se ressentait plus du tout de la faiblesse due à la Mort Noire. La perspective de chasser le malheur des Deux-Terres lui donnait la force d'assumer tous les problèmes engendrés par une telle expédition. Ses lieutenants étaient ravis : ils avaient retrouvé leur suzerain, celui qui les avait menés vers tant de victoires.

Thanys avait fini par accepter le crime commis durant l'épidémie. Djoser et Imhotep avaient su la convaincre que grâce à elle, une catastrophe encore bien plus terrible avait pu être évitée. La jeune femme avait retrouvé la sérénité. Ce voyage la ravissait. Elle conservait un souvenir magique de son premier séjour à Yêb. À cette époque, Djoser n'était encore que le jeune général qui venait de triompher de la rébellion nubienne. La vision des deux îles situées au-delà de la Première cataracte la hantait. Elle pressentait qu'il se préparait là-bas un événement extraordinaire, et elle désirait y assister.

Enfermé dans une vaste cabine, Imhotep ne voyait rien des paysages desséchés. Assisté de ses fidèles compagnons, Nemeter et Anherkâ, il passait le plus clair de son temps penché sur des rouleaux de papyrus, établissant fiévreusement les plans du futur temple. Puisque la région de Yêb fournissait un granit de bonne qualité, ce temple serait bâti dans cette pierre lourde, que peu de tailleurs savaient travailler. Aussi le navire emportait-il avec lui une petite armée d'ouvriers spécialisés.

Les enfants profitaient pleinement de l'expédition. Passionné par tout ce qui touchait à la navigation, Seschi passait son temps en compagnie du capitaine, qu'il harcelait de questions. Il prenait souvent plaisir à manœuvrer lui-même les gouvernes, ces longues rames situées à l'arrière qui permettaient de diriger le vaisseau. Sa maîtrise et sa connaissance des courants étonnèrent le commandant du navire. Khirâ n'avait pas relâché sa vigilance. Malgré la présence à bord des meilleurs guerriers de la Garde bleue, la vision terrible du visage ensanglanté d'Inkha-Es continuait de la hanter. Aussi ne s'éloignait-elle jamais. Mise dans la confidence, Neserkhet veillait elle aussi sur la petite. Pourtant, il n'émanait aucune hostilité de la part des populations rencontrées.

Le navire faisait escale dans chaque nome, dont le gouverneur organisait, malgré les restrictions, de grandes festivités. L'enthousiasme de ses sujets portait le souverain. Pas une fois il ne vint à l'esprit de Djoser qu'il pouvait se tromper, et avoir mal interprété le message du dieu à tête de bélier. Tout comme Ramman, le dieu de Moshem, l'avait averti de la sécheresse à venir, et lui avait ainsi permis d'engranger suffisamment de semences pour tenir pendant les années difficiles, Khnoum n'exigeait qu'un temple pour offrir au peuple de la vallée sacrée un formidable espoir qui allait lui donner la force de résister aux privations.

Chaque matin, pendant l'élévation de la Maât dans le naos de la cité visitée, Djoser associait le dieu-potier à ses prières, simplement pour lui confirmer qu'il avait entendu sa voix, et qu'il lui obéissait.

Ce regain d'énergie se manifestait également sur un autre plan, et Thanys ne put se plaindre d'être négligée pendant la durée du voyage. Djoser avait retrouvé la fougue de l'adolescence, tant et si bien qu'au terme du voyage, la reine fut prise de nausées qui ne laissèrent aucun doute sur leur origine : elle attendait un nouvel enfant.

Enfin, après un périple qui dura plus d'un mois, le navire royal parvint à Yêb, la ville frontière solidement ancrée sur son île. Debout à l'avant de la nef royale, Djoser constata que les remparts avaient été reconstruits depuis sa dernière visite. Sur les rives du fleuve, trois nouveaux fortins complétaient les quatre premiers. Un flot de souvenirs remonta à la mémoire du roi. Il eut une pensée émue pour Setmose, dont l'audace et le sens de la stratégie lui avaient permis de remporter en ce lieu une victoire décisive sur les princes de Koush révoltés contre Hakourna. Vers le sud, on devinait le passage sombre de la Première cataracte, qui était en réalité un resserrement du fleuve encombré de rochers affleurants, étiré sur plus de cinq miles.

Khem-Hoptah, le nomarque de Yêb, accueillit son souverain avec une joie manifeste. Il avait atteint désormais un âge respectable, mais ses yeux pétillaient toujours de jeunesse.

— Le cœur de ton serviteur se réjouit, ô Lumière de l'Égypte. Mon palais et mon peuple t'attendent avec joie.

Djoser retrouva également le vieux prêtre du temple de Khnoum, qui avait conservé ses fonctions malgré ses quatre-vingts ans. Tordu comme un sarment de vigne, il marchait encore d'un pas alerte en s'appuyant sur une canne aussi difforme que lui.

— C'est la vie qui nous revient avec ton retour, ô Grand roi !

Djoser lui expliqua la raison de sa venue.

— Il y a bien longtemps, lorsque j'ai visité ce temple pour la première fois, j'ai imaginé le faire embellir. Malheureusement, à cette époque, je ne pouvais prendre cette décision moi-même. Je n'étais que le frère du roi Sanakht. Mais Khnoum n'a pas oublié cette promesse, et il me l'a rappelée. J'aurais dû y songer bien avant ce jour. J'ai fait rebâtir Mennof-Rê,

Nekhen, et bien d'autres cités. Pourtant, j'ai oublié le temple de Yêb. Si j'avais agi plus tôt, peut-être la sécheresse aurait-elle pu être évitée.

— Non, Seigneur, répondit le vieil homme. Les choses devaient être ainsi. Si Khnoum avait voulu que tu lui bâtisses ce temple avant, il t'aurait envoyé ce rêve plus tôt. Sans doute fallait-il que l'Égypte connût une telle épreuve. D'après ce que je sais, les pays lointains ont encore plus souffert de la disette que le Double-Pays.

Durant le voyage, Imhotep avait eu le temps d'achever ses plans. Pour leur avoir rendu visite plusieurs fois, il connaissait bien les carriers de la région. Il leur expliqua la manière dont ils allaient devoir travailler. Outre les ouvriers qui avaient suivi le convoi depuis Mennof-Rê, des centaines de paysans se présentèrent spontanément pour aider à la construction du nouveau temple. Certains amenaient avec eux des bœufs et des ânes pour tirer les traîneaux. Les équipes d'ouvriers se constituèrent en un temps record. Il fallait que le sanctuaire fût achevé avant l'époque de la crue, et il ne restait que huit mois.

Dès le lendemain de son arrivée, Djoser se livra au rituel sacré qui précédait l'édification d'un temple. Précédé d'une jeune fille incarnant la déesse Sechat, il dirigea un attelage de quatre jeunes taureaux tirant une charrue. Djoser creusa ainsi un sillon qui délimiterait le périmètre du nouveau temple. Il y répandit ensuite de l'encens et du natron ; puis il plaça aux quatre points cardinaux des pierres précieuses et des talismans. L'édifice serait bien entendu de dimensions plus modestes que la cité de Saqqarâh. Mais le délai de construction était très court. La quasi-totalité des habitants de Yêb assistait à la cérémonie. De nombreux Nubiens, dirigés par le roi Hakourna, étaient présents. Apprenant la venue du roi et de son épouse, ils avaient tenu à le rencontrer pour lui offrir des présents.

Le soir même, des réjouissances réunirent la petite cour de Khem-Hoptah, ravie de sacrifier les quelques réserves qui lui restaient encore pour une aussi belle occasion. Pour la première fois depuis longtemps, Djoser ressentait une immense bouffée de bonheur. Était-ce parce qu'il avait enfin pu agir pour lutter contre la sécheresse maudite qui décimait son peuple ? Mais il lui semblait se retrouver quinze ans en arrière, lorsqu'il venait de remporter une victoire éclatante sur Hakourna, dont il avait su ensuite se faire un allié. Les visages avaient vieilli, mais tous ses anciens compagnons étaient présents.

La simplicité et la générosité du roi séduisaient chacun. On passa la nuit à égrener des souvenirs, dans une ambiance de chaude amitié.

Le lendemain, la foule des ouvriers se présenta devant les portes du palais afin d'offrir son concours. Khnoum était le dieu préféré des habitants de Yêb, et chacun tenait à contribuer à la construction de son sanctuaire.

— Au moins, nous ne manquerons pas de bras, se réjouit Djoser. Mais seront-ils suffisants ?

— En théorie, répondit Imhotep avec un sourire espiègle, nous relevons là un défi presque insurmontable. Mais j'ai confiance dans l'ardeur et la foi de ces gens. Le temple sera achevé avant la crue, et Khnoum lèvera son sabot pour libérer les eaux bouillonnantes du Nil.

Les travaux commencèrent…

Si la construction de la cité sacrée de Saqqarâh avait soulevé un enthousiasme massif dans la population de la capitale, jamais il n'égala celui qui permit l'édification du temple de Khnoum. Les difficultés semblaient s'aplanir d'elles-mêmes devant la détermination de tous, depuis les ingénieurs jusqu'aux plus modestes des manœuvres. L'émulation fut telle que Djoser lui-même participa aux travaux. À aucun moment son enthousiasme ne faiblit. Si Horus demeurait sa divinité principale, il était persuadé qu'il devait en partie sa première victoire, remportée sur les troupes de Nekoufer, au dieu-potier de Yêb. Il était satisfait de pouvoir enfin honorer ce neter lointain, qui lui rappelait Ptah, *le dieu au beau visage*.

Les seigneurs de la Cour qui l'avaient accompagné ne furent pas en reste, se mêlant humblement aux artisans, maçons et tailleurs de pierre. On sculpta une nouvelle effigie du dieu, que l'on couvrit de feuilles d'or. Elle prit place dans la grande salle du temple.

Il semblait impensable à présent que le dieu ne tînt pas la parole qu'il avait donnée au roi dans son rêve. Personne d'ailleurs n'y pensait. Portés par une telle fougue, les travaux avancèrent encore plus vite que ne l'avait prévu Imhotep. Celui-ci ne dormait que quelques heures par nuit. Mais il ne ressentait pas la fatigue. Il était partout, auprès de ses ingénieurs, avec lesquels il vérifiait sans cesse les plans, auprès des ouvriers, dont il guidait les gestes, auprès des femmes aussi, qui ravitaillaient les artisans avec de la bière aussi fraîche que possible malgré la chaleur.

Thanys et les enfants avaient pris leurs quartiers dans le palais que Khem-Hoptah avait mis à leur disposition. Nemeter et Anherkâ étant souvent pris par le chantier, Seschi, Khirâ, Nâou et Akhty jouissaient de longues périodes de liberté, qu'ils mettaient à profit pour chasser ou pêcher. Seschi, avec la belle assurance que donne la force, s'était imposé comme chef des enfants de la cour de Khem-Hoptah. La petite Neserkhet, qui n'avait jamais quitté son oasis natale, était éblouie. Elle était secrètement tombée amoureuse de Seschi. Mais celui-ci restait aveugle aux regards qu'elle lui adressait.

Khirâ avait redoublé d'attention envers sa mère, dont le ventre s'arrondissait régulièrement. Avec la fin de l'épidémie, la fillette avait retrouvé une confiance nouvelle en la vie. Le souvenir du cauchemar où elle avait vu la mort d'Inkha-Es s'était estompé. Elle veillait toujours autant sur sa petite sœur, mais elle en venait à penser que ce songe n'était peut-être qu'une coïncidence.

En raison de la sécheresse, il était devenu totalement impossible de traverser la Première cataracte en bateau. Mais des caravanes ne cessaient de la contourner, apportant leur lot de marchandises et de voyageurs en provenance de la Nubie et du lointain pays de Pount. Thanys aimait à flâner sur le port, entourée de sa troupe d'enfants. Le marché adjacent regorgeait de richesses et de curiosités : tissus, bijoux, animaux inconnus. Yêb était le carrefour où se rencontraient les civilisations de la basse vallée du Nil et celles du Sud. Des individus originaires de toutes les parties du monde s'y croisaient pour troquer, rechercher un emploi, un maître, de la nourriture.

Un matin, elle errait ainsi au milieu des étals des

commerçants lorsqu'elle ressentit un malaise étrange. Elle avait l'impression désagréable que quelqu'un la surveillait. Elle se retourna vivement. À quelques pas, un individu mystérieux la fixait, le regard brillant. Dans ses yeux luisait une haine féroce. Elle sut aussitôt que l'homme était là pour la tuer.

18

Pétrifiée, Thanys demeura quelques secondes sans
réagir. Elle aurait voulu alerter les gardes qui l'escortaient. Malheureusement, sa grossesse diminuait ses
facultés. Elle avait déjà rencontré cet homme, mais
elle ne parvenait pas à se rappeler dans quelles circonstances. Il avait vieilli ; des rides profondes creusaient ses traits, sa peau s'était flétrie, usée par le
soleil et l'alcool. Elle eut soudain l'impression
d'étouffer, et se mit à hurler. Les gardes la regardèrent, interloqués. Elle leur désigna l'endroit où se
tenait l'inconnu, mais celui-ci s'était esquivé. Interrogés, les enfants et les servantes répondirent par la
négative. Personne n'avait aperçu le suspect. Elle
fournit sa description aux soldats, se rendant compte
au même instant que celle-ci était très vague. Par
acquit de conscience, ils fouillèrent le marché et le
port, sans succès. Quantité d'individus pouvaient correspondre au signalement.

Le soir venu, Thanys conta son aventure à Djoser.
— J'ai l'impression d'avoir été victime d'une hallucination. Pourtant, je revois encore son regard lui-

sant. Je suis sûre de n'avoir pas rêvé : cet homme désire ma mort.

Elle eut un bref sanglot, qu'elle maîtrisa à grand-peine.

— Et je ne sais même pas qui il est ! J'ai beau me concentrer, rien à faire. C'est comme si ma mémoire refusait de fonctionner. Je… c'est terrible !

Djoser la prit contre lui avec tendresse.

— Calme-toi, ma sœur bien-aimée ! C'est sans doute le bébé qui t'affaiblit.

— Je n'ai pas rêvé…

— Tu es fatiguée. Et puis, il fait très chaud. Peut-être as-tu croisé le regard d'un homme qui ressemblait à l'un de tes anciens ennemis. Mais rassure-toi, personne te fera de mal. Je vais faire doubler la garde autour de toi.

Thanys acquiesça en silence.

La nuit suivante, elle fut longue à trouver le sommeil. Elle avait beau sonder sa mémoire, celle-ci refusait de s'ouvrir. Il ne restait, incrustée en elle, que l'angoissante impression d'une grave menace. Les jours qui suivirent, elle ne sortit plus qu'escortée par une dizaine de guerriers armés jusqu'aux dents. Tranquillisée par la présence des soldats, elle s'intéressa à la construction du temple de Khnoum. Les travaux progressaient rapidement. Ignorant les récriminations de Djoser, elle accompagna Imhotep jusqu'à la carrière de granit rose d'où l'on tirait les énormes blocs utilisés pour la construction. Les enfants la suivaient partout.

Deux mois passèrent ainsi. À plusieurs reprises, il lui sembla apercevoir l'inconnu. Il surgissait comme un fantôme et disparaissait l'instant d'après. Ses gardiens, alertés, se lançaient à la poursuite de l'individu… et revenaient régulièrement bredouilles. Au fil des jours, elle en vint à penser qu'elle était victime d'hallucinations. Djoser avait raison : sans doute s'imaginait-elle cet homme. Par précaution cependant, elle s'arma de son poignard.

Un jour enfin, alors qu'elle s'était rendue sur les rives du fleuve, elle remarqua sa silhouette, qui la scrutait au milieu de la foule. Elle distingua nettement son visage : un faciès de fouine percé de deux yeux petits et cruels. Elle donna immédiatement l'alarme. Mais l'individu se fondit dans la cohue. Malgré une réaction rapide, les gardes ne purent le rattraper.

— Cette fois, je sais que je n'ai pas rêvé ! dit-elle le soir à Djoser. Les soldats l'ont aperçu aussi.

Dès le lendemain, forts d'une description plus précise, les guerriers se lancèrent sur les traces de l'inconnu. Mais celui-ci s'était volatilisé. Des paysans affirmèrent avoir vu un homme lui ressemblant se diriger vers la Nubie, mais rien ne prouvait que ce fût la vérité.

En réalité, ce fantôme surgi d'un passé qu'elle avait oublié n'effrayait pas vraiment Thanys. La vie qui se formait en son sein lui donnait une force nouvelle. Elle ressentait presque physiquement la présence du dieu à tête de bélier. Tant qu'ils seraient dans la capitale des éléphants, rien de néfaste ne pourrait leur arriver. Malgré la sécheresse, les récoltes s'étaient révélées suffisamment abondantes pour nourrir tous les ouvriers travaillant sur le chantier. Il régnait dans la cité une atmosphère bienfaisante, protectrice. L'enfant qu'elle portait était façonné par le dieu lui-même. Elle aborda les derniers moments de sa grossesse avec une confiance absolue.

Comme si Khnoum avait voulu qu'elle puisse assister à l'inauguration de son temple avec son enfant, elle ressentit les premières douleurs peu avant que l'édifice ne fût achevé. Comme pour les fois précédentes, Ouadji, le compagnon d'Imhotep, l'assista. Depuis qu'il lui avait sauvé la vie pour la naissance d'Akhty-Meri-Ptah, elle exigeait sa présence à chacun de ses accouchements. Mais cette fois, l'événement se déroula sans aucun problème. Il s'agissait de la quatrième parturition. Lorsqu'elle sentit les contractions se rapprocher, elle fit apporter des pierres, sur lesquelles elle se mit en position accroupie. Cette fois, elle tenait à accoucher en respectant la tradition.

Quelques instants plus tard, la famille royale comptait un membre de plus, une petite fille qui clamait à grands cris sa réprobation d'avoir été tirée du confort du sein maternel. Le bébé porterait le nom officiel de Hetep-Hernebti, que Thanys raccourcit immédiatement en Hetti. Comme pour les précédents, elle tint à l'allaiter elle-même. Les autres enfants étaient ravis, surtout Inkha-Es. Elle n'était plus la petite dernière ; il lui semblait avoir pris de l'importance.

Cette naissance, que des messagers partirent annoncer aussitôt jusqu'à Mennof-Rê, déclencha un grand mouvement d'enthousiasme au sein de la population. On voulut voir dans cet événement le renouveau tant attendu de la vie. Chacun trouva au fond de lui-même une force nouvelle pour préparer la future saison de semailles. Elle serait la plus belle depuis bien longtemps.

Le temple fut achevé trois jours après la naissance de Hetti. Son inauguration donna encore lieu à de grandes réjouissances. Le défi avait été relevé. Bientôt, la vie déferlerait sur l'Égypte. Car on était sûr cette fois que la crue serait abondante, et apporterait avec elle de grandes quantités de la terre noire fertile qui redonnerait vie à ceux de la vallée.

Les prêtres, dirigés par Imhotep, avaient longuement observé la voûte étoilée de Nout pour tenter de déterminer la date exacte à laquelle les eaux devaient surgir de la Première cataracte. Lorsqu'ils furent tombés d'accord, on organisa pour le jour dit une grande procession sur les rives du fleuve.

Précédé de jeunes filles agitant des sistres et des tambourins, Djoser, revêtu de ses habits et attributs royaux, descendit jusqu'à la limite des eaux. Derrière lui Thanys portait la petite Hetti dans ses bras. Les enfants, richement vêtus, les entouraient. Suivaient Imhotep, Ouadji, Khem-Hoptah, et le vieux Maître du temple. Enfin venaient la Cour et la population, qui resta à distance.

Tandis que l'on jetait des fleurs de lotus dans les eaux encore basses, les jeunes prêtresses entonnèrent un chant rituel appelant la venue d'Hâpy, divinité symbolisant la crue :

Viens, Eau de la vie qui jaillis du ciel, viens, Eau de la vie qui jaillis de la terre. Le ciel brûle et la terre tremble à l'arrivée du Grand dieu. Les montagnes de l'occident et de l'orient s'ouvrent, le Grand dieu apparaît, le Grand dieu s'empare du corps de l'Égypte !

Djoser pénétra dans l'eau claire. Si les prévisions d'Imhotep étaient justes, les eaux monteraient dans la journée.

Il n'eut pas à attendre longtemps. Vers le milieu de la matinée, un grondement fit vibrer les rochers de la cataracte. Puis le flot se gonfla, *tel un jeune bélier bondissant.* Djoser eut une pensée émue pour Lethis, qui avait toujours rêvé de contempler ce spectacle merveilleux. Il eut un regard pour leur fils Seschi, dont les traits rappelaient ceux de sa mère. Derrière lui, il ressentait la présence de Thanys, de leurs enfants, de ses fidèles compagnons, de son peuple. Peu à peu monta en lui une joie, une exaltation inexprimable, qui explosa lorsqu'il ressentit une certaine fraîcheur autour des mollets. L'eau du fleuve montait insensiblement, atteignit ses genoux, puis ses cuisses, une eau sombre, généreuse, chargée du limon fertile.

Alors, il écarta les bras vers le ciel et éclata d'un grand rire sonore. Le dieu bienveillant Khnoum avait entendu sa prière. La vie allait de nouveau inonder l'Égypte[1].

1. La belle légende du temple de Khnoum fut gravée, plus de deux mille ans plus tard, sur une pierre de l'île de Sehel, sur l'ordre d'un pharaon de l'époque ptolémaïque. Sans doute correspond-elle à une certaine vérité.

DEUXIÈME PARTIE

L'Odyssée

19

An dix-sept de l'Horus Djoser...

Le dieu Khnoum avait tenu ses promesses. Depuis trois ans, le cauchemar avait pris fin, et Kemit connaissait de nouveau des crues importantes, sans être toutefois catastrophiques, comme cela avait été le cas sous le règne précédent. La sécheresse, la famine et les épidémies n'étaient plus que de mauvais souvenirs. La vie bouillonnait de nouveau avec intensité. Comme pour compenser les disparitions dues à la Mort Noire et aux privations, de nombreux enfants étaient nés. Contrôlés avec sévérité par une armée de scribes pointilleux, les troupeaux durement éprouvés se reconstituaient. Le vieux taureau Api, dont la capture avait précipité la brouille entre Djoser et son demi-frère Sanakht, avait succombé peu après la fin du fléau. Le roi avait renouvelé son exploit en ramenant un animal jeune et robuste qui depuis faisait la fierté des prêtres du dieu Ptah.

Les travaux de la cité sacrée progressaient, et la pyramide comptait désormais quatre degrés. Imhotep et Bekhen-Rê avaient entrepris d'élargir ses bases afin d'ajouter les deux niveaux supplémentaires prévus à l'origine. Les carrières de calcaire de Tourah, de Masara et de Helwan avaient été agrandies, ainsi que celles de Yêb pour la diorite et le granit. Djoser avait fait venir de Byblos un homme renommé pour son génie dans la construction navale : Hobakha. Ce charpentier avait réalisé de nouveaux vaisseaux spécialement conçus pour le transport des lourds monolithes. Un nouveau métier était apparu : transporteur de pierre.

Après la réalisation du temple du dieu-potier, Imhotep avait repris en main la construction du fabuleux ensemble architectural. Assisté de Bekhen-Rê et de ses compagnons, il avait établi autour de la pyramide un réseau de piquets et de cordages disposés d'une manière régulière, délimitant un quadrillage de carrés longs. C'était la *grille des maîtres d'œuvre*, qui déterminait les emplacements exacts de tous les édifices annexes.

L'enceinte à redans entourait désormais presque entièrement la cité. Seule la partie orientale demeurait inachevée, en raison de la présence de la rampe d'accès à la pyramide, que l'on avait encore surélevée et rallongée. Plusieurs chapelles consacrées aux dieux étaient terminées. Au nord-est, on avait également entrepris la construction de deux temples disposés l'un en face de l'autre, qui symboliseraient les royaumes du Nord et du Sud.

Le village des ouvriers permanents s'était développé pour accueillir de nouveaux maçons, tailleurs de pierre, charpentiers, sculpteurs ou manœuvres. Sa population atteignait désormais près de quatre mille personnes en comptant les femmes et les enfants. Certains artisans, cordonniers, brasseurs, potiers et autres métallurgistes, s'étaient installés sur place.

L'abondance revenue, on travaillait avec plus d'ardeur. Les contraintes de la sécheresse et notamment de l'invasion de criquets avaient obligé les Égyptiens, cinq ans auparavant, à tenter une seconde récolte après le passage des sauterelles. On n'y avait guère cru sur le moment, mais cette seconde moisson s'était avérée suffisamment productive pour que l'on recommençât l'expérience même après la fin du fléau. Depuis trois ans, les paysans avaient pris l'habitude de faire deux récoltes au lieu d'une, ce qui avait encore augmenté la richesse du Double-Royaume. Le culte de la déesse-serpent, Renenouete, avait ainsi connu un regain de popularité.

La Grande Demeure connaissait une nouvelle période de sérénité. Akhty et Nâou poursuivaient leur éducation auprès d'Anherkâ, Seschi et Khirâ auprès de Nemeter.

Akhty-Meri-Ptah, le prince héritier, aujourd'hui âgé de quatorze ans, donnait entière satisfaction à ses maîtres. D'un tempérament calme et réfléchi, il bénéficiait d'une intelligence vive qui lui permettait de progresser très rapidement. Très attiré par les sciences de l'esprit, il ne se soumettait qu'avec réticence à l'entraînement physique qu'il recevait dans la Maison des Armes en compagnie de Nâou. Cependant, il l'acceptait comme un mal nécessaire. Un roi se devait de conserver une bonne santé physique. Il était robuste et résistant, mais les séances de combat au glaive ou à l'arc l'ennuyaient profondément. Il préférait de loin se pencher sur les mystères cachés de l'écriture, ou les arcanes mathématiques qui permettaient de calculer la superficie d'un champ, le rendement d'une récolte, ou encore les secrets des nombres. Avec Imhotep, il étudiait les pierres et l'architecture. Déjà dans son esprit s'élaborait un projet grandiose. Ébloui par la cité funéraire bâtie par son grand-père, il avait résolu d'en faire construire une seconde, basée sur les mêmes principes, mais encore plus vaste. En compagnie de Nâou, ils en établissaient les plans en secret[1].

Seschi et Khirâ se souciaient moins des études que leurs cadets. À dix-sept ans, Khirâ était devenue une fille superbe, au corps long et souple, modelé par un intensif entraînement physique. Au fil des années, elle s'était passionnée pour les armes et la chasse. Elle adorait fatiguer ses prétendants en les entraînant dans de folles équipées dans le désert, à la poursuite de toutes sortes de gibier : gazelles, antilopes, lions, ainsi que des hyènes qu'elle capturait pour en faire des auxiliaires de chasse. De sa mère, elle avait hérité le don de dompter les animaux, et les fauves les plus redoutables venaient lui manger dans la main.

Ses amoureux étaient légion. Pourtant, aucun ne trouvait grâce à ses yeux. Leurs déclarations enflammées l'amusaient prodigieusement, mais, si elle se laissait parfois conter fleurette par l'un ou l'autre, au gré de son humeur, cela n'allait jamais très loin. Elle n'avait encore cédé à aucun.

Depuis son expédition hasardeuse de Bahariya, Neserkhet ne la quittait plus. La jeune fille, d'un tempérament doux, avait été adoptée par Djoser et Thanys. Avec le temps, l'amitié entre les deux filles s'était affirmée. Même si Neserkhet s'obstinait à se considérer comme la servante de Khirâ, pour laquelle elle

---

1. Cette pyramide, dont on a retrouvé l'emplacement au sud du complexe de Djoser, ne fut jamais achevée. D'après Jean-Philippe Lauer, elle aurait compté sept degrés.

éprouvait une admiration sans bornes, la princesse la traitait comme une amie et une confidente. Neserkhet s'était étonnée de voir Khirâ repousser systématiquement les propositions que lui adressaient tous les jeunes nobles de la Cour.

— Tu es en âge de te marier, lui dit-elle un jour. Ne désires-tu pas qu'un homme partage ta vie ?

Khirâ avait longuement hésité, puis elle lui avait révélé un étrange secret.

— Il y a cinq ans, un homme est venu à Mennof-Rê. Il s'appelait Tash'Kor. Son père, le roi de l'île de Chypre, était venu demander l'aide de l'Horus, parce que son peuple mourait de faim. Tash'Kor voulait m'épouser. Il m'avait vue sur les rives du Nil, alors que je chassais, et il était tombé amoureux de moi.

— Et toi ?

— Moi ?

Elle se troubla, puis poursuivit :

— Je ne sais pas. Je crois qu'il m'attirait, mais j'étais très jeune. Je ne voulais pas quitter Kemit, abandonner mes parents, mes frères et ma sœur pour un pays dont j'ignorais tout. De plus, on dit que Chypre abrite les Peuples de la Mer, ces pirates qui rançonnent nos navires, et qui ont autrefois tenté d'envahir les Deux-Terres. J'ai eu peur, et j'ai repoussé sa demande. Mon père a refusé d'aider les Chypriotes. Alors, il est reparti.

— Et tu ne l'as jamais revu.

— Jamais ! Pourtant, je n'ai pu oublier son regard et son visage. Il possédait des yeux d'un bleu très pâle, comme les pierres d'Hathor[1]. Il était très beau.

---

1. La turquoise.

Elle demeura un moment silencieuse. Des souvenirs très forts lui revinrent à la mémoire, que le temps avait encore embellis. Elle revoyait le regard intense du jeune homme, la découverte de son double, cet étrange frère jumeau qui lui ressemblait à tel point qu'il était impossible de les différencier. Avec le temps, son corps s'était métamorphosé, et de bien curieuses sensations s'étaient éveillées en elle. Des chaleurs équivoques au creux de ses reins lui avaient fait comprendre qu'elle aurait eu besoin d'un homme. Dans ces moments à la fois douloureux et délicieux, c'était le visage de Tash'Kor qui la hantait. Souvent, elle avait rêvé que ses lèvres se posaient sur elle, sur sa peau.

Elle ajouta d'une voix rageuse

— Mais je le hais ! C'était un être démoniaque, et j'espère que les dieux ont pris sa vie !

Stupéfiée par la colère excessive et inexplicable qui vibrait tout à coup dans la voix de Khirâ, Neserkhet s'étonna :

— Pourquoi dis-tu ça ?

— C'est lui qui a provoqué les catastrophes qui ont ravagé Kemit voilà cinq ans ! gronda la princesse. Il a jeté la malédiction sur Kemit. C'est à cause de lui que nous avons subi l'invasion de criquets, l'épidémie de la Mort Noire, et toutes ces terribles batailles qui ont ravagé le Delta.

Neserkhet contempla son amie comme si elle n'avait plus toute sa raison.

— Comment un homme aussi jeune pourrait-il détenir un pouvoir aussi terrifiant ?

— Avec lui, il y avait un magicien dont je ne me rappelle plus le nom. C'est lui qui a agi, sur la demande de Tash'Kor.

Neserkhet fit une moue sceptique, mais n'osa contredire sa compagne. Après tout, certains individus possédaient des pouvoirs magiques fabuleux. Elle s'étonnait cependant que le grand Imhotep n'ait pas été assez puissant pour repousser ces malédictions. Khirâ poursuivit :

— Et je le déteste parce qu'il a étendu sa malédiction sur moi.

Ses yeux se mirent à briller.

— Il a jeté le trouble dans mon esprit. S'il avait eu la patience d'attendre un peu, j'aurais peut-être accepté de devenir sa femme. Parce que je l'aimais ! ajouta-t-elle sur un ton de défi. Il était tellement beau, tellement séduisant… Et il a fui, il a semé le malheur sur les Deux-Terres. Alors, je sais pourquoi je le hais, mais j'ignore pourquoi je l'aime encore. Ma haine et mon amour sont aussi puissants l'un que l'autre, et ils me déchirent. Il m'a lancé un sort, Neserkhet : il m'a détournée des autres hommes, et si je me retrouvais devant lui, je ne sais pas comment je réagirais. Peut-être prendrais-je mon sabre pour l'éventrer comme un immonde pourceau. Ou peut-être tomberais-je dans ses bras !

Étonnée que l'on pût éprouver des émotions aussi dévastatrices, fascinée aussi par la passion qu'elle sentait vibrer dans le cœur de son amie, Neserkhet ne répondit pas immédiatement. Elle ne comprenait guère ce sentiment étrange, où se mêlaient la haine et l'amour.

— Il faudrait que tu le revoies, dit-elle enfin. Peut-être le trouveras-tu moins beau et moins attirant, et tu seras guérie. Tu ne peux rester éternellement seule.

— Mais je ne le reverrai jamais. Aujourd'hui, s'il

est encore en vie, il doit me haïr autant que je le hais. Je préfère ne jamais le revoir.

Seschi lui-même ignorait le secret de celle qu'il considérait toujours comme sa sœur. Avec le temps, leurs rapports n'avaient pas varié. Leur grande tendresse n'évitait pas les chamailleries, et il leur arrivait encore parfois de se battre comme des chats sauvages, au grand désespoir de Nemeter, qui avait renoncé à leur faire donner le fouet. Il avait compris que ces querelles constituaient un autre moyen d'exprimer leur affection. Dès qu'ils étaient séparés, ils n'avaient de cesse d'être de nouveau réunis, et ne tarissaient pas d'éloges sur leurs qualités respectives.

Si Khirâ faisaient souffrir ses prétendants, Seschi n'était pas en reste sur ce plan. Ses muscles puissants et son sourire aux dents parfaites lui valaient les attentions des demoiselles de Mennof-Rê, et il ne se privait pas de répondre à leurs avances. Depuis l'âge de sa formation, vers treize ans, il accumulait les conquêtes, passant de l'une à l'autre avec désinvolture, indifférent aux larmes et aux cris qu'il suscitait. Le rigoureux entraînement militaire que lui avait fait subir Semourê avait façonné sa silhouette et fait de ce jeune colosse un lutteur redoutable. À dix-sept ans, il dépassait son propre père d'une demi-tête, et n'hésitait pas à se mesurer à des guerriers confirmés, dans des joutes amicales dont il sortait vainqueur la plupart du temps. Il lui restait cependant à apprendre la patience et l'art d'étudier les failles de son adversaire. Bien souvent, son impétuosité se retournait contre lui. Semourê et Djoser, rompus au combat, lui faisaient encore mordre la poussière. Mais son caractère enjoué et l'admiration inconditionnelle qu'il éprouvait pour les deux hommes lui faisaient admettre ces défaites avec bonne humeur. Car, tout comme Khirâ, Seschi débordait d'un formidable appétit de vivre.

Depuis le voyage de Yêb, sa passion pour les navires s'était encore accentuée. Il s'était lié d'amitié avec Hobakha, l'homme auquel Djoser avait confié la construction des navires de transport des pierres. Un jour, celui-ci lui fit partager son secret, et la véritable raison pour laquelle il était venu s'installer en Égypte.

— Seul l'Horus Djoser peut m'offrir la fortune nécessaire pour réaliser mon rêve, dit-il.

Il invita le jeune homme dans la demeure que lui avait offerte le roi à la limite de l'oukher. Devant les yeux éberlués de Seschi, il déroula des papyrus sur lesquels étaient dessinés les plans d'un navire étonnant, dont la conception elle-même différait de tout ce qu'il connaissait par ailleurs.

— Je l'ai appelé l'*Esprit de Ptah*, en hommage au dieu de Mennof-Rê, pour lequel j'éprouve une grande vénération.

— C'est aussi mon dieu protecteur, confirma Seschi. Mon nom princier est Nefer-Sechem-Ptah.

Seschi constata la présence d'une seconde vergue, qui permettait de mieux tendre la voile. De même, la ligne du navire était effilée et élégante. Pendant plusieurs heures, Hobakha expliqua au jeune homme l'aménagement de son bateau, les emplacements des rameurs, le logement des marchandises transportées.

— Il sera le plus rapide des navires ayant jamais navigué sur la Grande Verte, conclut-il enfin. Malheureusement, il faut beaucoup de bois pour le fabriquer, et même si l'Horus Djoser — Vie, Force, Santé — me rémunère grassement, ma fortune est loin d'être suffisante pour envisager de le mettre en chantier.

— L'as-tu montré à mon père ?

— Je n'ai pas osé, Seigneur Seschi. Je ne suis qu'un modeste charpentier.

Le jeune homme posa sa main sur l'épaule de l'artisan.

— Tu es le maître des charpentiers, mon ami. Je vais parler de ce navire à mon père. Je suis sûr qu'il te donnera la richesse nécessaire pour le construire.

Hobakha se jeta aux pieds de Seschi pour le remercier.

Effectivement, Djoser fut grandement intéressé par le projet.

— Ton enthousiasme réjouit mon cœur, mon fils. Je sais que tu as toujours rêvé de commander un navire. Aussi, j'accorde à cet homme les moyens de réaliser son projet. Tu l'assisteras, et tu formeras toi-même ton équipage.

Hobakha et Seschi s'étaient immédiatement mis à l'ouvrage. Mentoucheb et Ayoun, les deux commerçants amis de Thanys, avaient rapporté du Levant les quantités de troncs suffisantes pour la construction du bateau, et l'on avait recruté des charpentiers, des menuisiers. Un atelier avait été monté pour tisser la voilure. Le jeune homme était reconnaissant à Nemeter de l'avoir contraint à apprendre le travail du bois. Malgré son rang, il n'hésitait pas à prendre lui-même l'herminette ou la scie pour découper à la dimension les pièces nécessaires. Dès que son éducation lui en laissait le temps, il se précipitait à l'oukher où il retrouvait son navire.

L'*Esprit de Ptah* fut achevé peu de jours avant le lever de l'étoile Sothis, qui marquait le début de l'année nouvelle, et la venue du dieu bienfaisant Hâpy. Dès la montée des eaux, le navire fut libéré des amarres qui le retenaient prisonnier. Outre la Cour, une foule importante était venue assister au lancement. Le vaisseau glissa souplement le long du chemin de rondins sur lequel il avait pris forme, puis se posa sur le fleuve avec élégance, en soulevant une magnifique gerbe. Ainsi que le voulait la tradition, personne ne se trouvait à bord. Seschi fut le premier à se hisser sur le pont, affirmant ainsi qu'il prenait le commandement. Derrière lui montèrent les marins dont il avait constitué son équipage, des hommes triés sur le volet, choisis pour leurs qualités de navigateurs, mais aussi pour leur résistance au combat.

Le soir même, il spéculait en compagnie de Mentoucheb et d'Ayoun sur les ports du Levant où il ferait bientôt escale. Lorsqu'il s'endormit ce soir là, des images d'horizons lointains se bousculaient dans son esprit, des lieux qu'il n'avait jamais vus, mais que son imagination recréait au travers des récits collectés auprès des voyageurs. Il lui semblait déjà sentir l'odeur des algues et des embruns.

De son côté, Khirâ ressentait comme une déchirure le départ prochain de son frère. Elle l'aurait volontiers accompagné. Mais la Grande Verte ne l'attirait guère. Elle lui préférait les étendues fascinantes du désert.

Cependant, tandis que le jeune homme s'apprêtait à quitter Mennof-Rê, un drame épouvantable se nouait dans l'ombre, que rien n'aurait pu laisser prévoir.

20

L'après-midi avait été très doux. En cette fin du mois d'Athyr, les eaux encore hautes étalaient leurs surfaces lisses aux couleurs de ciel jusqu'aux portes de la cité, reflétant les fortifications à redans, les entre-pôts du port et les silhouettes élancées des felouques et des vaisseaux de toutes tailles que le courant berçait mollement. Tandis que Djoser et Imhotep s'étaient rendus sur le chantier de la cité sacrée, Thanys avait désiré demeurer sur les rives du Nil, à proximité du petit village construit par Ameni, l'éleveur d'oiseaux. Musiciens et danseuses escortaient la reine. Ses filles et leurs suivantes l'accompagnaient. Akhty et Nâou avaient préféré suivre Seschi. Depuis que l'*Esprit de Ptah* était achevé, le jeune homme passait le plus clair de son temps à son bord. Il avait tenu à en faire les honneurs à Mentoucheb et Ayoun.

La reine les avait reçus le matin même, de retour d'un voyage à Ebla. Malgré leur âge à présent respec-table, les deux compères ne tenaient pas en place. À peine prenaient-ils le temps d'embellir les demeures octroyées par Djoser à proximité du palais qu'ils éprouvaient le besoin de repartir. Le sol leur brûlait les pieds. Grâce à eux, de solides relations commerciales avaient été établies avec les pays du Levant et jusque dans le lointain royaume sumérien. Ainsi Thanys recevait-elle régulièrement des nouvelles de son ami Gilgamesh, qui lui aussi voyageait beaucoup. Elle avait appris également que Ziusudra, le vieil homme avec lequel elle avait fui le cataclysme qui avait détruit Til Barsip, vivait encore. Il devait avoir désormais plus de cent ans ! Les habitants de sa cité étaient persuadés que les dieux l'avaient rendu immortel pour le remercier de les avoir sauvés des inondations. Thanys éprouva une vague bouffée de nostalgie. Elle aurait aimé revoir tous ces anciens compagnons. Mais sa condition royale ne lui permettait plus d'entreprendre un tel voyage. Cette aventure était désormais réservée aux plus jeunes. Elle envia Seschi. Bien sûr, Mentoucheb lui avait rapporté d'étranges rumeurs, selon lesquelles des villes avaient été détruites dans le nord d'Akkad par des guerriers venus des steppes. Mais le danger n'était pas moins grand lorsqu'elle avait accompli son odyssée. Et Seschi était mieux armé qu'un autre pour se défendre.

À trente-six ans, jamais Thanys n'avait été aussi belle. À cet âge, les paysannes étaient déjà vieillies, usées par le travail et les privations. Quant aux femmes nobles, l'abus de pâtisseries et de vin de Dakhla empâtait leur corps et flétrissait leur peau. Par goût, Thanys n'avait jamais cessé de manier le glaive et l'arc, et restait une redoutable chasseresse. Consciente de devoir offrir à son peuple l'image de la déesse Hathor, elle évitait les excès de nourriture, sans d'ailleurs se forcer. Ses quatre grossesses lui avaient seulement apporté quelques rondeurs très féminines qui mettaient sa silhouette en valeur. Souligné par le khôl et la malachite, son visage rayonnait d'une noblesse qui fascinait les ambassadeurs et visiteurs étrangers.

Thanys était très fière de ses trois filles. Khirâ, la sauvageonne au caractère imprévisible, était devenue une jeune fille superbe au corps fin et musclé. Leurs rapports n'étaient pas toujours faciles. Éprise d'indépendance, elle ne supportait aucune contrainte ; elle préférait la compagnie de Seschi et de ses amis à celle des demoiselles de la Cour. Intérieurement, cette attitude amusait beaucoup Thanys, car elle n'en avait pas adopté d'autre lorsque, adolescente, elle suivait Djoser sur la piste de gibier à plume ou à poil. Obstinée et secrète, elle n'en faisait qu'à sa tête, se fourvoyant parfois dans des situations impossibles et dangereuses. En cela, Khirâ lui ressemblait, et elle ne pouvait pas vraiment lui en tenir rigueur, car c'est ainsi que sa fille avait sauvé la vie de Neserkhet, qui ne la quittait plus depuis. Nombre de jeunes nobles intriguaient pour attirer son attention, sans succès. Par moments, ce désintérêt inquiétait la reine, qui se demandait quel homme pourrait trouver grâce à ses yeux.

À bientôt dix ans, Inkha-Es offrait un contraste étonnant avec sa bouillonnante sœur aînée. Tout comme Akhty par rapport à Seschi, la petite princesse faisait preuve d'une grande sagesse. D'aspect fragile, presque maigre malgré un appétit tout à fait honorable, elle éprouvait pour Khirâ une admiration et une affection qui ne s'étaient jamais démenties. Son bon sens et sa circonspection avaient souvent évité à Khirâ de foncer tête baissée dans toutes sortes de pièges, au mépris du danger. Thanys s'étonnait parfois de la gravité de la fillette, qui pouvait confiner à de la tristesse.

Elle riait pourtant facilement, mais affichait souvent un air inexplicablement marqué par la résignation.

En revanche, la benjamine, Hetti, âgée de quatre ans, respirait la joie de vivre. Née avec le retour de l'abondance, elle en incarnait le symbole. Les joues roses et les yeux verts, elle explosait de santé et de bonne humeur, et le contraire eût été surprenant. Dernière-née des princesses royales, toute la Cour était à ses pieds, y compris son divin père, devant qui pourtant le peuple entier se prosternait. Comment dans ce cas ne pas se sentir comblée ?

Vers le soir, le vent du nord, qui soufflait depuis la montée des eaux, augmenta de puissance, apportant avec lui de lourds nuages sombres. La luminosité déclina peu à peu, tandis que le crépuscule allumait des lumières d'or rose sur les lointaines carrières de calcaire, de l'autre côté du fleuve. Le réseau des canaux, les terres recouvertes d'eau d'où émergeaient des bouquets de palmiers, d'acacias et des chevelures de papyrus composaient un paysage d'une beauté inexprimable, sur lequel planaient des nuées de flamants roses, d'ibis et d'arondes. La température était douce et agréable. Au loin, des mariniers et des pêcheurs revenaient lentement vers le port en chantant de lancinantes mélopées, le chant même du Nil. Rarement, Thanys avait éprouvé un tel sentiment de sérénité. Sans doute la douce tiédeur de l'air et les parfums familiers avaient-ils endormi sa vigilance.

Soudain, tout bascula dans l'horreur. Quelque part au creux d'un buisson déjà noyé dans la pénombre, quelque chose bougea. Brusquement inquiète, Thanys scruta les environs. Son sang se glaça dans ses veines. Éclairée par la lueur rouge du soleil couchant, elle entrevit une silhouette dressée, qui maniait une fronde puissante. En une fraction de seconde, elle reconnut le visage de l'homme aperçu quelques années plus tôt à Yêb, les yeux de fouine, le rictus cruel, l'éclat de la haine la plus pure, teintée de folie. Elle voulut alerter les gardes qui veillaient à proximité, mais aucun son ne sortit de sa gorge. Tout allait très vite, trop vite, comme dans un rêve étouffant où toute action semble ralentie. Impuissante, elle vit une grande fronde tournoyer, puis une pierre jaillir, précise et mortelle. Avant même que le drame ne se fût produit, elle savait qu'il était déjà trop tard, que rien ne pouvait arrêter le destin. À deux pas, ses filles jouaient, Khirâ pourchassant Inkha-Es. La pierre siffla, Inkha-Es passa devant Thanys. Le projectile qui lui était destiné percuta violemment la tempe de la fillette.

Khirâ demeura pétrifiée. En une fraction de seconde, le terrible cauchemar qui l'avait visitée quelques années plus tôt venait de se cristalliser dans toute son horreur. Elle vit la bouche de Thanys s'ouvrir sur un hurlement strident d'animal blessé. Devant elle, Inkha-Es tituba, tandis qu'un filet de sang ruisselait de sa tempe. Elle aperçut la main tremblante de sa mère désigner, dans les buissons, quelque chose, un visage qu'elle entrevit l'espace d'une seconde avant qu'il ne s'évanouisse. Un visage qu'elle n'oublierait jamais plus. Elle comprit qu'une pierre avait frappé sa petite sœur. Un désespoir sans nom l'envahit : elle savait déjà qu'Inkha-Es ne se remettrait pas de sa blessure.

L'instant d'après, les gardes étaient là. Sur un signe de la reine, ils se lancèrent à la poursuite de l'agresseur. Mais l'homme avait disparu. Incapable d'articuler un mot, Thanys se pencha sur sa fille qui gémissait. Une vilaine plaie marquait sa tempe. Du sang perlait aux commissures de ses lèvres, et à l'oreille. Mais elle n'avait pas perdu connaissance.

— Je ne vais pas mourir, maman, n'est-ce pas ?

— Non, ma chérie ! Ton grand-père va venir te soigner. Il n'est pas loin. On est parti le prévenir.

D'une main maladroite, elle essuya le sang qui gouttait de la bouche de la petite. Dans son cœur affolé se mêlaient la peur et une haine incommensurable. Elle savait que la blessure de Inkha-Es était très grave. Elle aurait voulu se montrer plus forte, la rassurer. Mais les mots ne pouvaient franchir sa gorge nouée.

Khirâ, effondrée, tenait l'autre main de sa sœur. Un sentiment de culpabilité lui broyait la poitrine. Les dieux l'avaient prévenue. Mais, avec le temps, elle avait oublié l'avertissement, et sa vigilance s'était relâchée. À cause de sa négligence, Inkha-Es allait mourir. Elle éclata en sanglots.

Dans un état second, Thanys assista les gardes qui emportèrent Inkha-Es roulée dans une couverture. Tout en prodiguant des paroles de réconfort à la fillette, elle revoyait nettement les traits de l'agresseur. Mais ils demeuraient impossibles à identifier. Ils étaient vieux, griffés par les années. Cet homme avait été son ennemi autrefois ; il était revenu pour la tuer.

Mais qui était-il ?

Inkha-Es fut installée dans une vaste chambre du palais. Alertés, Djoser et Imhotep étaient revenus en hâte de Saqqarâh. Le roi avait donné des ordres pour que l'on retrouvât l'assassin, et une armée de gardes s'était éparpillée dans la cité et les environs, sous les ordres de Moshem et de Semourê. Cela n'avait guère d'importance aux yeux de Thanys. Elle s'étonnait de ne pas éprouver de véritable colère. Le criminel ne pouvait aller bien loin. Les gardes allaient le rattraper, et il paierait son acte odieux de sa vie. Mais tout cela lui semblait déjà tellement dérisoire. Elle guettait anxieusement les yeux de son père, penché sur sa petite fille. Lorsqu'il se redressa, elle n'aima pas ce qu'elle y décela.

Tandis que Semourê lançait des battues dans toute la ville et le long des rives, en amont et en aval du fleuve, Moshem se chargea de visiter les riches demeures proches du palais, occupées par les grands propriétaires terriens et les nobles étrangers en visite, ambassadeurs, négociants fortunés...

On avait appris le malheur qui avait frappé la maison de l'Horus, et l'on se montra coopératif. Tout le monde aimait la petite princesse Inkha-Es. Dans certains endroits, on avait déjà préparé des offrandes aux dieux, et notamment à Isis, pour qu'elle accordât la guérison à la fillette. Les seigneurs ou leurs intendants ne firent aucune difficulté pour laisser visiter les maisons. Cette coopération prouva au moins un point : aucune grande famille n'était impliquée, directement ou indirectement, dans l'affaire. Moshem avait été informé par Thanys que c'était elle que le criminel voulait abattre, et le souvenir du complot ourdi par la secte des serpents n'était pas encore effacé des mémoires. Atoum-Rê avait depuis longtemps disparu derrière l'horizon occidental lorsqu'il se présenta, suivi de ses gardes, devant une demeure située en bordure du quartier résidentiel, non loin de l'oukher. Un serviteur muni d'une lampe à huile lui ouvrit. L'individu, visiblement étranger, le mena devant les maîtres des lieux. Moshem retint une exclamation de surprise.

Devant lui se tenaient les princes jumeaux de Chypre.

21

Moshem n'avaient pas oublié les deux princes chypriotes. Lors de leur précédente visite, ils étaient encore des adolescents, impossibles à différencier l'un de l'autre tant ils se ressemblaient, et parce qu'ils affectaient de se vêtir de manière identique. À présent, ils étaient devenus des hommes. Leurs traits, marqués par l'adversité, les faisaient paraître plus vieux que leur âge, vingt-deux ans. De fines pattes d'oie griffaient les côtés des yeux de l'un d'eux, durcissant son expression. L'autre en revanche affichait un visage plus avenant, un regard plus doux. Seules ces particularités permettaient de les distinguer, car ils portaient toujours des vêtements semblables.

Près d'eux se tenait un homme âgé en longue robe noire, d'une maigreur ascétique, au regard impassible. Moshem se souvint l'avoir aperçu cinq ans auparavant. Mais il ignorait quel était son rôle auprès des jumeaux. Il se promit d'approfondir la question. Sur la terrasse, une jeune femme à la beauté sensuelle et troublante le détaillait avec curiosité. La couleur dorée de ses yeux retint son attention. Masquant son étonnement, il déclara :

— Seigneurs, j'ai de bien tristes nouvelles à vous apporter.

Lorsqu'il eut expliqué la raison de sa visite, Tash'Kor affirma qu'il ne s'opposait en aucune manière à ce que les gardes inspectassent la demeure. Son frère et lui souhaitaient au contraire aider l'Horus dans sa recherche d'un criminel assez vil pour tuer une fillette. L'assurance qu'il décelait dans leur attitude incitait Moshem à penser que les Chypriotes n'abritaient pas le fugitif. Mais leur présence l'intriguait.

— Je ne m'attendais guère à vous rencontrer à Mennof-Rê, nobles seigneurs. Le roi n'a pas été averti de votre visite.

Tash'Kor, qui parlait toujours pour les deux, expliqua :

— Nous sommes arrivés voici seulement trois jours. Il s'est passé beaucoup de choses à Chypre depuis notre dernière visite, seigneur Moshem. Cette fois, nous ne sommes pas en visite diplomatique. Et nous n'avons conservé de prince que le titre. Notre père… ne règne plus sur l'île. Mais c'est un long récit, et je crains de vous importuner si vous êtes à la recherche de ce criminel.

— Pas du tout, Seigneur. J'aurais plaisir à l'entendre.

Tash'Kor invita Moshem à prendre place dans un fauteuil, sur la terrasse qui bordait le petit jardin intérieur. Quelques instants plus tard, des serviteurs apportaient du vin égyptien et des gâteaux fourrés aux dattes. Une esclave servit le vin dans des gobelets.

— Il y a cinq ans, mon père, mon frère Pollys et moi sommes venus demander l'aide de votre roi. Cette aide nous a été refusée. Je dois admettre que j'en ai voulu au roi Neteri-Khet, mais j'ai appris depuis les catastrophes qui ont frappé Kemit, et mon ressentiment a disparu. L'Horus Djoser a agi pour le plus grand bien de son peuple, et nous ne pouvons lui en tenir rigueur. Malheureusement, lorsque nous sommes revenus à Chypre, un parti ennemi avait profité de l'absence de Mokhtar-Ba pour s'emparer du trône. Le traître s'appelait Khoudir. Nous l'avons combattu pour tenter de reconquérir notre palais. Notre père fut tué pendant ces affrontements. Pollys et moi avons été contraints de fuir. Pendant deux ans, nous avons lutté contre l'usurpateur. Nous avons réussi à rassembler une grande partie de notre peuple et nous avons renversé Khoudir. Mais il est parvenu à s'enfuir, et il a trouvé appui auprès des Peuples de la Mer. Il les a convaincus de le soutenir. Il y a quelques mois, notre capitale, Alashia, est tombée entre leurs mains, et nous avons dû nous enfuir à nouveau. Seuls quelques-uns de nos fidèles serviteurs nous ont suivis. Nous nous sommes d'abord rendus à Ugarit, sur les côtes du Levant, puis à Byblos, dont le gouverneur nous a convaincus de venir chercher refuge à Mennof-Rê. Voilà toute l'histoire en quelques mots, Seigneur Moshem.

— L'Horus Neteri-Khet — Vie, Force, Santé — doit connaître votre présence dans sa capitale, nobles seigneurs. Il souhaitera certainement vous recevoir. Malheureusement, je crains que le malheur qui le frappe actuellement ne vous oblige à patienter un peu.

— Nous patienterons, Seigneur Moshem, conclut Tash'Kor. Que pouvons-nous faire d'autre à présent ? Par chance, nous avons réussi à sauvegarder une partie de notre fortune. Avec elle, nous espérons conclure des alliances qui nous permettront de renverser ce scélérat de Khoudir.

Comme Moshem s'y attendait, les gardes ne trouvèrent rien. Lorsqu'ils eurent terminé, il prit congé des Chypriotes. Il était presque certain qu'ils n'avaient rien à voir avec le crime. En revanche, leur présence à Mennof-Rê était surprenante. Il était peu probable que Djoser leur accorderait une aide qu'il avait refusée à leur père cinq ans auparavant. Pourtant, leur récit semblait véridique, et confirmait les échos qu'il avait reçus sur Chypre. Cependant, il se méfiait de Tash'Kor. Il sentait vibrer en lui une haine qui démentait ses paroles apaisantes. Mais était-elle dirigée contre ce mystérieux Khoudir, ou contre une autre personne?

Après le départ de Moshem, Pollys prit son frère dans ses bras.

— Ne laisse pas la colère t'aveugler, Tash'Kor. Ce pays est magnifique et accueillant, les filles y sont belles et peu farouches. Pourquoi ne pas demander l'hospitalité à l'Horus Djoser?

Tash'Kor se dégagea brusquement.

— Tais-toi! Tu sais pour quelle raison nous sommes venus. As-tu déjà oublié tout ce que nous avons enduré depuis notre dernière visite?

— Tu l'as dit toi-même: les Égyptiens ont souffert, eux aussi. La sécheresse, la famine et les épidémies les ont touchés également.

— Je m'en moque. C'était la punition que leur avaient infligée les dieux. Rien ne serait arrivé si Djoser nous avait accordé son aide. Dois-je te rappeler l'accueil qui nous fut réservé lorsque nous sommes rentrés les mains vides? Le peuple furieux de notre échec, l'invasion du palais par des hordes hystériques, le saccage, le carnage sans nom qui a suivi? As-tu oublié le sort ignominieux de notre père, Mokhtar-Ba, embroché comme un vulgaire mouton, rôti sur la place et dévoré par les femmes et les vieillards? Nous-mêmes n'avons dû la vie qu'à nos compagnons, qui se sont fait massacrer pour nous permettre de fuir.

Il serra les dents. Les événements ne s'étaient pas déroulés tout à fait comme il les avait racontés à Moshem. Malgré les années écoulées, il ne pouvait chasser de sa mémoire l'horreur qui avait suivi le retour à Chypre. Après l'échec de Mokhtar-Ba, le peuple s'était soulevé, et avait envahi le palais royal, mené par quelques chefs de bande hystériques, assoiffés de sang et de meurtres. Les magasins royaux avaient été pillés par les insurgés. Mais, lorsqu'ils avaient découvert qu'ils étaient pratiquement vides, la fureur des rebelles n'avait plus connu de limite. Une vague de démence avait frappé les belligérants affamés. Des images atroces demeuraient gravées dans son esprit : servantes violées et massacrées, esclaves traînés par les pieds, empalés et grillés comme des gorets. Le roi lui-même avait subi un sort identique. Ce chien de Khoudir n'avait pas eu grand mal à rassembler les mécontents et les Peuples de la Mer.

Quelques membres de la famille royale étaient parvenus à fuir et n'avaient survécu qu'en se cachant, pourchassés par les assassins à la solde du traître, dénoncés par des paysans qui crevaient de faim et auraient fait n'importe quoi pour un peu de nourriture. Tash'Kor ne pouvait non plus pardonner la mort de leur mère, qu'il avait vue s'étioler, s'affaiblir chaque jour un peu plus. Son frère et lui avaient subsisté dans la famine et la pauvreté jusqu'au moment où Khoudir avait été chassé à son tour, parce que le pays avait sombré dans le chaos le plus total. Dans différentes petites cités, des inconnus s'étaient proclamés rois, avaient levé des armées fantômes de paysans abrutis par la maladie et le manque de nourriture. Des affrontements sanguinaires avaient opposé les provinces, occasionnant au moins autant de victimes que la Mort Noire elle-même. Profitant de la confusion, les jumeaux avaient rassemblé une armée en invitant les ennemis d'hier à s'unir plutôt que de se combattre. Guidés par Jokahn et ses conseils éclairés, ils avaient reconquis la capitale, Alashia, au moment où la sécheresse et son cortège de cataclysmes s'achevaient. Après la victoire, Tash'Kor avait été nommé roi. Il avait pris son frère comme vice-roi. Pollys s'intéressait beaucoup plus aux femmes, à la musique et aux joutes armées qu'au gouvernement du pays, mais il en avait toujours été ainsi. Pollys laissait à Tash'Kor le soin de penser pour deux. En revanche, il lui apportait le grain de folie qui lui manquait. Et puis, Tash'Kor avait toujours tout partagé avec Pollys : les jeux, les femmes, et la nourriture lorsque celle-ci était rare.

Durant les deux années suivantes, ils avaient dirigé le pays, redistribuant les terres confisqués par de petits seigneurs de la guerre dont ils avaient dû combattre les hordes vindicatives. Mais Tash'Kor n'avait pas oublié la haine qu'il éprouvait envers Djoser et sa fille, la belle et perfide Khirâ, qui l'avait rejeté comme un vulgaire petit nobliau sans importance. Il était tombé fou amoureux d'elle. Depuis son retour de Kemit, il ne s'était pas passé une journée sans qu'elle vînt le hanter. Il ne lui pardonnait pas le mépris avec lequel elle l'avait traité. Il n'aurait de cesse de s'être vengé de l'affront subi, et des catastrophes qui s'étaient ensuivies.

Tash'Kor n'avait guère menti à Moshem. Il avait dû lutter de nouveau contre Khoudir, qui avait conclu une alliance avec les pirates infestant les côtes de Chypre. Des troupes de guerriers sans scrupules avaient aidé l'usurpateur à reconquérir Alashia. Une nouvelle fois, les jumeaux avaient dû fuir. Après s'être emparés du navire royal, ils s'étaient tout d'abord rendus à Ugarit, une petite cité située au nord de Byblos, où vivaient déjà quelques nobles Chypriotes exilés. Ils emportaient une petite fortune amassée par Jokahn en prévision d'un éventuel coup du sort.

Pollys déclara :

— Que veux-tu prouver, mon frère ? Après tout, nous ne sommes pas si mal dans ce pays.

— Cela n'a aucune importance ! Je n'oublie jamais le tort que l'on m'a causé. Je veux faire payer le roi de ce maudit pays, et surtout sa fille, cette chienne qui m'a repoussé comme un vulgaire paysan. Un jour, Djoser recevra sa tête dans un panier. Et il saura que c'est moi qui l'ai tuée.

La fille aux yeux d'or se serra contre lui avec un sourire ravi. Pollys éclata de rire.

— Faut-il que tu aimes cette Khirâ pour la haïr à ce point !

— Tais-toi ! hurla Tash'Kor. Je suis venu ici pour me venger, et rien ne me fera reculer.

Pollys n'osa répondre. Parfois, son frère l'effrayait. Depuis toujours, il avait été le plus fort, le plus audacieux, le plus sombre aussi. Depuis les terribles épreuves qu'ils avaient traversées, il ne voyait plus que les mauvais côtés de la vie. Pollys le connaissait trop pour prendre ses intentions à la légère. D'ailleurs, qu'en était-il exactement de la nouvelle rapportée par ce Moshem, selon laquelle une princesse royale avait été assassinée ? Une angoisse brutale le saisit. Tash'Kor ne le tenait pas toujours au courant de ce qu'il faisait. Or, il s'était absenté longuement pendant l'après-midi. Lorsqu'il était rentré, il semblait surexcité. Bien sûr, il ne pouvait le soupçonner d'avoir tiré lui-même sur la fillette. Mais n'avait-il pas soudoyé un mercenaire pour accomplir cette tâche à sa place ? Seulement, sa cible, Khirâ, n'avait pas été atteinte. C'était sa sœur, la petite Inkha-Es, qui avait été touchée.

Mal à l'aise, Pollys se tourna vers lui et demanda :

— Qu'as-tu fait, mon frère ?

22

Depuis deux jours, Inkha-Es luttait contre la mort. Le lendemain de l'attentat, elle avait sombré dans le coma. Imhotep ne quittait pas son chevet, tentant par tous les moyens de la ramener à la conscience. Mais il savait qu'il n'y avait rien d'autre à faire qu'attendre. Thanys l'assistait, sachant que sa présence n'était guère utile. Elle ne pouvait simplement être ailleurs.

Djoser harcelait Semourê et Moshem pour qu'ils retrouvent le coupable. Malgré le signalement précis fourni par Thanys, les recherches n'avaient rien donné. On avait arrêté quelques individus correspondant à la description, mais tous avaient été mis hors de cause. Chaque fois qu'un suspect était capturé, il était amené devant Thanys, seule capable de reconnaître formellement l'assassin. On avait quadrillé tous les quartiers de la cité, notamment ceux de l'oukher et de la ville basse. En vain. L'opération avait seulement permis d'arrêter quelques voleurs et autres brigands qui n'avaient pas eu le temps de déguerpir avant l'arrivée des gardes.

Une autre personne pouvait identifier l'agresseur. Khirâ avait aperçu ses traits au creux des buissons. Le visage de l'homme demeurait gravé dans son esprit. Lorsqu'elle l'évoquait, une bouffée de haine et de violence l'étouffait. Elle s'était juré de le tuer de ses propres mains au cas où elle le retrouverait la première. Elle ne quittait plus le glaive que lui avait offert Djoser. En compagnie de Seschi, elle avait parcouru les ruelles de la cité, espérant reconnaître le criminel. Elle était persuadée qu'il rôdait encore dans les parages du palais. Sa cible n'était pas Inkha-Es, mais Thanys. Khirâ l'avait deviné, et sa mère le lui avait confirmé. Mais la fillette s'était interposée.

Un désespoir sans nom hantait la jeune fille, doublé d'un terrible sentiment de culpabilité. Seschi, qui seul connaissait son rêve, tentait de la rassurer. Beaucoup d'années s'étaient écoulées depuis ce songe effrayant. À l'époque, le Double-Pays subissait un terrible fléau, et tout était bouleversé. Depuis, les choses étaient rentrées dans l'ordre. La famine et la sécheresse n'étaient plus que de mauvais souvenirs. La vie avait repris le dessus, et plus rien ne semblait devoir menacer la famille royale. Comment dans ce cas rester sans cesse en éveil ? Et qui aurait pu vouloir la mort d'Inkha-Es ?

Dans la chambre où reposait sa fille, Thanys veillait depuis trois jours. Les serviteurs lui avaient installé un lit à côté de celui de la blessée, mais elle n'avait quasiment pas pu fermer l'œil. Lorsque la fatigue se faisait trop lourde, elle sombrait dans des phases de sommeil courtes et agitées, peuplées de cauchemars hallucinants qui lui provoquaient des battements de cœur. Elle s'éveillait alors en sursaut et bondissait jusqu'au lit de sa fille pour l'écouter respirer. Puis elle se plongeait dans ses souvenirs pour tenter de retrouver l'identité du criminel. Mais chaque fois sa mémoire se bloquait, comme pour occulter des événements qu'elle avait souhaité oublier.

Dans l'après-midi du quatrième jour, l'état d'Inkha-Es empira. Sa respiration se fit irrégulière. Recrue de fatigue, Thanys sentit ses tempes bourdonner. Tandis qu'Imhotep lavait une nouvelle fois la plaie, tout en sachant que ses soins étaient dérisoires, Khirâ et Seschi entrèrent pour prendre des nouvelles de leur sœur, comme ils le faisaient chaque jour depuis l'agression.

La reine contempla sa fille aînée, comme si elle ne la reconnaissait pas. Une obscure intuition lui souffla que cette tragédie avait un rapport avec elle. C'était peut-être bien Khirâ que visait le criminel. En vérité, elle n'en savait plus rien. Toutes deux pouvaient être la cible de ce misérable. Et soudain, le voile se déchira. Une bouffée de rage impuissante monta alors en elle. À présent, elle se souvenait de l'endroit où elle avait rencontré l'assassin. Tout comme elle se souvenait de son nom.

Le quartier occidental de Mennof-Rê, qui abritait les riches demeures des nobles et des négociants fortunés, avait été gagné sur un terrain autrefois recouvert par des champs. Un fin réseau de canaux quadrillait les lieux, dont la plupart avaient été comblés lorsque l'on avait bâti. Toutefois, quelques-uns avaient été conservés pour alimenter les étangs des jardins intérieurs, et couraient encore sous les maisons. Certains avaient été aménagés par d'anciens propriétaires pour servir d'issues de secours. Les eaux sales s'y écoulaient, stagnantes et puantes. C'était dans ce dédale glauque, où la lumière du jour n'entrait jamais, que l'agresseur avait trouvé refuge. Depuis quatre jours, il s'était abrité dans cet univers nauséabond pour échapper aux gardes qui effectuaient rondes sur rondes pour le débusquer. Il savait que la reine l'avait aperçu, et sans doute reconnu. Il lui fallait attendre la nuit pour se risquer hors de sa tanière et voler quelque nourriture. Par deux fois déjà, il avait failli se faire surprendre par des esclaves. Mais la maison qu'il avait découverte la veille semblait un peu plus sûre.

Thanys revoyait parfaitement ses traits à présent. Il s'appelait Enkhalil. Un flot de souvenirs lui revinrent en mémoire. Elle revit la petite cité protégée de Siyutra, le visage séduisant de Khacheb, le roi pirate, un homme pervers pour lequel elle avait cru éprouver quelque chose qui ressemblait à de la passion, un scélérat qui s'était révélé ensuite un être sanguinaire et sans scrupule. Elle gardait de leur rencontre tourmentée une cicatrice indélébile : Khirâ, qui croyait être la fille de Djoser. Aux côtés de Khacheb se tenait un individu cruel au visage de fouine, le chef de ses gardes. Elle l'avait cru mort dans l'enfer de Siyutra, mais il était réapparu à Yêb. Elle avait pensé avoir affaire à un fantôme. Djoser l'avait fait rechercher, mais il s'était évaporé. D'après certains témoignages, il avait fui vers la Nubie. Pourquoi avait-il refait surface dans la capitale des éléphants, après tant d'années ? Et pourquoi avait-il attendu encore trois ans pour venir jusqu'à Mennof-Rê ? Il avait vieilli, ses traits s'étaient épaissis, mais c'était bien le monstre qui avait livré les marins sumériens aux femmes et aux enfants de Siyutra, afin qu'ils les fissent périr à petit feu. Elle entendait encore leurs hurlements d'agonie. Il n'y avait aucune pitié à attendre d'un tel individu. Nul doute n'était permis : c'était elle qu'il venait assassiner, et non Khirâ. Elle avait surpris son regard chargé de haine. Il avait tenté de la tuer, et Inkha-Es avait été frappée. Un flot de rage impuissante coupa un instant la respiration de Thanys. Elle aurait voulu tenir cette vermine entre ses mains, le broyer, le déchiqueter... Mais elle chassa sa haine inutile par un effort de volonté. Ce chien immonde ne la méritait même pas. Il fallait seulement l'éliminer avant qu'il ne frappât de nouveau.

Toutefois, un élément la déconcertait : pourquoi avoir attendu si longtemps avant d'accomplir une vengeance qui le tenait sans doute depuis près de vingt années ?

De son bâton, Enkhalil frappa violemment en direction des rats pour les obliger à fuir. Ces anciens canaux étaient pestilentiels, mais c'était le seul endroit suffisamment sûr. L'eau stagnante empestait les déchets et immondices charriés par les ruisseaux d'évacuation des eaux usées. Des choses innommables et gluantes glissaient le long de ses jambes. C'était l'univers des rongeurs. Un monde dans lequel il ne discernait quasiment rien la plupart du temps, sinon par de vagues ouvertures donnant sur des cours sombres encombrées de débris. L'une d'elles lui permettait de se faufiler dans les dépendances d'une demeure non gardée par des chiens. À la nuit, il se glissait à l'extérieur pour voler du pain et des fruits. Jusqu'à présent, personne ne s'était aperçu de ces chapardages.

Il scruta le jour à travers le soupirail grossier qui donnait sur le jardin. Il était trop tôt. Il savait que les soldats rôdaient encore à cette heure trouble où le soleil disparaissait, noyant la ville dans une ombre mauve.

Il crevait de faim. Il en aurait hurlé de rage. Lui qui avait été, aux côtés du seigneur Khacheb, l'un des personnages les plus importants de Siyutra, il était aujourd'hui obligé de disputer sa pitance aux rats ! Il n'avait jamais pu oublier les images infernales de la cité ravagée par l'incendie qu'avait déclenché cette démone ramenée de Sumer. À cause d'elle, son ami était devenu fou. Il aurait dû la tuer à plusieurs reprises, la donner aux guerriers sevrés de femmes après une campagne. Au lieu de cela, il lui avait accordé sa confiance, l'avait installée dans la demeure qu'il s'était fait construire en bordure de la falaise, un palais inutile, extravagant, dans lequel il entassait ses trésors, et qu'il n'occupait jamais. Elle aurait dû lui manger dans la main, comme les autres. Lui, Enkhalil, avait compris depuis le début que cette femme était une abomination. Il ne s'était pas trompé. Il l'avait vue basculer les jarres de naphte et d'huile, puis mettre le feu. Les hurlements d'agonie des habitants brûlés vifs résonnaient encore dans son crâne. Lui-même n'avait dû la vie qu'à sa célérité. Il avait pu se réfugier sur la plage. Le village avait brûlé pendant trois jours. Lorsque enfin le sinistre avait cessé, tout était détruit. Une puanteur épouvantable régnait sur les lieux. Des charognards attirés par les cadavres calcinés tournoyaient dans le ciel. Il ne restait qu'une centaine de survivants. Il avait réuni une vingtaine de guerriers, traversé les ruines encore fumantes, puis s'était lancé à la poursuite de la fugitive. Ils avaient cherché pendant des jours avant de comprendre qu'elle n'avait pas tenté de gagner Djoura par la côte. Contre toute attente, elle s'était enfoncée dans le désert. Il leur avait fallu près d'un mois avant de retrouver sa trace dans les hautes terres de l'intérieur. Là, il avait eu la preuve qu'elle était bien une démone issue de la semence de Pazuzu, le dieu sumérien des créatures infernales. Alors qu'ils approchaient de son repaire, elle avait surgi, accompagnée par une horde de lions féroces qui s'étaient jetés sur eux. Ils avaient dû s'enfuir, et elle leur avait donné la chasse. Tandis qu'elle abattait ses compagnons un à un avec son arc, ses fauves les dévoraient. Il avait réussi à leur échapper. Mais Siyutra était devenue inhabitable. Il était retourné à Sumer avec les derniers habitants de la cité. Il avait survécu de larcins et de crimes. Puis ses compagnons s'étaient dispersés, capturés par les gardes, enrôlés dans d'autres bandes ou tués dans des rixes. Il avait réussi à s'adapter au monde obscur des bas quartiers d'Eridu. Il s'était joint à un petit groupe de pillards qui détroussaient les voyageurs. Il avait ainsi passé plusieurs années dans le golfe, à écumer les pistes. Les caravanes étaient plus nombreuses en raison de la formation d'une certaine Ligue commerciale dont on disait qu'elle avait été inspirée par une femme étrangère, d'origine égyptienne. Il avait appris par la suite qu'elle n'était autre que la démone recueillie par Khacheb. Malheureusement, avec le temps, les lugals avaient organisé des milices armées et les avaient lancées sur la piste des pillards. Ses compagnons avaient été décimés. Une fois encore, il était parvenu à s'échapper en s'embarquant sur un navire marchand qui l'avait déposé à Djoura.

Depuis bien des années, il ne pensait plus à la démone qui avait détruit Siyutra. Sans doute avait-elle péri, dévorée par ses lions. Puis un jour, dans une taverne, il avait rencontré un vieux marin imbibé de bière, qui lui avait narré une légende bien singulière. Cet homme, un ancien capitaine sumérien nommé Melhok, parlait d'une femme-lionne qui avait accouché d'un enfant dans le désert. Mais un grand seigneur était venu la chercher, et l'avait ramenée en Égypte où elle avait épousé le roi. Enkhalil n'en avait pas cru ses oreilles. Il avait tout d'abord pensé que le vieil homme détruit par l'alcool avait inventé toute cette histoire. Quelle femme aurait ainsi pu résister dans le désert ? Mais d'autres habitués lui avaient confirmé l'histoire. Alors avaient resurgi les images infernales de Siyutra, et la mort de son seigneur, son roi, un homme qu'il admirait plus que tout. Il comprit que les dieux avaient placé le vieil alcoolique sur sa route afin qu'il pût venger tous les morts de Siyutra.

Mais il lui fallait tout d'abord se rendre en Égypte. Il avait attendu plusieurs mois avant de s'introduire dans une caravane à destination de Yêb. Et là, il avait constaté que le vieux marin n'avait pas menti. Il avait revu la démone : elle était bien devenue reine. Avec le temps, sa haine n'avait pas faibli, tout au contraire. En lui tournoyait une idée fixe : sa propre vie n'avait aucune importance, il devait la tuer, et venger Khacheb et Siyutra. Mais elle avait senti le danger ; elle l'avait repéré, et lancé ses guerriers à ses trousses. Il avait dû fuir vers la Nubie, sans toutefois abandonner son idée de vengeance.

Malheureusement, Yêb était une cité trop petite pour tenter quoi que ce fût. Il avait donc décidé de se rendre à Mennof-Rê, où la démone se méfierait moins. À cause d'un accident stupide, il lui avait fallu patienter trois années avant de pouvoir se rendre dans la capitale. Durant sa fuite, il s'était caché dans les marais, et un varan l'avait attaqué, lui causant une blessure profonde. Une mauvaise fièvre l'avait saisi, dont il avait cru ne jamais se rétablir. Seule la haine l'avait maintenu en vie. Chaque jour il avait lutté pour reprendre de la vigueur. Lui qui avait mené autrefois une véritable petite armée, en était réduit à mendier sa nourriture aux misérables paysans de Koush. Il les haïssait, mais acceptait leur aide, parce qu'il était trop faible. La mort de la démone était devenue pour lui sa seule raison de vivre, une obsession qui lui dévorait l'âme et la raison. Lorsque enfin il avait pu récupérer assez de force pour quitter le petit village où il avait trouvé refuge, il était revenu à Yêb, où on l'avait oublié. Après avoir volé une felouque, il avait entrepris le voyage vers la capitale, tuant et volant pour survivre. Il n'avait pour toute arme qu'un vieux glaive de cuivre et sa fronde, dont il savait admirablement se servir. C'est avec elle qu'il tuait les voyageurs isolés. Le glaive ne lui était utile que pour les achever : il n'était plus en état de soutenir un combat. Suivant son chemin jonché de meurtres, il était enfin parvenu à Mennof-Rê. Il s'était installé dans une masure à l'extérieur de la cité, et il avait épié, comme un fauve à l'affût, tous les faits et gestes de la démone. Il avait constaté que la surveillance s'était relâchée depuis Yêb. Après les cinq années de sécheresse et de famine, le pays vivait de nouveau dans l'opulence, et rien ne menaçait plus le couple royal. Il avait patiemment attendu le moment propice. Mais celui-ci se faisait attendre. Malgré le relâchement de la surveillance, les gardes étaient encore nombreux. Il était hors de question d'affronter son ennemie au glaive. Il savait qu'elle le maniait beaucoup mieux que lui. Son seul atout était sa fronde, qui avait déjà tué plus d'une centaine d'hommes. Sa précision et sa puissance en faisaient une arme redoutable. Il devait seulement approcher la reine d'assez près pour avoir une chance de la tuer d'une blessure à la tête. Mais il ne fallait surtout pas qu'elle l'aperçût.

Pendant plus de deux mois, il avait ainsi rôdé dans le sillage de la reine, notant ses habitudes. Et puis, quelques jours plus tôt, un événement inquiétant s'était produit. Il venait à peine de regagner sa bicoque hors des murailles lorsqu'il avait entendu un bruit suspect. Craignant d'avoir été repéré, il voulut s'enfuir, mais une dizaine d'inconnus cernaient la masure, commandés par un être étrange, au visage dissimulé par un masque. La respiration haletante, il s'apprêta à vendre chèrement sa peau. Mais la fièvre l'avait repris de nouveau et le premier combattant n'eut aucun mal à le désarmer. Enkhalil avait cru sa dernière heure arrivée. On le traîna à l'intérieur, et, tandis que ses hommes le maintenaient, l'homme masqué l'interrogea :

— À présent, tu vas m'expliquer pourquoi tu épies la reine chaque jour.

— Mais le noble seigneur se trompe

Une gifle claqua, qui lui fit éclater la lèvre.

— Ne me fais pas perdre de temps ! Avoue que tu as l'intention de tuer la reine.

— C'est faux !

Nouvelle gifle.

— Tu peux parler sans crainte ! précisa l'inconnu. Moi aussi je hais cette catin. Et il ne me déplairait pas de la voir morte. Tu vois, nous pouvons être amis.

La haine du Sumérien avait resurgi d'un coup, d'autant plus violente qu'il avait eu peur. Il raconta son histoire à l'inconnu.

— Eh bien voilà, dit enfin ce dernier. Mais comment comptes-tu t'y prendre ?

— J'attends de pouvoir l'approcher d'assez près pour la tuer avec ma fronde !

— Avec ta fronde ?

— Je tue un oiseau en plein vol, Seigneur ! Voulez-vous voir ?

Il avait fait une démonstration, qui avait intéressé l'homme masqué.

— Pas de doute, tu es très adroit. Mais il te faut approcher la reine de très près. Il n'y a qu'un endroit pour cela. Elle a coutume de se rendre, avec ses enfants, sur les rives du Nil, à proximité d'un épais fourré de papyrus. Là, tu pourras te glisser à une distance suffisamment faible pour la frapper à mort. Mais il faut que tu puisses t'échapper rapidement ensuite. Alors, tu gagneras la taverne de Medouni, derrière l'oukher, où mes hommes t'attendront.

Plus mort que vif, Enkhalil avait accepté. Puis un formidable espoir s'était levé en lui. Il n'était plus seul. L'homme l'avait impressionné. Il avait deviné, derrière le masque, un regard mystérieux, puissant, auquel on ne pouvait résister. Cet homme allait lui permettre de fuir son crime accompli.

Et le jour était arrivé. Il avait patiemment attendu que la démone s'installât, laissé passer du temps pour endormir sa méfiance. Lorsqu'il avait jugé le moment favorable, il avait armé sa fronde. Il n'avait droit qu'à un seul tir. L'instant d'après, il lui faudrait déguerpir.

Il avait tiré. Mais une gamine stupide s'était interposée. Il en aurait hurlé de dépit. Il avait dû s'esquiver à la hâte, car les gardes n'avaient pas perdu de temps pour se lancer à sa poursuite. Une fraction de seconde, la démone l'avait aperçu. Il était sûre qu'elle l'avait reconnu. Comme convenu, il avait couru jusqu'à la taverne de Medouni.

Mais l'inconnu n'était pas là, pas plus que ses guerriers! Peut-être avait-il eu peur des soldats. La panique s'était emparée d'Enkhalil. Il s'était alors coulé dans le fleuve et avait gagné le réseau oublié des canaux souterrains, le seul endroit où il pouvait désormais se cacher. Rejoindre sa demeure était trop risqué. Plusieurs fois, il avait tenté de retourner à la taverne, mais le port était envahi de soldats. La rage au cœur, il comprit qu'il se retrouvait seul une fois de plus. Les yeux fiévreux, il ne cessait d'échafauder des plans boiteux qui lui permettraient de tenter sa chance une nouvelle fois. Mais il était trop tard. La démone ne se laisserait plus approcher. Pire encore, elle avait lâché tous ses gardes à ses trousses. Ceux-ci n'abandonneraient pas leur traque avant de l'avoir capturé. La colère se mêlait à un épouvantable sentiment d'impuissance. Cette chienne était protégée par les dieux.

Seule sa volonté de tuer la reine le maintenait en vie. Tenaillé par la faim, il n'avait pas conscience de l'absurdité de son comportement. La fièvre l'avait repris, une fièvre maligne qui, durant son séjour en Nubie, s'était muée en démence.

Lorsqu'il jugea que la nuit était suffisamment avancée, il se décida à se risquer à l'extérieur. Il se glissa jusqu'au soupirail et s'introduisit dans le jardin. Silencieux comme un félin à l'affût, il se dirigea vers la boulangerie.

Il s'était déjà emparé de deux gros pains quand un homme surgit, lui barrant le passage. Il ne l'avait pas entendu arriver.

— Par les dieux, tu ne t'en tireras pas comme ça! gronda-t-il.

Enkhalil bondit sur le serviteur qu'il renversa. Par malchance, le maître des lieux, insomniaque, parut au même moment sur la terrasse. Enkhalil n'entrevit qu'une silhouette noire qui saisit un bâton de jet. L'arme siffla dans les airs. Un coup violent le heurta à la nuque et il perdit connaissance.

23

Un voile de deuil s'était abattu sur le palais et sur le Double-Pays. La petite princesse Inkha-Es avait succombé à la terrible blessure reçue six jours plus tôt sur les rives du fleuve. On recherchait toujours le criminel dont la fronde avait projeté la pierre mortelle. Sans succès jusqu'à présent.

Inkha-Es n'avait jamais repris connaissance. Malgré tous ses efforts, Imhotep n'avait pu la ramener à la vie. Avec acharnement, le grand homme avait prodigué ses soins à la fillette pendant six jours et six nuits. Il avait imploré les dieux, essayé toutes les médecines qu'il connaissait. Il n'avait pu qu'assister, impuissant, à sa lente agonie. Les oukhedous, les démons porteurs du mal, s'étaient installés dans les vaisseaux et dans le cœur de la fillette, et rien, ni médicament, ni formule magique, n'avait eu raison d'eux. Il lui avait fait absorber de l'ail hedjou, connu depuis toujours comme un remède fort puissant, ainsi qu'un onguent fabriqué à partir du sang d'un veau noir, que l'on avait spécialement sacrifié pour la circonstance. Tout au plus avait-il réussi à apaiser ses souffrances à l'aide de breuvages aux herbes anesthésiantes.

Les médecins s'étaient relayés au chevet de la petite princesse, chacun invoquant selon les rites des magies transmises depuis l'origine des temps. On avait disposé sur elle des amulettes de Thôt, d'Isis, de Sekhmet, de Selkit, la déesse-scorpion, neter de la respiration. En désespoir de cause, on avait patiemment expliqué au mal qu'il risquait de rompre l'harmonie de l'univers en prenant la vie d'Inkha-Es[1].

Dans les temples, le peuple avait multiplié les prières à Isis, réputée pour apporter la guérison. Il n'était pas possible qu'elle laissât périr un être aussi jeune. Mais la sécheresse et son cortège d'épidémies avaient emporté bien d'autres vies. Le fait qu'elle avait jusqu'ici épargné la Grande Maison relevait du miracle.

Au matin du septième jour, les oukhedous avaient triomphé : Inkha-Es avait cessé de respirer. Thanys, qui veillait à ses côtés, comprit que tout était fini et laissa échapper un cri d'animal blessé. Djoser survint peu après.

— Il nous reste tant de mystères à découvrir, murmura Imhotep. Nous sommes de tristes ignorants, aveuglés par notre stupide orgueil.

— Tu as fait tout ce qui était en ton pouvoir, mon ami, le réconforta Djoser.

Pour la première fois, Imhotep accusait son âge. Des rides profondes creusaient son visage, accentuées par un teint pâle dû aux nuits de veille.

Désespérée, Thanys se réfugia dans les bras de Djoser. Bien sûr, selon la croyance égyptienne, Inkha-Es entrait dans la vie éternelle, sur les rives du Nil céleste.

---

1. Dans l'ancienne Égypte, la médecine et la magie étaient intimement liées. Le rituel consistant à parler à la maladie était courant.

Mais le palais semblerait atrocement désert sans son rire. Le roi tenta de consoler son épouse. Malgré sa douleur, il s'efforçait de garder un visage impassible. Il gardait pour lui seul le chagrin immense qui l'avait envahi. Même devant Thanys, effondrée par la disparition de l'enfant, il voulait garder une attitude forte. Ce ne fut que la nuit suivante, lorsque les embaumeurs eurent emporté le corps de la petite, qu'il laissa couler ses larmes. Il avait l'impression qu'on lui avait arraché une partie de son corps, et creusé dans son âme une blessure qui ne se refermerait jamais. Il eût préféré qu'on lui coupât un bras ou une jambe. Le visage de sa fille le hantait. Il avait envie de hurler comme un animal traqué.

Dans la journée, les prêtres emportèrent le petit corps dans le temple, où devaient s'accomplir les rituels de l'embaumement, qui dureraient près de soixante-dix jours. Pâle et amaigri, Imhotep trouva malgré tout le courage de pratiquer lui-même les gestes sacrés. Un doute profond l'avait envahi. Depuis toujours, on avait considéré le cœur comme le siège des émotions et le maître du corps. Or, Inkha-Es avait été frappée à la tête. Était-il possible que l'étrange matière blanchâtre contenue dans le crâne eût une importance plus grande qu'on ne l'avait cru jusqu'à présent ? Pourtant, lorsque l'on éprouvait une émotion, le cœur ne se mettait-il pas à battre plus vite ? Et quand il s'arrêtait, la vie cessait. Il y avait là un mystère qu'il ne s'expliquait pas. La tête recouverte du masque noir d'Anubis, il exécuta avec solennité chacun des rites qui devait préparer la défunte à sa vie future. Il ne faisait aucun doute dans l'esprit du grand vizir que son cœur serait bien moins lourd que la plume de Maât.

Le foie, les poumons, l'estomac et les intestins furent ôtés de l'abdomen et déposés dans quatre vases canopes fermés chacun par une pierre taillée et plate, sur laquelle figuraient les représentations des quatre fils d'Horus, Amset, Hâpy, Douamoutef et Qebesennouf. Ces quatre dieux étaient placés eux-mêmes sous la protection d'Isis, Nephtys, Neith et Selkit. Le corps, vidé de ses viscères et de son cerveau fut ensuite plongé dans le natron, où il séjournerait pendant plus de deux mois.

Lorsque Imhotep sortit du temple, quelques jours plus tard, son aspect avait changé. La coutume des prêtres exigeait qu'il fût épilé tous les trois jours. Cette règle n'était plus respectée dans un seul cas : celui de la perte d'un être cher. Aussi le grand vizir arborait-il des cheveux ras et une courte barbe, qu'il conserverait jusqu'à ce que la petite princesse défunte gagnât sa demeure d'éternité.

Le lendemain, lorsque le roi retrouva Imhotep, celui-ci lui déclara :

— La mort de ma petite-fille m'a bouleversé, mon fils. Dans mon aveuglement, j'avais fini par croire que ma médecine était infaillible. Il m'est pourtant arrivé souvent de perdre des malades. Mais j'ai aussi sauvé des hommes qui autrefois eussent été condamnés. Il ne faut pas que tout le savoir que Ouadji et moi avons accumulé soit oublié. Je vais consigner par écrit tout ce que j'ai appris au cours de ces longues années, afin que cette connaissance se transmette aux générations futures.

— Un livre de médecine…

— Avec le temps, mes successeurs iront plus loin

que je ne suis allé. Ils perceront les mystères de la nature et ils finiront par trouver des remèdes à tous les maux qui frappent les hommes. Ainsi, la mort d'In-kha-Es n'aura pas été inutile[1].

---

1. Vingt siècles plus tard, Imhotep, sous le nom d'Asclepios, sera vénéré par les Grecs comme dieu de la Médecine.

24

Tout comme Imhotep, Djoser avait laissé pousser ses cheveux et sa barbe. Pour la première fois depuis le début de son règne, un fin duvet couvrait son crâne et ses joues. Thanys constata alors que, malgré son âge encore jeune — trente-huit ans —, la belle couleur brune de sa chevelure se parsemait de fils gris. Elle admirait sa force d'âme, qui lui permettait de faire face aux problèmes quotidiens avec la même efficacité et la même conscience. Les visiteurs lointains et les ambassadeurs qui le rencontraient n'auraient su dire quels étaient ses sentiments tant son visage demeurait impassible, attentif aux paroles de chacun. Ses ministres eux-mêmes admiraient son courage.

Mais, lorsque s'achevaient ses fonctions sacerdotales et gouvernementales, son visage n'affichait plus sa joie de vivre habituelle. L'ombre triste d'Inkha-Es planait entre les murs de la Grande Demeure. Tandis que l'on préparait les funérailles de la petite princesse, Semourê et Moshem poursuivaient leurs investigations, sans aucun résultat. Deux décades après le crime, on en vint à penser que l'assassin avait eu le temps de fuir Mennof-Rê, et les rondes s'espacèrent.

Cependant, Seschi et Khirâ étaient intimement persuadés que le criminel n'avait pas eu le temps de s'échapper. Refusant d'abandonner l'espoir de le débusquer, ils poursuivaient leur propre enquête, et ne rentraient au palais que fort tard, épuisés d'avoir parcouru la ville ou les environs à la recherche du moindre indice. Les paysans, ouvriers ou artisans interrogés ne demandaient pas mieux que de les aider, mais personne n'avait vu l'homme aux yeux de fouine. Le soir, Khirâ s'écroulait sur son lit les yeux brûlants, recrue de fatigue, et en proie à un terrible découragement. Son sentiment de culpabilité refusait de s'éteindre. Persuadée d'être responsable de la mort de sa petite sœur, elle n'avait plus qu'une idée en tête : traquer le meurtrier et le tuer de ses propres mains.

Immédiatement après sa rencontre avec les princes chypriotes, Moshem avait averti Djoser de leur présence. Son intuition lui soufflait de se méfier d'eux, surtout de celui que l'on appelait Tash'Kor. Par précaution, il avait demandé à Thefir, le capitaine de son commando d'élite, de placer des espions autour de leur maison. Pendant plusieurs jours, grimés en mendiants ou en marchands ambulants, ceux-ci observèrent les faits et gestes des jumeaux. Mais leur comportement ne révéla rien de suspect. Bien que déchus de leurs titres, ils possédaient une véritable petite fortune qui leur permettait de mener un train de vie confortable et d'entretenir le petit groupe qui les avait suivis en Égypte. Une trentaine de guerriers assuraient la sécurité de la demeure, dont le service était tenu par autant d'esclaves. Une quinzaine d'hommes et de femmes constituaient la cour des Chypriotes. Parmi ces gens, aucun ne pouvait correspondre au meurtrier. Le personnage au visage long et maigre, toujours vêtu d'une interminable robe noire, avait nom Jokahn, et possédait des talents de mage. La jeune femme à la bouche sensuelle entrevue par Moshem s'appelait Tayna, et occupait le rang de favorite de Tash'Kor, et peut-être aussi de Pollys, ainsi que le surprit un faux mendiant parvenu à s'introduire un jour dans la maison.

Un intendant nommé Mardos se livrait au négoce avec les marchands, proposant des bijoux et denrées dont la provenance restait douteuse. Un mois auparavant, une flotte de commerce égyptienne avait été attaquée par une petite escadre de pirates appartenant aux Peuples de la Mer. Quatre vaisseaux marchands avaient été capturés et pillés avant que les navires d'escorte ne réussissent à repousser les assaillants. Toutefois, rien ne prouvait que les princes chypriotes étaient mêlés à cette affaire. Les produits qu'ils écoulaient paraissaient n'avoir aucun rapport avec les lots de tissus et de bois précieux volés. Au bout d'une quinzaine de jours, Moshem ordonna à Thefir d'abandonner sa surveillance. Mais sa méfiance refusait de disparaître. Il s'en ouvrit à Djoser et lui proposa de recevoir les deux princes pour connaître les raisons de leur présence à Mennof-Rê.

Deux jours plus tard, Tash'Kor et Pollys étaient accueillis au palais. En raison du deuil qui frappait le Double-Pays, la réception eut lieu dans le bureau de l'Horus, et non dans la grande salle du trône. Seuls quelques proches collaborateurs du roi étaient présents. Contrairement à l'usage, Djoser ne portait pas la barbe postiche. La sienne, naturelle, la remplaçait. Il avait coiffé le némès paré de l'uraeus, et se tenait très droit, presque rigide. Aucun sentiment ne transparaissait sur ses traits usés par la fatigue. Tash'Kor s'inclina et prit la parole :

— Seigneur, sois remercié pour ton accueil. Comme tu le sais déjà, nous ne sommes plus les souverains de Chypre. L'infâme usurpateur Khoudir nous a chassés de notre trône, et nous n'avons eu que le temps de fuir, en compagnie de nos compagnons les plus fidèles. La fortune que nous avons réussi à sauvegarder ne nous permet même pas d'envisager de mener une nouvelle lutte contre le traître.

Djoser considéra longuement les deux hommes, puis prit la parole.

— Moshem m'a en effet rapporté les mésaventures que vous lui avez contées. Peut-être sont-elles le reflet de la vérité, et vos paroles sont-elles celles de Maât. Cependant, on vient de me rapporter qu'une flotte égyptienne a été une nouvelle fois attaquée par les Peuples de la Mer, qui trouvent abri à Chypre. Malgré l'intervention rapide des vaisseaux de guerre qui l'escortaient, quatre navires ont été capturés, et deux autres coulés. Vous comprendrez que cet acte de guerre délibéré n'encourage pas ma sympathie vis-à-vis des ressortissants de votre île.

Pollys écarta les bras en signe d'impuissance.

— Nous sommes désolés d'apprendre ce nouvel acte barbare, Seigneur. Mais tu ne peux nous en tenir pour responsables.

— En effet, répliqua sèchement Djoser. Je n'ai aucune preuve me permettant de vous accuser. Cependant, rien non plus ne vous innocente. Vous comprendrez que, dans ces conditions, je ne puis vous accueillir à bras ouverts. Je pourrais vous emprisonner, par précaution, ou encore vous chasser. Mais, si vous n'êtes pas mêlés à cet acte innommable, j'accomplirais alors une injustice. Aussi, j'accepte que vous restiez à Mennof-Rê !

Pollys se jeta aux pieds du souverain.

— Sois-en remercié, ô grand roi !

— Mais attention ! précisa Djoser. Le Double-Royaume s'est toujours montré accueillant envers les étrangers, et vous pourrez résider dans la capitale sous ma protection. Vos biens seront soumis aux mêmes taxes que ceux des Égyptiens, et vos droits seront identiques. Cependant, gardez toujours à l'esprit que votre peuple et le nôtre ne sont ni amis, ni alliés. Votre présence n'est que tolérée. À la moindre activité suspecte, vous serez chassés ou emprisonnés. Si ces conditions ne vous agréent pas, vous êtes libres de quitter Kemit au plus tôt.

— Seigneur, dit Pollys, je te supplie de croire que nous ne sommes pas venus en ennemis, et que nous sommes totalement étrangers aux crimes commis par les Peuples de la Mer. Nous te remercions de ton hospitalité, et nous efforcerons de vivre comme les Égyptiens.

À son tour, Tash'Kor s'inclina, avec beaucoup moins d'enthousiasme que son frère.

— Que Cypris te soit favorable, ô noble Horus, répondit-il sobrement. Tu auras avec nous les plus fidèles des sujets

Thanys décela chez lui un certain agacement, dû à l'intervention de son frère. Visiblement, Tash'Kor avait l'habitude de parler pour les deux. Elle les observa avec attention. Leur présence l'intriguait et la mettait mal à l'aise, sans qu'elle sût pourquoi. Était-ce à cause de cette ressemblance stupéfiante, accentuée encore par le fait qu'ils étaient vêtus tous deux exactement de la même manière ? Il était difficile de les distinguer, hormis par leurs regards. Celui de Pollys affichait une grande franchise et un amour immodéré de la vie. Il souriait facilement, et sa spontanéité n'était pas feinte. L'invitation royale ressemblait plutôt à une convocation, et il avait sans doute redouté d'être expulsé de Kemit. Le simple fait d'être autorisé à rester le satisfaisait amplement.

En revanche, elle ne parvenait pas à se faire une opinion sur Tash'Kor. Elle le devinait secret, retors, calculateur ; il luisait dans son regard une fierté arrogante qui confinait à de l'orgueil. Il exerçait un véritable ascendant sur son frère, qu'il aimait aussi profondément. Ce couple étrange la désarçonnait. Elle ressentait la complicité extraordinaire et l'affection sans faille qui unissaient les deux frères.

Elle se souvint que Tash'Kor avait, par l'intermédiaire de son père Mokhtar-Ba, demandé la main de Khirâ. Le jeune homme jetait des regards fréquents autour de lui. Peut-être espérait-il l'apercevoir. Mais Khirâ passait son temps à courir la campagne avec une farouche obstination. Elle ignorait apparemment sa présence. Comment réagirait-elle lorsqu'elle l'apprendrait ?

Parce qu'elle avait passé la journée hors des murs de la ville, Khirâ n'apprit la nouvelle que le soir même. Dès qu'elle sut que son ancien prétendant était à Mennof-Rê, une impression étrange l'envahit. Elle éprouvait à la fois l'envie de fuir et un désir irrésistible de le revoir. Le lendemain, prétextant la fatigue, elle refusa de suivre Seschi dans sa quête de l'assassin et resta en ville en compagnie de Neserkhet, la seule à qui elle avait révélé les sentiments complexes qui l'enchaînaient au prince chypriote.

Leurs pas les menèrent irrésistiblement vers le quartier où s'élevait la demeure de Tash'Kor, information révélée par Thefir, le bras droit de Moshem. Une violente émotion avait envahi Khirâ, qu'elle ne parvenait pas à maîtriser. Malgré le temps écoulé, malgré les épreuves traversées, dont elle le rendait responsable en raison de la malédiction qu'il avait jetée sur Kemit, elle n'oubliait pas son regard pâle et luisant. Lorsqu'elle reconstituait son image, son cœur battait plus vite. Elle s'en voulait d'éprouver de tels sentiments. Elle n'était pas prête à lui pardonner. Et pourtant, il fallait qu'elle le revît.

Plusieurs fois, elle faillit faire demi-tour et regagner le palais. Mais une force incompréhensible la poussait. À ses côtés, Neserkhet ne disait mot. Elle ne reconnaissait plus son amie, ardemment courtisée par nombre de jeunes nobles, qu'elle rejetait avec désinvolture et cynisme. Elle l'admirait de pouvoir traiter les hommes de cette manière. Cette fois pourtant, elle semblait une lionne cherchant le lion, rampant vers lui, soumise à l'avance. Elle ressentait presque physiquement la souffrance qui émanait de Khirâ ; elle aurait souhaité la protéger, mais elle s'en sentait incapable. La violence de ce sentiment inconnu la dépassait.

Khirâ ignorait presque la présence de Neserkhet. Des émotions contradictoires la déchiraient. Lorsqu'elle parvint devant la demeure, elle se traita de sotte. Que voulait-elle ? Elle n'avait absolument rien à faire avec cet individu qui l'avait humiliée, et qui avait semé le malheur sur ses pas. Désirait-elle lui souhaiter la bienvenue, alors qu'elle savait dans quelles conditions son père l'avait accueilli ? Sa présence en Égypte était seulement tolérée ; elle devait aligner sa conduite sur les décisions de l'Horus. D'ailleurs, ce chien le méritait bien. Rageusement, elle tourna les talons et se hâta en direction des jardins du palais.

Une voix retentit soudain derrière elle. Surgie du passé, elle avait perdu ses tonalités juvéniles, mais elle l'aurait reconnue entre mille.

— Princesse Khirâ ! Ne t'enfuis pas !

Elle se retourna vivement. Tash'Kor, sans doute prévenu par un esclave, sortait de chez lui. Elle rétorqua sèchement :

— Je ne m'enfuis pas !

Il vint à elle et s'inclina avec cérémonie.

— Que les dieux te soient favorables ! Je suis heureux de te rencontrer. L'Horus m'a reçu hier au palais, et je n'ai pas eu le bonheur de te voir.

— J'étais absente.

Ils demeurèrent un moment sans parler, incapables l'un comme l'autre de briser le lourd silence. Khirâ aurait voulu lui hurler sa haine, lui cracher au visage de repartir, et surtout de ne jamais tenter de la revoir. Les images qui la hantaient étaient chargées de trop de douleurs. Pourtant, aucun mot ne pouvait franchir ses lèvres. Avec le temps, Tash'Kor s'était encore étoffé et, malgré son jeune âge, le coin de ses yeux se striait de légères griffures qui accentuaient son charme. Embarrassée, Khirâ précisa :

— Je… je recherchais l'assassin de ma sœur.

— Oui, je sais ! Mon cœur est triste pour toi et ta

famille. Les dieux sont parfois cruels, qui permettent à des êtres comme la princesse Inkha-Es de mourir. J'ai gardé d'elle l'image d'une enfant belle et attachante.

— Je retrouverai celui qui l'a assassinée, gronda Khirâ. Je veux le tuer de mes propres mains !

Tash'Kor respecta un nouveau silence, puis déclara :

— Je peux peut-être t'y aider.

— Toi ?

— Accepte mon hospitalité. Je souhaite te parler.

Aussitôt, Khirâ fut sur la défensive.

— Qu'as-tu à me dire ?

— J'ai… certaines révélations à te faire.

Il regarda Neserkhet et ajouta, plus bas :

— Mais je ne peux les faire qu'à toi seule.

— Neserkhet est mon amie. Elle peut tout entendre.

— Je ne parlerai pas devant elle. C'est trop important.

Khirâ hésita. Il insista :

— Tu ne risques rien. Par Neserkhet, ton père saura où tu es. Ou bien te ferais-je si peur ?

— Je n'ai pas peur de toi ! rétorqua-t-elle brutalement.

Elle se tourna vers Neserkhet.

— Retourne au palais ! Je n'ai pas besoin de toi.

— Mais, princesse…

— Fais ce que je te dis !

Désappointée, la jeune fille obéit. Avec un sourire satisfait, Tash'Kor invita Khirâ à l'intérieur de la maison. À en juger par l'état des murs, elle avait longtemps été laissée à l'abandon. L'ancien propriétaire l'avait reçue en héritage et il n'y venait pratiquement jamais, ainsi que l'expliqua Tash'Kor. Il avait pu la racheter pour un prix dérisoire.

Une jeune femme vint à leur rencontre. Afin d'affirmer qu'elle était la compagne de Tash'Kor, elle voulut se serrer contre lui. Il la repoussa fermement.

— Laisse-nous, Tayna ! J'ai besoin d'être seul avec la princesse Khirâ.

Le dépit et la colère marquèrent les traits de la fille.

— Seigneur…

— Obéis !

Elle jeta un regard incendiaire à Khirâ, puis se soumit. La princesse, mal à l'aise et furieuse de l'être, étudia les lieux. Une salle de réception de belles dimensions, dont les murs s'ornaient de nattes colorées, ouvrait sur une terrasse. Au-delà, un petit jardin planté de palmiers, d'acacias et de sycomores s'agrémentait d'un petit bassin ombragé. La maison s'organisait autour du jardin, mais la plupart des bâtiments n'étaient que des entrepôts en ruines dont le nouveau maître des lieux ne semblait guère se soucier. Des parfums inhabituels, sans doute apportés de Chypre, flottaient dans l'air.

Tash'Kor et Khirâ prirent place dans des fauteuils de cèdre installés sur la terrasse par des esclaves. Une jeune fille apporta de la bière fraîche et des dattes. Dès qu'ils furent seuls, Khirâ, comme pour libérer l'étau qui lui broyait le ventre, attaqua :

— Avant toute chose, je veux te prévenir, prince Tash'Kor : jamais je ne te pardonnerai le mal que tu as causé à mon pays !

— Le mal ? Quel mal ? s'étonna-t-il, douché par cette agressivité soudaine.

— Après ton départ, des fléaux terrifiants se sont abattus sur Kemit. Depuis Per Bastet jusqu'à Kennehout, les champs ont été dévastés par un nuage de criquets. Toutes les récoltes ont été dévorées. Ensuite, la Mort Noire s'est abattue sur le Delta, causant la mort de dizaines de milliers de personnes.

— Et tu m'accuses d'être responsable de ces catastrophes ? s'indigna-t-il.

— Ne sois pas hypocrite ! Crois-tu que j'ai pu oublier la malédiction que tu as fait jeter par ton mage sur les Deux-Terres, au moment de ton départ, il y a cinq ans ? Jamais je n'en ai parlé à mon père. Mais aujourd'hui, si je lui avouais tout cela, je doute qu'il te permette de rester à Mennof-Rê. Sans doute même te ferait-il arrêter et condamner !

Tash'Kor la contempla avec stupéfaction. Puis il eut un léger sourire de carnassier.

— Je me souviens à présent ! Et tu as réellement cru que j'avais mis ma menace à exécution ?

— Tu te moques de moi ! s'insurgea-t-elle.

— Tu as pensé que Jokahn avait vraiment le pouvoir de déchaîner ces catastrophes sur Kemit ?

— Bien sûr ! D'ailleurs, les événements se sont pliés à sa volonté.

— Mais c'est faux, Khirâ. Seuls les dieux détiennent un pouvoir suffisamment puissant pour déclencher de telles calamités. La magie de Jokahn n'est pas assez grande pour faire naître les nuages de criquets ou déclencher une épidémie de Mort Noire. D'ailleurs, l'eût-elle été que je n'aurais jamais agi ainsi. Je n'aurais pas fait supporter à ton peuple le poids de ma colère. Elle n'était dirigée que contre ton père et contre toi.

— Alors, pourquoi m'avoir dit tout cela ?

— Pour t'effrayer. J'étais furieux.

Un silence s'installa. Khirâ considéra son hôte avec

un regard différent. Ses paroles paraissaient sincères. Surtout, elle avait envie de le croire. Au fond, elle avait toujours espéré qu'il n'était pour rien dans ces cataclysmes. Il poursuivit, en proie à la nervosité :

— Tu dois me comprendre ! Mon père venait de subir une profonde humiliation. Je l'ai vengé comme j'ai pu en essayant de te faire peur. Apparemment, j'ai réussi. Mais les fléaux qui ont suivi n'étaient que des coïncidences.

— Des coïncidences…

— Jamais je n'ai demandé à Jokahn d'utiliser ses pouvoirs contre Kemit. Il en aurait été incapable. Mais ces catastrophes constituaient peut-être le prix à payer pour les souffrances que ton père a infligées à mon peuple.

Elle se rebella :

— Mon père n'a jamais désiré nuire à Chypre. Mais il avait d'énormes soucis. Malgré les précautions prises, le Double-Royaume a souffert, lui aussi.

— Vos réserves étaient suffisamment importantes pour sauver les nôtres. Nous avions largement de quoi payer.

— Il n'y avait plus assez de grain après le passage des sauterelles. La famine nous a touchés, nous aussi, et les Égyptiens ont péri par milliers.

— C'est votre égoïsme qui a provoqué la colère et la vengeance des dieux, rétorqua Tash'Kor. Mais je n'y suis pour rien.

Son visage se durcit. Khirâ ne sut comment réagir. Les derniers mots du jeune homme l'avaient bouleversée. Il avait dit la vérité : les cataclysmes qui avaient frappé les Deux-Terres n'étaient pas son œuvre. Alors, la haine extravagante qu'elle lui conservait s'effrita très vite, et s'évanouit comme si elle n'avait jamais existé. Elle comprit qu'elle avait voulu le détester, mais l'amour qu'elle lui portait était bien plus puissant, puisqu'il avait résisté à cinq années de séparation. Entretenu par la haine, il éclatait soudain avec une telle force qu'elle en aurait pleuré. Mais elle ne savait plus comment renouer le dialogue avec Tash'Kor. Elle déclara, presque timidement :

— Il faut oublier tout cela, à présent. Nul ne peut changer ce qui a été.

— Mais comment oublier ? riposta-t-il avec brusquerie. Aujourd'hui, les temps sont meilleurs, et l'heure n'est plus aux restrictions. Tout le monde mange à sa faim, jusqu'au plus humble des paysans. Pourtant, mon père est mort, et un chien d'usurpateur a dérobé le trône qui nous revenait, à mon frère Pollys et à moi. J'avais espéré recevoir l'appui de Djoser, mais il ne m'a même pas laissé le temps de parler, et il m'a signifié que ma présence à Mennof-Rê n'était que tolérée.

Khirâ s'étonna :

— Pourquoi ? L'Horus a toujours fait preuve de bienveillance envers les étrangers.

— D'après ce que j'ai compris, une flotte pirate a attaqué un convoi commercial en provenance de Byblos. Et il semble m'en tenir pour responsable. Il s'obstine à confondre les miens avec les Peuples de la Mer.

Il serra les poings.

— Mais je n'ai aucun rapport avec eux ! Aucun !

Émue par son désespoir, Khirâ lui prit la main.

— Je suis désolée ! Écoute ! Je parlerai à mon père ! Je voudrais réparer le tort que l'on t'a fait il y a cinq ans.

— Je doute que cela soit possible, grinça-t-il. Toi, tu as encore ta mère. Moi, j'ai vu la mienne dépérir lentement, jusqu'à ne plus avoir que la peau sur les os. Chaque jour, elle pleurait parce qu'elle avait faim. Nous n'avions pour toute nourriture que des vers et des feuilles à mâcher. Ses gencives saignaient, ses cheveux et ses dents tombaient. Un matin, elle ne s'est pas réveillée. Quant à mon père…

Il se tourna brusquement vers elle.

— Sais-tu ce qui lui est arrivé lorsque nous sommes revenus à Alashia ? Le peuple l'attendait, mourant de faim, mais plein d'espoir. Quand les citadins ont su qu'il ne ramenait rien, ils ont envahi le palais et ils ont massacré la famille royale et la Cour. La garde s'était rangée à leurs côtés. Seuls Pollys et moi avons pu nous enfuir en compagnie de notre mère et de quelques fidèles. Nombre d'entre eux se sont fait tuer pour que nous puissions nous échapper. Mon père et mes autres frères et sœurs n'ont pas eu cette chance. Ils les ont empalés sur de longues lances, et, alors qu'ils n'étaient même pas encore morts, ils les ont mis à rôtir avant de les dévorer.

— Quelle horreur ! s'exclama Khirâ.

— Nous avons assisté à cette abomination. Nous étions réfugiés dans un souterrain dont un soupirail donnait sur la place royale. J'ai encore les hurlements de terreur de mes petites sœurs dans les oreilles.

Il resta un instant silencieux, puis poursuivit d'une voix sourde.

— Voilà pourquoi moi aussi je t'ai haïe depuis cinq ans, toi et ta famille, parce que je vous tenais pour responsables de la mort des miens.

Khirâ retira vivement sa main.

— Et tu es venu pour te venger…

Puis elle bondit sur ses pieds et s'écria :

— C'est toi qui as fait tuer Inkha-Es !

Il la regarda droit dans les yeux.

— Non ! Ce n'est pas moi !

— Comment puis-je te croire ?

— Parce que son assassin est mon prisonnier.

25

Elle le contempla comme s'il était devenu fou.

— C'est impossible. Les gardes royaux le recherchent sans succès depuis deux décades. Seschi et moi avons exploré toutes les cachettes de Mennof-Rê et des environs. Nous n'avons rien trouvé, pas le plus petit indice. Et tu veux me faire croire…

— Il s'était réfugié dans un réseau de canaux souterrains abandonnés, dont l'un ouvre au fond de mon jardin.

Une brusque colère envahit Khirâ.

— Pourquoi n'as-tu pas prévenu mon père?

— J'avais l'intention de le faire. Mais je voulais que tu le rencontres auparavant. Il m'a fait d'étranges révélations sur toi.

— Sur moi?

— Cependant, je me demande si j'ai le droit de te dévoiler ce que je sais. Cela risque de te faire beaucoup de mal.

— Je veux savoir!

Il haussa les épaules.

— Tant pis pour toi! Il y a quelques jours, un homme a tenté de me voler de la nourriture. Il s'était introduit dans les cuisines pendant la nuit. Mais je ne dormais pas. Avec l'aide de mes serviteurs, je l'ai capturé. Je pensais avoir affaire à un cambrioleur ou un mendiant. Je l'ai fait parler. C'est ainsi que j'ai appris qu'il avait tenté de tuer ta mère et que ta sœur Inkha-Es s'était malencontreusement interposée. Je pensais le livrer au seigneur Moshem, mais j'ai d'abord voulu comprendre ce qui avait motivé son geste. Ce qu'il m'a raconté te concernait directement. C'est pourquoi je l'ai gardé au secret.

— Que t'a-t-il raconté ?

— Tu vas le savoir. Suis-moi !

Il l'entraîna vers les entrepôts en ruines, jusqu'à une porte ouvrant sur un petit magasin autrefois destiné à stocker de la nourriture.

— Lorsque les gardes de Moshem ont fouillé ma demeure, ils n'ont rien trouvé, parce qu'il n'était pas encore mon prisonnier. En réalité, cet état lui convient, car il a peur de sortir. De plus, je lui ai fait croire que, moi aussi, je détestais la reine, et que j'allais bientôt lui présenter quelqu'un qui l'aiderait à quitter le Double-Royaume. Mon frère lui-même ignore qu'il est là. Seul Jokahn et Mehdik, mon fidèle garde du corps, sont au courant.

— Il s'est réfugié dans les canaux, murmura Khirâ d'une voix songeuse. Mais alors, cela veut dire qu'il n'avait pas de complices.

— Ça, c'est moins sûr. Il m'a raconté une histoire à laquelle je n'ai pas compris grand-chose, selon laquelle un homme masqué serait venu le voir pour l'encourager à commettre son crime, et l'aider à s'enfuir ensuite. Il devait le retrouver sur le port, mais, lorsqu'il a tenté de le rejoindre une fois son forfait accompli, l'autre n'était pas au rendez-vous. En vérité, je me demande s'il n'a pas inventé tout cela. Cet individu me semble un peu fou.

Il saisit une torche et ouvrit la porte. Un escalier s'enfonçait dans les profondeurs du sol, aboutissant dans une sorte de crypte, sans doute les fondations d'une maison beaucoup plus ancienne. Derrière un amoncellement d'objets et de débris de toutes sortes, un homme se tenait assis contre la paroi rocheuse, les yeux brillants de fièvre.

Enkhalil n'avait plus que la peau sur les os. Ses joues amaigries étaient dévorées par une barbe parcimonieuse d'un gris sale, râpée par endroits. Ses mains tremblaient et il émanait de lui une puanteur innommable. Khirâ s'était imaginé autrement l'assassin d'Inkha-Es. Elle s'était attendue à éprouver de la haine, elle ne ressentait qu'un profond dégoût. Elle en venait presque à douter que sa petite sœur eût péri par la main de cette larve humaine. Mais Tash'Kor ne pouvait avoir inventé cette histoire.

Le prince décocha un violent coup de pied au prisonnier. L'autre regimba, les yeux marqués par l'étonnement. Visiblement, il ne s'attendait pas à être traité ainsi par l'homme qui lui avait sauvé la vie en le recueillant.

— Que se passe-t-il, Seigneur ? geignit-il, incrédule.

— Regarde cette jeune fille ? La reconnais-tu ?

Il approcha la torche du visage de Khirâ. Enkhalil poussa un cri. Son visage se décomposa de haine et de terreur mêlées et il voulut se redresser.

— C'est le visage de la démone ! s'égosilla-t-il. Tu m'as trahi !

— Silence ! gronda Tash'Kor en lui flanquant un

second coup de pied. Tu vas lui répéter ce que tu m'as raconté.

L'autre était trop faible pour se battre. Il se remit à geindre. Tash'Kor insista :

— Tu la connais ! Tu sais qui est son vrai père !

— Oui ! Oui ! C'est Khirâ, la fille de la démone et de mon ami, le roi Khacheb de Siyutra.

Khirâ resta comme pétrifiée. Cet homme était frappé de démence. Il disait n'importe quoi.

— Continue ! cingla le Chypriote. Pourquoi as-tu tué la jeune princesse Inkha-Es ?

— Ce n'est pas elle que je voulais tuer. Je voulais anéantir la femme monstrueuse qui a détruit ma cité et assassiné mon roi, mais elle s'est interposée.

— Mais que raconte-t-il ? demanda Khirâ, en proie à une vive angoisse.

— Parle ! gronda Tash'Kor, menaçant.

Enkhalil se terra contre la paroi rocheuse et commença un étrange récit en s'adressant à Khirâ. Sa voix était rauque, cassée, grinçante, et chacun de ses mots faisait à la princesse l'effet de coups de griffe dans le cœur.

— Tu crois être la fille de l'Horus Djoser. Mais c'est faux ! Ton vrai père était Khacheb, le roi de Siyutra. Il était mon seigneur, et mon meilleur ami. Un jour, il y aura bientôt vingt ans de cela, il a embarqué à son bord une Égyptienne du nom de Thanys, qui se prétendait princesse.

Le mépris glissé dans ses propos cingla Khirâ, qui se retint de le frapper.

— Continue ! grinça-t-elle.

— Il est tombé fou amoureux d'elle. Il voulait en faire sa reine. Mais elle l'a repoussé avec dédain. Elle se croyait d'une essence supérieure. Il a tout fait pour l'apprivoiser, tout. Il l'a reçue dans son palais de Siyutra, avec ceux qui l'accompagnaient. Il pensait la séduire. Je lui ai conseillé de la laisser repartir, mais il a tenté de la retenir. Elle ne l'a pas admis. Alors…

— Alors?

— Elle s'est vengée d'une façon abominable. Il ne lui avait pourtant fait aucun mal. Une nuit, elle a réuni ses complices et ils se sont glissés jusqu'aux entrepôts où nous gardions nos marchandises. Il y avait du bitume et de l'huile. Siyutra s'étirait le long d'une gorge en pente. Ils ont brisé les jarres et ont incendié notre cité. Nous n'avons rien pu faire pour arrêter le feu. La plupart des nôtres ont péri dans les flammes déclenchées par cette démone. Chaque nuit, depuis, leurs hurlements d'agonie m'empêchent de dormir.

— Jamais ma mère n'aurait fait ça! s'insurgea Khirâ.

L'autre se révolta :

— Pourquoi crois-tu que j'ai accompli tout ce voyage, au mépris de ma propre vie?

Ses poings se crispèrent.

— Si un être abominable avait détruit ta ville, n'aurais-tu pas le désir de te venger?

— Que s'est-il passé ensuite? demanda Khirâ d'une voix altérée.

— Après son crime, elle s'est enfuie dans le désert. Je l'ai crue morte, tuée par les lions. Mais, il y a quelques années, dans le port de Djoura, j'ai croisé un vieux marin ivre de bière. Il s'appelait Melhok. Il m'a appris qu'elle avait eu un enfant de mon seigneur Khacheb. Une fille. Il disait qu'elle avait accouché, seule, au milieu des fauves. Ensuite, un seigneur égyptien l'a recueillie et emmenée. Elle a épousé un prince de Kemit, et elle est devenue reine. Lorsque j'ai su tout cela, je n'ai plus eu qu'une idée : tuer cette démone qui avait anéanti mon peuple. C'est pourquoi je suis venu à Mennof-Rê.

Il pointa un doigt crasseux sur Khirâ.

— Mais cette fille qu'elle a eue dans le désert de Pount, c'était toi !

Khirâ recula, épouvantée.

— Tu mens, dit-elle faiblement. Je suis la fille de l'Horus Djoser.

L'autre ricana.

— Tu l'as toujours cru, parce qu'ils t'ont élevée dans le mensonge. Mais tu es la fille de mon seigneur Khacheb. Tu n'y peux rien !

Bouleversée, Khirâ sentit à peine les larmes brûlantes qui ruisselaient sur ses joues. Sa vie lui apparaissait soudain sous un jour nouveau, sordide. Sa mère avait autrefois massacré la population entière d'une ville pour des raisons obscures, mais apparemment discutables. Comment expliquer autrement la haine féroce que cet homme lui portait. Et surtout, elle, Khirâ, n'était pas la fille de l'Horus Djoser. Elle ne l'avait jamais été. Elle n'était qu'une bâtarde ! *Une bâtarde !*

Un mélange de dégoût, de colère, d'horreur et d'infinie tristesse s'empara d'elle. Plus rien jamais ne serait comme avant.

Tash'Kor la prit par les épaules et l'entraîna à l'écart.

— Je t'avais dit que la vérité risquait de te faire mal, dit-il doucement. Mais il y a autre chose.

— Quoi encore ?

— Par une indiscrétion d'un commerçant nomade,

j'ai appris que le prince Nefer-Sechem-Ptah est le fils d'une première épouse du roi. Elle s'appelait Lethis. Elle est morte avant le retour de ta mère. Tu n'as donc aucun sang commun avec lui.

— Tu mens !

— Non ! Seschi n'est pas ton frère, Khirâ ! Il me serait facile de te faire rencontrer ce marchand. D'ailleurs, je suppose qu'un grand nombre de personnes le savent au palais, mais que le roi et la reine ont voulu vous élever comme si vous étiez leurs véritables enfants.

Khirâ aurait voulu répondre, nier cette vérité abjecte. Mais elle savait au fond d'elle-même que Tash'Kor ne mentait pas. Elle se tourna brusquement vers lui.

— C'est pour cette raison que tu gardais cet homme prisonnier, n'est-ce pas ?

— C'est exact. Je savais aussi que tu le recherchais partout en compagnie de Seschi. Tu voulais venger ta sœur en tuant son assassin de tes propres mains.

Tout à coup, elle éprouva une sensation de froid au creux de la paume. Elle ne comprit pas immédiatement que Tash'Kor lui avait glissé son glaive dans la main

— Je voulais te fournir l'occasion d'assouvir ta vengeance.

— Ma… vengeance ?

— Ce chien a tué ta sœur, Khirâ ! Quelles que soient ses raisons, il mérite la mort.

La jeune fille se mit à trembler.

— C'est vrai, mais…

— Tu dois venger Inkha-Es ! Tue-le !

Enkhalil avait déjà compris ce qui l'attendait et voulut s'enfuir. Mais Tash'Kor avait prévu sa réaction. Il le rattrapa et le projeta violemment contre la roche. Le Sumérien s'écroula en gémissant.

— Tue-le! répéta Tash'Kor.

— Je… je ne peux pas!

Une violente nausée saisit Khirâ. Depuis quinze jours, elle avait rêvé de tenir entre ses mains le meurtrier d'Inkha-Es. Et voici qu'il se trouvait en face d'elle, elle avait une arme, elle pouvait le frapper, l'achever, lui faire payer son crime atroce. Mais elle n'en avait pas le courage. C'était une chose que de rêver de vengeance, et une autre de l'accomplir. Donner la mort n'était pas un acte simple, quand bien même le criminel avait sur les mains le sang d'un être aimé. Les yeux rivés sur ceux d'Enkhalil, Khirâ éprouva une violente envie de vomir. Elle répéta :

— Je ne peux pas!

— Alors, je vais le libérer!

— Quoi?

— Si ton père apprend que j'ai retenu l'assassin de sa fille au lieu de le livrer, il me fera arrêter et condamner. J'ai fait tout cela pour toi, Khirâ. Cette histoire doit rester entre nous.

— Je lui expliquerai…

— Que lui expliqueras-tu? Que tu n'es pas sa fille?

— Je… je ne sais pas!

— Tu dois trouver le courage de tuer ce chien! à moins que tu ne veuilles me perdre…

— Non!

Tash'Kor la fixa dans les yeux. Khirâ frémit. Il lui sembla retrouver la lueur rouge qui avait brillé dans son regard autrefois, une lueur infernale. Simultanément, la main du Chypriote se referma sur la sienne.

Puis il la contraignit à avancer vers le prisonnier, qui rampa pour se mettre hors de portée. Mais la crypte n'offrait aucune issue. Il se mit à gémir de terreur. Il n'avait même plus la force de se relever.

— Tu dois le faire, Khirâ ! Cet homme a tué ta sœur, mais il a aussi assassiné des voyageurs, des paysans pour parvenir jusqu'ici. C'est un pillard, un criminel.

Au bord de l'hystérie, Khirâ répliqua :

— Alors, mon père était peut-être, lui aussi, un criminel !

— Non ! Ce chien l'est devenu après la destruction de Siyutra. Il a dû tuer pour survivre, parce qu'il avait tout perdu !

Il la portait presque à présent. Tous deux progressaient vers le Sumérien, qui, se sentant acculé, trouva enfin la force de se redresser. Les yeux fous, il se jeta sur Khirâ. La main de Tash'Kor entourant celle de la jeune fille, se crispa sur la poignée du glaive, et l'obligea à frapper. La lame s'enfonça dans le ventre d'Enkhalil comme dans un sac de grains. Il poussa un cri de douleur, tendit les griffes en avant, pour arracher les yeux de Khirâ, qui se mit à hurler. Elle eut conscience que la main de Tash'Kor la forçait à tourner la lame dans les entrailles de leur victime. Un flot de sang jaillit de la bouche du Sumérien, qui éclaboussa la princesse. Puis il bascula lentement vers l'avant ; ses yeux emplis de folie et d'incompréhension s'accrochaient désespérément à ceux de Khirâ. Enfin, il glissa sur le sol, tandis que la lame écarlate restait dans la main de la jeune fille, se séparant du corps avec un terrible bruit d'étoffe déchirée. Tash'Kor la lâcha. Elle tituba, hébétée. Une odeur de sang lui emplit les narines. Elle chancela jusqu'à la paroi, et vomit. Lorsque les nausées furent calmées, elle balbutia :

— Pourquoi m'as-tu obligée à le tuer ?

— N'est-ce pas ce que tu voulais ? répondit-il d'une voix sombre en reprenant son arme.

— C'était un acte répugnant. Tu es un monstre !

— Non ! Je t'ai contrainte à aller jusqu'au bout de ta volonté, à ne pas céder à la lâcheté. Il est trop facile de regarder un bourreau donner la mort que l'on souhaitait donner soi-même. Tu dois assumer la responsabilité de tes actes. C'est ainsi que l'on devient adulte.

— Mais j'ai tué un homme.

— Il le méritait. Inkha-Es n'avait pas demandé à mourir. Tu as accompli un acte de justice.

— Et je me fais horreur ! à cause de toi !

La voix de Tash'Kor se radoucit.

— Il est bon que tu éprouves de l'horreur ! Le contraire voudrait dire que tu aimes tuer. Tu deviendrais alors pire que ce misérable.

Il jeta le glaive sur le sol et la prit dans ses bras. Désarçonnée, elle se laissa faire.

— Tu m'as demandé pourquoi je t'avais obligée à le tuer. Je voulais t'offrir ta vengeance, savoir si tu étais digne de… de l'amour que je te porte. Je t'ai dit être venu à Mennof-Rê pour solliciter l'aide de l'Horus. C'est vrai en partie, bien sûr, car je n'ai pas perdu espoir de délivrer mon peuple. Mais surtout, je voulais te revoir. Je ne t'ai jamais oubliée, Khirâ. À l'époque, je ne m'étais pas rendu compte que tu n'étais qu'une petite fille. Mais pendant ces cinq années, il n'est pas une journée où je n'ai pas pensé à toi.

— Et cette fille ?

— Tayna? Elle ne compte pas. Je t'aime! Et peu m'importe qui est ton père. Je veux te garder près de moi.

Elle ne rêvait pas d'entendre autre chose. Lorsque les lèvres de Tash'Kor se posèrent sur les siennes, un vertige la saisit. Tremblant de la tête aux pieds, elle eut l'impression d'être une gazelle tombée entre les griffes d'un lion, qui sait qu'elle ne peut se défendre Une chaleur équivoque coula le long de ses jambes, s'incrusta dans ses reins, caressa ses seins. Des mains possessives glissèrent sur sa peau, s'attardant en des points trop douloureusement précis. Elle aurait voulu lutter, s'écarter de lui. Mais le mélange étrange de peur et de désir qui bouillonnait en elle lui brouillait l'entendement et les sens. Des bras puissants la soulevèrent, l'emportèrent hors de la crypte, loin du cauchemar abject.

Il l'entraîna dans une salle de bains, dont la baignoire avait déjà été préparée par les esclaves. Il défit lui-même sa robe de lin blanc, tachée du sang du Sumérien. Puis il la reprit dans ses bras et la porta dans l'eau tiède. L'esprit en ébullition, elle se laissa faire, tout comme elle laissa ses mains solides et douces la toucher, la laver avec lenteur, glisser sur sa peau nue jusqu'aux endroits les plus secrets. Malgré la chaleur, elle frissonnait. Jamais elle n'aurait cru que le corps pouvait être source d'un plaisir aussi intense, aussi dévastateur.

Sortant de l'eau, ils roulèrent sur des nattes épaisses et colorées, dans une chambre ouvrant sur le jardin, éclairée par la lumière éblouissante du soleil. Elle en aurait pleuré de joie. Elle ne comprenait plus ce qui lui arrivait. Elle ne voulait plus réfléchir, plus penser.

Des ondes délicieuses la parcouraient, mêlées à un sentiment d'horreur rémanente provoqué par les images atroces qui heurtaient sa mémoire. Aux lèvres, aux yeux de Tash'Kor se superposaient le regard fou d'En-khalil, son expression terrifiante lorsqu'il avait senti la vie s'échapper, ses mains répugnantes tendues vers elle. Elle eut un mouvement pour se dégager. Il la rappela vers lui avec force. Elle capitula. Elle ne pouvait lutter et n'en avait guère envie.

— Tout est fini, murmura la voix chaude de Tash'Kor. Je vais t'aider à oublier. Je t'aime, j'aime ton corps, ta peau est si douce sous mes doigts...

Un flot de caresses enveloppait Khirâ. Une main s'insinua entre ses cuisses, se posa sur son sexe. Elle sentit ses jambes s'ouvrir, sa respiration s'accéléra. Alors, elle se fit exigeante. Ses mains s'agrippèrent aux hanches puissantes de son amant. Lorsqu'il pénétra en elle, elle eut envie de hurler, de joie, de terreur, de douceur, de douleur, elle ne savait plus. Les yeux fermés, il lui semblait que le monde entier explosait autour d'elle. Depuis le temps que son corps réclamait la marque de l'homme, elle avait attendu, et quelque chose s'était déployé en elle, qui ne demandait qu'à s'exprimer.

Bien plus tard, lorsque le monde désintégré se reconstitua, lorsque les sens se furent apaisés, elle sut qu'elle n'appartiendrait jamais à un autre homme. Sans doute le savait-elle depuis la première fois qu'elle l'avait aperçu.

Elle ouvrit les yeux. Son regard était posé sur elle, énigmatique. Un flot d'émotions l'envahit. Elle ne parvenait pas à percer son mystère. Il y avait en lui de l'amour, mais aussi autre chose. Comme de la haine, ou de l'interrogation. Paradoxalement, il lui faisait peur, mais cette sensation la faisait frissonner de plaisir. Elle aimait cette impression de lui appartenir. Il pouvait faire d'elle ce qu'il voulait, elle l'accepterait.

— Moi aussi, je veux rester près de toi, soufflat-elle.

Ni l'un ni l'autre ne remarquèrent le regard chargé de haine de Tayna, qui les observait dans l'ombre crépusculaire d'un bosquet de perséas.

26

La nuit était tombée depuis longtemps lorsque Khirâ regagna la Grande Demeure, où Neserkhet l'attendait avec un mélange d'impatience et d'inquiétude. Son attitude bizarre étonna la jeune Bédouine. Elle n'ignorait pas qu'aucun homme encore n'avait posé la main sur Khirâ et elle imagina que c'était désormais chose faite. D'ailleurs, ne lui avait-elle pas raconté le lien insolite qui l'enchaînait au prince chypriote, fait d'un paradoxal mélange de haine et d'amour ? Elle espérait que Khirâ lui fournirait les détails de la rencontre et s'en réjouissait déjà à l'avance. Mais celle-ci ne lui fit aucune confidence. Bien plus, elle se renferma dans un silence buté et incompréhensible. Sur le moment, Neserkhet lui en voulut. Ne partageaient-elles pas tout depuis cinq années ? Puis elle devina qu'il s'était passé autre chose. Khirâ se frottait les mains nerveusement, comme pour effacer une trace invisible. Par instants, elle semblait sur le point d'éclater en sanglots. L'angoisse et la colère transparaissaient sur son visage, trahissant la lutte incompréhensible qui se livrait en elle. Une première aventure sexuelle provoquait-elle ce genre de réaction ?

Souvent, les deux jeunes filles dormaient ensemble, rassemblées dans le même lit par leurs confidences et leurs rires espiègles. Une complicité faite de tendresse et d'une sensualité naissante qu'elles avaient appris à apprivoiser en attendant l'épreuve de la première aventure masculine. Pourtant, lorsque Neserkhet voulut se glisser près d'elle, Khirâ la repoussa avec une violence inhabituelle. Décontenancée, la jeune fille n'osa insister. C'était la première fois que son amie se conduisait ainsi.

Restée seule, Khirâ s'enveloppa dans une couverture. Malgré la tiédeur de la nuit, elle grelottait de froid. Longuement, elle repensa aux instants hors du temps qu'elle venait de vivre avec Tash'Kor. La haine qui l'avait animée durant cinq années avait totalement disparu. L'amour exclusif qu'elle portait en elle sans le savoir s'était enfin libéré, et l'avait amenée dans les bras du prince aux yeux de turquoise. Elle aurait dû éprouver une joie intense. Mais il s'était glissé dans cette expérience troublante un malaise effrayant qui lui laissait dans le cœur un parfum de destruction irréversible. À cause des révélations qui avaient précédé, elle avait la sensation que le monde s'était écroulé autour d'elle. Depuis sa naissance, elle avait cru être la fille du dieu vivant qui régnait sur le plus beau pays du monde, Kemit. Elle en éprouvait une grande fierté, et la certitude que rien de grave ne pourrait jamais lui arriver. Un profond amour filial, fait d'admiration et de tendresse, la liait à cet être d'exception, dont la volonté avait métamorphosé le visage du Double-Royaume. Nemeter lui avait enseigné l'histoire des premiers Horus. Hormis le grand Narmer, qui avait unifié la Haute et la Basse-Égypte, aucun d'eux ne pouvait lui être comparé. Allié à l'esprit fabuleux du grand Imhotep, son propre grand-père, il avait redressé les murailles et les temples des villes les plus importantes : Nekhen, Yêb, Iounou, Per Bastet, Busiris, Bouto, Denderah… Mais surtout, il avait bâti, sur le plateau du faucon sacré, Sokaris, une cité extraordinaire, dont la vue seule, bien qu'elle ne fût pas encore achevée, provoquait respect et vénération chez les Égyptiens comme chez les étrangers.

Elle avait partagé tellement de choses avec ce dieu si puissant, dont le nom seul faisait trembler ses ennemis. Aussi loin que sa mémoire pouvait porter, des souvenirs lui revenaient, innombrables, merveilleux, des anecdotes de chasse, des jeux, des rires. Elle se souvint qu'il avait recueilli son premier sang de femme… Djoser était pour elle plus qu'un père. Il était l'image même de l'homme tel qu'elle le rêvait, un mélange subtil de force indomptable et de tendresse, de complicité, d'amour à l'état pur. Elle avait grandi, s'était épanouie dans son ombre bienveillante.

Elle avait appris aujourd'hui que ce dieu vivant ne lui était rien, qu'il n'avait fait que la nourrir. Il ne lui avait pas donné la vie. Elle lui était étrangère ! étrangère ! Elle en aurait hurlé de douleur.

Par réaction, une curieuse forme de haine était née en elle. Elle en voulait à Thanys de lui avoir masqué ainsi la vérité, une vérité à laquelle elle n'était pas préparée. Sa mère lui avait dissimulé sa véritable origine ; et pour cause ! Pouvait-elle lui avouer qu'elle avait massacré son père et les habitants de sa cité ? Ce père inconnu, ce Khacheb n'avait pourtant commis pour tout crime que d'être tombé amoureux d'elle. Cet Enkhalil n'avait pu mentir sur ce point. Par la suite, il était devenu un abominable scélérat. Mais le serait-il devenu sans ce premier drame qui avait décidé de sa vie ? Quant à elle, Khirâ, Thanys l'avait privée de son vrai père, un père qu'elle regrettait déjà de ne pas avoir connu. Elle lui en voulait également d'avoir trompé Djoser avec un autre. Peu lui importait que cette histoire fût ancienne. Elle ne désirait pas lui en parler. D'ailleurs, elle ne pouvait même pas aborder le sujet sans condamner Tash'Kor. Elle ne parvenait pas à trouver le sommeil. Elle aurait voulu hurler sa rage et sa tristesse, mais elle devait l'étouffer, la comprimer au plus profond d'elle-même. Elle dut se lever plusieurs fois dans la nuit pour vomir, tant la douleur qui lui nouait l'estomac était forte.

Au cœur de cette confusion, une seule idée dominait : elle avait accusé Tash'Kor à tort. Il n'était pas responsable des catastrophes qui avaient frappé Kemit après son départ. Cette innocence la réjouissait, car elle avait permis de révéler enfin l'amour qu'elle n'avait cessé de lui porter depuis le début, et qu'une haine absurde lui avait masqué. Lui aussi avait souffert, dans sa chair, dans son cœur. Peu à peu, une idée se fit jour en elle : elle n'accepterait plus d'être séparée de cet homme mystérieux. Elle serait sa compagne, son épouse. Les mots qu'il avait prononcés alors qu'il était en elle, autour d'elle, ne pouvaient être des mensonges. Lui aussi l'aimait, elle en était sûre.

Dans la demeure de Tash'Kor, l'orage grondait également. Tayna avait assisté, dissimulée au cœur des buissons, aux ébats amoureux de son prince et de la putain égyptienne, ainsi qu'elle la qualifia. Il s'ensuivit une scène de jalousie mémorable qui divertit grandement Pollys, ravi de ces sautes d'humeur. Elle le confortait dans sa décision de ne jamais s'attacher à une seule compagne. Mais Tash'Kor n'était pas homme à accepter sans sourciller les hurlements d'une femme possessive. Tayna en fit cruellement l'expérience : lorsqu'il estima qu'elle avait outrepassé les bornes, elle reçut une gifle magistrale qui l'envoya rouler sur le sol. Elle éclata en sanglots, puis riposta :

— Tu l'aimes plus que moi !

— Tais-toi, femelle stupide ! Tu n'as rien compris !

— Et d'abord, qui est ce prisonnier que tu lui as montré ?

Tash'Kor demeura interloqué. Elle n'aurait jamais dû connaître l'existence du Sumérien. Il s'approcha lentement d'elle, le visage dur. Son regard noir fit trembler la jeune femme.

— Quel prisonnier ? demanda-t-il d'une voix à peine audible.

Tayna grelottait de peur, mais trouva le courage de poursuivre :

— Je vous ai suivis. Tu gardes un homme au secret, dans une crypte, au-dessous des vieux entrepôts ! Pourquoi l'as-tu montré à cette… cette catin ?

— Cela ne te regarde pas !

— J'ai écouté ce que tu as dit, et ce qu'a raconté ce prisonnier.

— Tu as osé ?

— Je suis sûre que tu es cet homme masqué qui lui a rendu visite peu avant l'attentat qui a coûté la vie à la fille du roi.

Tash'Kor leva la main pour la faire taire. Mais Pollys arrêta son geste.

— Attends, mon frère ! De quoi parle-t-elle ?

— Ne te préoccupe pas de cela ! Cette affaire ne regarde que moi.

— Qui est ce prisonnier ?

— Aucune importance ! Il est mort.

— Mort ?

— Il s'agissait de l'homme qui a tué la princesse Inkha-Es. Je l'ai livré à Khirâ. Elle l'a tué. C'est tout.

— Comment était-il tombé entre tes mains ?

— Après son crime, il s'était réfugié dans les canaux souterrains de la maison. Je l'ai surpris alors qu'il tentait de chaparder de la nourriture. Je l'ai fait parler. C'est ainsi que j'ai su qui il était.

— Et cet homme masqué dont parlait Tayna ?

Tash'Kor hésita, puis se décida à informer son frère de ce qu'il savait.

— Pourquoi ne m'en as-tu pas parlé plus tôt ? dit enfin Pollys.

— Je voulais revoir cette Khirâ. Tu sais pourquoi. Ce Sumérien était le moyen de l'attirer ici. Il n'y a rien d'autre. Rien

Il se tourna vers Tayna.

— Quant à toi, tu es stupide de te mettre dans des états pareils. Je hais cette princesse égyptienne. Un jour prochain, je la tuerai. Cet après-midi, je n'ai fait que l'apprivoiser pour mieux la faire tomber dans mon piège. Tu n'as donc rien à redouter.

La haine qu'elle sentait vibrer dans la voix de son amant rassura quelque peu Tayna. Elle se redressa, puis vint se blottir dans ses bras. Tous deux s'éloignèrent en direction de la chambre du prince. Pollys resta un long moment songeur. Il n'aimait pas la lueur qu'il avait vue briller dans les yeux de son jumeau. Il était rare que son frère lui dissimulât quelque chose. Qu'en était-il de cet homme masqué qui avait visité l'assassin peu avant son crime ? Tash'Kor avait très bien pu cacher son visage, afin que le Sumérien ne le reconnût pas ensuite.

Une vérité horrible se mit peu à peu en place dans l'esprit du jeune prince. Il connaissait assez Tash'Kor pour savoir qu'il était capable du meilleur comme du pire. Sa vie tourmentée ne l'avait pas incité à la pitié. Il haïssait cette Khirâ depuis plus de cinq années. Jamais il n'avait pu oublier son dédain. Il s'était absenté souvent ces derniers jours. Il avait très bien pu repérer le futur assassin, rôdant autour du palais. Il l'avait suivi jusque dans son repaire. Le visage masqué, il l'avait encouragé à commettre son crime, en lui faisant croire qu'il l'aiderait à s'échapper ensuite. Mais il n'avait pas honoré ses engagements, et le Sumérien, abandonné, avait été contraint de se réfugier dans les canaux souterrains. Ensuite, par le plus grand des hasards, il avait tenté de voler de la nourriture dans la demeure même de celui qui l'avait trahi.

Pollys fut long à trouver le sommeil cette nuit-là. Car, quels que fussent les crimes qu'avaient pu commettre Tash'Kor, même par personne interposée, jamais il ne le trahirait. Il était son jumeau. Mais l'avenir lui parut sombre, car il n'avait qu'une confiance relative en Tayna, fille d'un noble de la petite cité d'Ugarit, au nord du Levant. Tash'Kor avait fait d'elle sa maîtresse. Lui-même avait profité de ses faveurs, car son frère partageait tout avec lui, y compris les femmes. Jamais l'une d'elles n'avait fait preuve d'autant de perversité et d'appétit. En fidèle adorateur de Cypris, il aurait dû s'en réjouir. En réalité, cela l'inquiétait. Il y avait chez cette fille quelque chose de malsain, et particulièrement une irrépressible propension à la jalousie la plus morbide.

Le lendemain, Khirâ conserva son attitude distante envers Neserkhet. Elle ne pouvait avouer ce qu'elle avait appris sans se déprécier à ses yeux. Or, Khirâ tenait beaucoup à l'admiration sans condition que sa compagne lui portait. Le fait qu'elle fût la fille de l'Horus comptait pour beaucoup dans cette vénération. Si Neserkhet apprenait qu'elle n'était qu'une bâtarde, son admiration faiblirait. Khirâ aurait voulu croire que cela n'avait aucune importance, mais c'était au contraire le reflet de ce que penseraient les autres si on apprenait la vérité. Elle ne serait plus la fille de Neteri-Khet, mais celle d'un roi obscur du lointain pays de Pount. Cela, elle ne pouvait l'accepter.

Désemparée, Neserkhet trouva refuge auprès de Seschi, vers lequel elle se tournait toujours lorsque quelque chose n'allait pas. Sa force tranquille, son humeur toujours égale et joyeuse la rassuraient. Depuis toujours, Neserkhet était amoureuse de lui, mais préférait se conduire comme une amie, afin de ne pas souffrir de son infidélité notoire. Pour Seschi, Neserkhet était comme un double de Khirâ, et les sentiments qu'il lui portait étaient identiques. Parce qu'il la respectait, il n'avait jamais envisagé la moindre aventure avec elle. Tous deux y trouvaient leur compte. Aussi, lorsqu'elle le rejoignit, il la traita comme la petite sœur d'adoption qu'elle était un peu.

Neserkhet tremblait pour Khirâ. Ce Tash'Kor ne lui inspirait aucune confiance. Une froideur cynique luisait dans son regard. Cet homme ne connaissait pas la pitié et il savait manipuler les autres pour atteindre ses

buts. Elle devait l'empêcher de faire du mal à son amie.
Elle expliqua à Seschi où Khirâ s'était rendue la veille,
et le temps qu'elle était restée chez le prince chypriote.

— Par les dieux, tu aurais dû me le dire plus tôt,
s'emporta le jeune homme. Je dois lui parler.

Ils se précipitèrent dans les appartements de Khirâ.

27

Khirâ quittait la salle de bains où ses servantes venaient de l'enduire d'huiles parfumées lorsque Seschi fit irruption chez elle, tel un taureau en train de charger. Ignorant le fait qu'elle ne portait strictement rien sur elle, il attaqua :

— Pourquoi es-tu allée chez les Chypriotes hier ?

Khirâ n'avait jamais été impressionnée par les colères de Seschi. Elle riposta vertement :

— Je n'ai aucune explication à te donner. Je suis libre d'agir comme je l'entends.

— Penses-tu que notre père serait satisfait de te savoir en compagnie de ces Chypriotes ?

— Ce sont mes amis. Qu'as-tu à leur reprocher ?

— Les Peuples de la Mer ont attaqué une flotte de commerce récemment. Ignores-tu que Chypre les soutient ?

Elle haussa les épaules tandis qu'une esclave l'aidait à enfiler une robe de lin blanc brodée de fils d'or.

— C'est ridicule ! Tash'Kor n'est pas responsable de cette attaque.

— Je n'en suis pas si sûr.

Khirâ ne releva pas la réplique et marcha sur Neserkhet, visiblement mal à l'aise. Elle la toisa d'un œil noir et cingla :

— C'est toi qui m'as trahie !

— Je ne t'ai pas trahie, princesse ! J'étais inquiète pour toi. Hier, tu es rentrée tard, et tu n'as même pas voulu me parler. Ce matin encore, tu m'as repoussée. Tu avais l'air si malheureuse.

— En quoi cela te regarde-t-il ?

Neserkhet écarta les bras :

— Je voulais seulement t'aider…

— En allant me dénoncer à Seschi ? cingla Khirâ.

Le jeune homme se planta devant elle et gronda :

— Elle a agi comme elle le devait. Tu n'as rien à faire avec eux. Ils ne sont que tolérés à Mennof-Rê. L'Horus n'acceptera jamais que sa fille les fréquente.

— Sa fille, dis-tu ? grinça Khirâ en proie à une colère aussi violente que soudaine. Mais je ne suis pas sa fille ! Je suis une bâtarde !

— Que dis-tu ?

— La vérité ! Je n'ai jamais été sa fille ! Et toi, tu n'es même pas mon frère !

Il crut qu'elle était devenue folle. Elle poursuivit, avec un ricanement empli de désespoir.

— Mon vrai père est un roi de Pount que ma mère a tué autrefois, après m'avoir conçue. Quant à toi, rassure-toi ! Tu es bien le fils de Djoser. Mais ta mère n'est pas Thanys. Djoser a aimé une autre femme avant elle. Elle s'appelait Lethis. C'est elle qui t'a mis au monde.

Désarçonné, Seschi ne sut que répondre. Les mots qui sortaient des lèvres de la jeune fille vibraient d'un accent de vérité incontestable. Une vérité qu'il connaissait déjà au fond de lui, peut-être, mais qu'il n'avait jamais voulu entendre. Certains serviteurs avaient parfois fait allusion à cette autre femme devant lui, semant le doute dans son esprit. Mais il n'avait jamais cherché à approfondir la question. Depuis toujours, Thanys avait été près de lui, et cela seul comptait.

— C'est ce Chypriote qui t'a raconté tout cela ?

Emportée par sa fureur et par l'épuisement de sa longue nuit de cauchemars, Khirâ ne s'était pas rendu compte qu'elle avait failli trahir Tash'Kor. Elle répliqua d'un ton qui se voulait assuré :

— Il n'a rien à voir avec ça. Je tiens ces informations d'un voyageur que j'ai rencontré hier en recherchant l'assassin d'Inkha-Es.

— Un voyageur ?

Khirâ sentit son estomac se nouer. Elle devait sur-le-champ inventer un mensonge sous peine de condamner son compagnon. Puis elle se souvint que, deux jours plus tôt, elle s'était rendue seule sur le port, tandis que Seschi visitait Tourah.

— Je l'ai croisé dans une taverne de l'oukher, où je venais interroger les mariniers, malheureusement sans résultat. Cet homme est venu à moi et m'a dit qu'il souhaitait me parler. À son allure, je pensais qu'il pourrait peut-être me renseigner sur l'assassin de notre sœur. Mais ce qu'il m'a raconté n'avait aucun rapport avec le criminel. Il disait venir de très loin, d'au-delà du pays de Koush. À Djoura, il a rencontré un vieux capitaine qui lui a raconté cette histoire.

— Et tu l'as cru ?

— Oui ! Il n'avait aucune raison de mentir. Je pense que ma mère confirmera son récit.

— Où est-il, ce voyageur ?

— Comment le saurais-je ? Je pourrai te montrer la

taverne où je l'ai rencontré. Mais peut-être a-t-il quitté Mennof-Rê.

Seschi hésita un instant, puis déclara :

— Nous devons parler de tout ça avec nos parents. Tu vas me suivre.

Khirâ hésita, puis acquiesça en silence. Elle n'avait guère le choix. Puis elle adressa un regard lourd de reproches à Neserkhet. Celle-ci comprit qu'elle avait inventé l'histoire du voyageur. Son trouble, dû visiblement à la révélation de sa naissance, avait suivi sa visite au prince chypriote. Mais, sans doute pour le protéger, elle se taisait. Neserkhet lui adressa un signe discret pour lui faire comprendre qu'elle garderait le secret. Khirâ se détendit quelque peu et emboîta le pas à Seschi.

Quelques instants plus tard, tous trois se trouvaient devant Thanys. Djoser, en visite sur le chantier de la cité sacrée, était absent. Une douleur insidieuse broyait les entrailles de Khirâ. Depuis toujours, elle avait vénéré sa mère, qui alliait la sagesse à la féminité, la beauté à la force. Mais quelque chose s'était brisé. Le récit du Sumérien avait terni cette image idéale. D'une sensibilité exacerbée, la jeune fille considérait le fait qu'on lui ait caché sa véritable naissance comme une trahison. D'un caractère frondeur et obstiné, elle n'était pas prête à entendre une explication, quelle qu'elle fût. Avec réticence, elle avoua à Thanys ce qu'elle avait appris, évoquant sans trop de précision dans quelles circonstances. La reine ne songea pas un instant à mettre son récit en doute. La thèse du voyageur était suffisamment vague pour être crédible, et Thanys était trop bouleversée par l'attitude de Khirâ pour se poser d'autres questions. Sa réaction la déconcertait. Face à la mine butée de la jeune fille, elle avait l'impression de s'adresser à un bloc de granit. Khirâ souffrait, et refusait de s'ouvrir.

En soi, l'incident n'avait rien de dramatique. De nombreuses personnes connaissaient la véritable origine des deux enfants. Simplement, avec le temps, on avait évité de leur raconter la vérité. Ils avaient été élevés comme frère et sœur et cette situation convenait également à leurs parents. Mais Thanys comprit que Khirâ refusait de ne pas être la fille de Djoser.

— Peut-être est-ce ma faute, dit-elle doucement. Sans doute aurions-nous dû t'avouer la vérité plus tôt. Mais cela a-t-il une si grande importance ? Djoser t'aime comme si tu étais née de son sang. Il t'a toujours traitée comme sa fille. Il a voulu être ce père que tu n'avais pas. Est-ce un si grand crime ?

Khirâ ne répondit pas immédiatement. Bien sûr, elle n'avait rien à reprocher à Djoser, bien au contraire. Mais elle en voulait à sa mère.

— Ce voyageur m'a dit que tu avais tué mon vrai père.

Thanys pâlit. Hormis les survivants de Siyutra, peu de gens connaissaient la véritable histoire. Or, le meurtrier d'Inkha-Es était Enkhalil, le bras droit de Khacheb. Celui qui avait renseigné Khirâ ne pouvait être que l'un de ses acolytes.

— Comment pouvait-il savoir cela ? Qui était cet homme ? à quoi ressemblait-il ?

— Il ressemblait… à un marchand nubien, répondit Khirâ évasivement.

— Pas un instant tu n'as imaginé que tu pouvais

avoir affaire à un complice du misérable qui a tué ta petite sœur ? gronda Thanys.

Khirâ ne sut que répondre. Sa mère risquait de découvrir la vérité. Mais elle devait garder le secret, pour sauvegarder Tash'Kor. Elle rétorqua, mal à l'aise :

— Il a parlé d'un capitaine sumérien, qui t'aurait bien connue. Un nommé… Melhok, je crois.

— Melhok… murmura Thanys.

Le visage du vieux marin d'Eridu lui revint à l'esprit. Des souvenirs douloureux resurgirent, qu'elle avait toujours voulu effacer de sa mémoire. Elle ne connaissait que trop l'histoire évoquée par Khirâ. La jeune fille, sentant sa mère faiblir, attaqua de nouveau :

— Alors, il n'a pas menti : tu as tué mon vrai père !

Bouleversée, Thanys hésita.

— C'est vrai, je l'ai tué. C'était un criminel.

— Mais tu l'as aimé, riposta Khirâ. Cet individu m'a dit que tu l'avais aimé avec passion ! insista-t-elle.

Une vive émotion s'empara de Thanys, qui n'échappa pas à sa fille.

— Il ne sert à rien de remuer toute cette histoire, souffla-t-elle. J'aurais préféré que tu n'apprennes jamais tout cela.

Khirâ eut l'impression que sa mère fuyait. Elle laissa libre cours à sa colère.

— Si tu l'aimais, pourquoi l'avoir tué ? Il était mon père !

Thanys demeura silencieuse. Elle sentait bien qu'elle aurait dû aller plus loin, raconter toute l'histoire à sa fille. Mais elle n'avait pas le courage d'avouer à Khirâ les relations tourmentées qui l'avaient unie à Khacheb, puis la capture et les crimes de Siyutra, la mort de Beryl, le viol odieux au cours duquel elle avait certainement été conçue, les abominations commises par les pirates, et enfin l'incendie qui avait détruit la cité maudite. Elle revoyait ses bourreaux transformés en torches vivantes, hurlant leur haine et leur terreur avant de s'écrouler dans le brasier. Elle ne se sentait pas la force de remuer ce passé hostile. Pas encore. Plus tard peut-être.

La jeune fille interpréta son silence différemment. Elle avait touché un point sensible. Elle avait désormais la confirmation que le Sumérien n'avait pas menti. L'émotion ressentie par sa mère était un aveu. Alors, puisqu'elle lui avait caché la vérité sur sa naissance, il était possible aussi qu'elle ait menti sur les prétendus crimes de son père. Khirâ eut soudain la sensation terrible que sa mère, cette mère qu'elle vénérait, lui était devenue totalement étrangère. Thanys portait aussi une part de la responsabilité de la mort d'Inkha-Es. Car c'était à cause de ses actions passées qu'Enkhalil était revenu pour l'assassiner. Le fait qu'elle refusât d'en parler prouvait aux yeux de Khirâ qu'elle dissimulait un terrible secret. Partagée entre la colère et une terrifiante impression d'angoisse et de solitude, la princesse se replia sur elle-même.

Pendant les jours qui suivirent, elle ne se montra pas. Seschi lui avait proposé de poursuivre leur quête de l'assassin, mais elle avait refusé. Elle ne pouvait lui avouer que cette recherche était irrémédiablement vouée à l'échec, puisque le Sumérien était mort. Cependant, elle refusait de jouer la comédie. Elle se borna à affirmer que le criminel avait sans doute réussi à fuir. Seschi haussa les épaules et s'en fut. Les révélations sur sa naissance n'avaient pas eu de répercussions sur lui. La mort d'Inkha-Es était bien plus importante. Thanys n'était pas sa vraie mère ? Et alors ? Il l'avait toujours considérée comme telle, et personne n'y pourrait jamais rien changer. Quant à Khirâ, elle était toujours sa sœur, même s'ils n'avaient pas de sang commun. Et gare à elle si elle se mettait en tête de revoir ce chien de Chypriote !

Mais Khirâ demeurait profondément marquée par ce qu'elle avait appris. Le chaos avait pris possession de son esprit. L'image de la tempête aperçue peu avant la sécheresse la hantait. À cette époque, elle avait senti que de grands bouleversements se préparaient, que des épreuves l'attendaient. Elle avait pensé connaître le pire durant les années arides. Elle se rendait compte aujourd'hui qu'elle s'était trompée. Le cauchemar était encore à venir, et il avait frappé au moment où elle s'y attendait le moins. Alors que la plus grande paix semblait régner sur Kemit, tout avait basculé dans l'horreur. Il y avait d'abord eu la mort de sa petite sœur, qu'elle aimait particulièrement, plus encore peut-être parce qu'elle savait qu'une menace pesait sur elle. Les dieux l'avaient avertie, mais, avec le temps, elle avait relâché sa vigilance. Et elle n'avait rien pu faire pour empêcher l'assassin de commettre son crime. Une douleur sourde lui broyait la poitrine lorsqu'elle évoquait le doux visage d'Inkha-Es, son humeur toujours égale, son regard pur et clair.

À ce sentiment de culpabilité se mêlait la certitude d'avoir été trahie. Trahie par sa mère, qui lui avait menti sur sa naissance, trahie par Neserkhet, qui avait tout avoué à Seschi. Elle était certaine qu'il s'agissait de jalousie. Neserkhet ne pouvait supporter de devoir la partager un jour avec un homme.

Djoser lui-même l'avait trahie, en lui faisant croire qu'elle était sa fille. Sa déception était trop cruelle aujourd'hui. Dans toute cette confusion, il ne lui restait qu'une certitude : elle aimait Tash'Kor. Lui seul avait dit la vérité. Il ne lui avait pas caché qu'il la ferait souffrir, mais il avait tenu parole. Il l'avait contrainte à tuer l'assassin d'Inkha-Es ? Elle lui en avait voulu sur le moment. Mais elle comprenait aujourd'hui qu'il n'avait pas voulu lui voler sa vengeance, qu'il l'avait obligée, malgré sa peur, sa lâcheté, à aller au bout de ses actes. Cet Enkhalil méritait la mort. Elle ne regrettait pas de l'avoir tué elle-même. Et elle remerciait Tash'Kor de lui avoir fourni l'occasion d'assouvir sa vengeance.

Et surtout, au-delà de la peine qu'elle ressentait, elle conservait le souvenir de l'étreinte sauvage qui les avait réunis. Il lui semblait encore ressentir la chaleur de ses mains impérieuses et possessives sur sa peau. Le trouble la dominait. Elle brûlait d'envie de le rejoindre. Mais elle se doutait que Seschi avait dû faire poster des gardes près de la demeure des princes. Il la connaissait trop bien. Il était inutile également de tenter de faire parvenir une lettre à Tash'Kor : il ne savait pas lire les medou-neters.

À moins que…

Peu à peu, une idée germa en elle, qui chassa la souffrance. Une idée audacieuse, mais dont elle était loin d'imaginer toutes les conséquences.

28

Deux jours plus tard, Khirâ demanda à sa mère la permission de partir pour Kennehout. Elle expliqua que les derniers événements l'avaient bouleversée, et qu'elle avait besoin de calme afin de chasser le doute de son esprit. Thanys accéda à sa requête avec d'autant plus de facilité qu'elle serait rassurée de la savoir loin du prince chypriote. Khirâ ne brillait pas par sa sagesse, et la reine redoutait que, sur un coup de tête, sa fille ne se décidât à le rejoindre. Neserkhet désirait l'accompagner. Khirâ accepta. Malgré sa rancune, elle lui était reconnaissante de n'avoir pas dévoilé la nature exacte de sa relation avec Tash'Kor.

Le lendemain, une felouque les emportait vers le sud, au grand soulagement de Thanys. Un petit détachement commandé par le fidèle Kebi protégeait le navire.

À Mennof-Rê, Moshem avait donné l'ordre de surveiller la demeure des princes chypriotes. Mais les gardes ne remarquèrent rien d'anormal. Apparemment embarrassés par l'intrusion de Khirâ, les deux princes se faisaient aussi discrets que possible.

Quelques jours plus tard, Tash'Kor revendit sa demeure et mit de l'ordre dans ses affaires commerciales en vue de son départ. En l'absence de Djoser, parti la veille pour Nekhen, il rendit une visite de courtoisie à Thanys, qui l'accueillit avec méfiance. Le personnage ne lui inspirait aucune sympathie, mais n'était-ce pas parce qu'il avait tenté de lui enlever sa fille ? Elle dut cependant reconnaître que rarement elle avait vu un homme aussi beau. Il s'inclina profondément devant la reine.

— Que les dieux te bénissent, reine Nefert'Iti. Je suis venu t'informer de mon départ. Je voulais te remercier, et remercier l'Horus de l'hospitalité qu'il nous a accordée, à mon frère Pollys et à moi. Mais j'ai cru comprendre que notre présence risquait de provoquer des mésententes. Je ne veux pas être un sujet de discorde au sein d'une famille que je respecte et que j'estime. Aussi, je préfère quitter le Double-Royaume pour les pays du Levant, où j'ai encore des amis. Peut-être trouverai-je là-bas des alliés qui m'aideront à reconquérir mon royaume.

— C'est là une sage décision, répondit sobrement Thanys. Mes vœux t'accompagnent pendant ton voyage. Puisse-t-il être fructueux et t'apporter la paix de l'âme.

Tash'Kor s'inclina et sortit. Perplexe, Thanys le suivit du regard. Elle ne parvenait pas à se faire une opinion sur cette décision soudaine. Tash'Kor ne semblait pas être le genre d'homme à renoncer aussi facilement. Si Khirâ n'avait pas été à Kennehout, elle aurait ordonné une fouille complète de la maison des Chypriotes et de leur navire.

Elle dormit mal la nuit suivante.

La raison de ses craintes se cristallisa trois jours plus tard, lorsque Neserkhet, en larmes, vint se jeter à ses pieds.

— Pardonne à ta misérable servante, ô ma reine bien-aimée. Ta fille, la princesse Khirâ, a disparu.

Une brusque bouffée d'angoisse étouffa Thanys.

— Comment, disparu ?

— Nous étions arrivés à Kennehout depuis quatre jours. J'étais heureuse, parce qu'elle m'avait pardonné d'avoir parlé au prince Seschi de sa visite aux Chypriotes. Cependant, elle restait distante avec moi. Souvent elle désirait rester seule. J'avais compris qu'elle était très éprouvée par ce qu'elle avait appris, et je respectais sa solitude. Un matin, il y a trois jours, elle m'a dit qu'elle souhaitait ainsi se rendre seule à la limite du désert. Je ne m'en suis pas étonnée. Je savais combien l'Ament la fascinait. J'ai commencé à m'inquiéter à l'heure de Rê. Je l'attendais pour déjeuner, et elle n'était pas là. J'ai averti le capitaine Kebi, et il a envoyé ses gardes pour la rechercher. Mais ils ne trouvèrent rien. Le soir, elle n'était toujours pas revenue. On a interrogé les habitants de Kennehout, les paysans, les bergers, quelques Bédouins. L'un d'eux l'avait vue se diriger vers le désert, puis plus rien. Nous avons cherché, cherché, toute la nuit, toute la journée suivante, sans rien trouver.

Le désespoir et l'angoisse broyèrent les entrailles de Thanys. Avait-elle offensé les dieux, pour qu'ils la privassent ainsi de deux de ses filles en si peu de temps ? Khirâ ne pouvait avoir disparu sans laisser de traces. Si elle avait été attaquée par une horde de lions, on aurait retrouvé… quelque chose. Et puis, elle avait hérité de son mystérieux pouvoir sur les animaux. Les fauves ne l'auraient pas tuée aussi facilement.

Des larmes de douleur et de colère se décidèrent à couler sur ses joues. Pourquoi cette petite sotte avait-elle voulu voir le désert toute seule, malgré le danger ? Elle n'en avait toujours fait qu'à sa tête, comme cette fois où, en pleine nuit, elle était partie à la poursuite des ravisseurs de Neserkhet. Cette audace insensée lui avait permis de sauver la vie de la jeune fille. Mais cette fois, que lui était-il arrivé ?

Elle ne pouvait même pas se confier à Djoser ou à Imhotep. Tous deux s'étaient rendus à Nekhen afin de surveiller l'évolution des travaux entrepris là-bas. Ils ne seraient pas de retour avant au moins un mois.

Son angoisse se transforma en fureur deux jours plus tard, lorsque le capitaine des gardes royaux de Per Bastet lui amena une jeune femme aux yeux d'or qui se prosterna devant elle.

— Ô noble reine, cette fille prétend détenir des informations sur la princesse Khirâ.

— Qui es-tu ? demanda Thanys.

— Mon nom est Tayna, ô Grande Épouse. Je suis… enfin, j'étais la compagne du prince Tash'Kor.

— Parle ! Que sais-tu ?

— Ta fille, la princesse Khirâ, est à bord du *Cœur de Cypris*, le navire de mon seigneur.

— C'est impossible !

— Elle lui a fait parvenir un message, par l'intermédiaire du mage Jokahn. Lui seul sait déchiffrer votre écriture sacrée. Je sais ce qu'il contenait. J'étais présente lorsqu'il l'a lu à mon maître. La princesse l'informait qu'elle désirait le rejoindre pour partager sa vie. Mais, s'il acceptait, il devait quitter Kemit, car elle savait que jamais ses parents ne consentiraient à leur union. Elle-même voulait fuir, car elle ne pourrait plus supporter de vivre à Mennof-Rê après ce qu'elle avait appris. Ensuite, elle lui proposait un plan d'évasion. Elle avait prétexté le désir de se retrouver seule pour se rendre dans un lieu nommé… Kehout, Kenhout… je ne me souviens plus du nom. Ce départ était destiné à te faire croire, puissante reine, qu'elle avait renoncé à revoir mon seigneur. En réalité, elle lui demandait d'envoyer un navire dans lequel elle pourrait se dissimuler.

Thanys chancela, et dut se retenir à l'accotoir de son fauteuil royal. Khirâ s'était jouée d'elle. Elle avait eu l'impression d'être trahie, et son esprit frondeur avait imaginé un plan d'une audace insensée pour rejoindre son prince. Elle était très jeune encore, et bien fragile pour éprouver une telle passion. Mais pouvait-elle lui en faire grief ? N'avait-elle pas, elle-même, partagé autrefois une relation tempétueuse avec son père ? L'important n'était-il pas qu'elle fût vivante ?

— Que s'est-il passé ensuite ? demanda-t-elle d'une voix blanche.

— Mon seigneur Tash'Kor a décidé de quitter Kemit. Il a vendu sa maison, soldé le négoce en cours, rassemblé ses biens. Pollys protestait, mais il n'a jamais su s'opposer aux décisions de son frère.

— Voilà qui explique le départ précipité de ce misérable hypocrite, grinça Thanys. Il a même poussé la fourberie jusqu'à me rendre visite pour me dire qu'il ne voulait pas être un sujet de discorde.

— Pendant que l'on chargeait le navire, il a envoyé une felouque avec des hommes sûrs. Trois jours plus tard, celle-ci revenait. La princesse Khirâ était à bord, grimée en garçon.

Un amusement incongru s'empara de Thanys. Elle n'avait pas utilisé d'autre stratagème pour fuir Kemit autrefois. Khirâ avait dû se souvenir de cette histoire.

— Mais toi, reprit-elle, comment se fait-il que tu sois ici? Quelles sombres raisons te poussent à trahir ainsi ton maître?

Tayna marqua un instant d'hésitation.

— Je connaissais les projets de mon seigneur Tash'Kor.

— Quels projets?

— En vérité, il n'est venu en Égypte que pour assouvir sa vengeance. Il n'a jamais pardonné à l'Horus Neteri-Khet d'avoir abandonné son pays il y a cinq ans. Ses parents ont péri dans des circonstances tragiques, et il en tient le roi Djoser pour responsable. Aussi a-t-il décidé d'assassiner Khirâ. Il la tuera arrivé à Busiris, et vous renverra sa tête dans un panier. C'est ce qu'il a dit devant moi après le départ de la princesse la première fois qu'elle lui a rendu visite.

— Le scélérat! explosa Seschi.

— Mais ce n'est pas tout, poursuivit Tayna. Je suis presque sûre qu'il est à l'origine de la mort de ta fille Inkha-Es.

Une violente émotion s'empara de Thanys.

— Parle!

— Je n'avais aucune preuve, seulement des presomptions. Il cachait un homme dans une crypte située sous la maison. Cet homme était l'assassin que tu recherchais. Il affirmait l'avoir capturé par hasard, alors qu'il se terrait dans des canaux souterrains. Mais je suis persuadée qu'il avait soudoyé cet homme pour te tuer, afin de frapper le roi Djoser. Lorsque Khirâ lui a rendu visite, il l'a entraînée dans cette crypte, et je les ai suivis, en me dissimulant. J'ai entendu ce que disait le prisonnier. Il a avoué être l'auteur du meurtre, mais il a aussi évoqué un individu masqué, rencontré quelques jours plus tôt, qui a encouragé son acte, et qui devait l'aider ensuite à s'enfuir. Cependant, lorsque l'assassin a voulu le rejoindre après avoir commis son crime, il n'était pas au rendez-vous. Je suis sûre que cet inconnu n'est autre que Tash'Kor. Il a dû se grimer et inciter cet homme à commettre son geste ignoble. Il tenait là sa vengeance.

— Le scélérat ! grinça Thanys.

— Je ne savais plus que faire, ô grande reine. J'étais déchirée entre deux sentiments. Malgré mes soupçons, je continuais à aimer Tash'Kor. Mais je connaissais le crime qu'il s'apprêtait à commettre, et cela me faisait peur. À Per Bastet, il me l'a confirmé, sans doute pour m'amadouer. Je n'ai pu le supporter. Bien sûr, elle était devenue ma rivale. Mais je ne pouvais me résoudre à supporter cette immonde comédie qu'il lui jouait. Alors, j'ai profité de l'escale pour m'enfuir du bord et me réfugier chez le nomarque. C'est lui qui m'a donné une escorte pour venir vous rencontrer.

Un mélange de fureur et de désespoir rongeait le cœur de Thanys. Le récit de la Chypriote était sans doute vrai, car il confirmait ce qu'elle avait pressenti. Enkhalil le Sumérien était venu à Mennof-Rê avec l'intention de la tuer, pour venger le pirate Khacheb. Tash'Kor avait dû le repérer et l'utiliser pour accomplir son œuvre ignoble. Leurs haines se rejoignaient. Et Khirâ, cette petite imbécile, s'était enfuie avec ce misérable !

Il ne devait pas la tuer avant Busiris. Mais n'était-il pas trop tard pour l'empêcher d'accomplir son ignoble vengeance ? Une violente nausée saisit Thanys, lui coupa la respiration. Le choc causé par le décès d'Inkha-Es et l'inquiétude des derniers jours l'avaient affaiblie. Seschi la prit par les épaules.

— Nous allons les rattraper, Mère, s'exclama-t-il. Sois sans crainte. Je briserai moi-même les os de ce chien. Et je ramènerai cette petite écervelée.

Thanys posa sa main sur la poigne vigoureuse du jeune homme. En l'absence de Djoser, il assumait inconsciemment son rôle, avec la belle spontanéité de son âge.

— Mon navire, l'*Esprit de Ptah*, est prêt au départ. Son équipage est déjà constitué. Il devait me permettre de visiter les pays du Levant. Nous changerons seulement notre objectif : poursuivre les Chypriotes !

Thanys répliqua faiblement :

— Mais ils ont quatre jours d'avance sur toi, à condition que tu partes aujourd'hui même.

— Mon navire est plus rapide que le leur, rétorqua Seschi. Et mes guerriers sont parfaitement entraînés.

— C'est bon, mon fils. Mais je serais rassurée si un capitaine chevronné te secondait.

— Khersethi commandera mes guerriers. C'est lui qui m'a enseigné le maniement des armes, et j'ai une confiance absolue en lui. Il est loyal, courageux, mes soldats le respectent et l'estiment. J'emmènerai aussi Hobakha. Il a conçu mon navire, et c'est un excellent marin.

Thanys approuva son choix. Khersethi avait débuté sa carrière au service d'Imhotep, qui en avait fait le commandant de la garde d'Iounou. À l'adolescence de Seschi, le grand vizir l'avait proposé comme instructeur militaire des jeunes princes. Djoser avait agréé ce choix. Il connaissait le rôle joué par le jeune commandant dans la lutte contre les membres de la secte du Serpent. Ainsi, depuis quatre ans, Khersethi entraînait les princes royaux. L'Horus lui avait octroyé une maison située près de la Grande Demeure. Quant à Hobakha, c'était un homme solide, de caractère toujours égal, que rien au monde ne semblait pouvoir détourner de sa passion : la mer. Le navire qu'il avait imaginé ne connaissait aucun équivalent dans le monde, et les essais qu'il avait réalisés ces derniers mois attestaient une vitesse presque deux fois supérieure au plus rapide vaisseau de commerce égyptien. Hobakha possédait un sens inné de l'utilisation du bois dans la construction d'un bateau. Son intuition lui avait dicté un profil audacieux et fin, révolutionnaire, dont la conception lui avait attiré les moqueries indulgentes des charpentiers traditionnels. Mais ceux-ci avaient déchanté lorsqu'ils avaient constaté les performances de l'*Esprit de Ptah*. Le grand Imhotep lui-même, intrigué par le savoir étonnant de cet homme originaire de Palestine, avait plusieurs fois sollicité son avis sur l'aménagement des transporteurs de pierres.

Tandis que Thanys envoyait chercher les deux hommes, une voix se fit entendre.

— Je voudrais y aller aussi, plaida Neserkhet avec flamme. Je ne vivrai pas si je sais que Khirâ court un grand danger.

— Ce voyage sera périlleux, objecta Thanys.

— Je n'oublie pas qu'elle a risqué sa vie pour sauver la mienne, ô ma reine ! Et puis, j'ai appris à manier le glaive. Je saurai me défendre.

— C'est bon ! Si mon fils accepte de t'emmener, je donne mon accord.

La reine se doutait qu'il y avait une autre raison à cette décision. Depuis toujours, Neserkhet était amoureuse de Seschi. Ce voyage était l'occasion rêvée pour être seule à ses côtés.

Tayna intervint :

— Ô grande reine, je pense qu'il serait souhaitable que je fasse partie de l'expédition. Tash'Kor est un être rusé et calculateur. Mais je le connais bien, et je sais aussi qu'il a prévu de se rendre à Ugarit une fois son crime accompli.

La reine se tourna vers Seschi. Celui-ci hésita. Cette fille lui causait une impression étrange, qu'il ne parvenait pas à définir. Sa beauté et sa sensualité captivaient l'attention de tous les hommes. Alors, pourquoi y était-il insensible ? Il n'avait guère envie de l'avoir à son bord, mais elle avait raison : elle pouvait se révéler utile.

— C'est bon ! Nous t'emmènerons.

Thanys, qui, quelques jours plus tôt, s'était laissé prendre au piège des belles paroles de Tash'Kor, ne pouvait qu'approuver. En revanche, Neserkhet fit grise mine. Elle n'aimait pas cette fille au regard jaune, à la bouche pulpeuse comme un fruit. Cette Tayna se moquait bien de ce qui pouvait arriver à Khirâ. Mais elle espérait sans doute profiter de l'occasion pour se glisser dans la couche de Seschi. Et comme d'habitude, celui-ci ne ferait aucune difficulté pour l'accueillir. Bien peu lui avaient résisté jusqu'à présent. La jeune Bédouine en aurait pleuré de dépit.

Un peu plus tard, alors que Seschi était parti organiser le départ, prévu pour le lendemain à l'aube, un homme demanda à être reçu par la reine. Sitôt entré, il se prosterna à ses pieds.

— Hourakthi ?

Depuis l'aventure qu'il avait partagée avec Thanys aux pires moments de l'épidémie de Mort Noire, le colosse lui avait consacré sa vie. Il avait été engagé parmi les gardes royaux avec un petit grade et une pension, pour le seul plaisir de demeurer près de celle à laquelle il vouait une admiration sans bornes. Prêt à offrir sa vie pour elle, il s'était également attaché aux enfants, et particulièrement à Inkha-Es et Khirâ. La mort de la petite princesse l'avait bouleversé, et il avait aidé activement Seschi dans sa quête de l'assassin.

— Pardonne l'audace de ton serviteur, ô très belle Nefert'Iti. Mon capitaine, le noble Khersethi, m'a appris qu'il devait partir à la poursuite des ravisseurs de notre Khirâ. Permets à ton esclave de l'accompagner. Tu connais ma force, ô ma reine bien-aimée. Je voudrais offrir mon bras et ma vie pour aider le prince Seschi dans ce combat.

La fougue du géant séduisit Thanys, qui le taquina :

— Si tu quittes ce palais, qui donc me protégera ?

— Mais je… ô ma reine, je ferai ainsi que tu l'ordonneras.

— Dans ce cas, prépare-toi à partir. Je crois en effet que ta force sera la bienvenue aux côtés de mon fils.

Le lendemain, au moment où les premiers rayons de Khepri découpaient leurs ombres mauves sur l'oukher, l'*Esprit de Ptah* quittait Mennof-Rê. À son bord, il emportait une centaine de soldats confirmés, armés jusqu'aux dents, qui faisaient aussi office de rameurs.

À l'avant, entouré de son état-major, Seschi observait le fleuve. Des odeurs aquatiques pénétraient ses poumons, des embruns légers venaient lui rafraîchir le visage. Vers l'aval, le Nil s'élargissait pour se séparer en deux bras, dont l'un menait, vers l'est, jusqu'à Busiris. L'autre rejoignait la lointaine Bouto. À l'orient, on devinait les carrières de Tourah, d'où l'on extrayait le calcaire destiné au chantier de Saqqarâh. Quelques felouques accompagnèrent un moment le navire, puis rebroussèrent chemin.

Seschi avait remis à Hobakha la conduite du vaisseau. Une sourde inquiétude le tenait. Si l'on devait en croire Tayna, ils comptaient désormais près de cinq jours de retard sur les Chypriotes. Malgré les performances remarquables de l'*Esprit de Ptah*, ils n'avaient en fait aucune chance de rejoindre les fuyards avant Busiris, situé à quatre jours de navigation de Mennof-Rê. Sans doute arriveraient-ils trop tard pour sauver Khirâ.

Mais, si tel était le cas, il était bien décidé à poursuivre le Chypriote jusqu'au bout du monde.

29

À plus de soixante miles devant, le *Cœur de Cypris*
filait en direction de Busiris, propulsé par ses soixante
rameurs. Depuis la cabine de commandement située à
l'arrière, Khirâ contemplait les rives marécageuses,
où les étendues d'émeraude des papyrus faisaient
place parfois à des terres plus fermes sur lesquelles
s'érigeaient des petits villages, des temples de bois.
Des nuages d'oiseaux, ibis, oies sauvages, canards, se
déployaient lentement au-dessus des eaux du fleuve,
dérangés par le fracas des rames. La monotonie de ce
bruit cadencé la berçait.

Une sensation inconnue la tenait. Elle avait l'impression d'assister à sa propre vie en tant que spectatrice. Ce n'était pas elle qui vivait ces instants hors du
temps. Parfois, une voix lui hurlait qu'elle avait commis une erreur énorme, que l'homme qu'elle aimait et
admirait n'était qu'un scélérat. Dans ces moments-là,
une angoisse incoercible s'emparait d'elle, et l'absurdité de sa conduite lui apparaissait avec une lucidité
insoutenable. Elle avait fui une existence princière,
abandonné les siens pour suivre un individu dont elle
ignorait tout, et qui l'avait forcée à tuer.

Tash'Kor n'avait fait aucune difficulté pour quitter Mennof-Rê, revendre sa demeure et rompre ses contacts commerciaux. À la réflexion, son attitude était pour le moins étrange. Elle aurait voulu y voir une preuve de l'amour qu'il lui portait. Mais elle avait peine à s'en convaincre. Tout n'aurait-il pas été plus simple s'il avait proposé à l'Horus de l'épouser. Djoser n'aimait guère les Chypriotes, mais il était très tolérant. Elle était sûre à présent qu'il aurait donné son accord à partir du moment où elle-même acceptait. Malgré cela, Tash'Kor avait fui. Car ce départ ressemblait à une fuite. Peut-être redoutait-il la réaction violente de Seschi, qui le détestait. Cependant, elle soupçonnait une autre raison, qu'elle ne parvenait pas à discerner.

Ces moments de clairvoyance étaient rares. La plupart du temps, elle préférait éviter de réfléchir, et se laisser porter par les événements, jouir totalement de ces courtes nuits où Tash'Kor la rejoignait, au cours desquelles il lui faisait découvrir des plaisirs et des sensations insoupçonnées. Elle avait fini par se convaincre qu'il n'y avait rien d'autre à faire. Une force contre laquelle elle ne pouvait lutter l'enchaînait à lui, et, même si parfois il l'effrayait, elle se sentait incapable désormais de se soustraire à sa domination. Elle avait le sentiment de lui appartenir, en éprouvait une paradoxale envie de se révolter, et simultanément une bienheureuse soumission. Elle ne se reconnaissait plus. Elle qui avait toujours traité ses soupirants avec dédain et désinvolture, elle se surprenait à guetter, rechercher même, les regards de son amant, la moindre de ses attentions, inquiète dès qu'il semblait la négliger ou l'ignorer. Elle en ressentait alors une mystérieuse douleur dans sa chair, sous sa peau, comme une hydre insidieuse qui la dévorait de l'intérieur. Mais il suffisait d'un geste de Tash'Kor, aussi léger fût-il, pour que cette souffrance fît place à un étrange bien-être charnel.

Au loin, sur la rive, des paysans coupaient de hautes tiges de papyrus que d'autres chargeaient sur des ânes. Khirâ ne les voyait pas. Sans le savoir, elle était entrée tête baissée dans le piège tendu par le Chypriote. Un piège dont elle avait elle-même tissé les rets. En recevant la lettre, que lui avait aussitôt déchiffrée Jokahn, Tash'Kor avait compris que l'heure de la vengeance approchait. Malgré toutes leurs précautions, il avait repéré les faux mendiants postés par Moshem. Sa vie de proscrit lui avait enseigné à se méfier de tout, et surtout des faits en apparence anodins. Cette recrudescence de gueux autour de sa demeure l'intriguait. Il avait fait suivre discrètement l'un d'eux par ses guerriers : il les avait menés à la Maison des Armes, où étaient logés les espions de l'Amorrhéen. La haine de Tash'Kor s'était encore accrue, si c'était possible. Non seulement, après avoir refusé toute aide à Chypre, l'Horus le traitait avec un mépris qu'il ne cherchait même pas à dissimuler, mais encore il le faisait surveiller comme le dernier des scélérats.

Il avait longuement réfléchi à différents moyens de se venger d'une manière imparable, sans succès, lorsque la lettre de Khirâ était arrivée. Il n'avait osé y croire. Sa future victime venait se jeter dans ses bras. Il n'avait pas imaginé une seconde qu'il pouvait s'agir d'un piège. La sincérité de l'amour qu'il avait lu dans les yeux de la princesse ne pouvait tromper. Il avait scrupuleusement suivi ses instructions Pour la récupérer à Kennehout, il s'était débarrassé de la maison, avait ordonné à son intendant de liquider ses affaires. Il avait même poussé le luxe jusqu'à faire ses adieux à la reine, laquelle n'avait même pas cherché à cacher son soulagement de le voir partir.

Tout s'était déroulé sans incident.

Sauf un.

Tayna avait disparu. Il se doutait un peu de la raison de son départ soudain. À la hauteur de Per Bastet, elle lui avait fait une scène mémorable, exigeant qu'il tue immédiatement la putain égyptienne. Il avait refusé. Il préférait d'abord arriver à Busiris, afin de pouvoir quitter très rapidement le sol ennemi. Il connaissait les secrets de la navigation hauturière, et la Grande Verte aurait tôt fait de le soustraire à une éventuelle poursuite. Devant son refus, elle s'était murée dans le silence. Le lendemain matin, elle n'était plus à bord. Craignant qu'elle ne fût allée le dénoncer au nomarque, il avait appareillé très vite.

Khirâ avait été installée dans la cabine, où elle se cachait depuis qu'elle était montée à bord. Depuis trois nuits qu'ils avaient quitté la capitale, il la rejoignait chaque soir. À la vérité, il n'était pas fâché du départ de Tayna. Cette fille était très belle, et lui avait procuré, à lui comme à Pollys, des instants bien agréables ; elle connaissait les hommes et savait leur offrir du plaisir. Pourtant, sa possessivité et sa jalousie incessante avaient fini par le lasser. Même si elle donnait l'alerte, il était trop tard : on ne parviendrait jamais à les rattraper.

Cependant, un curieux phénomène s'était produit depuis l'arrivée de Khirâ. Il aurait voulu la haïr, la détester de tout son cœur, de toute son âme. Il n'y parvenait pas. Il s'accrochait désespérément à l'idée que d'ici deux jours, il lui trancherait la tête pour l'envoyer à son père. Mais cette idée lui répugnait. La profondeur du regard vert qu'elle posait sur lui, la lumière qui y brillait, et qui lui était destinée, le désarçonnaient. Il aurait voulu avoir affaire à une femme perverse qu'il n'aurait eu aucun remords de supprimer, afin de venger la mort lente et ignominieuse de sa mère. Devant lui n'apparaissait que la petite princesse de légende découverte cinq ans plus tôt sur les rives du fleuve-dieu. Une femme d'une beauté irrésistible qui depuis n'avait cessé de hanter ses nuits.

Dès le moment où elle avait posé le pied à bord, il avait senti sa haine vaciller, s'écrouler jusqu'à l'insignifiance. Il lui avait tenu rigueur de cette faiblesse indésirable. Il l'avait entraînée jusqu'à cette cabine aménagée spécialement pour elle, et il l'avait possédée avec sauvagerie, comme pour la punir de sa propre lâcheté. Il avait le sentiment de s'être trahi lui-même. Et il avait découvert une femme avide d'amour et de plaisir, une petite lionne farouche que lui seul avait su apprivoiser. Un élément l'avait séduit la première fois qu'il l'avait prise : elle n'avait jamais connu d'homme avant lui. Lorsqu'il s'éloignait, ses idées de vengeance revenaient. Lorsqu'il se trouvait en face d'elle, sa colère fondait, et il comprenait qu'il ne pouvait plus se passer d'elle.

La troisième nuit, il avait voulu la rabaisser, l'avilir. Il avait appelé auprès d'eux Pollys, son double, son reflet, son *alter ego*. Depuis toujours, il avait tout partagé avec ce frère qui lui ressemblait tellement qu'il lui semblait parfois ignorer où commençait l'un et où finissait l'autre. Il avait pris Khirâ à la gorge et avait murmuré :

— Si tu es à moi, tu es aussi à lui.

Allongée, nue, sur les nattes colorées, Khirâ n'avait même pas cherché à se révolter. Depuis sa fuite, elle n'avait plus conscience de la réalité. La volonté formidable de Tash'Kor la dominait, sa voix la subjuguait. S'il ordonnait, elle obéirait. Lorsque Pollys, après un instant d'hésitation, s'allongea près d'elle, elle lui ouvrit les bras. Puis elle avait tendu la main vers Tash'Kor, afin qu'il les rejoignît.

Khirâ conservait de cette nuit un souvenir inoubliable, faite d'un mélange de caresses et d'étreintes brutales, délicieuses, où elle avait été aimée jusqu'au bord de l'évanouissement par un amant au même visage, mais au corps double.

Tash'Kor en gardait une envie trouble, une cicatrice invisible qui le faisait souffrir. Il n'y avait aucune malignité dans l'attitude de Khirâ. Elle était jeune, inexpérimentée, mais elle apprenait très vite. La dernière nuit, elle avait attiré sa tête contre sa poitrine nue, aux seins tièdes et doux, et elle avait caressé ses cheveux, comme elle l'aurait fait pour un enfant. Pollys reposait près d'eux. Elle avait deviné, sans en avoir conscience, la douleur qui le rongeait, le doute insinué en lui, et elle y avait répondu avec sa spontanéité coutumière, par la tendresse. Elle le désarmait.

À l'aube du cinquième jour, le *Cœur de Cypris* parvint en vue de Busiris, où il devait s'approvisionner en vivres et en eau douce. Des écharpes de nuit traînaient encore sur la rive orientale du fleuve, éphémères, tapies au creux des champs de papyrus et des bosquets de tamaris. La rive occidentale au contraire s'illuminait d'une symphonie mouvante d'ors et de verts tendres, qui faisait écho à l'aube naissante. Les frondaisons des palmiers ondoyaient sous la caresse du vent du nord. Au loin s'étiraient les murailles de la cité, cernées par les débarcadères. Des manœuvres s'affairaient déjà, chargeant ou déchargeant des caisses, des ballots épais, de lourds troncs d'arbre en provenance du Levant, et d'énormes jarres contenant de l'encens, de la myrrhe, des parfums, du blé ou de l'orge.

Réveillée par les clameurs assourdies de la ville, Khirâ passa la robe arrachée par la fougue de Tash'Kor dans la nuit, et se risqua sur le pont. Le soleil naissant lui fit cligner les yeux. Une vague de nostalgie s'empara d'elle. Busiris serait la dernière vision qu'elle emporterait de Kemit. Aux odeurs aquatiques se mêlaient les parfums de la terre proche. À proximité de la mer, les arbres disparaissaient pour laisser place à une lande désolée et battue par les vents maritimes. Des senteurs inconnues emplissaient ses poumons, en provenance de l'immense étendue d'un bleu profond qu'elle devinait au loin, au-delà de la ville. Elle se demanda pourquoi on appelait ce désert liquide la Grande Verte.

Soudain, elle poussa un cri de terreur. Une poigne brutale venait de la saisir par les cheveux et la tirait en arrière. Elle se retrouva projetée sous la cabine. Sa tête heurta un montant et elle resta un instant étourdie. Lorsqu'elle reprit ses esprits, elle aperçut Tash'Kor qui la dominait de sa masse puissante. Dans sa main, son glaive de cuivre étincelait dans la lumière de l'aube. Une fraction de seconde, elle crut qu'il allait lui trancher la gorge. Elle ne comprenait pas. Elle avait l'impression qu'il voulait lui dire quelque chose, mais aucun mot ne pouvait sortir.

— Que… qu'est-ce que tu as? balbutia-t-elle, en proie à un début de panique.

Il ne répondit pas. Ses yeux couleur de turquoise ne la quittaient pas. Il y brillait l'inquiétante lueur déjà entrevue. Il semblait lutter contre lui-même. Enfin, son regard et ses gestes s'adoucirent. Il rengaina son arme et s'agenouilla près d'elle. Il la prit par les épaules, l'embrassa, puis enfouit son visage entre ses seins.

— Je… j'avais peur que quelqu'un t'aperçoive depuis la rive. Nous ne sommes pas encore tirés d'affaire. Reste cachée jusqu'à ce que nous soyons en mer.

Puis il s'écarta d'elle et regagna le pont. La silhouette longiligne de Jokahn se dressa près de lui.

— Je suis heureux que mon seigneur ait trouvé la force d'arrêter son geste, dit-il de sa voix grave.

— Que m'arrive-t-il, Jokahn ? Pourquoi n'ai-je pas le courage d'accomplir ma vengeance ? Toi qui connais les secrets de mon âme, parle-moi !

— Tu ne tueras pas cette fille, parce que Cypris t'inspire de l'amour pour elle, un amour bien plus puissant que ta haine. Et je lui en suis reconnaissant. La haine est stérile. La vengeance, une fois aboutie, ne laisse derrière elle qu'un goût de cendre et de fiel. Elle ronge le cœur sans jamais apporter l'apaisement véritable. J'ai pour ton frère et pour toi l'affection d'un père, car je vous ai vus naître, et jamais je ne t'aurais abandonné dans ton projet. Mais je ne l'approuvais pas. Il eût mieux valu demeurer à Mennof-Rê et obtenir la main de cette princesse à force de patience. Elle est très belle, et je crois qu'elle t'aime aussi. Sans doute les dieux voulaient-ils que tu ailles au bout de cette haine insensée. À présent, tu connais la vérité.

— Je ne la tuerai pas, dis-tu ?

— Tu te tuerais toi-même. Elle est faite pour toi, comme tu es fait pour elle.

Le vieux mage se tut. Tash'Kor, ému par ses paroles, posa la main sur son bras.

— Que les dieux te bénissent, mon ami. Tu m'as ouvert les yeux, et enfin rendu la paix. Je tremble à l'idée que j'ai failli, tout à l'heure, me laisser emporter par ma folie. Khirâ a eu l'air surpris. Mais j'ai lu dans ses yeux une chose que je n'ai pas comprise. Elle semblait accepter la mort, si c'était moi qui la lui donnais.

— Elle donnerait sa vie pour toi si cela pouvait t'apporter la paix, mon seigneur. N'a-t-elle pas abandonné les siens pour te suivre ?

— C'est vrai.

— Cypris accorde rarement une telle preuve d'amour, mon jeune maître. Tu dois te montrer digne de la confiance qu'elle a mise en toi.

Tash'Kor observa le vieil homme, puis déclara :

— Je sens un tourment dans ton cœur, mon ami. Penses-tu que ma folie de vengeance pourrait encore me reprendre ?

— Non ! La folie est maintenant dépassée. Mais il reste un doute dans mon esprit.

— Lequel ?

— Ce Sumérien avait reçu la visite d'un homme masqué peu avant de commettre son crime. À cette époque, tu t'absentais souvent sans m'avertir de tes buts.

— Et alors ?

— Tu aurais pu te présenter à lui le visage dissimulé afin d'encourager son ignoble projet. Cela voudrait dire que tu as sur les mains le sang de la sœur de Khirâ. Et même si elle devait toujours l'ignorer, ta conscience, elle, en conservera à jamais la cicatrice. Les dieux ne te pardonneront pas ce crime.

338

Tash'Kor le contempla avec stupéfaction.

— Par Cypris! Tu penses que je suis cet homme masqué?

— Je souhaite de toute mon âme que tu me dises la vérité.

Le jeune homme saisit le vieil homme contre lui et éclata de rire.

— Alors, apaise ton tourment, mon ami. Je n'ai rien à voir avec cette histoire. J'ignore totalement qui était cet inconnu. Peut-être a-t-il été inventé par le Sumérien. Il n'avait plus toute sa raison.

— Mais s'il ne l'a pas imaginé, qui était-il?

Tash'Kor écarta les bras.

— Peu nous importe! L'Horus Djoser a bien des ennemis prêts à le frapper dans l'ombre. Bientôt, cela ne nous concernera plus.

Jokahn ne répondit pas. Les desseins des dieux étaient souvent bien difficiles à comprendre. Le destin empruntait parfois des chemins tellement détournés qu'il était impossible de savoir quelles pourraient être les conséquences des actes des hommes, même les plus anodins.

30

Neserkhet détestait cordialement Tayna. La Chypriote connaissait et abusait de l'effet produit sur les hommes par les courbes parfaites de son corps, la couleur dorée de ses yeux et le grain de sa peau. Sa démarche souple et allongée rappelait celle des félins. Elle prenait un malin plaisir à laisser le vent dévoiler ses jambes. Seschi lui-même ne se privait pas de la regarder. La jeune Bédouine lui en tenait rigueur. Pourtant, contrairement à ce qu'elle redoutait, le jeune prince ne fit rien pour la glisser dans sa couche. Malgré les efforts de Tayna pour attirer l'attention sur elle, Seschi ne lui accordait qu'une totale indifférence. Intriguée, Neserkhet s'en ouvrit à lui.

— Cette fille est très belle, n'est-ce pas ? dit-elle d'un ton qui se voulait détaché.

Seschi eut un léger sourire et confirma d'un signe de tête. Elle poursuivit, pour le taquiner.

— Je m'étonne que mon prince, qui ne compte plus les conquêtes féminines, n'ait pas encore triomphé de cette aventurière.

Seschi laissa passer un silence pesant.

— Ne crois-tu pas que nous avons d'autres soucis en ce moment ?

Neserkhet rougit jusqu'à la racine des cheveux. Bien sûr, il redoutait le pire pour celle qu'il continuait de considérer comme sa sœur.

— Pardonne-moi, dit-elle, les yeux remplis de larmes de confusion. Moi aussi, je suis morte d'inquiétude. Mais cette fille me tape sur les nerfs !

Seschi lui prit gentiment la main.

— Rassure-toi ! Je ne coucherai pas avec elle parce qu'elle ne m'inspire aucune confiance. On ne peut accorder du crédit à une femme qui vient de trahir son seigneur. Je doute fort qu'elle ait jamais éprouvé la moindre pitié pour Khirâ. Si elle est venue nous avertir des sinistres projets de ce maudit Tash'Kor, c'est qu'elle y trouvait un intérêt. Et j'aimerais savoir lequel.

— Elle est amoureuse de lui, et elle a voulu se venger.

— Se venger ? Si on l'en croit, Khirâ devait mourir. Elle n'était donc plus une rivale, mais une victime dont elle devait être bientôt débarrassée.

Neserkhet ne comprit pas immédiatement, puis le raisonnement de Seschi lui apparut. Un fol espoir s'empara d'elle.

— Elle a donc menti. Tash'Kor n'a pas l'intention de tuer Khirâ.

— Je l'espère de toute mon âme et de tout mon cœur, Neserkhet. Mais il y a une autre explication. Tash'Kor a emmené Khirâ avec l'intention véritable de la tuer, en ignorant qu'il était tombé amoureux d'elle. Tayna l'a su avant lui. Elle a compris que son prince ne tuera jamais Khirâ. Ce qui expliquerait pourquoi elle l'a trahi.

— Mais oui, tout se tient !

— Tout se tient, mais je n'oublie pas non plus qu'Inkha-Es a été tuée. Et rien ne prouve que le véritable assassin ne soit pas ce chien de Chypriote.

Neserkhet refusa de baisser pavillon aussi vite.

— En admettant qu'il n'ait aucun rapport avec ce crime odieux, pourquoi aurait-il inventé cette histoire d'homme masqué ? Et s'il ne l'a pas inventée, cela veut dire que quelqu'un a bien encouragé l'assassin d'Inkha-Es.

— Il ne l'a pas inventée : Tayna a surpris le récit du Sumérien. Il a bien reçu la visite d'un inconnu portant un masque, qui ensuite a disparu sans laisser de trace. Et le Sumérien se retrouve ensuite dans la demeure du Chypriote. Pour moi, cela veut dire que Tash'Kor et ce visiteur fantôme ne font qu'un. L'hypothèse d'un autre homme est peu vraisemblable.

— Au contraire ! s'obstina la jeune fille. Après le crime, les soldats ont quadrillé la ville pendant des jours. Cet inconnu ne tenait certainement pas à être repéré. Il a dû s'enfuir dès l'apparition des premiers guerriers.

— Il ne risquait pas grand-chose. Hormis l'assassin, personne ne l'avait vu, rétorqua Seschi. Lui seul pouvait l'identifier.

— Il devait craindre que l'on arrêtât le Sumérien, et que celui-ci donnât son signalement.

— Il ne pouvait le reconnaître, puisqu'il était masqué.

— Mais il pouvait identifier sa voix.

Seschi demeura un instant songeur.

— Justement, Tash'Kor a tué le Sumérien, ce qui tendrait à prouver qu'il a voulu le faire taire, pour éviter, le cas échéant, d'être trahi.

342

Neserkhet secoua la tête avec obstination.

— Je ne peux croire que ce prince chypriote soit aussi retors. Je l'ai vu, Seschi, j'ai vu son regard. Il a beaucoup souffert et il est aveuglé par la haine. Mais je sais qu'au fond il n'est pas mauvais. Khirâ ne pourrait l'aimer alors.

— Avec elle, je m'attends à tout ! S'il faut en croire la légende rapportée par l'assassin, elle est née d'un roi pirate de Pount, que Thanys a aimé, malgré ses crimes.

— La reine ignorait certainement sa perfidie. Mais elle a dû subir sa cruauté, et elle s'est défendue, étant l'incarnation d'Hathor et de Sekhmet, sa colère a déclenché une catastrophe épouvantable, et ce pirate a été tué. Khirâ n'est pas responsable de tout cela, et je m'étonne que tu puisses parler de ta sœur de manière aussi suspicieuse. Je suis sûre quant à moi qu'elle ne pourrait aimer un homme démoniaque.

Seschi la fixa dans les yeux.

— Pourquoi t'acharner à défendre ce criminel ? Même si on n'est pas sûr qu'il soit à l'origine de la mort d'Inkha-Es, il a tout de même enlevé Khirâ.

— Avec son consentement, que mon prince ne l'oublie pas ! Je suis persuadée qu'il ne lui fera aucun mal.

Seschi ne répondit pas. Il avait souvent pu constater que la jeune Bédouine possédait un jugement infaillible. Mais ne raisonnait-elle pas ainsi parce qu'elle s'accrochait à toute force à l'espoir que ce Tash'Kor épargnerait Khirâ ? En vérité, il désirait lui aussi croire à cette hypothèse, suscitée par sa méfiance instinctive envers Tayna. Mais l'attitude de cette dernière n'était-elle pas tout simplement celle d'une femme jalouse ?

— Que les dieux te donnent raison, ma petite compagne, soupira-t-il.

Prenant Neserkhet par les épaules, il se dirigea vers Hobakha, qui supervisait la course du navire. Sous les ordres d'un maître de nage, les rameurs crochaient vigoureusement dans les eaux du Nil. Porté par le courant, le vaisseau filait vite. On avait affalé la voile équipée de deux vergues. Le mât double avait été muni de systèmes ingénieux qui facilitaient les manœuvres. L'un d'eux permettait de l'abaisser sur le pont et ainsi de gagner de la vitesse en diminuant la résistance au vent.

— Nous serons à Busiris dès demain, déclara fièrement Hobakha.

Seschi constata avec plaisir que l'*Esprit de Ptah* tenait largement ses promesses. La plupart des navires mettaient quatre ou cinq jours pour joindre le port côtier. Son bateau allait pulvériser le record en à peine trois jours. Il gagnerait ainsi une journée sur l'ennemi. Celui-ci serait bien obligé de se ravitailler avant de prendre la mer. Il tomberait alors entre les griffes des scribes. Seschi espérait que leurs tracasseries administratives le retiendraient assez longtemps pour lui permettre de le rejoindre. Mais cela serait-il suffisant pour sauver Khirâ ?

Le lendemain, à Busiris, il scruta les quais dans l'espoir d'apercevoir le vaisseau chypriote. Mais celui-ci n'était pas là. Suivi de Hobakha et de Khersethi, il fonça chez le directeur du port, stupéfait de recevoir ainsi le fils de l'Horus en personne. Bafouillant à demi, il confirma le passage du *Cœur de Cypris*.

— Il était encore là ce matin, seigneur. Nous avons tout contrôlé. Tout était en règle. Il a dûment payé les taxes, et il s'est approvisionné en eau et en vivres.

— La princesse Khirâ était à bord, fulmina Seschi. Personne ne l'a donc aperçue ?

— Pardonne à ton esclave, ô seigneur Nefer-Sechem-Ptah, mais je me suis rendu sur ce vaisseau, et je l'ai inspecté personnellement. Les femmes présentes à bord étaient des servantes. Je n'y ai pas vu la princesse, dont je connais fort bien le visage. J'ai eu le plaisir d'être invité plusieurs fois…

— Ça suffit ! coupa Seschi. Tu dis qu'il était là ce matin…

— Il a pris la mer il y a moins de trois heures, Seigneur. Peut-être est-il encore visible.

Le prince n'écoutait plus. Bousculant tout sur son passage, il courut jusqu'à l'extrémité des quais ouverts sur le large.

— Là ! s'écria-t-il.

Hobakha et Khersethi arrivaient derrière lui, essoufflés.

— Regardez ! C'est le navire de ce scélérat !

— Je ne vois pas très bien, dit Khersethi. Il est trop loin.

— Le seigneur Seschi a raison, confirma Hobakha en plissant les yeux pour affiner sa vision et se protéger du vent marin. Il connaît parfaitement les lignes des vaisseaux. C'est bien le chypriote !

— Venez, s'exclama Seschi, nous repartons !

Quelques instants plus tard, les trois hommes remontaient à bord. Jamais manœuvre de départ ne fut effectuée aussi rapidement.

— Il vaudrait mieux que nous les rattrapions très vite, grogna Khersethi. Nous n'avons pas pris le temps de nous ravitailler.

— L'*Esprit de Ptah* aura tôt fait de rejoindre ce misérable ! exulta le jeune prince en brandissant l'énorme massue incrustée de silex qui ne le quittait jamais.

Il s'était montré trop optimiste. La tâche serait plus difficile qu'il ne se l'était imaginé. Bien sûr, le navire égyptien gagnait sur le chypriote, mais la houle violente et les hautes vagues qu'il dut affronter dès qu'il eut quitté la sécurité relative du fleuve tempéra l'enthousiasme de Seschi. Bientôt, les côtes furent hors de vue. Une chaleur anormale, étouffante, régnait sur la mer. Les cieux se voilaient d'une brume opaque tandis que la couleur des flots virait au gris verdâtre. Hobakha affichait une mine anxieuse qui acheva d'inquiéter le jeune homme. Sur le banc de nage, quelques marins pourtant expérimentés multipliaient les gestes destinés à éloigner les esprits néfastes, touchant leurs amulettes, psalmodiant à mi-voix des mélopées aux vertus magiques.

— Quel tourment hante le cœur de mon ami ? demanda Seschi au capitaine. Craindrais-tu une tempête ?

— Nous allons certainement devoir affronter un ouragan, mon seigneur. Mais je prie les dieux pour qu'il ne s'agisse que de ça.

— Explique-toi !

— Je ne dois pas parler de ce que je redoute, ô seigneur. Cela risque de provoquer son apparition.

Seschi faillit insister, puis se tut. D'après les mages, il était risqué d'évoquer une divinité funeste, ne fût-ce qu'en prononçant son nom. Par acquit de conscience, il adressa une fervente prière à Horus, à Isis, et surtout à Ptah, protecteur du vaisseau.

Bientôt, la houle forcit encore et des troupeaux de nuages sombres envahirent l'horizon par l'ouest. Les lames claquaient sur les flancs du navire, projetant des embruns sur les rameurs détrempés. Tayna et Neserkhet avaient gagné l'abri de la cabine. Saisie de nausées, la jeune Bédouine ne pouvait articuler un mot. Il lui semblait que si elle desserrait les lèvres, ce que contenait son ventre, tripes, estomac, cœur et poumons, tout allait s'échapper, se répandre autour d'elle. À l'inverse, Tayna semblait parfaitement à l'aise. Au lieu de la réconforter, elle affichait un sourire supérieur et goguenard, ce qui n'eut pas pour effet d'atténuer la rancœur de sa compagne à son égard. Par moments, les mouvements du navire étaient tels que la pauvre Neserkhet était projetée d'un bout à l'autre de la cabine. La prenant enfin en pitié, Tayna lui conseilla de s'agripper solidement aux parois et de fixer les yeux sur le même endroit. La peur prenant le relais de son inimitié, Neserkhet finit par demander lamentablement :

— Nous allons tous mourir, n'est-ce pas ?

Tayna éclata de rire.

— Certainement non ! Le vent est seulement un peu fort. Mais nous ne risquons rien, rassure-toi.

Neserkhet ne répondit pas. Elle lui en voulait toujours de sa moquerie. Mais ses conseils se révélèrent efficaces.

À l'extérieur, Seschi enrageait. Le temps s'était totalement détérioré et un véritable ouragan cinglait le navire. Il avait espéré pouvoir utiliser le mât dont la conception nouvelle aurait permis de gagner de la vitesse. Mais Hobakha avait refusé de le redresser ; la voile aurait été arrachée. D'ailleurs, l'ennemi lui aussi avait amené la sienne et n'avançait que grâce aux rameurs. Par moments, la hauteur des lames était telle que le *Cœur de Cypris* disparaissait à la vue. À ce rythme-là, il faudrait plus d'une journée pour le rattraper. Soudain, l'attention des marins fut attirée par un phénomène insolite. Vers l'est apparut un point noir, puis un deuxième. En quelques instants, la mer se couvrit d'une douzaine de navires. Intrigués, les deux hommes se dirigèrent vers la proue où une effigie du *dieu Ptah au beau visage*, tournée vers l'intérieur du navire, protégeait les navigateurs.

— Il s'agit sans doute d'un convoi commercial qui se dirige vers Busiris, suggéra Khersethi qui les avait rejoints.

— Non ! répondit le jeune homme dont la vue était supérieure à la moyenne. Ce sont des bateaux pirates. Ce chien nous a attirés dans un piège.

— Par les dieux ! gronda Khersethi. Nous devons nous préparer au combat.

— Et que veux-tu faire contre un ennemi dix fois supérieur en nombre ? grommela Seschi. Nous devons plutôt tenter de nous échapper. Heureusement, notre vaisseau est plus rapide que les leurs.

— De toute manière, vouloir combattre dans de telles conditions est suicidaire ! ajouta Hobakha en désignant le ciel tourmenté.

Comme pour lui donner raison, des vagues plus puissantes vinrent heurter les flancs du navire, dont les superstructures gémirent sous les coups de boutoir. Hourakthi parvint à les rejoindre en s'agrippant à la drosse.

— Que Ptah nous prenne en pitié ! éructa-t-il. La grande déesse Neith a déclenché sa fureur contre nous.

Fermement accroché à la lisse, Seschi répondit :

— Je crois au contraire que cette tempête nous protège ! Nous devons accorder notre confiance à Hobakha. Il connaît la Grande Verte mieux que personne. Et aucun navire pirate ne pourra nous aborder dans ces conditions.

Il tenta de voir où en était le *Cœur de Cypris*. Il fit alors une constatation curieuse.

— Je n'y comprends rien. On dirait que les pirates le prennent en chasse également.

En effet, la flotte des Peuples de la Mer s'était scindée en deux. Un premier groupe avait mis le cap sur l'*Esprit de Ptah* pendant que l'autre, plus important, poursuivait le navire chypriote.

— Il ne s'agissait pas d'un piège, conclut-il. Ils sont pourchassés, eux aussi.

— Et à en croire la stratégie des pirates, ils leur accordent plus d'importance qu'à nous.

— Cela signifie qu'ils ont reconnu le navire de Tash'Kor, et qu'ils veulent à tout prix le capturer.

Ils étaient à présent obligés de hurler pour se comprendre. Afin d'éviter la flotte adverse, Hobakha avait été contraint d'obliquer vers l'ouest. Ce faisant, il avait perdu du chemin par rapport au *Cœur de Cypris*. Celui-ci paraissait en difficulté. Moins résistant que le navire de Seschi, il supportait plus mal les coups de boutoir des lames déchaînées. Il essayait de fuir, mais visiblement, il avait peine à maintenir son cap. Les navires des Peuples de la Mer étaient légers et ils filaient vite. Ils ne lâcheraient pas prise aussi facilement.

Hobakha devait dépenser des trésors d'ingéniosité pour semer leurs adversaires sans perdre sa proie de vue. Si l'*Esprit de Ptah* n'avait pas eu pour objectif de rattraper le vaisseau chypriote, il eût été facile de décrocher et de distancer les poursuivants. Le *Cœur de Cypris* filait vers le nord-ouest, poursuivi par huit ou neuf vaisseaux pirates. L'*Esprit de Ptah* devait naviguer plein ouest afin de semer ses propres poursuivants. Il devrait donc décrire un grand arc de cercle pour remonter vers le nord et rejoindre sa proie — si les dieux marins le permettaient. Les éléments s'étaient déchaînés. La lumière éclatante du matin avait fait place à une pénombre glauque et angoissante, un chaos liquide, illuminé d'éclairs, empli du vacarme assourdissant des flots, du fracas des lames explosant sur les flancs du navire, des craquements et gémissements de la coque, des ahans de souffrance des rameurs épuisés.

Un sentiment de découragement et d'angoisse envahit Seschi. La nuit finirait par tomber. S'aventurer ainsi en pleine mer était de la démence. Mais pouvait-il abandonner Khirâ à son ravisseur ? Un doute affreux le saisit soudain. Et si sa sœur n'était plus à bord ? Si ce chien de Chypriote l'avait déjà tuée ? Il repoussa une hypothèse aussi abjecte et serra les dents.

Tout à coup, une clameur de terreur monta de la poitrine des rameurs. À ses côtés, Hobakha devint livide malgré son teint bistre. Seschi tourna les yeux dans la direction qu'il indiquait et il douta de sa vue tant la chose monstrueuse qui venait d'apparaître lui semblait inimaginable. Un sentiment d'horreur l'imprégna jusqu'aux entrailles.

— La *créature flamboyante aux cent têtes* ! s'exclama le capitaine d'une voix blanche. Nous sommes perdus.

31

Pour la première fois depuis sa petite enfance, Seschi ressentait quelque chose qui ressemblait à de la terreur. Même au plus fort de la sécheresse et de l'épidémie, il n'avait jamais douté de sa force quasi surnaturelle ; son ascendance divine le mettait à l'abri de tout danger. Comme la plupart des jeunes gens, l'idée de la mort ne l'effleurait pas. En lui vibrait de façon innée le besoin de protéger les autres, et sa place aux commandes d'un navire, malgré son jeune âge, n'était pas usurpée. Mais, devant l'ampleur du phénomène, il se découvrait soudain ridiculement faible. Agrippé à son bras, Hobakha expliqua d'une voix hachée par la frayeur :

— Les habitants des îles Blanches l'appellent *Typhon*. Ils pensent qu'il est le pire ennemi de leurs dieux.

Seschi ne répondit pas. Il avait déjà eu l'occasion de voir des tornades balayer la Vallée sacrée. Certaines étaient assez puissantes pour emporter quelques petits animaux imprudents. Mais jamais il n'aurait pensé qu'un monstre aussi colossal pouvait exister. Il avait pris naissance à environ deux miles vers le nord-ouest, non loin du vaisseau chypriote. On aurait dit un gigantesque entonnoir tourbillonnant, évasé vers les nuages ténébreux. Le vortex démesuré vint frapper la surface des flots tourmentés avec une violence inouïe, provoquant une énorme explosion liquide.

Le jeune homme comprit que le navire ennemi était perdu. La perspective aurait dû le réjouir, mais Khirâ était à bord. Il se sentait désemparé. Un souvenir surgit en lui, une phrase que lui avait dite un jour son grand-père Imhotep : *le plus puissant des hommes, même soutenu par la plus redoutable armée du monde, n'est rien par rapport à la puissance des dieux. Crains-les et respecte-les, car la manifestation de leur colère nous donne la mesure de notre faiblesse !*

En quelques instants, la base du titan s'élargit, jusqu'à atteindre près d'un demi-mile de diamètre. Avec quelques secondes de retard, le choc assourdissant de l'explosion vint percuter les tympans des marins. Certains se mirent à geindre, d'autres se prosternèrent en direction du Léviathan, afin d'attirer sa mansuétude. Malgré la distance, Seschi crut percevoir l'écho des hurlements de panique des occupants du navire chypriote. De même, l'apparition du phénomène avait désorganisé la poursuite des pirates, dont les navires essayaient désormais de faire demi-tour.

L'ouragan redoubla de violence, plaquant les hommes sur le pont du navire. Seschi et ses compagnons s'étaient solidement arrimés aux superstructures du vaisseau. Il n'y avait rien d'autre à faire que de tenter de fuir. Mais dans quelle direction s'échapper ? La base du cyclone oscilla, hésita, puis progressa avec une lenteur terrifiante en direction du bateau de Tash'Kor. Des lames monstrueuses naquirent, qui le malmenèrent, le submergèrent. Seschi n'entendit même pas le gémissement de terreur qui sourdait de sa poitrine. À chaque instant, il s'attendait à voir disparaître le vaisseau, dont la taille paraissait dérisoire face à la spirale monstrueuse. Hobakha donna l'ordre de mettre le cap au sud.

— Il faut nous éloigner de Typhon, hurla-t-il. Peut-être nous épargnera-t-il. Mais il peut se déplacer beaucoup plus vite que nous, et nous ne pouvons rien faire d'autre qu'implorer sa clémence.

Des grappes d'éclairs environnaient le colosse, provoquant des explosions de tonnerre qui se mêlaient au fracas démentiel des flots. L'un d'eux vint frapper le mât du *Cœur de Cypris*, qui s'embrasa avant de s'effondrer sur ses malheureux occupants. Seschi pensa que le navire allait s'enflammer comme de l'étoupe, mais une déferlante le submergea, qui éteignit le début d'incendie.

Depuis la cabine, Neserkhet observait le phénomène avec un sang-froid dont elle ne se serait jamais crue capable. Lorsque le monstre était apparu, elle avait connu un moment de panique intense. Puis un calme absolu lui avait succédé. Elle devait faire un cauchemar. Tout cela ne lui arrivait pas vraiment, elle n'était que spectatrice. Elle allait se réveiller, à Mennof-Rê, dans la chambre que lui avait offerte l'Horus. Un soleil rassurant luirait, et elle rejoindrait Khirâ avec qui elle se moquerait des avances maladroites de leurs jeunes soupirants.

En revanche, de l'autre côté de la cabine, Tayna avait perdu sa superbe. Elle s'était recroquevillée en position fœtale, le visage livide, les yeux écarquillés. Une tache peu engageante déshonorait sa robe. Neserkhet comprit qu'elle avait vomi de peur. Elle aurait dû se réjouir de voir sa rivale dans cet état lamentable. Sa nature généreuse l'emplit de pitié. Elle rampa vers elle, saisit un morceau d'étoffe avec lequel elle essuya tant bien que mal le vêtement souillé de la Chypriote. L'autre se laissa faire, les yeux brouillés de larmes. Elle regarda Neserkhet, les yeux emplis de terreur, puis se blottit contre elle comme l'aurait fait un petit enfant. La jeune Bédouine lui caressa les cheveux pour l'apaiser, toujours aussi surprise de ne pas éprouver une terreur similaire.

Ce qu'elle ressentait s'appelait simplement la résignation.

À bord du *Cœur de Cypris*, l'affolement était à son comble. Un vacarme assourdissant déchirait les tympans des navigateurs. À tout instant, Khirâ s'attendait à voir le vaisseau exploser sous l'impact du Léviathan. Désespérément agrippée à ce qui restait de la cabine arrière, emportée par l'ouragan, elle ne pouvait détacher son regard du cyclone tout proche, dont les flancs tourbillonnaires constituaient comme une muraille liquide et mouvante. Les flots agités malmenaient le navire, bousculant les rameurs dont tous les efforts se révélaient inutiles. D'immenses colonnes d'eau jaillissaient vers les cieux ténébreux en grondant. Tash'Kor l'avait rejointe, épouvanté. C'était moins la perspective de la mort qui l'atterrait que celle de périr de cette façon, dans le ventre d'un monstre aussi inconcevable. Il connaissait son nom : Typhon, le dieu aux cent visages, la Bête innommable qui hantait les profondeurs de la mer, la créature la plus terrifiante créée pour combattre les dieux.

Soudain, au moment où ils pensèrent leur dernière heure venue, le cyclone infléchit sa course. Dans un grondement apocalyptique, il remonta vers le nord, épargnant ainsi le navire. Puis il changea à nouveau de direction et fondit sur la flotte pirate.

— On dirait qu'il a voulu nous éviter, bredouilla Khirâ d'une voix tremblante.

Tash'Kor aurait voulu confirmer, mais aucun mot ne pouvait sortir de sa gorge nouée. Des clameurs d'épouvante vrillèrent le vacarme de la tempête. Tout à coup, une violente averse de grêle s'abattit sur la mer, criblant les rameurs du *Cœur de Cypris* et la surface des flots. Tash'Kor attrapa une couverture dont il enveloppa Khirâ. Les marins s'abritèrent comme ils le purent sous le banc de nage ou dans la cale. La visibilité chuta tant qu'on aurait pu croire la nuit venue. En quelques instants, les vagues se couvrirent d'une couche de glaçons dont les plus gros atteignaient la taille d'une noix. Heureusement, malgré la médiocrité de leur protection, les marins n'eurent que quelques blessures à déplorer. Après un déluge aussi intense que bref, l'averse se déplaça vers la flotte pirate, qui avait déjà abandonné sa poursuite. Elle eut moins de chance. Les rafales avaient redoublé d'ardeur. La taille des grêlons avait augmenté, pour atteindre celle d'œufs de canard. Une tornade de grêle se forma peu avant de toucher l'un des vaisseaux. Le muscle de glace et d'eau se tordit, s'enfla, puis environna sa victime. Malgré la distance, Khirâ perçut les hurlements de terreur des pirates, le crépitement infernal des glaçons sur le pont. La voile, que les servants n'avaient pas eu le temps d'affaler, se déchira dans un claquement sinistre. Un sursaut violent de l'ouragan déracina le mât qui bascula dans les flots rageurs. Autour du navire sinistré, la mer avait pris l'aspect d'une colline de neige en mouvement.

Les grondements du cyclone dépassaient la limite du supportable. Khirâ se boucha les oreilles, épouvantée. Soudain, elle constata qu'il n'était plus désormais qu'à un mile du bateau de Seschi, et sa base avait encore enflé. Le Léviathan sembla alors accélérer, se dirigeant inexorablement vers les vaisseaux désemparés des Peuples de la Mer. Incrédule, la jeune princesse vit le premier navire exploser sous l'impact. Puis ses débris furent avalés, aspirés par le monstre et emportés dans les airs à une vitesse phénoménale. Elle entrevit des corps hurlants tourbillonner, puis disparaître dans les ténèbres tourmentées qui ourlaient le colosse à sa jonction avec la couche nuageuse. Un deuxième, puis un troisième bateau connurent le même sort.

Le titan se rapprochait toujours du navire égyptien. Soudain, celui-ci disparut à son tour, masqué par la masse gigantesque du tourbillon. Khirâ hurla de terreur. Un choc attira leur attention sur l'autre flanc du navire. Des débris retombaient des cieux. Des masses noires indéfinissables fondaient sur eux, projectiles de toutes tailles jaillissant du cœur de la tornade. Une rame sectionnée transperça l'un des guerriers et se planta profondément dans le banc de nage. L'instant d'après, une chose informe percuta la lisse, qui explosa sous l'impact et se tacha d'écarlate. Luttant contre l'ouragan, Tash'Kor rampa vers le rameur touché. Au passage, il entrevit la chose qui avait déchiré la lisse : c'était un tronc humain auquel était encore rattaché un lambeau de jambe. Refoulant une soudaine envie de vomir, il s'accroupit près du marin. Mais celui-ci avait déjà cessé de vivre ; la rame l'avait littéralement coupé en deux.

Lorsque l'averse de débris se calma, le cyclone s'éloignait vers l'est, après avoir dévoré la quasi-totalité des poursuivants. Désespérée, Khirâ scrutait la mer, espérant y découvrir la tache noire du vaisseau de son frère. Mais il n'y avait plus rien.

Paradoxalement, vers le sud, le ciel demeurait dégagé, et une lumière rasante couleur d'or rose continuait d'illuminer la scène apocalyptique de reflets irréels. Une odeur d'ozone et d'algue mêlés pénétrait les poumons de la jeune fille. Au loin, vers l'orient, le cyclone perdit de sa violence, puis s'effondra sur lui-même avant de disparaître. Titubant de fatigue et de peur rétrospective, les marins chypriotes reprirent leurs esprits. On enleva le corps du rameur tué, qui fut, selon la coutume, basculé dans les flots.

Sans doute en raison de l'ouragan, la sombre frange nuageuse se déplaça vers l'est, dévoilant derrière elle un ciel crépusculaire où scintillaient déjà quelques étoiles. Comme pour faire oublier sa fureur, la mer s'apaisa. Les vents étaient un peu tombés. Personne à bord n'osait plus parler. Devant l'ampleur de la terreur éprouvée, chacun restait seul avec lui-même, heureux d'avoir été épargné par la colère de la divinité monstrueuse. On aurait voulu croire à un cauchemar, mais les taches rougeâtres laissées par le sang des hommes tués par la démence aveugle de Typhon rappelaient à la réalité.

Épuisée, Khirâ ne savait plus comment chasser les images atroces qui hantaient son esprit. Elle avait vu la rame transpercer le marin, elle revoyait son visage déformé par la surprise et la douleur. Elle avait éprouvé une frayeur inconnue jusqu'alors. L'aspect terrifiant de la tornade lui avait révélé l'image même du Néant, l'abîme sans fond qui absorbe les âmes noires après le jugement de la plume de Maât.

Le matin même, alors qu'ils n'avaient quitté le port de Busiris que depuis quelques heures, elle s'était rendu compte qu'un navire s'était lancé à leur poursuite. Très vite, elle avait reconnu l'*Esprit de Ptah*. Elle avait compris alors que Seschi s'était lancé à sa poursuite. Elle lui en avait voulu dans un premier temps. Elle était libre de choisir sa vie, et personne ne pourrait jamais l'en empêcher. Puis le cyclone était survenu, dévorant tout sur son passage, y compris la flotte pirate qui les pourchassait. Elle avait cru sa dernière heure venue lorsqu'elle avait vu le monstre fondre sur leur navire. Le mât avait été arraché. Cinq hommes avaient été emportés par les lames. Elle avait vu l'un d'eux s'envoler comme un oiseau, avalé par la tourmente. Quelques instants plus tard, il était repassé, après avoir fait le tour de la tornade géante. Elle n'oublierait jamais cette vision infernale. Les vêtements de l'homme avaient été déchiquetés, et sa peau était couverte de sang, visiblement lacérée par la grêle. Il hurlait encore lorsqu'il avait été aspiré vers le haut, vers la gueule monstrueuse des nuages. On ne l'avait plus revu ensuite. Elle avait cru que le navire entier allait être ainsi pulvérisé et attiré vers la fureur des cieux. Mais, pour une raison inconnue, le Léviathan avait dévié sa course au dernier moment. Le dieu sauvage de la mer les avait épargnés, et il les avait débarrassés de leurs poursuivants, y compris du vaisseau de son frère. Dans le crépuscule, elle avait scruté désespérément la mer. L'*Esprit de Ptah* avait disparu. Bien sûr, les lames étaient encore puissantes, et masquaient l'horizon. Mais depuis le matin, il avait toujours été présent. Elle en avait conclu qu'il avait été avalé, lui aussi, par le dieu marin. Elle aurait voulu pleurer, elle n'avait plus de larmes. Peu à peu, une idée infernale s'imposa à elle : elle était maudite. Les dieux la tenaient pour responsable de la mort d'Inkha-Es. Ils lui avaient adressé un avertissement, mais elle l'avait négligé, et sa petite sœur était morte. Elle avait retrouvé l'homme mystérieux qui hantait sa mémoire depuis cinq années. Parce qu'il lui avait révélé sa véritable origine, elle avait rejeté les siens, estimant qu'ils l'avaient trahie. Alors, elle avait imaginé un stratagème pour s'enfuir avec ce prince chypriote qu'elle croyait aimer… qu'elle était sûre d'aimer. Mais elle avait payé très cher son désir de liberté. Sans doute Seschi avait-il cru que Tash'Kor voulait la tuer. Il s'était lancé à leur recherche. Et il avait payé son initiative de sa vie.

Jamais elle ne pourrait se le pardonner.

Depuis deux jours, elle demeurait prostrée dans les ruines de la cabine. Enveloppée dans une couverture, elle refusait de parler et de s'alimenter, n'acceptant que sa ration d'eau. Un remords inexprimable la dévorait. L'avenir n'avait plus aucune signification. Elle se rendait compte à présent qu'elle avait suivi Tash'Kor sur un coup de tête. Ce dernier évitait de lui parler. Peut-être lui reprochait-il d'être la cause de cette aventure insensée, cette fuite en avant vers nulle part. Car c'était à cause d'elle qu'il avait quitté Mennof-Rê. Il n'était que toléré là-bas ; mais avec le temps, la rancune et la méfiance auraient fini par s'estomper.

Les Chypriotes, comme quantité d'étrangers avant eux, se seraient intégrés au peuple de Kemit. Conservant des relations avec la Grande Demeure, Tash'Kor aurait su gagner la confiance de Djoser. Il aurait alors pu l'épouser sans difficulté.

Mais elle n'avait pas supporté la vérité, cette vérité qui lui interdisait désormais de se croire la fille de l'homme le plus puissant du monde connu. Elle n'était pas née de son sang. Cela avait-il une quelconque importance ? Thanys avait raison : Djoser l'avait aimée et élevée sans faire la moindre différence.

Tout était sa faute. Elle ne pouvait tenir rigueur à Tash'Kor de ses mésaventures. Il avait accepté de tout sacrifier pour elle. Il avait envoyé ses guerriers la chercher à Kennehout. Il avait vendu sa demeure de la capitale, rompu ses contacts commerciaux, quitté le Double-Royaume qui lui avait offert l'asile et la sécurité. Et il l'avait emportée vers l'inconnu sans savoir vraiment où il allait. Il avait prétendu se rendre dans les pays du Levant, mais, d'après ce qu'elle avait déduit de la position du soleil et des étoiles, il suivait la route du nord-ouest, vers un monde inconnu. Khirâ avait suffisamment retenu les leçons de Nemeter pour savoir que dans cette direction s'étendaient des territoires inconnus et sauvages, où vivaient des peuples farouches qui massacraient les voyageurs imprudents. Même si certaines peuplades entretenaient des relations épisodiques avec des capitaines audacieux, la plupart demeuraient inhospitalières.

Cela faisait quatre jours à présent que le *Cœur de Cypris* dérivait. Le navire avait beaucoup souffert du cyclone. Le mât n'existait plus. Des voies d'eau s'étaient ouvertes dans la coque, contraignant les marins à écoper sans cesse. On avait colmaté les brèches tant bien que mal, mais celles-ci s'élargissaient inexorablement. Les vivres emportés de Busiris avaient été en grande partie détruits et les rations de nourriture réduites à la portion congrue. Plusieurs jarres d'eau pure s'étaient brisées. Quelques hommes énervés par la soif s'étaient déjà battus. Il avait fallu toute l'autorité de Tash'Kor et l'optimisme inaltérable de Pollys pour ramener le calme.

Tash'Kor ne savait plus comment aborder Khirâ. À présent que sa haine avait totalement disparu, il se rendait compte qu'il l'avait arrachée aux siens. Bien sûr, elle lui avait demandé de l'enlever. Mais elle ignorait que, s'il avait accepté, c'était pour mieux la faire tomber dans son piège. Il ne pouvait lui révéler la véritable raison de sa décision. Il avait compris qu'elle pleurait la mort de son frère, et il ne pouvait s'empêcher de se sentir responsable de sa disparition.

Il passait la majeure partie de son temps sur le pont, scrutant la mer à la recherche d'un ennemi hypothétique. Il savait ne pouvoir retourner à Chypre, où Khoudir les traquerait sans pitié. Il était également risqué de suivre la route du Levant en longeant les côtes égyptiennes. Les convois commerciaux protégés par des flottes de guerre puissantes y étaient trop nombreux.

Son premier objectif avait été de rejoindre le port d'Ugarit, où il avait déjà trouvé refuge par le passé. Mais il était probable que cette chienne de Tayna avait informé les Égyptiens de ses intentions. Peut-être leur navire avait-il été détruit, mais rien n'était moins sûr. Il lui fallait donc trouver une autre destination. Jokahn lui avait affirmé qu'en naviguant vers le nord-ouest, ils rencontreraient des îles innombrables, où il serait possible de s'établir. L'un de ses marins le confirma, prétendant y être déjà allé, et même parler un peu la langue des autochtones. Tash'Kor avait accepté.

Parfois, le désespoir minait le jeune prince. Il avait agi comme un imbécile. Comment avait-il pu croire qu'il parviendrait à se venger de Djoser, alors que son peuple était réduit désormais à l'équipage de ce navire perdu, en route vers un pays improbable, qui peut-être n'existait que dans l'imagination de Jokahn.

Depuis l'épisode du cyclone, Tash'Kor avait reconsidéré l'attitude du roi de Kemit. S'il était persuadé que les Chypriotes offraient asile aux Peuples de la Mer, il avait toutes les raisons de les détester, et de ne pas leur accorder sa confiance. Lui-même n'oubliait pas avec quelle cruauté ils exterminaient leurs adversaires, qu'ils soient femmes, vieillards ou enfants. Ces gens n'étaient que des bêtes féroces qu'il aurait aimé anéantir. Son père, Mokhtar-Ba, les avait tolérés, parce qu'il n'était pas assez puissant pour lutter contre eux. Ils étaient tellement prompts à détruire les villages côtiers sur un simple caprice qu'il valait mieux les maintenir en respect grâce à un traité qui protégeait les intérêts de chacun, même s'il n'était pas toujours respecté. Chypre servait de base aux pirates, et rien ne pouvait l'empêcher. Le sinistre Khoudir lui-même, tyran dépourvu de scrupules, avait trouvé commode de conclure une véritable alliance avec eux. Peu lui importait le pillage des hameaux de temps à autre, pourvu qu'ils lui payassent une redevance sur les razzias menées contre les flottes égyptiennes.

Tash'Kor se reprochait amèrement d'avoir quitté l'Égypte sur un coup de folie. Il ne pouvait expliquer

autrement que par un aveuglement stupide son obstination à vouloir se venger d'un roi qui n'avait eu
d'autre souci que de protéger son propre peuple, et qui
y avait réussi bien mieux que lui. Au lieu de se dresser contre ce nomarque qu'au fond de lui il admirait,
il eût mieux fait de s'en faire un allié et un ami. Au
lieu de cela, il avait obéi à sa haine, et avait enlevé sa
fille — avec son consentement il est vrai —, avec le
projet de la tuer et de lui envoyer sa tête. Avec le
recul, il estimait qu'il s'était conduit comme le dernier
des imbéciles. Il avait fait preuve de la plus grande
ingratitude, car il ne pouvait oublier que, malgré ses
préventions et sa méfiance, Djoser l'avait autorisé à
demeurer à Mennof-Rê et à y exercer le négoce. Les
siens auraient pu trouver là une terre d'asile, de nouvelles alliances familiales. Ils étaient désormais
condamnés à errer sur la mer, vers un avenir incertain.

Il serait bien retourné en Égypte afin de se livrer
à l'Horus. Mais celui-ci aurait sans aucun doute
condamné également les siens, qui n'étaient en rien
responsables de ses errements. Il n'avait donc d'autre
choix que de fuir, et fuir encore.

Debout à l'avant de son navire, il contempla ce qui
restait de son peuple. Une soixantaine de rameurs,
composée pour une moitié d'esclaves, pour l'autre
moitié de combattants fatigués. Une demi-douzaine
de jeunes nobles l'avaient suivi dans son exil, ainsi
qu'une vingtaine de femmes, sœurs, cousines, amies
de ses compagnons, servantes fidèles. Toutes étaient
jeunes et solides. Il possédait là de quoi fonder sa
propre cité, à condition de trouver une terre accueillante. Mais il devait avant tout étouffer l'orgueil
imbécile qui le dominait depuis la mort de son père.

Il ne pouvait s'appuyer sur Pollys. Celui-ci avait décidé une fois pour toutes de remettre son destin entre les mains de son frère. Il ne se faisait jamais aucun souci. Pollys bénéficiait d'une propension à jouir de chaque instant qui passait avec une spontanéité et une gaieté que Tash'Kor lui enviait. Rien n'était jamais grave pour lui, et peut-être avait-il raison. On aurait pu le croire inconscient, mais il était d'une nature foncièrement optimiste, et porté à ne voir que le bon côté des choses. Lui-même, depuis cinq ans, ne voyait que le pire. Sans doute était-ce pour cette raison qu'il avait conduit son peuple vers la catastrophe.

Il se reprocha aussi de ne pas avoir plus souvent écouté les conseils de Jokahn. Jokahn le Sage, qui se réjouissait de vivre sur le même sol que celui qu'il considérait comme le plus grand savant de tous les temps : Imhotep le Magicien. Il désirait ardemment le rencontrer, devenir son ami, et apprendre de lui toutes sortes de secrets. Lui, Tash'Kor, avait estimé que cela n'avait aucune importance. Il avait pourtant admiré la fabuleuse réalisation de cet architecte : cette cité sacrée qui promettait d'être si belle qu'elle ne pouvait avoir été conçue que par un dieu. Combien avait-il été aveugle ! Aveugle encore plus, car il avait bafoué et frustré son plus fidèle ami. Jokahn avait tenté de lui ouvrir les yeux, de lui faire abandonner sa vengeance. Il ne l'avait pas écouté. Il ne l'en aimait que plus, car, malgré son erreur, le vieil homme lui était demeuré loyal, et avait dit adieu à son rêve : travailler un jour avec Imhotep.

Au fond, pourquoi les siens lui demeuraient-ils dévoués ? Il faisait un bien piètre meneur d'hommes.

— La réponse est en toi, répondit Jokahn qui venait de surgir à son côté.

On aurait dit parfois que le vieil homme avait le don de deviner ses pensées. Mais il le connaissait depuis sa plus tendre enfance. Il avait été son précepteur, et l'avait élevé, avec Pollys, comme s'ils avaient été ses propres enfants. À la mort de Mokhtar-Ba, il l'avait remplacé.

— Quelle peut être cette réponse, mon fidèle ami ? La haine m'a aveuglé, et j'ai mené les miens vers le néant.

— Mais tu t'en es rendu compte.

— Pourquoi me conservent-ils leur confiance ? À part les deux hommes qui se sont battus ce matin, aucun d'eux ne se plaint jamais, même pas les femmes.

— Tu es courageux et volontaire. Tu te soucies de chacun d'eux et ils le savent. Avec toi, malgré ce que tu crois, ils se sentent protégés, car ils savent que es capable de donner ta vie pour les défendre. Tu es jeune et inexpérimenté. En outre, tu es plus obstiné qu'un âne qui recule, mais tu possèdes au plus profond de toi l'âme d'un grand roi. Il te manquait seulement un peu de clairvoyance. Pour cela, il fallait que tu oublies ta haine stupide.

— Elle m'a quitté, Jokahn.

— Je sais. Ton regard a changé.

Soudain, mû par un profond sentiment d'affection, il prit le vieil homme dans ses bras et le serra.

— Pardonne-moi, mon vieil ami. Toi aussi, je t'ai trahi.

— Tu n'as écouté que le côté obscur de ton cœur, celui qui rend aveugle à la vérité. Mais le destin est parfois bien étrange. Les dieux sourient à ceux qui se sont débarrassés de leurs rancunes. De nouvelles épreuves nous attendent, mais nous les affronterons ensemble. Et nous triompherons.

Soudain, un cri attira leur attention. Agrippé à

l'avant du vaisseau, un homme armé d'une lance à pointe de cuivre surveillait l'horizon. Au loin, le ciel devenait menaçant. Un nouvel orage se préparait. Une angoisse étreignit le cœur de Tash'Kor. Les dieux voulaient les frapper à nouveau de leur colère. Il redouta de voir renaître encore la divinité infernale qui avait failli les engloutir quatre jours plus tôt. Il savait que la moindre tempête serait fatale au *Cœur de Cypris*. Impuissant, il vit le ciel s'assombrir, des légions de nuages noirs fondre vers eux tels des troupeaux de taureaux sauvages. L'ouragan se leva et des vents violents se mirent à souffler. Les vagues se creusèrent, torturant le malheureux navire déjà terriblement éprouvé par le cyclone. Vers le nord, des chapelets d'éclairs éblouissants zébraient le rideau sombre d'un horizon où la mer et le ciel semblaient se mêler l'un à l'autre. Tash'Kor fit une moue amère.

— Les dieux nous sourient, disais-tu ? Je crois plutôt qu'ils refusent de me pardonner mes erreurs. Je crains que, cette fois, notre malheureux *Cœur de Cypris* ne soit perdu.

— Ils exigent un sacrifice, répondit Jokahn. Nous ne l'avons pas pratiqué l'autre jour, parce que le dieu Typhon nous avait terrorisés. Cette fois, nous allons leur sacrifier un jeune mouflon blanc.

— Mais il ne nous reste plus que deux bêtes.

— Justement, les dieux seront satisfaits que tu partages ta nourriture avec eux. Et ils apaiseront cette tempête.

Tash'Kor ne savait plus que penser.

— Après tout, que risquons-nous ? Si nous ne trouvons aucun moyen de calmer le courroux des dieux, nous sommes perdus.

Il ordonna à Mehdik, capitaine des guerriers, d'aller chercher l'animal. Celui-ci fut attaché à l'avant du navire. Tash'Kor leva son glaive et s'adressa aux divinités :

— Ô dieux de la mer, écoutez-moi ! Bien qu'il ne nous reste presque plus rien à manger, je vous offre la vie de ce jeune mouflon en échange de votre clémence. Apaisez votre colère !

Puis, d'un coup sec, il trancha la gorge de l'animal. Après quelques soubresauts, celui-ci s'immobilisa. La tempête s'était encore rapprochée. Tash'Kor brandit son glaive ensanglanté en direction des cieux menaçants et clama :

— Cet animal est pour vous, dieux de la mer et du ciel. Épargnez-nous !

— Épargnez-nous ! reprirent les hommes, subjugués par la force et la foi qui vibraient dans la voix de leur chef.

Bouleversée, Khirâ avait rejoint le prince. Elle aussi savait que le navire ne résisterait pas à un nouvel assaut des éléments. Soudain eut lieu un phénomène étrange. Une fine dentelle d'éclairs verdâtres apparut à la pointe du glaive brandi par Tash'Kor. Impressionnés, les Chypriotes tombèrent à genoux.

— Les dieux ! Les dieux se fâchent, dit l'un d'eux.

— Au contraire, répliqua Jokahn. Regardez ! S'ils n'avaient pas accepté l'offrande, ils auraient foudroyé notre seigneur. Cette lumière est la preuve qu'ils acceptent le sacrifice[1].

---

1. Cette anecdote reflète une croyance ancienne selon laquelle le feu Saint-Elme, manifestation électrique bien connue des marins, serait lié aux Dioscures, les jumeaux Castor et Pollux. Ceux-ci sacrifièrent un agneau blanc pour se concilier les dieux.

Comme pour lui donner raison, le vent tomba, puis la tempête s'apaisa et se déplaça vers le nord. Une immense clameur de soulagement jaillit de toutes les poitrines. Khirâ saisit le bras de Tash'Kor et le serra avec émotion. Les dieux avaient écouté sa prière, ils avaient accepté son sacrifice. Cela signifiait qu'ils l'estimaient, qu'ils le respectaient. Un regain d'espoir l'envahit. Peut-être possédait-il la force d'écarter la malédiction qui pesait sur elle. Il la prit par les épaules et déclara :

— À présent, nous pouvons envisager l'avenir avec confiance. Les dieux sont nos alliés.

— Où allons-nous ?

— Nous allons maintenir le cap vers le nord-ouest. Nous devrions bientôt atteindre l'île du Dieu taureau.

— L'île du Dieu taureau ?

— C'est un pays sauvage, mais l'un de mes marins le connaît. Il s'y est déjà rendu, et parle même un peu la langue de ses habitants. Rares sont les navires marchands qui osent s'aventurer aussi loin. En général, ils préfèrent longer les côtes. Mais je suis sûr que, sur place, nous pourrons remettre notre navire en état, et peut-être trouver un endroit où nous établir. Cependant, il faudra nous montrer très prudents. Certains peuples sont hospitaliers et amicaux. D'autres au contraire sont vindicatifs et détestent les étrangers. Fassent les dieux que nous ne tombions pas sur les seconds.

Vers la fin de l'après-midi, l'homme placé à l'avant poussa un cri. À l'horizon enfin débarrassé des nuées menaçantes, une terre venait de faire son apparition.

32

Mennof-Rê, deux mois plus tard...

Djoser et Imhotep étaient revenus de Nekhen, où les travaux de reconstruction des temples progressaient désormais rapidement. Par les lettres que lui avait adressées Thanys, l'Horus avait appris la disparition de Khirâ et le départ de Seschi. Le directeur du port de Busiris avait informé la reine de la poursuite engagée par le prince. Mais on n'avait jamais revu l'un ou l'autre navire. Une flotte de commerce avait signalé une tempête d'une violence inouïe le jour même. On avait retrouvé des débris prouvant que plusieurs vaisseaux avaient été détruits par un cataclysme sans précédent.

Ces terribles informations avaient brisé Thanys. En moins d'un mois, sa vie avait basculé dans la douleur. Un individu ignoble, surgi de son passé tourmenté, avait assassiné sa fille Inkha-Es. Malgré les efforts redoublés des gardes, il s'était avéré impossible de le retrouver. Quelques jours plus tard, Khirâ avait disparu, enlevée par un prince chypriote dont elle était vraisemblablement amoureuse, mais qui voulait la tuer. Seschi s'était lancé sur leurs traces, et une tempête avait anéanti les deux navires. Quelle offense avait-elle commise pour que les dieux la frappassent ainsi en plein cœur ? De ses enfants, il ne lui restait que le jeune prince Akhty et sa dernière-née, Hetep-Hernebti.

Elle n'avait même pas la consolation de pouvoir donner libre cours à son chagrin. En l'absence de Djoser, elle devait continuer à assumer son rôle de suzeraine, maintenir l'ordre, écouter les doléances de chacun, superviser les travaux de la cité sacrée, accommoder les architectes et les fournisseurs de matériaux et de vivres. Elle avait également dû faire face aux intrigues des nobles les plus fortunés, qui, dans certains nomes, manœuvraient habilement pour spolier les paysans de leurs terres. Depuis le début de son règne, Djoser avait réussi à museler ces personnages avides de richesses et d'honneur. Mais l'hécatombe provoquée par la sécheresse et la *Mort Noire* avait bouleversé les familles, et de jeunes loups aux dents longues avaient succédé à des parents autrefois bridés par la fermeté de l'Horus. Ces individus sans scrupules n'entendaient pas renoncer ainsi à un enrichissement facile. Des factions de comploteurs se formaient dans l'ombre. Djoser ne l'ignorait pas. Au lieu de les combattre, il avait chargé Moshem d'infiltrer leurs rangs afin de prévenir leurs actions. Celles-ci se limitaient pour l'instant à des actes d'arrogance et des malversations sans grande importance. Le roi s'était bien gardé d'intervenir. Les rivalités internes qui déchiraient les différentes tendances constituaient le meilleur garant de leur aspect inoffensif. Cependant, Thanys se serait bien passée de ces conflits latents.

Pour ne rien arranger, les commerçants et les voyageurs ramenaient du Levant des nouvelles alarmantes.

Les rumeurs concernant une invasion de hordes barbares en provenance des steppes asiates se confirmaient. Til Barsip, à peine reconstruite, avait été incendiée par les pillards. Puis ceux-ci avaient descendu la vallée de l'Euphrate et menaçaient désormais Sumer. Gilgamesh et Aggar, adversaires réconciliés par Thanys, avaient rassemblé les armées des différentes cités sous une bannière unique pour repousser les envahisseurs. Mais les combats étaient rudes. On rapportait des récits identiques des pays du Levant. Les Martus avaient été écrasés à Jéricho, et la ville était tombée aux mains des Barbares. Les gouverneurs égyptiens de Byblos et d'Ashqelôn avaient adressé des suppliques au roi pour lui demander de l'aide. Indifférents à ces problèmes lointains, les grands propriétaires renâclaient à fournir les guerriers et le soutien financier nécessaires à une telle expédition. Ils voulaient bien bénéficier des avantages commerciaux liés aux échanges avec la Palestine, mais ils n'acceptaient pas que cela leur coûtât. Aussi la reine fut-elle soulagée du retour de son époux.

Lorsqu'il apprit la disparition de Khirâ et de Seschi, Djoser connut un moment d'immense douleur. Sentant son autorité ébranlée, les nobles factieux profitèrent de l'occasion pour confirmer leur opposition à la constitution de la flotte guerrière destinée à secourir le Levant. Écœuré par leur attitude arrogante et leur indifférence, le roi ravala sa colère. Son tempérament fougueux le portait plutôt à les combattre, mais il devinait, derrière cette résistance hargneuse, une action concertée. Cependant, avant de déclencher un conflit qui risquait d'affaiblir le Double-Pays, il devait en apprendre plus, et chargea Moshem d'approfondir son enquête.

Quelques jours après le retour du roi eut lieu l'en-

terrement de la petite princesse Inkha-Es. La sécheresse qui avait sévi pendant cinq longues années avait
provoqué un nombre effrayant de décès. Dans toute
l'Égypte, il n'existait pas une famille qui n'eût perdu
un père, une épouse, un frère ou une sœur. Les personnes âgées, plus fragiles, avaient péri par centaines,
de la faim, de maladie. Mais le peuple tout entier s'associait à la douleur de la famille royale. La procession
qui s'avançait vers la cité sacrée de Saqqarâh était
digne d'un roi. À l'avant, selon la tradition, une centaine de femmes pleuraient. Derrière, des prêtres portaient le sarcophage recouvert de feuilles d'or fixées
avec de petits clous du même métal. Ce sarcophage se
composait de six couches de bois collées les unes aux
autres suivant le principe du contreplacage.

Comme le voulait la coutume, on avait recouvert le
cercueil de monceaux de fleurs. Un kâ de petite taille,
noir et or, était porté par les gardes royaux. Suivaient
quantité de vases d'albâtre, de schiste et de diorite,
des meubles de dimensions réduites afin que la fillette
pût continuer à pratiquer les gestes de la vie quotidienne dans le royaume d'Osiris. Des coffrets contenaient des bijoux de cornaline et de lapis-lazuli.

Le sarcophage fut amené dans le labyrinthe souterrain par la descenderie, puis placé au dernier niveau,
sous la crypte royale, dans une chambre funéraire
dont les parois avaient été recouvertes de faïence
bleue qui luisait sous la lueur des torches[1].

---

1. On a effectivement retrouvé, au troisième niveau du labyrinthe,
situé à trente-deux mètres de profondeur, les restes d'un enfant de huit à
dix ans. On suppose qu'il s'agit de l'une des deux princesses royales,
Inkha-Es ou Hetep-Hernebti.

33

Khirâ s'étira longuement. Une brise légère agitait les peaux tannées qui couvraient les fenêtres. Des odeurs agréables provenaient de l'extérieur : fumet des pains que les femmes avaient laissés cuire pendant la nuit, effluves de la mer proche, bouquet des herbes et des fleurs des collines. Elle se leva, passa sa robe et sortit de la maison. Une activité intense régnait déjà dans le village nouvellement construit par les Chypriotes. Jokahn n'avait pas menti. Une terre les attendait bien de l'autre côté de la tempête.

Contemplant la carcasse du navire échoué sur la grève, Khirâ se remémora les deux derniers mois. Malgré le sacrifice du mouflon blanc, la dernière tempête avait achevé d'endommager le *Cœur de Cypris*. Des voies d'eau s'était ouvertes sous la ligne de flottaison, menaçant de faire couler le navire à brève échéance. Manœuvrant tant bien que mal, le vaisseau blessé s'était rapproché des côtes aperçues par l'homme de vigie. Sous les yeux étonnés de la jeune Égyptienne s'étaient dessinées de hautes falaises griffonnées d'arbustes squelettiques. Par endroits, elles se creusaient d'anfractuosités qui abritaient des chênes aux formes torturées et des pins parasols sculptés par les caprices des vents. Une lumière éblouissante, oscillant entre le bleu et le blanc, emplissait les yeux des navigateurs. Le vert de la végétation et l'ocre de la roche se mêlaient et s'entrecroisaient, composant une tapisserie qui contrastait avec le bleu profond des flots. Des myriades d'oiseaux planaient au gré des courants ascendants, tranchant de leurs appels rouillés et stridents le grondement lourd des vagues.

Des éperons rocheux se dressaient par endroits dans le prolongement de la côte, vestiges redoutables de falaises écroulées, qui livraient un combat perpétuel contre les assauts incessants des lames furieuses. À la fois attirés et inquiets, les marins s'étaient lentement rapprochés de ce littoral inconnu, recherchant une anse abritée pour le mouillage. Le soleil déclinait vers l'horizon lorsqu'un rivage plus hospitalier se dessina. Des rochers bordés d'une longue plage de sable s'ouvrirent sur une petite baie dans laquelle on se serait attendu à trouver un petit port. Mais l'endroit était totalement désert.

— D'après ce que je sais, expliqua Mehdik, cette île n'est guère peuplée. Les cités se trouvent plus à l'ouest. Dans cette partie orientale, on ne rencontre que des petits villages de pasteurs et de pêcheurs. Ils sont établis à l'intérieur des terres, pour éviter d'attirer les pirates.

— Il y a du bois en grande quantité, remarqua Pollys, nous trouverons là de quoi réparer notre navire.

— J'ai aperçu des chèvres et des mouflons, ajouta l'homme de proue. Ce soir, nous mangerons à notre faim.

Tash'Kor prit Khirâ contre lui. Avec la découverte

de ce nouveau territoire, l'espoir lui revenait. Les dieux ne l'avaient pas abandonné. Le navire malmené s'était échoué sur la grève plutôt qu'il n'avait abordé. La dernière barre rocheuse avait eu raison de sa résistance. Il s'était disloqué avant de toucher la plage. Comme un gros animal, il avait versé sur le flanc, satisfait d'avoir mené ses passagers à bon port, mais réclamant enfin un repos bien mérité. Épuisés, la peau dévorée par le sel, les voyageurs avaient sauté dans l'eau pour rejoindre la terre ferme.

Lorsque tout le monde eut récupéré, Tash'Kor avait ordonné aux esclaves de descendre tout ce qui pouvait être sauvé. Le soir même, il avait organisé une chasse dans les collines avoisinantes. Celles-ci s'étaient révélées giboyeuses. Chèvres sauvages et mouflons y vivaient en abondance. La première nuit, on avait dormi sur la plage elle-même, enroulé dans des couvertures détrempées.

Les jours suivants, Tash'Kor avait mis l'installation sur pied. Khirâ lui avait découvert de réels talents de meneur d'hommes. Jokahn ne se trompait pas lorsqu'il affirmait qu'il savait inspirer confiance aux siens. Il n'avait pas été long à repérer les lieux et à comprendre le parti qu'il pourrait en tirer.

Comme l'avait remarqué un guerrier, le bois était abondant. À l'aide de haches de silex fabriquées à la hâte, on abattit chênes et pins, que l'on débita avec des scies de cuivre emportées de Kemit. Depuis bien longtemps, Tash'Kor n'avait pas éprouvé un tel enthousiasme. À nouveau, il avait découvert un sens à sa vie. Ce pays inconnu lui plaisait. Cette anse abritée constituait un refuge sûr. Elle était vaste et accueillante. Il y bâtirait une ville, et ses compagnons seraient le noyau d'un nouveau peuple. Avec Pollys, ils en seraient les rois, car il n'imaginait pas de dissocier son frère du gouvernement.

Il n'avait pas fallu longtemps pour que des demeures surgissent du sol, fabriquées à l'aide de poutres de chêne et de pierres scellées d'un mortier d'argile et de paille. Bien sûr, ces maisons bâties à la hâte n'avaient rien à voir avec les demeures somptueuses de Mennof-Rê, mais elles offraient un abri sûr contre la pluie et le vent. En souvenir de sa mère, Tash'Kor avait appelé le village Mallia[1].

Dix jours après le débarquement, au cours d'une expédition de chasse, on avait aperçu des bergers. Kassos, l'homme qui parlait le crétois, avait interpellé les autochtones. Un peu rassurés par le fait qu'il parlât leur langue, ceux-ci s'étaient approchés. On avait noué des liens d'amitié avec leur village, Antron, et de premiers échanges commerciaux avaient été conclus. Les indigènes ne faisaient preuve d'aucune hostilité, même si au début ils s'étaient montrés méfiants. Tash'Kor avait très vite compris pourquoi. Il avait remarqué qu'ils répugnaient à s'aventurer le long des côtes. Ils avaient repoussé avec embarras l'invitation que leur avait proposée le jeune prince afin de sceller leur amitié. Tash'Kor n'avait osé insister. Leur village était installé au sommet d'une colline, fortifié par des barrières d'épieux hérissés, au bout d'un chemin truffé de pièges grossiers. Le jeune prince avait fini par apprendre la raison de cette hantise de la mer. Selon eux, les profondes anfractuosités qui creusaient

---

1. Mallia est un site archéologique de la Crète orientale qui aurait été habité dès la période préminoenne.

les falaises abritaient des créatures épouvantables qui parfois dévastaient les villages installés sur la côte. Tash'Kor eut beau leur expliquer qu'ils n'avaient aperçu aucun monstre, les indigènes ne voulurent pas en démordre. Ils se sentaient plus en sécurité loin de la mer. Mais leur angoisse avait une autre origine. Ils redoutaient les intrusions d'un ennemi terrifiant, dont Kassos ne parvint pas à traduire correctement le nom.

— C'est curieux, dit-il, on dirait qu'ils parlent d'*hommes-taureaux*. Ça ne veut rien dire.

On avait bien repéré des troupeaux d'aurochs sauvages dans les montagnes du sud, mais ceux-ci ne présentaient aucun danger. Ils offraient au contraire une merveilleuse réserve de chasse, que l'on pratiquait en réunissant les populations des différents villages de la région, tous installés dans les collines.

Les indigènes étaient en majorité des bergers, mais on rencontrait aussi parmi eux des cultivateurs, qui pratiquaient une agriculture grossière, sans aucun rapport avec celle de Kemit. Elle se limitait à quelques champs d'un épeautre à demi sauvage et d'un peu d'orge. On pratiquait également la cueillette des fruits, notamment des olives, dont les autochtones faisaient une grande consommation. Khirâ s'offrit à leur enseigner quelques bribes de son savoir. Quelques jours plus tard, elle avait été adoptée par les îliens. Pour la première fois depuis longtemps, elle avait l'impression de revivre. Ce pays était profondément différent de Kemit, avec ses falaises qui tombaient à pic dans la mer, et sa forêt abondante. En comparaison, la Basse-Égypte, avec ses terres plates, sans le moindre relief, lui semblait un autre monde.

Elle ne voulait plus réfléchir. La mort de Seschi

hantait son esprit. Elle n'avait pu dissiper son sentiment de culpabilité. Afin de ne pas sombrer dans la
désolation, elle s'abrutissait de travail, participant à
toutes les activités, et celles-ci ne manquaient pas. La
plupart du temps, elle parcourait les collines, l'arc en
bandoulière, en compagnie de Tash'Kor et de quelques
indigènes fascinés par son adresse. Il fallait nourrir la
petite communauté. Mais il lui arrivait aussi de
prendre part à la construction des maisons, au tannage
des peaux, à la confection d'armes nouvelles, à la
coupe des arbres. Le soir, elle s'écroulait dans les bras
de Tash'Kor. Malgré leur épuisement, ils trouvaient
encore la force de faire l'amour jusqu'à sombrer dans
un sommeil réparateur, trop profond pour laisser la
place aux cauchemars ou aux pensées moroses.

Khirâ ne savait pas si sa famille lui manquait. Elle
avait surmonté le stupide dégoût de soi qui l'avait
envahie lorsqu'elle avait appris qu'elle n'était pas la
fille de l'Horus. Elle devait aller jusqu'au bout de son
erreur. Elle avait choisi de quitter Kemit, d'abandonner les siens, sur un coup de tête qu'elle regrettait
désormais. Mais elle avait découvert une vie nouvelle,
riche en enseignements, en projets. Tash'Kor, Pollys
et elle étaient en train de bâtir une ville nouvelle.
Avec le temps, celle-ci se développerait. Alors, peut-
être pourrait-elle retourner en Égypte, en tant que
suzeraine d'un nouveau royaume. Elle nouerait alors
de fructueuses relations commerciales avec le Double-
Royaume, qui leur accorderait sa protection. Tels
étaient les sujets de conversations qu'elle entretenait
avec les jumeaux le soir, lorsque les bêtes abattues
dans la journée rôtissaient sur les feux de camp, et que
la petite communauté était réunie pour le repas. C'était

alors un grand moment de détente, fait de chants, de danses. Khirâ avait emporté une harpe qui, par miracle, avait échappé à la tempête. Ayant hérité de la voix exceptionnelle de sa mère, elle envoûtait ses compagnons avec des mélodies venues tout droit des rives du fleuve-dieu. Tash'Kor et Pollys possédaient eux aussi des voix justes, et peu à peu, les indigènes, attirés, prirent l'habitude de venir écouter ces chants nostalgiques arrivés d'un monde qu'ils ne connaîtraient jamais.

Tash'Kor avait tenu compte des avertissements de ses nouveaux alliés. Il avait fait installer des postes de garde à l'entrée de la baie et à différents points stratégiques. Mais, au bout de deux mois, la vigilance des gardes s'était quelque peu relâchée en raison de la sérénité des lieux.

Khirâ ne se rendit pas immédiatement compte que quelque chose d'anormal était en train de se produire. Autour d'elle, les Chypriotes sortaient des maisons, bâillant, s'étirant, et s'interpellant joyeusement. Jokahn et quelques autres étaient absents. Ils avaient passé la nuit dans le village voisin. Passionné par toutes les nouveautés, le vieux mage s'était intéressé aux coutumes des autochtones et passait de nombreuses heures à bavarder avec le sorcier local.

Tash'Kor était déjà sur le *Cœur de Cypris*, dont la remise en état était pratiquement achevée. Elle voulut le rejoindre. Soudain, elle le vit tourner la tête en direction du poste de garde oriental. Elle l'imita et crut être l'objet d'une hallucination. La sentinelle ayant assuré la dernière veille titubait, comme sous l'effet de l'alcool. Puis elle poussa un hurlement et s'écroula. Chacun découvrit alors la hache plantée dans son dos. Ils étaient attaqués. Aussitôt, Tash'Kor rameuta ses guerriers. Après un bref moment d'hésitation, ceux-ci réagirent et se précipitèrent sur leurs armes. Les femmes elles-mêmes se saisirent d'épieux de fortune, de poignards de silex ou de casse-tête.

Mais il était déjà trop tard. Une horde surgie de l'aube envahit le village en quelques instants. Khirâ comprit alors pourquoi les autochtones construisaient leurs villages à l'intérieur des terres. L'ennemi avait profité des dernières heures de la nuit pour cerner le village dans le plus grand silence. Trois fois supérieur en nombre, il n'eut aucune peine à déborder les Chypriotes, malgré la résistance acharnée que ceux-ci lui opposèrent. Visiblement, les assaillants cherchaient plus à faire des prisonniers qu'à massacrer. Ils utilisaient des filets qu'ils lançaient sur leurs victimes afin de paralyser leurs mouvements. Dès les premiers instants du combat, Tash'Kor ordonna aux femmes de tenter de s'enfuir. Si quelques-unes réussirent à gagner l'abri de la forêt proche, en partie déboisée par la construction du village, la plupart furent capturées avec leurs compagnons. Malgré leur courage et leur lutte acharnée, les jumeaux comprirent que toute résistance était inutile. Tash'Kor préféra déposer les armes. Le combat n'avait pas duré plus d'une heure. Trois Chypriotes avaient été tués, et l'un des agresseurs succomba très vite à ses blessures.

Plus tard, les membres entravés, les prisonniers étaient réunis sur la grève, surveillés par leurs vainqueurs. Trois navires avaient pénétré dans la baie, pour embarquer les captifs. Furieux de s'être laissé prendre au piège, Tash'Kor ne desserrait pas les dents. Il ne se faisait aucune illusion : c'était l'esclavage qui les attendait. Il aurait voulu hurler son dépit et sa colère. Il n'avait pas voulu tenir compte des avertissements des indigènes. La rage au cœur, il vit l'ennemi incendier le village. Tandis qu'on les entraînait sans ménagement à bord du *Cœur de Cypris*, dont l'ennemi s'était emparé, les flammes se mirent à dévorer les maisons, anéantissant le travail fourni depuis deux mois, et surtout l'espoir qu'elles portaient. Lorsque les navires quittèrent la baie, Mallia n'était plus qu'un gigantesque brasier.

34

Le lendemain, Jokahn, averti par les rescapés, revint à Mallia. Il ne restait du village que des décombres qui achevaient de se consumer. Les corps des quatre hommes tués gisaient sur la grève. La mort dans l'âme, le vieux mage parcourut le village détruit, s'étonnant malgré tout du nombre restreint de victimes. Il en conclut que les défenseurs n'avaient pas résisté longtemps et que le massacre n'était pas le but recherché par les assaillants.

— Ils ont besoin d'esclaves, grogna-t-il. Si au moins nous savions qui nous a attaqués...

Un désespoir intense l'envahit. Il étudia la petite troupe qui l'entourait. Ils ne pouvaient même pas envisager d'organiser une expédition destinée à libérer les leurs. Sur la centaine d'habitants que comptait le village, seuls restaient neuf femmes qui avaient fui sur l'ordre de Tash'Kor, et la vingtaine de guerriers et d'esclaves qui l'avaient accompagné la nuit précédente. Tous étaient de redoutables guerriers, même les femmes, que les circonstances avaient transformées en de solides combattantes. Mais seule une armée importante avait ainsi pu capturer la quasi-totalité de leurs compagnons. Et surtout, où avaient-ils été emmenés?

— Qu'allons-nous devenir? demanda une jeune femme à ses côtés.

Décontenancé, Jokahn fit quelques pas parmi les ruines encore fumantes. Les visages se tournaient vers lui, quêtant une réponse, un espoir. Mais le vieil homme n'était pas préparé à prendre en main le destin d'un peuple, aussi modeste fût-il. Il était né pour conseiller son seigneur, l'éclairer de sa sagesse, modérer son orgueil et le soutenir pendant les moments de désespoir. Lui-même ne possédait pas l'autorité suffisante pour diriger ces hommes désemparés.

— Je… je crains que nous ne puissions rien faire pour sauver notre seigneur, répondit-il enfin. Nous aurions dû écouter ceux d'Antron, et nous établir à l'intérieur des terres. Mais cette baie semblait tellement accueillante…

Un secours inattendu lui vint en la personne de Leeva, la jeune femme qui l'avait interrogé. Elle n'était qu'une servante, une femme du peuple chypriote. Mais, malgré son jeune âge, environ vingt-cinq ans, elle bénéficiait d'une forte personnalité. Elle avait compris que le vieux mage se sentait désarmé devant les événements. Elle avait beaucoup d'affection pour lui. Elle déclara:

— Nous devrions récupérer tous les objets et outils qui peuvent être sauvés et nous réfugier à Antron. Nous demanderons l'hospitalité à ses habitants. Après tout, ils nous ont accueillis avec bienveillance, et chacun de nous commence à parler un peu leur langue.

— La sagesse parle par ta voix, Leeva, confirma Jokahn. Nous allons agir ainsi que tu le dis.

— Si les dieux nous en laissent le temps, souffla-t-elle d'une voix blanche.

Elle avait tourné les yeux vers la mer. Un navire venait d'apparaître, qui contournait lentement la pointe orientale de la baie.

— Ils reviennent nous chercher ! Il faut fuir ! s'exclama un esclave.

— Je le reconnais, renchérit un guerrier. C'est… le bateau égyptien, celui qui nous poursuivait.

— Mais alors… il n'a pas été détruit, dit Jokahn. Khirâ a pleuré son frère à tort.

— Ce sont eux qui ont détruit le village ! insista le soldat. Ils nous ont retrouvés, et ils se sont vengés.

— C'est ridicule, rétorqua Leeva. Ils sont à peine plus nombreux que nous. Les nôtres auraient opposé une résistance plus importante. Et puis, pourquoi reviendraient-ils sur les lieux ?

— Elle a raison, ajouta une autre femme. Mais ils sont nos ennemis, eux aussi. Nous ferions mieux de fuir.

— Non ! s'exclama Jokahn. Nous allons rester ici. Le prince Seschi désirait seulement reprendre sa sœur. Il gardait rancune à notre seigneur Tash'Kor. Mais c'est un homme juste. Il nous épargnera. Nous devons aussi l'attendre pour une autre raison : s'il existe une chance de délivrer les nôtres, c'est lui qui la détient. Son équipage est puissant. Nous devons lui proposer notre alliance.

— À condition qu'il accepte, répliqua le soldat d'un ton sceptique.

— Il nous aidera, reprit Jokahn. Nos ennemis sont aussi les siens. N'oubliez pas qu'ils ont enlevé sa sœur.

Mais, comme le navire se dirigeait vers la grève,

quelques personnes commencèrent à reculer vers la forêt.

— Restez ici ! tonna la voix de Leeva. Jokahn a raison. Nous devons nous allier aux Égyptiens.

Après quelques hésitations, les peureux revinrent, domptés par le ton ferme de la jeune femme. Jokahn poussa un soupir de soulagement.

— Je vais m'avancer vers lui, dit-il. Vous resterez en arrière. S'il se montre hostile, fuyez et réfugiez-vous à Antron. Cela voudra dire que je me suis trompé.

— Je vais avec toi, décréta Leeva. Si ce prince est un homme d'honneur, ce que je crois, il n'osera pas frapper un vieil homme et une femme.

— Je l'espère, répondit Jokahn avec une moue dubitative. Encore que les lois de la Grande Verte ne me semblent pas toujours inspirées par l'honneur.

Le navire avait touché terre. Sur la plage, les Égyptiens commençaient à débarquer. Parmi eux, Jokahn reconnut la silhouette de Tayna, toujours aussi féline. Une violente colère l'envahit, qu'il maîtrisa à grand-peine. Il n'avait jamais aimé cette fille. Il comprenait à présent qu'elle les avait trahis. Elle avait disparu à la hauteur de Per Bastet, deux jours après leur départ de Mennof-Rê. Sans doute avait-elle compris que Tash'Kor ne tuerait jamais Khirâ, et, par dépit, elle avait décidé de le vendre aux Égyptiens. Mais au fond, cela n'avait plus grande importance désormais.

Lorsque Seschi aperçut l'homme et la femme se dirigeant vers lui, il connut un instant de pur désespoir. Les pêcheurs capturés le matin même n'avaient pas menti : un village côtier avait bien été attaqué la veille par une flotte provenant de la lointaine partie occidentale de l'île. Un village construit peu de temps auparavant par des étrangers venus d'Orient. Seschi en avait immédiatement déduit qu'il s'agissait des Chypriotes. Mais les autres révélations des pêcheurs l'inquiétaient encore plus.

L'homme âgé n'était autre que le mage accompagnant ce chien de Tash'Kor. La jeune femme qui lui tenait le bras lui était inconnue. Derrière, au milieu des ruines fumantes, le petit groupe apeuré des survivants se tenait prêt à fuir à la moindre alerte. Il fit un signe à Khersethi pour que les guerriers ne brandissent pas leurs armes. Apparemment, les Chypriotes survivants voulaient parlementer.

Parvenu devant lui, Jokahn se prosterna.

— La bénédiction des dieux soit sur toi, Seigneur.

Seschi examina le vieil homme avec méfiance. Mais le regard de son interlocuteur respirait la franchise. Il n'avait devant lui qu'un vieillard désemparé par le drame qui venait d'anéantir son peuple. D'une nature généreuse et protectrice, Seschi n'eut pas le cœur de faire preuve de dureté à son égard.

— Où est ma sœur? demanda-t-il d'une voix anxieuse.

— Hélas, tu arrives trop tard. Notre village vient d'être détruit par un ennemi inconnu.

— Je le sais.

Devant le regard étonné de Jokahn, il expliqua:

— Ce matin, nous avons capturé des pêcheurs qui nous ont tout raconté. J'avais espéré que Khirâ était parvenue à s'enfuir, mais je me suis trompé.

— La princesse Khirâ a été emmenée, ainsi que mes jeunes maîtres, Seigneur!

— Ceux-là, tonna Seschi, je voudrais les tenir au bout de mon glaive.

Jokahn se redressa et défia Seschi du regard.

— Ne les juge pas sévèrement, Seigneur. C'est ta sœur elle-même qui a demandé au prince Tash'Kor de quitter Kemit en l'emmenant avec lui. Pour elle, il a sacrifié l'hospitalité et la sécurité que l'Horus lui avait généreusement accordées, et il est parti, sachant bien qu'il encourait la colère de ton père.

Aux côtés de Seschi, Tayna explosa :

— Tu mens ! Il voulait la tuer !

Jokahn ne se départit pas de son calme. Sans regarder la jeune femme, il répondit :

— C'est parfaitement exact, Seigneur. Mon maître, contre l'avis même de son frère Pollys, et contre le mien, désirait tuer la princesse Khirâ afin de se venger des souffrances endurées par notre peuple en raison du refus de l'Horus de nous aider pendant la sécheresse. Mon maître avait le cœur dévoré par la haine. Mais toi-même aurais réagi de la même manière, Seigneur. Il a vu sa mère, la douce Mallia, mourir lentement de faim à la suite du coup d'État de l'infâme Khoudir. Celui-là est le véritable ennemi de Kemit. Il a partie liée avec les pirates. Mon défunt maître Mokhtar-Ba luttait contre eux. Mais Khoudir a triomphé, et nous avons dû fuir, poursuivis par les hordes barbares du traître. Cent fois nous avons failli être capturés et massacrés. Nous ne trouvions refuge que dans les gorges arides les plus reculées de l'île, tentant désespérément de nous emparer d'un navire pour fuir Chypre. C'est au cours de cette fuite que Mallia a péri. Dans l'esprit de Tash'Kor, le responsable de ce drame était ton père. Il était persuadé que si Mokhtar-

Ba avait pu rapporter des vivres en suffisance, Khoudir n'aurait pas réussi à le renverser. Mais le peuple hurlait de faim. Il s'est emparé de Mokhtar-Ba et l'a dévoré après l'avoir fait rôtir comme un vulgaire mouflon.

Seschi serra les dents.

— J'ignorais cette histoire. Mais cela ne l'excuse pas à mes yeux.

— Je ne cherche pas à l'excuser. Je t'explique les raisons de sa haine. Il n'a jamais pardonné la terrible agonie de sa mère. Et il n'est venu en Égypte que pour la venger. Il désirait la mort de Khirâ. Je désapprouvais son dessein, mais je pouvais le comprendre. Alors, je suis resté près de lui, pour tenter de lui ouvrir les yeux. Lorsque Khirâ lui a proposé de l'enlever, elle ignorait qu'elle tombait entre ses griffes.

Il fixa Tayna dans les yeux.

— Mais jamais je ne l'aurais abandonné. Il était mon seigneur, et je lui devais fidélité.

— Ce qui fait de toi son complice, gronda Seschi.

— Non, Seigneur. Je voulais le protéger de sa folie. J'espérais qu'il viendrait un moment où il cesserait d'être aveugle. Sa haine l'empêchait de comprendre qu'il aimait ta sœur autant qu'elle l'aimait. Enfin, Cypris m'a exaucé, et l'a inspiré ; il s'est rendu compte de son erreur. À Busiris, il n'a pas pu tuer la princesse Khirâ. Sa haine a disparu. Il a compris les raisons qui avaient poussé Djoser à refuser son aide, et il les a approuvées. Comme tu le vois, tout cela n'était qu'un stupide malentendu. Mais il était déjà trop tard : notre navire avait fui le Double-Royaume, et tu t'étais lancé à notre poursuite. Je voulais le convaincre de revenir à Mennof-Rê lorsque cette flotte pirate nous a pris en chasse. Tu connais la suite. Ce dieu infernal les a détruits. Il nous a sauvés des Barbares, mais nous avons cru jusqu'à aujourd'hui que ton navire lui-même avait été anéanti. Khirâ en fut bouleversée. Nous ne pouvions plus retourner à Kemit. Nous avons dérivé pendant plusieurs jours jusqu'à cette baie où nous avons décidé de nous établir.

Il écarta les bras en signe d'impuissance.

— Malheureusement, nous n'avons pas écouté les indigènes, qui nous avaient déconseillé de nous installer le long de la côte.

Il désigna les ruines.

— Ce village s'appelait Mallia, du nom de la mère de Tash'Kor et de Pollys. Il aura à peine vécu deux mois. Aujourd'hui, tout est perdu.

— Ton histoire ne m'inspire aucune pitié, vieil homme. Tu oublies une chose : ton maître a armé le bras qui a tué ma jeune sœur Inkha-Es !

— Non, Seigneur ! Je l'ai redouté moi-même un temps, mais je puis t'assurer que Tash'Kor n'a aucun rapport avec l'homme mystérieux décrit par le Sumérien. Celui-ci était notre prisonnier depuis la nuit où il avait tenté de s'introduire chez nous pour voler de la nourriture.

— Pourquoi dans ce cas ne pas l'avoir livré à la justice de l'Horus ?

— Ce criminel pouvait servir les projets de mon maître. Il espérait, grâce à lui, attirer la princesse Khirâ dans un piège. Il savait qu'elle désirait tuer personnellement l'assassin de sa sœur. Il lui a offert sa vengeance.

Tayna éclata de rire

— Superbe cadeau en vérité ! Devant le Sumérien,

elle a failli reculer. Elle n'avait même pas la force de lui planter son glaive dans les tripes ! Il a fallu que Tash'Kor la force à le tuer !

Avant que Seschi n'ait pu réagir, Jokahn se rua sur elle et la gifla à toute volée.

— Tais-toi, infâme vipère ! Il a agi ainsi parce qu'il était partagé entre l'amour et la haine. Et cela lui brouillait l'esprit. Mais la réaction de Khirâ prouve sa noblesse d'âme. Tu n'aurais pas hésité, toi, à frapper ce criminel. Tu aurais même pris plaisir à lui donner la mort.

— Il n'a eu que ce qu'il méritait ! cracha Tayna.

— C'est exact ! Il a payé ses crimes, et de la main même de Khirâ.

Seschi leva la main pour faire taire les deux antagonistes.

— Ne détourne pas la conversation, vieil homme ! Si l'individu masqué qui a rendu visite au Sumérien peu avant son crime n'est pas ton maître, qui est-il ?

— Je l'ignore, Seigneur ! Tash'Kor m'a parlé. Sa haine l'avait abandonné. Je lui ai fait part de mes soupçons le concernant. Il m'a avoué n'avoir aucun rapport avec cet inconnu. Et je le crois ! ajouta-t-il avec ferveur.

— Tu le crois

— Oui, Seigneur. Je connais son âme. Je l'ai élevé depuis son plus jeune âge. Il est capable du meilleur comme du pire. Mais il a le sens de l'honneur et du devoir. Peut-être serait-il allé jusqu'au bout de sa vengeance si la belle Cypris ne lui avait ouvert les yeux. Mais jamais il ne se serait attaqué à une petite fille. Si tu doutes de ma parole, Seigneur, prends ma vie à l'instant. Frappe-moi, car cela signifierait que je me suis trompé, et que j'ai servi un maître indigne.

— Il voulait tuer Khirâ, s'obstina Seschi.

— Il croyait la haïr parce qu'elle l'avait repoussé avec dédain lors de sa première visite. Il n'avait pas compris qu'elle était trop jeune à l'époque. Mais tout a changé. Khirâ n'était plus une fillette. Il pouvait en tirer vengeance. Cependant, depuis qu'il a abandonné ses projets de vengeance, jamais femme n'a été autant adulée que ta sœur. Elle était devenue la reine de notre petit peuple, et chacun ici l'aimait.

— C'est vrai, Seigneur, renchérit Leeva. Elle était devenue l'une des nôtres. Et plus d'une fois je l'ai vue pleurer ta mort.

— Ma mort ?

— Elle pensait que le dieu Typhon t'avait dévoré, Seigneur. Et elle s'en rendait responsable.

Seschi resta un moment silencieux. La sincérité du vieux mage le troublait. Ses paroles confirmaient ce que lui avait dit Neserkhet deux mois plus tôt. Tash'Kor ne pouvait être le monstre qu'il avait imaginé. Dans ce cas, jamais Khirâ ne l'aurait aimé. Et puis, comment ne pas croire ce vieil homme prêt à offrir sa vie pour son maître ?

Jokahn insista :

— Notre vie t'appartient, Seigneur. Nous ne sommes pas tes ennemis, bien au contraire. Nous aurions pu nous enfuir à ton arrivée. Dans la montagne, tu n'aurais pu nous retrouver. Mais nous sommes venus à toi, parce que nous désirons unir nos faibles forces aux tiennes. Je sais que tu vas te lancer à la poursuite de ceux qui ont enlevé Khirâ. Nous souhaitons que tu nous acceptes à tes côtés. Parce qu'elle est notre reine !

Seschi hocha la tête sans répondre. Il se tourna vers Hobakha et Khersethi.

— Qu'en pensent mes compagnons?

— Je crois que cet homme dit la vérité, répondit Hobakha.

— Je partage son avis, confirma Khersethi. Et nous ne serons jamais trop nombreux pour lutter contre ceux qui ont pillé ce village.

— Encore faudrait-il savoir qui ils sont! soupira Jokahn.

— Nous en avons une idée. L'un des pêcheurs que j'ai capturés a accepté de rester à bord pour me servir de guide. Il m'a appris ceci : cette terre est une grande île. Loin vers l'ouest existent des cités. Il pense que l'ennemi vient de là-bas.

— Les nôtres vont être transformés en esclaves, gémit le vieux mage.

Seschi ne répondit pas immédiatement.

— Je crains que ce ne soit pire. Cet homme a parlé d'un monstre terrifiant, auquel on jette les prisonniers en pâture.

35

Seschi fit amener à terre le marin qui s'était offert à lui servir de guide.

— Dis-moi ce que tu sais sur ceux qui ont attaqué ce village !

Thefris, un compagnon d'Hobakha qui parlait le crétois, traduisit les paroles de Seschi. Le pêcheur roula des yeux effrayés.

— Ils viennent d'un lieu effroyable, Seigneur, répondit l'indigène. Je n'ai accepté de t'emmener là-bas que parce que tu as promis de bien me payer. Mais mes os craquent rien qu'à l'idée de m'aventurer aussi près du repaire de ces démons.

En d'autres circonstances, la couardise du pêcheur aurait amusé Seschi. Mais Khirâ était prisonnière. Après avoir laborieusement traduit la réponse, Thefris fit comprendre à Seschi, par un signe discret, qu'il pensait que l'individu n'avait pas toute sa raison. Il semblait redouter que surgisse à chaque instant un monstre effroyable vomi par Seth. Déjà, dans la matinée, il avait cédé à la panique parce que le vaisseau naviguait trop près des côtes. À certains endroits, les falaises tombaient à pic dans la mer, et de puissants tourbillons naissaient de la lutte titanesque menée par les flots contre la roche. Des grottes inquiétantes et sombres s'ouvraient dans les parois verticales, inaccessibles à l'homme. Le pêcheur avait certifié que ces antres maléfiques abritaient des monstres épouvantables, dont les grondements des vagues masquaient les rugissements. Malheur à ceux qui s'approchaient trop près de ces lieux maudits. Interrogé par Seschi, il se mit à parler avec une volubilité mêlée de claquements de dents. Thefris fut plusieurs fois obligé de lui faire répéter ses paroles.

— Je ne sais pas si nous devons ajouter foi à ce qu'il raconte, Seigneur. Cela paraît tellement bizarre.

— Explique-toi !

— Il dit que les pillards proviennent d'une ville située bien loin vers l'ouest. Il ignore son nom. Il affirme que chaque année, les habitants de cette cité maudite organisent des razzias le long des côtes pour capturer des jeunes gens qu'ils offrent ensuite en pâture à une créature abominable. Il prétend que cette créature est née de l'union d'une femme et d'Ouranos, le dieu du ciel, incarné sous la forme d'un taureau géant. Elle conçut un fils que l'on dissimula à la vue tant son aspect était terrifiant. Lorsqu'il fut adulte, on l'enferma à jamais dans une vallée maudite, un labyrinthe inaccessible d'où il ne peut s'échapper.

Seschi songea à Apis, incarnation de Ptah. Jamais pourtant on n'avait imaginé qu'une femme pût s'accoupler avec cette bête. L'idée en elle-même était répugnante. Les gens de cette île étaient bien étranges. Le pêcheur poursuivit :

— Il tire de son ascendance divine une force surhumaine. On affirme qu'il est capable de terrasser cent guerriers à lui seul. Sa taille est double de celle d'un homme robuste, et il vit dans un défilé sinistre enfoncé entre deux montagnes infranchissables, un lieu maléfique où le soleil ne pénètre jamais.

— Mais personne n'a jamais vu ce monstre ! ironisa Seschi.

— Il existe, insista le pêcheur. C'est pour lui que ces chiens pillent nos villages. Tous les ans, ils sacrifient à la créature sept garçons et sept filles. Aucun de ceux qu'on lui a livrés n'est jamais revenu.

— Pourquoi ne pas l'avoir tué, s'il était aussi dangereux ? demanda Khersethi.

— Le taureau est le dieu de la Crète, Seigneur. Le minos de cette ville a nom Galyel. Il affirme que cet enfant avait été engendré par le dieu lui-même. C'est pourquoi on lui offre des sacrifices humains.

— Le minos ?

— C'est ainsi que l'on nomme les rois.

— Alors, déclara Seschi, tu vas nous mener jusqu'à cette cité. Je veux rencontrer ce… minos.

— Il va te tuer, Seigneur ! grelotta l'autre. Sa méchanceté est légendaire. Même les autres minos le redoutent.

— Je serai moi aussi très méchant s'il refuse de me rendre ma sœur, gronda Seschi en tapotant son énorme massue incrustée de silex.

Seschi avait accepté l'alliance proposée par Jokahn. Une sympathie spontanée était née entre eux. Le jeune prince avait conservé du vieil homme, au travers du récit de Khirâ, l'idée d'un mage animé de mauvaises intentions, extrêmement dangereux, et capable, par la puissance de sa sorcellerie, de déchaîner la fureur des dieux sur un pays. Celui qu'il avait découvert ne correspondait pas du tout à ce portrait. Au contraire, Jokahn, par de nombreux aspects, lui rappelait son grand-père, Imhotep. Son érudition était étonnante, mais il faisait preuve également d'une grande humanité et d'une profonde sagesse. L'affection qu'il portait aux siens avait amené Seschi à modifier son jugement sur les jumeaux. Il en venait à se dire que, placé dans des circonstances identiques, il aurait éprouvé lui aussi de la haine, et aurait pu commettre les mêmes erreurs. Il en avait tiré une leçon : il ne fallait jamais juger un homme trop hâtivement, sans l'avoir rencontré et sans avoir cherché à comprendre ses motivations.

Ainsi, les Chypriotes rescapés furent accueillis à bord de l'*Esprit de Ptah* mieux qu'ils ne l'espéraient. Après avoir réuni les quelques armes qu'ils avaient pu sauver du désastre, ils avaient pris leur place sans rechigner au banc de nage, et des liens s'étaient rapidement tissés entre les Égyptiens et les nouveaux venus. Autrefois adversaires sans avoir jamais eu l'occasion de se combattre, les deux partis se trouvaient réunis de force par les circonstances, rapprochés par un ennemi commun. La perspective des combats futurs, où ils devraient s'épauler mutuellement, les incitait à bavarder, à mieux se connaître. Et chaque groupe se rendit compte que l'autre lui ressemblait finalement beaucoup, d'autant plus que les Chypriotes avaient vécu à Mennof-Rê, et qu'ils en conservaient d'agréables souvenirs et une certaine nostalgie, partagée par les Égyptiens. De plus, les nouveaux venus comptaient dans leur rang quelques jeunes femmes que Seschi avait, pour leur sécurité, cantonnées à l'arrière du vaisseau. Les guerriers, sevrés de femmes depuis plus de deux mois, prenaient plaisir à cette compagnie inaccessible, mais dont ils percevaient les voix légères. Souvent même, on devinait leurs silhouettes déambuler près de la cabine de commandement.

Tayna n'apprécia guère de retrouver ses anciennes compagnes. Celles-ci d'ailleurs la maintinrent à l'écart. Pour elles, elle avait trahi leur maître, et il était hors de question de lui pardonner aussi facilement. En revanche, Neserkhet se lia immédiatement de sympathie avec Leeva. Celle-ci lui expliqua la douleur de Khirâ lorsqu'elle avait cru que le navire de son frère avait été anéanti par le dieu Typhon. La jeune Bédouine lui raconta alors leur odyssée.

— Nous aussi avons pensé que votre navire avait été détruit. Mais l'un de nos guerriers l'a aperçu, qui se dirigeait vers le nord-ouest. Thefris, le second du capitaine Hobakha, savait qu'il existait, dans cette direction, des terres mystérieuses qu'on appelait les îles Blanches. Le *Cœur de Cypris* avait déjà pris trop d'avance. Le cyclone menaçait encore, et nous avons été contraints de filer plein ouest avant de remonter vers le nord. Mais le prince a hérité de l'opiniâtreté de son père. Il ne lâche jamais une proie. Par chance, notre navire n'avait pas subi de grosses avaries. De plus, Thefris connaissait les îles Blanches pour s'y être déjà rendu. Il parle même un peu la langue des autochtones. Seschi a donc décidé de vous suivre.

«L'*Esprit de Ptah* n'a pas mis plus de quatre jours pour arriver en vue de l'île. Malheureusement, nous vous avions perdus. Pendant près de deux mois, nous avons exploré les côtes, en recherchant une trace de votre passage. Nous avons commis l'erreur de longer tout d'abord les rivages du sud. À plusieurs reprises, nous avons accosté, mais les indigènes s'enfuyaient à notre approche. La Crète est un pays bien surprenant. Certaines peuplades ne sont guère évoluées. Elles vivent de chasse et de cueillette. D'autres au contraire font preuve d'une civilisation plus avancée.

« À force de patience et de ténacité, le prince Seschi a fini par nouer des contacts avec certains autochtones. Il a toujours possédé un don étrange pour apprivoiser les autres. Mais personne n'avait aperçu de bateau. Les indigènes redoutent la venue de navires. On nous parla de razzias, de prisonniers qu'on n'avait jamais revus. Déjà, sur cette côte méridionale, on avait évoqué l'histoire d'un monstre abominable à tête de taureau. Mais Seschi ne voulait pas y croire. Nous avons fini par rebrousser chemin. Puisque personne n'avait observé le passage d'un grand navire sur cette côte, il en a conclu que le *Cœur de Cypris* avait dû contourner la Crète par le nord. Il pestait contre lui-même, parce qu'il avait fait le mauvais choix. Rien d'ailleurs ne prouvait que vous aviez fait escale sur l'île. Peut-être aviez-vous poursuivi votre route vers le nord.

Neserkhet eut une moue amusée.

— Il n'était pas de bonne humeur. Il avait l'impression de perdre un temps précieux. Mais nous ne pouvions faire autrement. Nous avons caboté d'un endroit à l'autre, en organisant parfois des expéditions à l'intérieur des terres pour rechercher des indices. Sans aucun résultat jusqu'à hier, où nous avons capturé une petite barque de pêcheurs. Ceux-ci nous ont raconté qu'un navire s'était échoué sur la côte deux mois plus tôt, et que ses occupants avaient bâti un village. Il ne pouvait s'agir que de vous. Malheureuse-

ment, nous sommes arrivés trop tard. Si nous étions
arrivés plus tôt…

— Les dieux avaient écrit ainsi notre destin, Neserkhet, répondit Leeva. Et peut-être cela vaut-il mieux.

— Comment peux-tu dire cela ? s'étonna la jeune
fille.

— Que se serait-il passé si vous aviez abordé avant
l'attaque ? Nos deux clans se seraient affrontés, le tien
pour reprendre la princesse Khirâ, et le mien pour la
défendre.

— C'est vrai, admit Neserkhet.

— Tandis qu'aujourd'hui, nous sommes alliés.
Peut-être était-ce là la volonté des dieux. Et pour moi,
cela signifie qu'ils nous protègent, et qu'ils nous
apporteront leur soutien dans le combat que nous
allons livrer. Car il n'y a pas de meilleurs amis que
deux ennemis réconciliés.

Mais Seschi déteste tes maîtres. Je doute qu'il leur
pardonne aussi facilement.

— Le prince Seschi est généreux. Je suis sûre qu'il
leur pardonnera. D'ailleurs, c'est peut-être à toi d'agir
dans ce sens, ne crois-tu pas ?

— Il ne m'écoute guère, soupira Neserkhet.

Leeva ne répondit pas immédiatement. Après avoir
observé sa compagne, elle ajouta :

— Tu es amoureuse de lui, n'est-ce pas ?

— Il s'en moque. Il passe son temps à courir de
l'une à l'autre. Je n'en connais aucune qui lui ait
résisté jusqu'à présent. Quant à moi, il me considère
comme une amie. Il me raconte tout, comme il le faisait avec Khirâ. Mais je ne suis pas sa sœur.

— Peut-être ta situation n'est-elle pas si mauvaise.
Au moins, en tant qu'amie, il te demeure fidèle.

— Mais j'ai envie d'autre chose. À cause de lui et de ma stupidité, j'ai repoussé les avances d'autres princes égyptiens. Ils étaient jeunes, riches et beaux, et je n'ai pas voulu d'eux. Ils m'ont fait depuis une réputation de pimbêche que je ne mérite pourtant pas.

Leeva éclata de rire devant la mine contrite de Neserkhet. Celle-ci finit par l'imiter.

— D'après le pêcheur, nous approchons de la cité, déclara Hobakha. Son port est l'un des plus importants de l'île.

— Il est hors de question de nous y rendre directement, répondit Seschi. Nous irions nous jeter dans la gueule du loup. Nous allons débarquer un peu avant, à une journée de marche de la cité. Là, nous tenterons de pénétrer à l'intérieur en nous faisant passer pour des bergers. Une fois sur place, nous aviserons. Il nous faut savoir où Khirâ a été conduite.

Quelques heures plus tard, l'*Esprit de Ptah* avait relâché dans une petite anse abritée. Seschi, Khersethi, Hourakthi et une trentaine de guerriers débarquèrent et se dirigèrent vers les collines. Des parfums de résine et de fleurs leur emplissaient les poumons. Afin de rendre leur expédition crédible, ils avaient amené avec eux un petit troupeau de chèvres emporté du village d'Antron. De même, ils avaient revêtu les défroques des paysans indigènes, d'amples robes de laine grossière, dans lesquelles il était facile de dissimuler des armes.

Cheminant en direction de la cité, ils longeaient un petit lac lorsque des cris leur parvinrent.

— On dirait des femmes, remarqua Hourakthi.

Seschi fit signe aux guerriers de rester en arrière. Suivi du colosse, il se faufila derrière des bosquets d'arbustes épais pour se rapprocher. Un spectacle qui ne manquait pas de charme les attendait. Un peu plus loin, une demi-douzaine de jeunes filles nues se baignaient. De grands éclats de rires leur parvenaient. L'une d'elles semblait entourée par les autres. Sans doute s'agissait-il d'un personnage important. Étudiant l'endroit, ils repérèrent quelques guerriers, vraisemblablement destinés à protéger les filles. Les deux hommes échangèrent un regard de connivence.

— Nous allons les capturer, glissa-t-il à Hourakthi. Nous pourrons nous en servir comme monnaie d'échange contre Khirâ.

Entraînés par Khersethi, les guerriers savaient se rendre invisibles. Lorsqu'ils bondirent sur les défenseurs, ceux-ci ne purent leur opposer la moindre résistance. Des hurlements de panique jaillirent parmi les filles. Les Égyptiens les firent sortir de l'eau, ravis de constater qu'elles ne portaient strictement rien. La plus âgée n'avait pas dix-huit ans. Hilare, un guerrier amena l'une d'elles devant Seschi.

— Quel curieux gibier nous ramenons là! clama-t-il.

La fille se couvrit comme elle put de ses mains et foudroya Seschi du regard.

— Qui es-tu? demanda le jeune homme.

Thefris traduisit.

— Je m'appelle Aria! Et je suis la fille du minos d'Arméni. Tu paieras ton crime de ta vie! Il te fera jeter aux porcs, et ils te dévoreront les intestins.

— Silence! gronda le jeune homme en réponse. N'oublie pas que pour l'instant, c'est toi qui es entre mes mains. Les tiens ont enlevé ma sœur. Si elle ne m'est pas rendue, tu périras.

— Je ne comprends rien à ce que tu dis.

— Habille-toi ! Tu vas me mener à ton père.

Impressionnée par l'autorité qui se dégageait du jeune homme, Aria n'osa répondre. Elle avait un instant redouté que ces individus vêtus à la manière des paysans n'abusassent de leur victoire. Mais le jeune géant qui les commandait ne semblait pas avoir de mauvaises intentions à leur égard. Au moins pour l'instant. Elle se demandait d'où ils avaient pu surgir. La cité était proche. Aucun ennemi n'oserait s'aventurer si près des murailles. Et puis, Arméni n'était en guerre avec personne. Comment aurait-elle pu deviner qu'elle risquait d'être attaquée ?

Après avoir envoyé deux guerriers avertir Hobakha de leur prise, Seschi ordonna de se mettre en chemin. La ville se dressait à moins d'un mile de là, à l'intérieur des terres. Une route caillouteuse menait vers la mer, où se dressait un petit port, Rethy. Les deux agglomérations dépendaient du minos Radhamante, père d'Aria.

Arméni n'avait que peu de rapport avec les villes égyptiennes. Ses murailles n'étaient que des amas de rocailles scellées par du mortier, et hérissées de pieux acérés. De même, les demeures étaient bâties en bois et en pierre grossièrement taillée. L'architecture était rudimentaire, sans aucun rapport avec celle que l'on rencontrait à Mennof-Rê. Seschi ne put s'empêcher de penser qu'il avait affaire à un peuple primitif, bien en retard sur celui de la Vallée sacrée. Mais les citadins étaient nombreux, et la ville rachetait sa rusticité par ses dimensions importantes. Il estima qu'Arméni devait abriter près de dix mille habitants. Tenant Aria contre lui, il entraîna ses compagnons en direction du palais royal. La jeune fille, peu rassurée, sentait contre son flanc la pointe du poignard qu'il dissimulait sous une peau de bête. Certains s'étonnèrent de voir ainsi la princesse déambuler au bras d'un étranger, mais la présence de ses gardes du corps, libres de toute entrave, évita les questions. Les compagnes d'Aria étaient elles-mêmes prisonnières des soldats égyptiens. Seschi les avait prévenues : la première qui tentait de s'échapper provoquerait aussitôt la mort de la princesse.

En vérité, le plan de Seschi relevait de l'audace la plus folle. Il répugnait à se servir ainsi de ces filles comme bouclier. Mais les Arméniens n'avaient-ils pas attaqué les premiers en enlevant Khirâ ?

Peu à peu cependant, une foule de curieux se forma, intriguée par le manège de ces paysans inconnus, dont l'attitude envers la princesse paraissait pour le moins familière. Seschi accéléra le pas, et bientôt, la petite troupe arriva en vue du palais royal.

Celui-ci ne différait des maisons que par ses dimensions. Une foule de serviteurs et de guerriers hantait la vaste cour de réception, encombrée également par toutes sortes d'animaux, chèvres, mouflons, porcs, et quelques ânes. Apparemment, cette cour royale faisait également office de marché, car nombre de citadins s'y pressaient le long d'étals installés contre les murs. Parvenus devant l'entrée du palais proprement dit, une douzaine de gardes se présentèrent pour saluer la princesse. Seschi se plaça derrière sa prisonnière sans la lâcher et ordonna :

— Dis-leur que tu désires voir ton père.

— Il te fera trancher la tête !

— Je trancherai la tienne d'abord, ma belle !

Elle tenta de se dégager, mais il la tenait fermement. Les gardes comprirent aussitôt qu'il se passait quelque chose d'anormal et voulurent intervenir. Seschi dégagea son poignard et le posa sur la gorge d'Aria.

— Conduisez-moi immédiatement à votre roi ! gronda-t-il.

Les soldats hésitèrent. Une légère pression sur la peau tendre de la jeune fille les décida à agir. Pointant leurs armes sur les Égyptiens, ils s'effacèrent néanmoins pour les laisser passer.

Radhamante tenait conseil avec les chefs des villages de son royaume lorsque Seschi fit irruption dans la salle. L'endroit se révéla surprenant. Malgré la rusticité des lieux, il s'en dégageait une grande luminosité. Sur les murs recouverts de chaux, des artistes avaient dessiné des scènes stylisées, où dominaient le bleu et le vert, et qui représentaient des scènes de chasse, des oiseaux, des animaux, ou des scènes marines. Des peaux de bêtes finement tannées avaient été peintes avec des motifs identiques. Les meubles de bois étaient chargés de poteries délicatement décorées. Il émanait de l'ensemble une impression de gaieté, de poésie et de sérénité qui ne correspondait pas du tout à ce qu'avait raconté le pêcheur.

À la vue de sa fille prisonnière, Radhamante pâlit. Il comprit au regard déterminé de l'inconnu qui la tenait à sa merci qu'un seul geste de sa part déclencherait sa mort. Il s'avança vers Seschi, faisant signe à ses gardes de ne pas intervenir. Thefris, pas très à l'aise, fit office de truchement.

— Qui es-tu ? demanda Radhamante.

— Je suis le prince Nefer-Sechem-Ptah, fils de l'Horus Djoser, maître des Deux-Terres.

— Voilà une étrange manière de te présenter devant moi, déclara-t-il. Les Égyptiens sont-ils devenus si barbares qu'ils s'en prennent à des filles sans défense ? Tu devrais pourtant savoir que si tu tues Aria, tu n'as aucune chance de sortir de ce palais vivant.

Seschi étudia le personnage. Bien qu'il s'en défendît, il appréciait le regard franc et calme de son adversaire. Djoser prétendait toujours qu'il valait mieux avoir un ennemi intelligent qu'un ami stupide. Il rétorqua sur le même ton :

— Et comment appelles-tu la manière dont les tiens ont attaqué le village de ma sœur, dans l'est de cette île ?

Le village du minos refléta le plus grand étonnement.

— Ta sœur ?

— Tes guerriers ont attaqué les siens par surprise. Ils ont tué trois soldats et emporté la presque totalité des habitants. C'est pourquoi je viens te demander justice, et la restitution de tes prisonniers.

Radhamante hocha plusieurs fois la tête en écoutant la traduction de Thefris. Puis il écarta les bras en signe d'impuissance.

— Je crains que la colère n'ait aveuglé ton cœur, prince Nefer-Sechem-Ptah, dit-il enfin dans un égyptien approximatif, mais compréhensible.

— Tu parles ma langue ? s'étonna Seschi.

— Je l'ai apprise avec un vieux marin égyptien venu s'installer parmi mon peuple. Jamais il n'a été maltraité. Il fut accueilli par les miens comme un ami, et, s'il vivait encore, il pourrait te le confirmer. Malheureusement, les dieux ont repris sa vie voici bien des années. Mais par lui, j'ai appris à connaître ton pays, pour lequel je nourris une grande admiration.

— Trêve de bavardages! Où est ma sœur? Et n'oublie pas qu'elle est la fille de l'Horus Djoser.

— Bien que je la comprenne, ta colère contre moi est sans objet, prince Seschi. Ce ne sont pas les miens qui ont attaqué ce village.

— Un marin de ton île m'a affirmé le contraire!

Il se tourna vers le pêcheur, qui les avait accompagnés.

— Parle! tonna Seschi. Aurais-tu menti?

— Non, Seigneur! J'ai dit la vérité. Plusieurs fois, ceux de mon village ont été enlevés par les guerriers de la grande cité de l'ouest. Mes deux sœurs ont disparu, et des cousins, des amis.

Il se jeta aux pieds de Radhamante.

— Pitié pour eux, ô grand roi! Je t'adjure de les libérer. Nous ne sommes que de pauvres pêcheurs. Nous ne sommes pas tes ennemis.

Le minos s'approcha de lui et le releva.

— Je ne suis pas ton ennemi non plus, pêcheur. Je n'ai pas enlevé les gens de ta tribu.

Il se planta devant Seschi.

— Cet homme ne t'a pas menti, mais il s'est trompé. Arméni est pacifique, et jamais les miens n'ont attaqué les petits villages de l'est. Cependant, je sais de quoi il parle : plus à l'ouest existe une autre cité, Kytonia. Plusieurs fois dans le passé nous avons été en guerre contre elle. Actuellement règne une période de paix, mais nous savons qu'ils opèrent des offensives sur les côtes orientales pour capturer des villageois.

— Es les transforment en esclaves?

Radhamante marqua un temps de silence gêné, puis se décida à poursuivre.

— Pas seulement.

— Explique-toi !

— Ici, sur cette île, nous vénérons depuis toujours un dieu à forme de taureau. À la création du monde, il a fait surgir l'île des eaux de la mer primordiale, et il a engendré les premiers rois. Ceux-ci se sont partagé l'île en plusieurs royaumes. Avec le temps, des guerres ont parfois opposé les différentes nations entre elles, mais deux cités sont devenues plus importantes que les autres, souvent restées à l'état de petits villages : Arméni et Kytonia. Arméni célèbre le dieu taureau avec de grandes festivités. Il s'agit du culte de la fertilité. La puissance du taureau est associée à la force de la nature féconde, qui nous offre ses fruits en abondance. Nous aimons la paix, et nous entretenons de bonnes relations avec les peuples venus d'au-delà des mers, même si leurs visites sont rares, car rares sont les navigateurs suffisamment audacieux ou inconscients pour s'aventurer sur la Grande Verte. À Kytonia, les mœurs sont différentes. Lors de la fête du dieu taureau, qui aura lieu dans dix jours, des sacrifices humains seront pratiqués.

— Des sacrifices humains ? s'alarma Seschi. Mais alors il disait vrai.

— Ce sont ceux de Kytonia qui ont dû enlever ta sœur, confirma Radhamante. Et je crains fort qu'elle soit immolée au cours des cérémonies. Je t'expliquerai si tu consens à relâcher ma fille.

Seschi desserra son étreinte autour d'Aria. Avant de la lâcher, il s'adressa à Radhamante.

— Je crois que tes paroles sont celles de la Maât,

Seigneur ! Je n'ai jamais eu l'intention de te nuire ou de nuire à ta fille. Je demande ton pardon pour la manière brutale dont je l'ai traitée. Mais je dois songer à la sécurité des miens. Donne-moi ta parole de roi qu'aucun mal ne leur sera fait lorsque je leur aurai donné l'ordre de libérer les prisonnières.

— Ton action était courageuse et donc digne de respect, prince Nefer-Sechem-Ptah. Non seulement tu as ma parole, mais tu as aussi mon soutien. Je ne suis pas ton ennemi.

Seschi délivra sa captive.

— Pardonne-moi ma conduite, princesse Aria !

Elle s'écarta, massa ses bras endoloris, puis lui adressa un sourire charmeur.

— Je te pardonne, prince, dit-elle dans un égyptien un peu maladroit. J'aimerais avoir un frère qui risque ainsi sa vie pour sauver la mienne.

La tension retomba aussitôt. Radhamante invita Seschi à prendre place près de lui et commença une histoire inquiétante.

— On dit que la reine Pasiphaé, l'épouse du minos Galyel, l'a trompé autrefois avec un taureau. De cette union contre nature, elle conçut un enfant difforme, qui n'était ni tout à fait humain ni tout à fait animal. Il était doté d'une force phénoménale, mais sa seule vue suffisait à faire trembler les plus braves. Dans un premier temps, Galyel envisagea de le supprimer. Mais il ne le fit pas, car il avait acquis la certitude que l'enfant était le fils d'Ouranos, incarné dans le taureau sacré. Avec les années, la créature devenait de plus en plus puissante, et de plus en plus dangereuse. Alors, on l'enferma dans un endroit effrayant, une sorte de labyrinthe d'où il ne pouvait s'échapper, parce qu'il n'en existe qu'un seul accès. Depuis, plus personne ne se rend dans ce lieu de terreur et de mort. Mais l'abomination ne s'arrêta pas là. Depuis toujours, les Kytoniens pratiquaient, tous les ans, un sacrifice humain. Cette victime, en général un esclave, garçon ou fille, était immolée pour remercier Ouranos des enfants qu'il accordait aux femmes. Nos propres ancêtres observaient des rites semblables il y a bien longtemps, mais nous les avons abandonnés. Galyel, qui est un tyran assoiffé de sang, a eu l'idée terrible de modifier cette coutume barbare. Aussi, depuis plus de vingt ans, un peu avant la fête du dieu taureau, les Kytoniens pillent un petit village éloigné et en ramènent des prisonniers destinés à être offerts en sacrifice à leur monstrueuse idole. Chaque année, sept jeunes gens et sept jeunes filles sont enfermés dans le labyrinthe avec la Bête. Aucun d'eux jamais n'est revenu vivant. On prétend qu'il les dévore tous, les uns après les autres. Il vaudrait mieux pour ta sœur qu'elle soit seulement réduite en esclavage.

— Il faut détruire ce monstre ! s'exclama Seschi. Je ne laisserai pas Khirâ entre les mains de ce tyran !

— Mais que comptes-tu faire ? Tu ne peux attaquer Kytonia avec ta poignée de guerriers. Tu as beau être courageux, ce serait du suicide.

— Il faut que je rencontre ce Galyel. Mais je ne veux pas le faire en ennemi. Je dois d'abord m'introduire dans la cité pour tenter de savoir ce qu'elle est devenue. N'y a-t-il pas un moyen ?

Radhamante réfléchit, puis répondit :

— Il y en a peut-être un, mais il est très dangereux.

— Lequel ?

— La Crète est la terre du dieu taureau. Si tu te

rendais à Kytonia avec, en guise de présent, un magnifique taureau blanc, le roi Galyel en serait flatté et accepterait peut-être de libérer ta sœur.

— Un taureau blanc, dis-tu ? Où trouverai-je un tel animal ?

— Mes guerriers en ont repéré un dans les montagnes du sud. Plusieurs fois on a tenté de le capturer. Mais il est très puissant. Il a déjà tué six hommes.

Seschi ne répondit pas immédiatement. Sa petite armée était trop faible pour envisager de défier Galyel. Malgré leur vaillance et leur science du combat, ses hommes ne pouvaient combattre un peuple tout entier. Il devait user d'un subterfuge. L'idée du taureau blanc était séduisante. Mais serait-elle suffisante ? Galyel, assez impitoyable pour sacrifier des vies humaines à un monstre, pouvait être assez retors pour accepter leur offrande et les massacrer ensuite. Cependant, il n'avait guère le choix.

Il fallait tout d'abord s'emparer de ce taureau blanc, qu'aucun homme n'avait réussi à capturer à ce jour. Seschi soupira. Après tout, n'avait-il pas participé à la chasse du taureau Apis, quelques mois plus tôt. L'exploit avait été réalisé par son père lui-même, mais il l'avait secondé. Djoser lui avait expliqué les manœuvres à accomplir, les erreurs à éviter. Le secret résidait dans la maîtrise totale de ses pulsions de peur. Chasseur depuis son plus jeune âge, Seschi avait appris à dominer ses craintes, ses angoisses, pour ne plus se concentrer que sur les gestes à effectuer.

— C'est d'accord, Seigneur Radhamante, dit-il enfin. Je capturerai ce taureau blanc.

36

Malgré une prise de contact quelque peu brutale, les Arméniens ne s'étaient pas montrés rancuniers et avaient accueilli les Égyptiens avec hospitalité. Homme simple et chaleureux, Radhamante nourrissait une grande curiosité envers le peuple des Deux-Terres et une grande admiration pour son souverain. Bien que son royaume fût situé au bout du monde, il n'ignorait pas qu'un architecte de grande renommée construisait actuellement un monument fabuleux, décrit avec enthousiasme par les rares navigateurs en provenance de Kemit. Le soir même, il organisa un grand banquet en l'honneur de ses invités. La conversation porta sur l'Horus, sur Imhotep, que le minos considérait comme un dieu vivant, et sur ses extraordinaires réalisations.

— Est-il vrai que la cité sacrée comporte un édifice qui, bien qu'il ne soit pas encore achevé, dépasse déjà les cent coudées ? Est-il vrai qu'il resplendit au soleil comme un joyau tant sa surface est blanche ?

Seschi confirma, expliquant avec un luxe de détails les travaux de son grand-père. De même, il parla de ses talents de médecin, d'ingénieur, d'astronome. La Cour d'Arméni, composée surtout de riches bergers chefs de tribus et d'artisans aisés, buvait les paroles du jeune homme. Aria, qui n'avait pas oublié son étreinte brutale, mais virile, le dévorait des yeux. Seschi possédait un don inné de conteur, et émaillait ses récits d'anecdotes pleines d'humour. Il remporta un franc succès en mimant les angoisses du pauvre Akhet-Aâ lorsqu'il approvisionnait les ouvriers du chantier, les chamailleries des maîtres d'œuvre, et les savoureuses tromperies des épouses des grands propriétaires. Son regard pétillant de malice embrasa les pensées de la jeune fille.

De son côté, Seschi avait remarqué le manège d'Aria, qui s'était arrangée pour demeurer tout près de lui, et l'admiration qu'il lisait dans ses yeux lui donnait encore plus d'esprit. Cependant, une angoisse sournoise le taraudait, qui l'empêchait de s'intéresser de plus près au ravissant minois de la demoiselle. Il ne restait qu'une dizaine de jours avant la fête de Minos, le dieu taureau, dont le nom avait été repris par les rois de l'île Blanche. Lorsqu'il pensait à Khirâ, il éprouvait envers elle un mélange d'inquiétude et de colère. Il la tenait pour responsable de cette expédition, qui avait déjà coûté la vie à plusieurs personnes. Si elle n'avait pas décidé, sur un de ces coups de tête dont elle avait le secret, d'entraîner le prince chypriote dans cette aventure insensée, rien ne serait arrivé. Lui-même avait failli perdre son navire au cœur du cyclone. Mais il ne pouvait que lui pardonner, car elle était sa sœur. Peu lui importait qu'ils n'eussent aucun sang commun. Il redoutait le pire pour elle. Peut-être serait-elle seulement réduite en esclavage, mais, compte tenu de son caractère frondeur, il y avait fort à parier qu'elle ferait partie des prisonniers sacrifiés au monstre. Or, il ne lui restait que quelques jours pour faire fabriquer des filets résistants, et capturer un taureau que personne, jamais, n'avait réussi à dompter jusqu'à présent. Il faudrait ensuite l'entraver, et le convoyer jusqu'à Kytonia. Et même s'il parvenait à accomplir cet exploit, il n'était pas sûr que l'offrande amènerait le roi Galyel à libérer sa prisonnière. Aussi remâchait-il une sombre colère contre Khirâ, se promettant de lui flanquer, s'il parvenait à la sauver, une correction qui lui ôterait l'envie de recommencer.

Peu à peu cependant, il se laissa prendre au charme de ses hôtes. Les Arméniens aimaient la musique et la poésie, et, même si leurs instruments se limitaient à des tambourins et à des flûtes rudimentaires, leurs poèmes et leurs chants étaient beaux.

Dès le lendemain, Neserkhet, Jokahn, Tayna et les autres passagers de l'*Esprit de Ptah* s'installèrent à Arméni, où le minos leur avait réservé une demeure simple, mais confortable. Seul Hobakha et une vingtaine de guerriers restèrent à bord du navire, abrité dans le port Rethy. Les marins se mirent aussitôt à l'œuvre, secondés par les femmes chypriotes, que dirigeait la petite Leeva. En raison de son caractère volontaire, elle était devenue officieusement le porte-parole des survivants chypriotes. Les guerriers la respectaient et l'estimaient. Ils ne faisaient jamais rien sans lui en parler d'abord, et s'adressaient à elle lorsqu'ils avaient quelque chose à demander à Seschi. Jokahn, qui aurait détesté jouer un rôle de chef pour lequel il ne ressentait aucun penchant, avait accepté ce curieux commandement avec soulagement.

Seschi trompa son ennui en déambulant dans les rues d'Arméni en compagnie d'Aria, qui ne le quittait plus d'une semelle. Elle s'était offerte à lui servir de guide, ce qu'il avait accepté avec plaisir. Neserkhet fit grise mine lorsqu'elle constata le manège de la Crétoise.

Suivi de sa petite cour, le jeune homme découvrit ainsi les différents quartiers de la cité, où étaient installés plusieurs corps de métiers. Les Arméniens possédaient une maîtrise parfaite de l'art de la poterie. Les jarres, vases et autres plats de terre cuite et de faïence témoignaient d'une grande sensibilité artistique. La gaieté et la spontanéité des habitants transparaissaient au travers des motifs colorés dont ils se plaisaient à agrémenter leurs productions. Leur rusticité n'était qu'apparente. Ils fabriquaient, à partir de plantes, de boues et d'insectes, diverses substances colorées. On retrouvait sur les flancs des vases et amphores les mêmes décorations polychromes que sur les murs blancs des demeures : oiseaux ou mammifères stylisés, dauphins, plantes fleuries, personnages revêtus d'habits chatoyants, représentant des artisans, des paysans, des poètes ou des musiciens.

Il se dégageait de ces poteries un amour immodéré de la vie et de la beauté. Seschi revint sur sa première impression : même si l'architecture des demeures n'atteignait pas la finesse des maisons de Mennof-Rê, elle reflétait une grande richesse, qui ne demandait qu'à s'exprimer. Une impression nouvelle l'imprégnait un peu plus chaque jour : il aimait ce peuple doux et pacifique, dont il sentait qu'il était promis à un grand avenir. L'enthousiasme et la joie de vivre qu'il ressentait chez ses hôtes confirmait cette sensation. La présence constante de la beauté fraîche d'Aria n'était sans doute pas étrangère à cet état d'esprit. Seschi ne s'était pas senti aussi bien depuis son départ de Mennof-Rê. Il ne faisait plus aucun doute à présent qu'il allait capturer le taureau blanc et délivrer Khirâ.

Il remarqua également que les joailliers utilisaient l'argent en abondance. Intrigué, il se renseigna auprès d'un artisan. Celui-ci lui apprit que les marins en rapportaient régulièrement des îles du nord. Intéressé, Seschi se fit expliquer l'emplacement de ces îles. L'information serait sans doute utile à exploiter dès son retour en Égypte, où l'on avait peine à s'approvisionner en métal hedj.

Tout comme les Égyptiens, les Arméniens se liaient facilement avec les étrangers qui leur rendaient visite. En raison de leur nombre, et de la protection naturelle que leur offrait leur situation insulaire, ils n'avaient guère à redouter d'invasion. Il eût fallu une année importante pour les inquiéter. La douceur de leur climat et la richesse de leur territoire en avaient fait des gens d'humeur joyeuse, qui aimaient la vie et en jouissaient de belle manière. Comme dans le Double-Royaume, tout était prétexte à des festivités.

Seule Tayna demeurait en retrait. Seschi avait constaté qu'elle n'était guère aimée par les siens, qui ne lui avaient pas pardonné de les avoir abandonnés à Per Bastet. Elle se consolait en aguichant les guerriers égyptiens qu'elle invitait l'un après l'autre à partager sa couche. À la vérité, Seschi ne savait que penser de cette fille dont l'attitude variait d'un jour à l'autre. Par moments, elle pouvait se révéler charmante et gaie, à d'autres, elle s'enfermait dans un mutisme maussade et répondait à peine lorsqu'on lui adressait la parole.

— Cette Tayna est la fille d'un noble d'Ugarit, expliqua Jokahn à Seschi. Depuis son plus jeune âge, elle a été habituée à être obéie et adulée. Lorsque nous nous sommes réfugiés dans cette cité, après avoir été chassés par l'infâme Khoudir, mon maître s'est lié d'amitié avec son père. Ce dernier a accueilli mes jeunes princes avec générosité, et les a aidés à réaliser quelques fructueuses opérations commerciales. Je n'aimais pas ce personnage, très imbu de lui-même, mais Tash'Kor passait beaucoup de temps dans son palais, à cause de Tayna. Elle a tout fait pour attirer son attention, et elle est parvenue à ses fins, à tel point qu'il l'a emmenée avec lui à Mennof-Rê. Peut-être pensait-elle qu'il allait l'épouser. Aussi, elle a mal supporté de voir ta sœur accaparer l'esprit de mon maître. Malgré la haine qu'il déclarait éprouver envers elle, Tayna avait compris avant lui qu'il était profondément amoureux de Khirâ. Elle n'a pas prévenu l'Horus pour la sauver, mais bien pour se venger.

— Tu ne l'aimes pas…

— Elle n'a que mépris pour les gens du peuple. Comme beaucoup de nobles, elle oublie un peu vite qu'elle doit son rang et son confort à leur travail. Un seigneur doit guider les siens et les protéger contre leurs ennemis. Tayna se moque de cela. Pour moi, elle n'est qu'un parasite.

Le sentiment d'amitié entre Seschi et Jokahn se renforçait chaque jour. Seschi estimait la sagesse du vieil homme, qui lui rappelait celle de son grand-père. De grandes conversations les rapprochaient souvent. Jokahn était ravi de se trouver à Arméni. Il supportait mal les mouvements incessants du navire et préférait sentir la terre ferme sous ses pieds. Curieux de tout ce qu'il découvrait, il s'était attaché les services de Thefris l'interprète. Malgré son grand âge, il se passionnait pour tout ce qu'il ne connaissait pas, et passait de longues heures à bavarder avec les ouvriers, épuisant ainsi le pauvre marin dont le langage simple butait souvent sur les termes techniques.

Les filets furent fabriqués en deux jours à peine. Le lendemain, Seschi, suivi par une douzaine de guerriers sélectionnés pour leur courage et leur adresse, quitta Arméni pour la vallée méridionale où vivait le taureau blanc. Curieux de voir comment le jeune homme s'y prendrait, Radhamante avait tenu à l'accompagner. Une bonne partie de la ville se transporta sur les lieux comme à une fête imprévue.

La carrure exceptionnelle de Seschi impressionnait la foule. Près de lui marchait un géant presque aussi grand que lui, Hourakthi, qui aurait pu être son père, mais dont on savait qu'il était son garde du corps. Entre les deux colosses, Aria, d'une taille déjà inférieure à la moyenne, faisait figure de poupée. La jeune fille n'avait pas été longue à repérer les regards amoureux de Neserkhet, mais elle avait remarqué que le jeune prince n'y accordait aucune importance. Elle n'avait donc pas de rivale en titre. Elle avait totalement pardonné à Seschi de l'avoir si peu ménagée lors de leur première rencontre. Elle n'oubliait pas non plus qu'il l'avait vue nue, au sortir du bain, et cette pensée lui faisait couler des envies brûlantes le long des reins. Son père avait noté son attitude, et s'en réjouissait. Une alliance entre Arméni et Kemit ne pouvait qu'être bénéfique et lui apporter un soutien de poids dans la lutte larvée qui existait toujours entre Kytonia et sa cité. Même si l'on traversait actuellement une période de calme, un sursaut vindicatif des Kytoniens restait toujours à craindre. Le roi Galyel n'était pas réputé pour son amour de la paix, et seule la puissance d'Arméni la protégeait contre une attaque de sa rivale.

La matinée était déjà bien avancée lorsque la foule compacte parvint à la limite de la vallée haute où vivait le troupeau. Seschi repéra rapidement le taureau blanc, agacé par l'arrivée de cette marée humaine, trop bruyante et agitée à son goût. Il poussa un long meuglement qui eut pour effet de rassembler ses femelles à l'abri d'un bosquet de chênes. Lui-même se posta devant le bois, grognant et soufflant, sans toutefois se décider à attaquer. Il gratta plusieurs fois le sol pour dissuader un éventuel agresseur d'approcher, puis se contenta de surveiller les intrus d'un œil méfiant. Seschi envoya ses rabatteurs en tenaille afin de repousser le troupeau et isoler le mâle. Ces hommes connaissaient leur travail pour avoir participé à la capture du taureau Apis. Bientôt, l'animal fut séparé des vaches. Il entra alors dans une colère noire qui impressionna la foule restée prudemment en arrière. Seschi, secondé par Hourakthi, s'avança vers lui, armé d'un lasso et d'une lance solide destinée à tenir la bête en respect. Soudain la fureur du taureau explosa, et il fonça sur le jeune homme. Celui-ci dut faire un violent effort pour repousser l'onde de peur qui l'envahit lorsqu'il vit la masse monstrueuse se ruer dans sa direction en soufflant bruyamment. Car le taureau avait parfaitement compris qui était l'ennemi. Seschi se contraignit à rester sur place, faisant signe à Hourakthi, qui portait les filets, de rester en arrière. Arrivé presque sur lui, l'animal baissa la tête et voulut frapper. Mais le jeune homme bondit sur le côté, et riposta en lançant sa corde. Il avait toujours été particulièrement adroit à cette discipline. Mais il se surprit lui-même en capturant l'animal du premier coup. Le taureau, emporté par sa propre masse, resserra lui-même le piège autour de son cou. Avant même que Seschi lui en donnât l'ordre, Hourakthi, avec une coordination remarquable, avait lancé son filet, qui emprisonna la tête de la bête. Seschi bondit et empoigna ses cornes. Pesant de tout son poids, il bascula le taureau sur le sol. De loin, la foule frémissait devant le combat titanesque opposant l'homme et l'animal. Un frisson de ferveur parcourut les Arméniens. De tout temps, le taureau avait été considéré comme le symbole vivant du dieu Minos. Et voilà qu'un étranger à la force surnaturelle l'affrontait. Plusieurs fois, le taureau souleva le jeune homme de terre. Mais celui-ci possédait une résistance phénoménale et une souplesse qui lui conféraient un avantage certain. Bientôt, la bête donna des signes de fatigue. Les rabatteurs s'étaient approchés, prêts à intervenir. Le taureau finit par s'essouffler, et sa masse puissante roula sur le sol. Une formidable ovation jaillit de toutes les poitrines. Seschi venait de conquérir le cœur des Arméniens — et surtout celui de la petite Aria. Entravé, l'animal fut ramené jusqu'à la cité dans une ambiance de liesse. Le soir même, après qu'il eut été enfermé dans un enclos, Radhamante, décidément satisfait de la présence de ce jeune homme aux multiples qualités, fit abattre quelques chèvres et mouflons et offrit une nouvelle fête.

La nuit venue, Seschi s'écroula comme une masse sur le lit grossier, fait d'un amoncellement odorant de peaux de bête, posées sur de la laine et de la paille. Les côtes pas mal endolories, il avait à peine sombré dans le sommeil qu'il décela un glissement furtif près de lui. La vie sur l'île Blanche lui ayant appris la méfiance, il fut instantanément réveillé. Une silhouette frêle rampait dans sa direction, dans laquelle il reconnut aussitôt Aria. Amusé et ravi, il feignit de dormir et la laissa s'insinuer près de lui, se faufiler dans ses bras. Puis, au moment où elle s'y attendait le moins, il la saisit brusquement et la plaqua sur le lit. Surprise, elle laissa échapper un cri, puis se mordit les lèvres. Son cri pouvait avoir attiré l'attention. Le cœur battant, elle chuchota :

— Est-ce ainsi que les Égyptiens traitent leurs épouses, Seigneur ?

— Mais tu n'es pas mon épouse, rétorqua-t-il sur le même ton. Que fais-tu dans mon lit alors que je n'aspire qu'au sommeil ?

Le sourire qu'elle lui adressa en réponse acheva de le désarmer. La petite rusée ne portait sur elle qu'une très légère chemise de lin, qu'elle fit glisser sous le prétexte de lui montrer la finesse de la trame.

— C'est moi qui l'ai tissée, Seigneur. As-tu jamais touché tissu plus doux ?

Doté d'un tempérament déjà trop prompt à s'enflammer, Seschi rejeta la chemise au loin.

— Il en existe un, murmura-t-il.

— Lequel, Seigneur ?

— Le grain de ta peau !

Le lendemain, Aria exigea de son père d'accompagner Seschi jusqu'à Kytonia.

— Il ne connaît pas les mœurs de ces sauvages !
déclara-t-elle avec conviction. Ma présence confirmera
que tu soutiens le prince dans sa demande, père. Te
sachant derrière lui, ils n'oseront pas lui faire de mal.

Radhamante, qui avait parfaitement deviné l'endroit où sa fille avait passé la nuit, approuva cette
décision.

Quelques heures plus tard, les Égyptiens quittaient
Arméni. Le fier taureau blanc suivait la troupe, fermement tenu par les guerriers. Autant pour éviter ses
reproches muets que pour la protéger dans l'épreuve
de force qui allait s'engager, Seschi avait exigé que
Neserkhet restât à bord du bateau.

La route menant à Kytonia suivait la côte. Ce n'était
en réalité qu'une sente tracée depuis des millénaires
par les animaux, que les hommes avaient reprise pour
leur usage, et aménagée par endroits. Une trentaine de
guerriers, parmi les plus aguerris, escortaient Seschi.
Khersethi avait insisté pour faire partie de l'expédition.
Le reste du détachement, sous les ordres de Hobakha,
devait se rendre par mer à proximité de Kytonia, afin
de pouvoir intervenir au cas où le roi Galyel se mon-
trerait peu conciliant.

Le paysage était d'une beauté à couper le souffle. Il
faisait une chaleur agréable, mais la marche se révéla
très vite fatigante, en raison des accidents du terrain.
La route épousait tous les caprices du relief, suivant
des crêtes vertigineuses qui plongeaient à pic dans les
eaux profondes de la Grande Verte, longeant des
grèves interminables, royaumes des pétrels, des cor-
morans et des goélands. Parfois, elle s'insinuait au

creux d'une vallée encaissée qui s'enfonçait entre les parois menaçantes de deux hautes falaises. Les voyageurs isolés n'osaient s'y aventurer, et attendaient souvent le passage d'une petite caravane pour franchir ces passes inquiétantes. Ailleurs, les gueules ténébreuses de cavernes marines s'ouvraient dans le flanc des murailles rocheuses. Aria commentait chaque lieu pour Seschi. Il était dangereux de s'approcher trop près de ces lieux maudits, disait-elle, car ils abritaient des monstres effrayants qui ne sortaient que la nuit, et entraînaient les marins ou les passants dans les profondeurs de gouffres insondables. On ne comptait plus le nombre de personnes ayant disparu de cette manière. La conviction qu'elle mettait à raconter ses histoires était telle qu'elle en éprouvait elle-même de la frayeur. Seschi avait envie de se moquer d'elle, mais les lieux dégageait une atmosphère inquiétante qui le dissuada de le faire. Il se demanda d'où venait cette sensation étrange. Lui-même n'avait jamais redouté les affrits qui terrorisaient les habitants de Kemit bien que personne n'en eût jamais vus. Mais il ne pouvait se défaire d'un curieux sentiment de nervosité. Était-ce dû au vacarme sans cesse recommencé des explosions des lames sur les rochers acérés qui gardaient l'entrée de ces antres lugubres ? Ou bien aux sifflements d'un vent tiède et irritant qui les harcelait depuis le départ.

— Ce vent ne s'arrête donc jamais de souffler ? se plaignit-il à sa compagne.

— C'est l'aïtoumi, expliqua-t-elle, le vent des îles. Certains prétendent qu'il rend fou.

— Je veux bien le croire.

— À l'époque de la fête de la fertilité, il forcit toujours. Quelquefois, il déclenche un véritable ouragan.

Par moments, les rafales étaient tellement puissantes qu'elles déséquilibraient les voyageurs. Mais le plus souvent, l'aïtoumi se contentait de jouer dans les branches des arbres, de coiffer et décoiffer inlassablement les étendues mauves des bruyères qui couvraient les falaises. Il s'engouffrait dans les massifs d'épineux, se chargeait d'odeur de résine en traversant les bois de pins parasols, se colorait d'une infinité de fragrances qui composaient une symphonie étourdissante de parfums différents : senteurs de thym, de romarin, effluves puissants d'iode et d'algues apportés de la mer, remugles de vase lorsque la troupe contournait un marécage. Parfois, il plongeait au creux d'une dépression rocheuse et laissait entendre un mugissement inquiétant. Les autochtones supposaient qu'il s'agissait là des grondements de créatures effrayantes qui attendaient le voyageur imprudent, tapies au fond d'un gouffre.

Chemin faisant, Seschi ne cessait de se répéter qu'il jouait là un gigantesque coup d'audace. Les forces dont il disposait ne pouvaient en aucune manière impressionner le roi de Kytonia. Il pouvait tout aussi bien s'emparer du taureau blanc et faire massacrer sa petite troupe. Ils n'auraient alors d'autre solution que de vendre chèrement leur vie. Pourtant cette éventualité n'avait pas l'air d'inquiéter ses hommes outre mesure. Dans leur esprit, il ne faisait pas de doute que leur prince parviendrait à ses fins. Il les avait déjà tirés de situations plus dangereuses. Tous lui vouaient une admiration sans bornes, et aucun n'aurait souhaité se trouver ailleurs. Il se préparait à Kytonia un nouvel exploit, et ils n'auraient manqué cela pour rien au monde. L'humeur joyeuse et assurée de ses soldats redonna quelque confiance au jeune homme.

En fait, il refusait de penser à un échec possible. Il sentait vibrer au fond de lui une énergie indomptable, une force exceptionnelle qui transparaissait dans sa façon de parler, son attitude, et il ne serait venu à l'idée de quiconque de se placer en travers de son chemin. Dans l'esprit des soldats, le roi Galyel serait contraint de céder devant la détermination de leur jeune seigneur. Il suffirait qu'il apparaisse à Kytonia pour que la princesse Khirâ soit libérée. Aria, ambassadrice officielle d'Arméni, partageait cette conviction. Galyel était un tyran, mais il n'oserait pas s'opposer à un homme soutenu par les dieux. Or, il ne faisait pas de doute, à voir le magnifique taureau blanc, que le prince Seschi était protégé par les divinités. Mieux : il savait les dominer. Et, sur l'île Blanche, on admirait les héros capables de faire reculer les dieux eux-mêmes.

À mi-chemin, alors qu'ils traversaient une suite de collines forestières, Aria dit à Seschi qu'elle désirait lui montrer quelque chose, mais qu'ils devaient y aller seuls tous les deux. Se doutant des intentions coquines de la demoiselle, il répondit qu'ils ne devaient pas perdre de temps. Devant son insistance, il céda, emportant tout de même sa massue par précaution. Elle haussa les épaules avec amusement.

— Là où nous allons, tu n'en auras pas besoin.

Abandonnant leurs compagnons, ils pénétrèrent bientôt dans une vallée de faibles dimensions, sertie dans un écrin de collines revêtues de bruyère. Comme par enchantement, les mugissements sourds et irri-

tants de l'aïtoumi disparurent. Un calme un peu sur-
naturel régnait sur les lieux. On n'entendait plus que
les trilles joyeux des oiseaux, le murmure léger d'une
source, le bruissement feutré des feuilles de chêne.
Des parfums nouveaux pénétrèrent les poumons de
Seschi, odeurs de bois et de terre tiède. De part et
d'autre du ruisseau se dressaient des chênes kermès,
des pins, des arbustes couverts à profusion de fleurs
aux coloris somptueux. Seschi s'avança avec circonspection sous les arbres. Soudain, il ne put retenir un
cri de surprise lorsque les fleurs s'envolèrent dans un
froissement d'ailes de soie. Aria éclata de rire. Seschi
resta un moment interdit avant de comprendre qu'il
s'agissait de myriades de papillons que leur intrusion
avait dérangés. En quelques instants, ils furent envi-
ronnés de nuées colorées et mouvantes.

— On appelle cet endroit la Vallée des papillons !
confirma Aria, satisfaite de son effet.

Évidemment, on n'allait pas l'appeler la Vallée des
pécaris ! Mais la beauté du spectacle lui coupa l'envie
de se moquer d'elle. Le soleil faisait jouer sur les
insectes magnifiques des symphonies de lumière irisée.

— Mon pays n'est-il pas le plus beau du monde ?
demanda la jeune fille en nouant ses bras autour de
son cou.

Elle était obligée pour cela de se hisser sur la pointe
des pieds. Sa bouche humide et ses yeux fiévreux trahissaient l'envie qui lui tenaillait le corps. Seschi soupira. Rarement il avait rencontré une fille aussi
insatiable. Lui qui bénéficiait d'une résistance redoutable et qui avait l'habitude d'épuiser ses maîtresses,
avait dû déclarer forfait la nuit précédente. Il grommela pour la forme. Il leur restait encore quatre jours ;

c'était plus qu'il n'en fallait pour arriver à Kytonia à temps. Et puis la peau d'Aria était douce, son corps souple, ses seins ronds et chauds, ses cuisses fermes. Il la souleva de terre et l'allongea sur l'herbe tendre.

Ils reprenaient à peine leurs esprits lorsque Seschi devina une présence. Instantanément, il fut sur pieds et saisit sa massue. À quelques pas se tenait une vieille femme, assise sous un chêne. Il crut être l'objet d'une hallucination. Les papillons venaient se poser sur ses doigts sans aucune crainte, puis repartaient de leur vol à la fois gracieux et maladroit. Tournant les yeux vers le couple, elle eut un sourire triste. Ses yeux verts brillaient d'une lueur étrange. Mais peut-être n'était-ce qu'un effet de la lumière si particulière à ce lieu. Elle prononça quelques paroles dans une langue incompréhensible, qu'Aria s'empressa de traduire pour Seschi.

— Elle dit que… nous avons raison de nous aimer pendant que nous sommes jeunes. Car le temps nous est compté.

Inquiet, Seschi demanda :

— Qui est cette femme ?

— Je la connais. C'est une prophétesse. Elle vit seule dans cette vallée, mais il est rare de la voir. Souvent, elle reste cachée. Les gens viennent la consulter, mais il leur faut déposer des offrandes en espérant qu'elle daignera se montrer. Parfois, elle n'apparaît même pas.

— On dirait qu'elle ne nous voit pas, remarqua Seschi.

— La légende prétend qu'elle est aveugle, mais qu'elle voit pourtant beaucoup mieux que nous. Elle n'a besoin d'aucune canne pour se déplacer. Elle connaît cette vallée parce qu'elle y a toujours vécu. Certains la pensent immortelle.

La vieille femme tourna le visage dans leur direction. Seschi nota alors que ses yeux verts présentaient un aspect trouble. Son visage parcheminé, raviné par les ans, impressionna le jeune homme. Angoissée, Aria se réfugia derrière lui, tout en continuant à traduire les paroles étranges.

— Approchez ! grogna l'ancêtre.

Ils s'exécutèrent, pas vraiment rassurés.

— Je vous vois ! Vous êtes si fiers, si sûrs de vous, persuadés que rien ne pourra jamais vous arriver. Et pourtant, la menace de la fureur des dieux pèse sur votre monde.

Seschi se demanda de quoi elle voulait parler. Elle poursuivit.

— Les dieux m'ont dévoilé l'avenir. Un avenir à la fois magnifique et tragique. Cette île est appelée à un futur merveilleux. Une civilisation grandiose naîtra de ces petites cités. Elles rayonneront sur le monde, et l'on connaîtra ici une douceur de vivre incomparable, qui rendra jaloux les dieux eux-mêmes. Cette jalousie sera la cause de la perte de cette civilisation. Un jour, une vague monstrueuse jaillira des entrailles de la terre, et submergera ce monde si beau, détruira les palais, engloutira les ports, anéantira des cités entières. Ce pays deviendra alors une légende dont la mémoire traversera les siècles et se répandra au-delà même de ce que votre imagination peut concevoir.

Elle frissonna comme si l'air était soudain devenu très froid. Seschi crut entendre de nouveau mugir l'*aïtoumi*. Il resta un instant silencieux, puis demanda :

— Pourquoi nous avoir raconté tout cela ?

La vieille femme le fixa dans les yeux et déclara

— Ton destin est lié à l'île Blanche. Je sais que tu te rends à Kytonia. Pourtant, un grand danger te menace là-bas. Le minos… n'est pas un homme. C'est un démon effrayant qui en a l'apparence. Et le monstre terrifiant qui hante la vallée interdite n'est que le reflet de son âme. Il prétend que c'est le dieu du ciel lui-même, Ouranos, qui l'a engendré. Mais il ment : cette bête est née de sa chair, par une nuit abominable. Une prophétie assure qu'un homme viendra, qui se rendra dans le Labyrinthe, et tuera la Bête. Alors, le minos périra lui aussi par la fureur des dieux. J'ai interrogé le vent qui murmure dans les chênes, et le vol des papillons sacrés. Il semble que ce jour soit proche. Car tu es celui qui sera cause de la mort de Galyel le maudit, précisa la sorcière en pointant un doigt décharné sur Seschi.

— Moi ? Mais je ne désire pas la mort de ce roi. Je ne veux que lui racheter la liberté de ma sœur.

— Le Destin se moque bien des intentions des mortels, jeune homme. Les signes désignent un homme grand et fort, le fils d'un roi très puissant. Mais prends garde ! Si tu laisses le doute s'emparer de ton esprit, tu seras anéanti.

Sans attendre de réponse, la vieille femme disparut dans les profondeurs de la forêt de chênes. Un peu éberlués, les deux jeunes gens se rhabillèrent, puis se dirigèrent vers la sortie de la vallée. Tous deux éprouvaient l'impression étrange d'avoir rêvé.

Lorsqu'ils rejoignirent les autres, Khersethi commençait à s'inquiéter. Mais les Arméniens l'avaient rassuré à mots couverts. Ils connaissaient le tempérament volcanique de leur princesse.

Le lendemain, ils pénétrèrent dans le royaume de Kytonia. Même si le paysage resta aussi beau, le malaise éprouvé par Seschi depuis leur départ s'accentua. Ayant hérité de son père une sensibilité exceptionnelle, il percevait l'atmosphère qui se dégageait d'un lieu. Autant il s'était senti bien à Arméni, dont le roi, Radhamante, était un brave homme, autant ce pays provoquait chez lui une émotion désagréable. Peut-être était-ce dû aux sacrifices humains perpétrés par le peuple qui l'habitait. Mais il y avait autre chose. Un esprit mauvais soufflait sur ce royaume, qui avait perverti l'âme de ses habitants. Comme l'avait prévu Aria, l'aïtoumi ne faiblissait plus, soulevant parfois de véritables tornades qui obligeaient les voyageurs à retenir les animaux inquiets. Une étrange folie semblait s'être emparée du monde, sous la forme de ce hurlement incessant qui tournait la tête et coupait la respiration.

L'impression néfaste se confirma lorsqu'ils aperçurent quelques bergers qui s'enfuirent à leur approche, apparemment terrorisés.

— Ils sont stupides, s'étonna Aria. Ils devraient savoir que nous ne leur ferons aucun mal. Il n'y a pas eu de guerre depuis plus de vingt ans entre nos deux cités, et nous entretenons avec Kytonia des relations commerciales suivies.

— Parce que vos cités furent autrefois en lutte ?

— Il a toujours existé une rivalité entre Arméni et Kytonia, qui sont les deux plus puissantes villes de l'île Blanche. Les conflits étaient la plupart du temps provoqués par les minos de Kytonia. Notre royaume devait supporter leurs incursions. Ils enlevaient des jeunes pour leurs rites odieux. Ils ont toujours pratiqué le sacrifice humain. Aujourd'hui, nous sommes deux fois plus nombreux. Les Arméniens ne sont pas agressifs, mais ils ont appris à se défendre. Galyel se méfie de mon père. Il sait qu'à la moindre violation du traité de paix conclu il y a vingt ans, Arméni envahira le royaume de Kytonia et le détruira. C'est pourquoi ils sont obligés d'effectuer leurs pillages ailleurs.

— Parle-moi de ces rites.

— Autrefois, une jeune fille et un jeune homme étaient immolés au dieu Minos. On les égorgeait, puis on brûlait leurs corps afin que la fumée le nourrisse.

La barbarie de cette coutume stupéfia Seschi. Nemeter lui avait expliqué que de telles pratiques avaient eu cours jadis dans la Vallée sacrée. Mais depuis bien longtemps, on ne sacrifiait plus que les moutons et les taureaux. Puis il se souvint que les membres de la Secte du Serpent avaient tenté de renouer avec cette tradition ignoble quelques années auparavant. Luimême avait failli en être victime, et n'avait dû la vie qu'au courage d'Inmakh, l'épouse de Semourê. Il eut une pensée émue pour elle. Aria poursuivit :

— Depuis la naissance du monstre, les sacrifices se sont développés. Les Kytoniens pensent qu'il est l'incarnation de Minos, et, tous les ans, ils enferment sept garçons et sept filles dans son antre. Jamais aucun d'eux n'est revenu.

— À quoi ressemble-t-il ?

— Nul ne le sait. D'après les guerriers qui gardent l'entrée de sa tanière, on ne le voit jamais. Il leur est arrivé d'apercevoir une silhouette errant, à la tombée de la nuit, entre les arbres. Elle paraissait avoir la taille de deux hommes. Malgré la hauteur et l'épaisseur de la muraille qui ferme l'entrée de cette vallée maudite, ils n'étaient pas rassurés.

Le lendemain, après une nuit de mauvais sommeil où l'aïtoumi n'avait cessé de souffler, la caravane parvenait en vue de Kytonia.

37

Le malaise ressenti par Seschi dès qu'ils avaient pénétré dans le royaume de Kytonia se précisa. Depuis deux jours, la ville était en liesse ; mais il se dégageait de ces réjouissances une impression malsaine, sauvage, cruelle. La fête du dieu taureau était aussi celle d'Ouranos, le dieu du ciel, le plus puissant des dieux. Afin de le satisfaire, on se livrait à la plus étourdissante des débauches. Aria expliqua que les Kytoniens célébraient la fertilité, incarnée par le taureau Minos, fils d'Ouranos. La coutume voulait que les hommes honorassent les femmes avec ou sans leur consentement, afin de témoigner de la vigueur sexuelle de la divinité, et de procréer. Les enfants nés de ces unions étaient censés devenir de redoutables guerriers.

Dans la cité de Khent-Min, en Haute-Égypte, avaient lieu des festivités semblables pour vénérer le dieu de la fécondité : Min. Si ces réjouissances offraient le prétexte à toutes sortes de licences, le viol en était banni, ce qui n'était pas le cas à Kytonia. Dans les rues, le long des murs, erraient des filles aux yeux battus et hagards. Plus loin, d'autres tentaient d'échapper à des hommes nus, qui braillaient à tue-tête pour leur donner la chasse. Des individus ivres de boisson gisaient, écroulés à même le sol ou sur les murets qui cernaient les jardins. La cité tout entière semblait prise de démence.

Peu rassurée, Aria se rapprocha de Seschi.

— La légende affirme que c'est à l'occasion d'une semblable bacchanale que la reine Pasiphaé a conçu son enfant monstrueux. On dit qu'elle s'est offerte à un taureau dont elle était tombée amoureuse, dissimulée dans un simulacre de vache. Elle fut dénoncée ensuite par une servante jalouse. Mais le roi Galyel a épargné son épouse. Il était persuadé que c'était le dieu Minos lui-même qui lui avait inspiré un désir aussi innommable. La créature née de cette union terrifiante était donc son fils. Lorsqu'il naquit, neuf mois plus tard, il fut enfermé dans la Vallée maudite avec sa mère. Avec le temps, il acquit une force surnaturelle. On le nourrissait alors avec des moutons et des chèvres dont il ne laissait que les os. Puis on prétend qu'il tua ses nourrices et ses gardes. Un jour, l'un d'eux fut emporté sans que les autres pussent intervenir. Ils retrouvèrent son cadavre le lendemain à demi dévoré. On ne le reconnut qu'aux lambeaux de vêtements qui lui restaient. Depuis ce jour, même les guerriers ne se risquent plus dans la vallée. Sa mère elle-même fut contrainte de s'enfuir du Labyrinthe. On ignore ce qu'elle est devenue. Personne jamais n'a revu le monstre. Seuls les soldats qui montent la garde près de la barrière condamnant la seule issue de la vallée aperçoivent de temps à autre sa silhouette effrayante qui rôde à la lisière de la forêt. Ils prétendent que sa tête n'est pas celle d'un humain, mais d'un taureau. Galyel a compris que le Minotaure — c'est le nom qu'on lui a donné — était anthropophage. Afin de se concilier les faveurs du dieu Minos, il prit l'habitude, chaque année, à l'occasion des fêtes de la fertilité, de lui offrir sept jeunes gens et sept jeunes filles.

En raison de la présence du magnifique taureau blanc, l'entrée des Égyptiens dans Kytonia ne passa pas inaperçue. On les contempla avec étonnement, parfois avec curiosité. Mais on se détourna très vite d'eux. La fête avait commencé deux jours plus tôt par une beuverie monstrueuse, et la lucidité des citadins et des gardes était grandement compromise. L'île Blanche produisait un vin curieux, d'une consistance pâteuse, que l'on diluait dans de l'eau pour le rendre buvable. Aria, angoissée par les regards concupiscents des hommes, s'agrippait au bras puissant de Seschi, qui gardait la main crispée sur son arme. L'escorte de guerriers égyptiens et arméniens ne rassurait qu'à demi la princesse. Depuis toujours, les Kytoniens détestaient les Arméniens, et, malgré le temps écoulé, ils n'avaient pas digéré la dernière défaite. Cependant, parce qu'ils apportaient des offrandes pour les dieux, on les laissa en paix.
La ville était bâtie en escalier sur une colline calcaire qui faisait face à une baie prise entre la côte et une presqu'île montagneuse. Une rue principale encombrée menait jusqu'au palais. De chaque côté ouvraient des ruelles innombrables, véritable dédale où s'égaraient les filles qui tentaient d'échapper à leurs poursuivants éméchés. Un détachement de soldats à demi nus conduisit Seschi, Aria et leurs compagnons jusqu'au palais. Celui-ci se dressait au sommet d'une éminence rocheuse qui dominait la cité. Son

architecture rappelait celle d'Arméni. De dimensions imposantes, il ne comportait pas d'étage et se composait d'un agglomérat de pièces de toutes tailles, agencées autour d'un noyau central qui constituait les appartements royaux. Jouxtant ce noyau, des logements étaient réservés aux concubines de Galyel, qu'il honorait ou rejetait au gré de son humeur. D'après Aria, le nombre de ses bâtards était inimaginable. Plus loin, de petites salles abritaient le trésor royal ; d'autres servaient à stocker les denrées alimentaires. À la périphérie de ce dédale anarchique s'érigeaient des cellules affectées aux gardes.

Tenant le taureau blanc par le licou, Seschi fit son entrée dans la cour principale du palais, au milieu d'une haie de curieux. L'animal relevait fièrement la tête, comme pour accueillir l'hommage que lui rendait ce peuple inconnu.

Annoncé auprès du roi Galyel, le jeune homme pénétra dans la salle principale, dont le sol n'était pas fait de dallage, comme à Mennof-Rê, mais de terre battue. Le souverain attendait, installé sur son trône. Son faciès épais et carré dégageait une impression de force rentrée, concentrée particulièrement dans son regard noir et mobile, qui semblait tout voir. Il émanait de lui une formidable autorité naturelle qui, paradoxalement, témoignait d'un charme insolite et inspirait la crainte.

Les yeux à demi fermés, comme pour mieux les scruter, il observa l'arrivée des Égyptiens. Constatant qu'ils étaient dirigés par un homme très jeune, un sourire étira ses traits une fraction de seconde. Il n'eut pour eux aucune parole de bienvenue, et laissa un silence lourd s'installer.

Le malaise de Seschi s'accentua. Le personnage de Galyel lui déplaisait foncièrement. Il lui semblait entendre, malgré le brouhaha, sa respiration rauque de fauve à l'affût. Le jeune prince et le minos se dévisagèrent longuement, chacun tentant de prendre la mesure de l'autre. Car Seschi sentait bien que sa présence intriguait et embarrassait le nomarque. Il n'avait pas conscience du charisme exceptionnel qu'il dégageait, que venaient renforcer sa musculature solide et sa silhouette charpentée, mais il comprit très vite que le roi se méfiait de lui. Il soutint bravement son regard.

L'œil luisant de Galyel le transperça, le jaugea, comme pour évaluer ce qu'il pouvait attendre de lui. Le nomarque dégageait un terrifiant sentiment de cruauté et de perversité. Il n'éprouvait aucune compassion, aucune pitié. Pour lui, les hommes n'étaient que des pions destinés à servir sa soif de pouvoir et de domination. Bien pire même, il semblait s'amuser de leurs frayeurs. Avant même qu'il eût ouvert la bouche, l'intuition de Seschi lui avait appris l'essentiel sur le personnage. Galyel était un homme doté d'une volonté formidable, à laquelle personne jusqu'à présent n'avait pu résister, un manipulateur à l'esprit démoniaque. Le jeune homme comprit que sa démarche était vouée par avance à l'échec. Le roi éprouvait une jouissance singulière à voir les autres lui obéir en tremblant. Seschi rassembla son courage et déclara, d'une voix qu'il tâcha de rendre la plus ferme possible :

— Noble roi, mon nom est Nefer-Sechem-Ptah, fils de l'Horus Neteri-Khet, souverain des Deux-Royaumes.

Thefris traduisit. La voix de Galyel résonna, à la fois doucereuse et grave, presque caverneuse.

— Sois le bienvenu à Kytonia! dit-il avec une expression qui démentait l'amabilité des paroles.

— Seigneur, poursuivit Seschi, je suis venu te demander de réparer une injustice commise il y a quelques jours dans l'est de l'île Blanche. Tes guerriers ont attaqué un village et capturé ses habitants. Ceux-ci sont protégés par le souverain de Kemit. Je te demande donc de les libérer, et t'offre ce magnifique taureau blanc en compensation, et en gage de notre future amitié.

Seschi eut l'impression d'un chat jouant avec une souris. Le minos avait l'air de parfaitement s'amuser; on lui apportait ce somptueux présent dans l'espoir de l'amadouer, d'obtenir sa clémence. Il haussa le sourcil.

— Continue! gronda-t-il.

— Parmi ces captifs figure ma sœur, la princesse Khirâ, elle aussi fille de l'Horus Neteri-Khet.

Galyel se redressa, intrigué.

— Que faisait donc une princesse égyptienne dans ce village misérable?

Seschi hésita, puis décida de ne pas informer Galyel du conflit à l'origine de l'expédition.

— Elle avait quitté le Double-Royaume pour suivre son compagnon, Tash'Kor, le prince de Chypre.

Galyel écarta les bras.

— Je l'ignorais. Mais comment veux-tu que mes guerriers devinent que ce misérable village abritait une princesse d'Égypte? Mais si ta sœur est ma prisonnière, il te sera facile de la reconnaître. Suis-moi!

Un fol espoir s'empara de Seschi. L'homme n'était peut-être pas aussi intransigeant qu'il le laissait paraître. Pourtant, quelque chose sonnait faux. Comment pouvait-il ignorer qu'il détenait la fille de l'Horus et deux princes chypriotes ?

Entouré de ses officiers et de sa Cour, Galyel entraîna le jeune homme dans une autre partie du palais. Stupéfait, Seschi découvrit que l'édifice était beaucoup plus grand qu'il ne le paraissait de l'extérieur. Il se prolongeait de galeries taillées dans la roche calcaire, et éclairées chichement par des torches. On avait utilisé des cavernes naturelles, agrandies et aménagées, pour parquer les esclaves. De part et d'autres des immenses couloirs, dont les voûtes s'ornaient de stalactites, s'ouvraient des fosses profondes, creusées à main d'homme, où croupissaient les prisonniers. Une petite poignée de gardes armés jusqu'aux dents suffisait pour les surveiller. Les parois étaient trop hautes pour qu'on pût les escalader. Des ululements inquiétants sourdaient de la roche elle-même. Seschi finit par comprendre qu'il s'agissait de l'aïtoumi, qui s'engouffrait vraisemblablement dans des orifices situés dans la voûte. Ces hurlements lugubres ne contribuaient pas à rendre les lieux plus rassurants.

— Regarde bien, ami Nefer-Sechem-Ptah, et dis-moi dans quel endroit se trouve ta sœur.

Le jeune homme scruta intensément les fosses, profondes d'au moins dix coudées, pour interdire toute tentative d'évasion. Il dénombra plusieurs centaines de captifs accablés, écroulés sur de la paille malodorante, que l'on ne devait pas changer souvent. Parqués comme des bestiaux, ils n'étaient libérés que pour se livrer aux travaux d'entretien de la cité. Hommes et femmes de tous âges étaient mélangés. Il nota également la présence de nombreux enfants aux visages émaciés, aux yeux creusés par la fièvre et le manque

438

de nourriture. Seschi réprima une nausée. À Mennof-Rê, on transformait aussi les prisonniers de guerre en esclaves. Mais ceux-ci étaient très rapidement intégrés dans la vie de la cité, et pouvaient devenir des hommes libres, à moins qu'ils n'aient commis quelque crime impardonnable. Jamais ils n'étaient traités de manière aussi vile. Seuls les condamnés subissaient un sort comparable, et mouraient lentement dans les mines d'or de Nubie. Mais ils devaient expier leurs fautes. Les esclaves de Galyel n'étaient que des victimes. Il refoula la violente bouffée de haine qu'il éprouva d'un coup pour cet individu abominable. Galyel n'était pas digne du titre de roi, ou de minos, comme disaient les indigènes. Un roi, selon la loi égyptienne, était l'intermédiaire entre les dieux et les hommes, il devait consacrer sa vie et son énergie à les protéger, à les guider, et non à les asservir.

Remâchant sa colère, il poursuivit son chemin, observant le regard visiblement satisfait de Galyel. Celui-ci s'amusait de lui, et s'en cachait à peine.

— Alors, prince de Kemit, as-tu retrouvé ta sœur ?

— Je ne l'ai pas encore vue, Seigneur ! gronda sourdement Seschi. Mais nous n'avons pas encore tout visité.

— En effet. Il reste encore une fosse. Mais je crains qu'il n'y ait un problème.

Galyel l'amena devant la dernière cavité, plus profonde encore que les autres.

— Dis-moi, se trouve-t-elle parmi ces prisonniers ?

Seschi avait déjà repéré Khirâ. Elle dormait, la tête posée sur les jambes de Tash'Kor. Celui-ci semblait profondément abattu. Il ne leva même pas les yeux vers lui.

— Elle est bien là.

Galyel écarta les bras en signe d'impuissance.

— Tu vas la libérer, déclara aussitôt Seschi. Je t'ai amené ce superbe taureau blanc afin de te dédommager. Je l'ai capturé moi-même.

— C'est un bel exploit en vérité, répondit Galyel. Aussi, j'accepte ton présent.

Le cœur de Seschi fit un bond dans sa poitrine. Il avait réussi.

— Malheureusement…

— Malheureusement ?

— Je ne puis satisfaire ta requête.

— Comment ? s'insurgea-t-il.

— Il m'est désormais impossible de libérer ta sœur. Ce n'est plus en mon pouvoir. Ces prisonniers que tu as vus appartiennent déjà au dieu du ciel, Ouranos. Ils doivent être livrés dès demain à son fils, dans la vallée sacrée. Je ne puis risquer de le contrarier.

Galyel s'était écarté de lui. Simultanément, les gardes du corps du nomarque s'étaient rapprochés, les armes tirées. Il comprit que Galyel lui avait joué la comédie. Il savait parfaitement où se trouvait Khirâ, et jamais il n'avait eu l'intention de la délivrer. Il détenait le pouvoir absolu et en abusait, simplement pour satisfaire son ignoble plaisir. Le jeune homme éprouva une terrible envie d'écraser ce porc infect. Mais il dut maîtriser sa pulsion. S'il tentait le moindre geste contre lui, il était mort. Il regretta de ne pas s'être muni de sa massue. Mais il n'était pas question d'entrer armé dans le palais. Il riposta, d'une voix dont il tenta de contenir les tremblements de fureur :

— Ne crains-tu pas que notre père, le souverain

des Deux-Royaumes, ne s'irrite de ta décision. Sa puissance est bien plus grande que la tienne.

Galyel écarta les bras, visiblement ravi de la provocation.

— Ne me menace pas, mon ami. Kemit est très loin. Je pense au contraire qu'il serait plus prudent pour toi d'apprécier ma magnanimité. Tu es étranger, et je pourrais te faire arrêter, faire de toi un esclave, au même titre que ces prisonniers destinés au sacrifice. Estime-toi heureux que ma bonté accepte ton offrande. Comme je te l'ai dit, je ne veux pas risquer de mécontenter Ouranos en privant son fils de ses victimes.

Il fit signe aux gardes d'escorter le jeune homme et déclara de sa voix caverneuse :

— Oublie donc tout cela. Je ne peux pas aller contre la volonté des dieux. Demain est la fête de notre dieu bien-aimé et redouté, Ouranos. Réjouis-toi avec mon peuple.

La mort dans l'âme et une rage impuissante dans le cœur, Seschi dut assister à l'effrayante bacchanale qui suivit. Il ne lui était même pas possible de s'éclipser discrètement. Galyel tenait à se repaître de sa fureur et de son incapacité à réagir. Cet homme aimait rabaisser les autres, les diminuer, les transformer en pantins qu'il s'amusait à manipuler à sa guise, laissant croire parfois qu'il accordait une faveur pour mieux la reprendre ensuite. Ses sujets le haïssaient, mais le redoutaient tellement qu'aucun d'eux n'aurait jamais tenté quoi que ce fût contre lui. Il était aussi connu pour les raffinements de cruauté dans lesquels il faisait périr ceux qui avaient eu le malheur de lui déplaire. Seschi ne pouvait croire qu'un personnage aussi abject pût exister. Pourtant, Galyel mit un comble à l'horreur en déclarant :

— Ton présent est magnifique, prince Nefer-Sechem-Ptah. Aussi sera-t-il immolé en l'honneur d'Ouranos après-demain, lorsque nous clôturerons les fêtes de la fertilité. Sois donc remercié pour ton exploit et ton cadeau.

Cette dernière décision était une insulte délibérée. À Mennof-Rê aussi on sacrifiait des taureaux. Mais, dans l'esprit du jeune homme, celui-ci était l'équivalent du taureau Apis, que l'on capturait pour l'élever, et être l'incarnation de Ptah. Ptah était son propre dieu, et cette nouvelle ignominie s'adressait, dans l'esprit de Seschi, au neter lui-même.

La nuit suivante, lorsque enfin il put gagner les appartements que Galyel lui avait fait réserver, il ne put trouver le sommeil. Il ne pouvait rien tenter pour délivrer Khirâ. Les gardes étaient trop nombreux. Une colère noire ne le quittait plus. Il aurait aimé étrangler ce roi maudit de ses mains, bien lentement pour qu'il sente la mort venir, vider son corps de toute énergie. Cet ignoble chien ne méritait pas de vivre. Mais l'expérience lui avait appris, malgré son jeune âge, qu'il était vain de lutter contre une force supérieure à la sienne. Il devait patienter, et réfléchir. Il implora l'aide de Ptah afin qu'il l'inspirât. Mais sans doute était-il trop éloigné des Deux-Terres. Le lendemain, il n'avait trouvé aucun moyen de venir en aide à Khirâ. Elle allait être sacrifiée au monstre effroyable qui hantait la vallée maudite, et il n'y pourrait rien changer.

Dès l'aube, les prisonniers furent extraits de leurs fosses et amenés dans la cour du palais royal. Averti, Seschi se rendit sur place. Accompagné par Aria et ses proches, il demeura en retrait. Il ne tenait pas à ce que Khirâ l'aperçût. Il ne voulait pas qu'elle nourrisse de faux espoirs. Il dut réfréner sa fureur lorsqu'il vit, sur l'ordre de Galyel, les gardes arracher les lambeaux de vêtements des condamnés. La foule, rendue hystérique par les deux dernières nuit de beuverie, se mit à hurler devant les corps nus. Des plaisanteries obscènes fusèrent, adressées aussi bien aux garçons qu'aux filles. Seschi dut se maîtriser pour ne pas assommer un gros homme proche de lui qui hurlait d'une voix pâteuse ce qu'il aurait aimé leur faire. Il observa Khirâ. Elle ressemblait à un petit animal traqué. Son regard affolé parcourait la haie humaine qui riait de sa mort prochaine. Seschi aurait aimé disposer des pouvoirs de Ptah, pour foudroyer ces individus ignobles, et surtout ce nomarque démoniaque. Mais autour de lui, la garde était nombreuse et bien armée. On le tenait à l'œil, au cas où il aurait voulu risquer une action désespérée.

Les jumeaux étaient pâles et amaigris. Seschi vit Tash'Kor prendre Khirâ contre lui, pour la rassurer. Aussitôt, des soldats intervinrent et les arrachèrent l'un à l'autre. Pollys s'interposa pour protéger le couple. Quelques coups de bâton eurent raison de sa révolte dérisoire. Curieusement, Seschi souffrit des coups reçus par les deux hommes. Ils n'étaient plus ses ennemis. Toute haine s'était évanouie en lui.

Il prit à peine conscience que la foule se mettait en marche. La mort dans l'âme, il suivit le cortège, qui quitta la cité pour se diriger vers le sud. En procession lente et bruyante, on marcha ainsi pendant une demi-journée. Le vent avait redoublé de violence. Des bourrasques continuelles assaillaient la colonne, étourdissant et déséquilibrant les marcheurs, échauffant un peu plus les esprits.

Peu à peu, le relief s'éleva. Une montagne couverte de bruyère et d'arbustes épineux remplaça les collines verdoyantes de la côte. Bientôt, on arriva dans une sorte d'amphithéâtre naturel, ouvert par le milieu sur un défilé enfoncé entre deux montagnes. Une haute muraille surmontée d'une double rangée d'épieux joignait les deux parois rocheuses. Curieusement, les épieux étaient tournés vers l'intérieur, sans doute pour dissuader la créature de s'échapper. Des sentinelles patrouillaient le long d'un chemin de ronde. Au milieu du rempart se dressait une lourde porte double de rondins.

Seschi sentait dans sa main la menotte fine d'Aria, qui le suivait comme son ombre en tremblant de peur. Elle lui avait dit n'avoir jamais assisté à un sacrifice humain. Les Égyptiens restèrent en arrière, prenant place sur une éminence rocheuse qui dominait la clairière où s'étaient rassemblés les citadins. Le jeune homme ne tenait nullement à se trouver trop près du nomarque. Il se doutait que celui-ci ne manquerait pas de le provoquer, et il préférait éviter de lui bondir à la gorge. Repoussée par la véritable armée qui escortait le minos et les prisonniers, la foule forma un grand cercle bruyant autour du roi, des prêtres et des sacrifiés, dont on ôta les entraves. Seschi redouta un instant que l'on n'égorgeât les victimes avant de les offrir au monstre, mais il n'en fut rien. Tandis que les

444

prêtres poussaient à pleine gueule des phrases rituelles adressées à Minos et à Ouranos, les prisonniers furent poussés sans ménagement en direction de la haute porte. Une atmosphère de démence s'installa peu à peu sur les lieux. La foule répétait inlassablement les noms des divinités, reprenait des bribes des phrases lancées par les prêtres, emportées et déformées par les hurlements incessants du vent. Les vantaux s'ouvrirent lentement. Il fallait trois hommes pour manœuvrer chacun d'eux. Bouillonnant de fureur et d'angoisse, Seschi tenta d'apercevoir ce qui se passait de l'autre côté. Mais il ne distingua qu'une étendue herbeuse déserte. Plus loin commençait une forêt sombre, coincée au creux de ce défilé obscur où le soleil ne pouvait pénétrer. De part et d'autre s'élevaient des falaises grises et abruptes, impossibles à escalader. Les victimes furent poussées au-delà de la limite. Seschi devina, derrière les grondements ignobles de la foule, les hurlements de terreur des filles. La double porte se referma. Les prêtres gravirent ensuite la rampe menant sur le chemin de ronde. Là, ils adressèrent de nouvelles incantations à la monstrueuse divinité qui vivait au-delà. Seschi comprit qu'ils tentaient de l'apercevoir. Mais celle-ci ne se montra pas. Les prêtres, déçus, redescendirent, et ce fut la fin de la cérémonie. Lentement, les citadins reprirent le chemin de Kytonia.

Seschi et ses compagnons laissèrent la foule quitter les lieux. Peut-être était-il possible de pénétrer dans la vallée avec des armes et de tenter de délivrer les prisonniers. Mais nombre de Kytoniens restaient sur place, et notamment une escouade d'une centaine de guerriers. Des individus gravirent la rampe à leur tour, munis de pierres qu'ils jetèrent sur les condamnés.

Furieux, mais impuissant à intervenir, Seschi descendit de son promontoire. L'apercevant, Galyel le fit chercher par l'un de ses capitaines. Force fut au jeune homme d'obtempérer.

— Je me doute de ce qui peut te passer par la tête, ami Nefer-Sechem-Ptah, dit le minos d'une voix onctueuse. Je vais laisser ici Morokh, le meilleur de mes capitaines, qui saurait te dissuader de forcer la porte du Labyrinthe, au cas où l'idée t'en viendrait à l'esprit. Ne pense pas que tu pourras intervenir pour délivrer ta sœur. Elle appartient désormais aux dieux.

Il se frotta les mains avec satisfaction, puis ajouta :

— D'après ce que disent les gardes qui surveillent la vallée, le minotaure ne tue pas toutes ses proies d'un coup. Au contraire, il les chasse, les traque, et les abat l'une après l'autre. On les entend hurler de peur bien longtemps après qu'elles ont été enfermées dans la vallée. Certaines survivent parfois plus d'un mois. Réjouis-toi, ta sœur ne périra peut-être pas tout de suite.

Puis il partit d'un rire cinglant qui n'avait d'autre but que de provoquer Seschi. Celui-ci ne réagit pas. Les soldats de Galyel n'attendait qu'un faux pas de sa part pour l'abattre. Il n'offrirait pas ce plaisir à ce chien. Mais un terrible désespoir venait de s'abattre sur lui. Désormais, il ne voyait plus comment Khirâ pourrait être secourue.

38

Durant le trajet du retour à Kytonia, comme si les éléments avaient voulu se mettre en harmonie avec la colère qui rongeait l'esprit de Seschi, l'aïtoumi se mit à souffler de plus en plus fort. Par moments, un véritable ouragan cinglait la foule abrutie par l'alcool et le spectacle des sacrifiés jetés en pâture à la Bête. Il était parfois difficile de tenir debout.

Le jeune homme éprouvait une violente envie de vomir devant l'abjection qu'il avait découverte dans le personnage de Galyel. Comment des individus aussi ignobles pouvaient-ils exister ? Il aurait aimer l'étrangler de ses mains, lui fracasser le crâne à coups de massue, le réduire à néant. En vérité, sa religion n'était qu'un prétexte pour assouvir ses instincts les plus noirs : manipuler, détruire ses semblables, les asservir, les écraser.

Seschi rageait surtout de ne pouvoir agir. L'autre n'attendait qu'un seul faux pas de sa part. Il se moquait totalement du fait que Seschi fût le fils du roi de Kemit, le pays le plus puissant du monde connu. Au contraire, défier Djoser semblait le réjouir. Il ne risquait pas grand-chose. L'île Blanche était trop éloignée du

Double-Royaume. De plus, l'Horus, sans nouvelle de leur part, avait peut-être déjà conclu à la mort de ses deux enfants. Cela, Galyel l'ignorait, mais, tandis qu'il marchait au milieu de la foule hostile ou indifférente, Seschi mesurait combien il était seul ; il ne devait compter que sur lui-même, et sur le soutien inconditionnel de ses compagnons. À ses côtés, Aria ne disait mot. Bien qu'elle ne connût pas Khirâ, sa colère épousait celle de Seschi. Galyel l'écœurait, mais que pouvait-elle faire ? La voix, le regard sombre, l'aspect impressionnant de ce roi immonde la faisaient trembler. Il semblait tout voir, percer les âmes. La sorcière de la Vallée des papillons ne s'était pas trompée : Galyel n'était pas un homme, mais un démon. Aria était partagée entre deux sentiments : lutter de toutes ses forces contre cette abomination, ou fuir sans se retourner, pour échapper à son emprise infernale. Elle avait remarqué la manière dont le minos la regardait durant la cérémonie rituelle du sacrifice. Elle avait senti son regard brûlant sur sa peau. Malgré la présence rassurante de Seschi, elle ne se sentait plus en sécurité. Elle redoutait que, dans le secret du palais, le monstre ne l'enlevât après avoir fait tuer le jeune prince par ses sbires.

— J'ai peur, déclara-t-elle à Seschi en lui expliquant les raisons de son angoisse.

Cette révélation ne fut pas pour calmer la colère du jeune homme. Quelques coups d'œil discrets sur le cortège royal qui les suivait à peu de distance lui confirmèrent les inquiétudes de la jeune fille. Seschi comprit alors que Kytonia s'était transformée en un piège sournois dont ils ne pouvaient plus sortir. Galyel avait deviné en lui un homme courageux, qui ne le redoutait pas, et il n'aurait de cesse de s'être débarrassé de lui, sous un prétexte ou un autre. En vérité, il était venu se jeter lui-même dans la gueule du loup. Il aurait dû s'introduire dans cette cité infernale déguisé en marchand, et agir dans l'ombre. Mais comment aurait-il pu deviner à quel point l'âme du roi était noire ?

L'orage qui couvait depuis la fin de la cérémonie explosa lorsque la foule pénétra dans la cité. Un orage sec, sans pluie. Des éclairs fusèrent, illuminant la ville et la baie de lueurs éblouissantes. Galyel y vit sans doute la satisfaction d'Ouranos. Seschi l'interpréta comme la fureur des dieux, une fureur qui reflétait la sienne. Les grondements infernaux du tonnerre n'empêchèrent pas les citadins de se livrer à la débauche infernale qui suivait traditionnellement le sacrifice. Tandis que des farandoles d'hommes et de femmes nus se déployaient dans les ruelles, Seschi, Aria et leurs compagnons regagnèrent le calme relatif de leurs appartements. Depuis la terrasse où ils s'étaient réfugiés, les deux jeunes gens contemplaient les cohortes de corps ruisselants de sueur déambuler et tituber. La lumière verdâtre de la foudre les figeait dans des poses grotesques ou obscènes, telles des statues éphémères que la nuit avalait l'instant d'après. Des silhouettes prises de boisson levaient les bras vers les cieux en hurlant. Peu à peu, les gardes eux-mêmes finirent par se mêler à la folie ambiante, relâchant leur surveillance, s'égaillant dans la ville à la recherche de femmes plus ou moins consentantes.

Seschi songea un moment à mettre à profit ce laisser-aller passager pour retourner jusqu'à la Vallée maudite. Mais le gros de ses forces se trouvait à bord de l'*Esprit de Ptah*. Il ne disposait que d'une trentaine de guerriers ; c'était insuffisant pour affronter la centaine de soldats laissés sur place par Galyel. Leur chef, le sinistre Morokh, avait été prévenu d'une intervention possible et l'attendait sans doute de pied ferme.

Aria en aurait pleuré de dépit. Elle ne savait que faire pour l'aider, sinon se blottir contre lui pour l'assurer de sa tendresse. Mais Seschi n'avait pas envie de faire l'amour. Ses pensées le ramenaient sans cesse à Khirâ. Elle était dans l'antre du monstre, et il ne pouvait rien faire pour la sauver. La prédiction de la prophétesse lui semblait à présent totalement dénuée de sens. Comment lutter contre un royaume tout entier ?

Et pourtant, il devait détruire Kytonia. Il ne pouvait laisser ce roi démoniaque poursuivre ses crimes. Il lui fallait trouver un moyen de sauver Khirâ, ou de la venger. Un boule de feu lui rongeait les entrailles. Il aurait voulu cracher sa haine, frapper jusqu'à ce que le bras lui en tombe. Les roulements de l'orage s'accordaient à sa rage. Il attendait qu'explosent les nuages noirs emportés par l'ouragan, qui parcouraient, comme un troupeau de bêtes sauvages, le ciel bas et menaçant, assombri encore par le crépuscule. Mais la pluie ne venait pas. Une odeur d'ozone flottait dans l'air affolé, mêlée à des senteurs marines et aux relents pestilentiels émanant de la ville.

Peu à peu, une impression étrange envahit Seschi. Les citadins se livraient à la plus invraisemblable des orgies. Les gardes du palais disparaissaient les uns après les autres, répondant aux appels des femmes. Galyel lui-même s'était entouré de ses favoris et d'une douzaine de filles dévêtues. Seschi avait pu constater qu'il avait absorbé une quantité impressionnante de ce vin étrange à la consistance pâteuse. La folie qui avait présidé aux rites du sacrifice s'était répandue dans la ville. Peu à peu, la colère de Seschi fit place à une excitation intense. S'il devait agir, ce ne pouvait être que cette nuit. La tempête serait sa complice. Il appela Khersethi et lui exposa son idée.

— C'est de la démence, Seigneur. Nous ne sommes qu'une poignée.

— Si nous libérons les esclaves, nous ne serons pas seuls.

— C'est exact, mais si nous échouons, nous serons tous massacrés.

— De toute manière, c'est le sort qui nous attend. Une fois remis de son ivresse, Galyel trouvera un prétexte pour me tuer.

— Le prince Seschi a raison, confirma Aria. Nous devons agir cette nuit.

— Ordonne et j'obéirai, Seigneur, répondit le capitaine.

Seschi le prit par les épaules.

— Voilà ce que tu vas faire.

Vers le milieu de la nuit, la moitié de l'équipage de l'*Esprit de Ptah* pénétrait furtivement dans le palais royal. La petite troupe, forte d'une cinquantaine d'hommes, se dirigea vers les fosses où étaient emprisonnés les esclaves. Seschi ne s'était pas trompé : Galyel était tellement persuadé d'inspirer de la terreur aux autres qu'il n'avait pas imaginé que Seschi pourrait le défier dans son propre palais. Tandis qu'il se livrait à ses excès, il imaginait son jeune adversaire terré dans ses appartements.

Le seul obstacle auquel ils se heurtèrent fut une phalange d'une dizaine de gardes. Ils tentèrent de résister, mais Seschi ne leur laissa aucune chance. Ces hommes ne lui inspiraient que mépris. Des dagues aiguisées sifflèrent, imparables. La massue incrustée de silex acheva les survivants. En quelques instants, les gardes gisaient sur le sol, égorgés, ou le crâne éclaté. À présent, il n'était plus question de reculer. Après avoir dissimulé les corps, Seschi et ses compagnons se précipitèrent vers les fosses. Des échelles rudimentaires permettaient aux prisonniers de sortir de leur trous humides. Les Égyptiens eurent tôt fait de les mettre en place. Stupéfaits, les esclaves les contemplèrent comme s'ils étaient en train de rêver. Seschi s'adressa à eux en égyptien, puis Thefris traduisit ses paroles.

— Esclaves de Kytonia, cette nuit, vous pouvez reprendre votre liberté. Il n'y aura jamais de meilleure occasion. Le roi et ses sujets sont ivres. Nous avons tué les gardes qui vous surveillaient. Mais attention ! Il va falloir vous battre. Nous savons où les Kytoniens entreposent leurs armes et nous allons nous en emparer. Que ceux qui désirent combattre à nos côtés nous rejoignent !

Il y eut un court instant de flottement, puis, dans toutes les fosses, une marée humaine se précipita vers les échelles. Les guerriers égyptiens durent intervenir pour aider leurs nouveaux alliés à sortir. Hommes et femmes, enfants comme vieillards, tous voulaient quitter les lieux. Un jeune individu aux yeux luisants s'approcha de Seschi.

— Qui que tu sois, Seigneur, sois remercié pour ton aide. Dis-nous seulement où se trouvent ces armes.

— Suivez-moi !

Thefris avait repéré, la veille, une caverne située à l'autre extrémité de l'enceinte royale, où des soldats

452

fabriquaient des arcs et des flèches. Il avait constaté que les soldats venaient là entreposer leurs armes. Un raz de marée humain traversa le palais, culbutant les quelques gardes qui s'y trouvaient encore. En quelques instants, la garnison fut investie, et les rebelles s'emparèrent des armes disponibles, casse-tête, lances, poignards et glaives de silex ou de cuivre, arcs, et même quelques antiques projecteurs de flèches qu'utilisaient encore les chasseurs des montagnes.

Parmi les prisonniers, un petit groupe s'assembla autour de Seschi. Étonné, il leur demanda ce qu'ils voulaient.

— Seigneur, nous te reconnaissons, tu es le prince Nefer-Sechem-Ptah, le fils de l'Horus Neteri-Khet.

— Et vous?

— Nous sommes les compagnons du seigneur Tash'Kor. Lui et le seigneur Pollys ont été emmenés hier. Ta sœur, la princesse Khirâ, était avec eux. Je crois qu'ils étaient destinés à être sacrifiés à leur divinité maudite. Sais-tu ce qu'ils sont devenus, Seigneur?

— Ils ont été livrés à leur dieu, en effet. Nous devons les venger.

— Alors, Seigneur, permets-nous de combattre à tes côtés.

— Notre vie t'appartient, Seigneur, insista une jeune femme. La princesse Khirâ est notre reine. Donne-nous l'occasion de nous battre pour la sauver!

Les autres renchérirent avec véhémence. Ils étaient une quarantaine, ce qui restait des prisonniers chypriotes capturés. Seschi leur fournit lui-même des armes, puis les entraîna à l'intérieur du palais. Celui-ci était désert, hormis une trentaine de gardes, alertés par le tumulte, et déjà pris à partie par les esclaves libérés. Ils n'eurent pas le temps de réagir. Ivres de haine envers leurs tortionnaires, les prisonniers les massacrèrent avec férocité. Tandis que Seschi restait en arrière avec ses compagnons, la marée humaine se répandit dans la ville, bousculant les premiers citadins, qui furent égorgés ou éventrés sans comprendre. On jeta des torches dans les maisons. Des nattes s'embrasèrent, des incendies éclatèrent, ajoutant à la folie ambiante. Un peu partout explosèrent de terribles affrontements. Les esclaves n'avaient plus rien à perdre. Les citadins ivres s'enfuyaient devant ces démons surgis du néant. Seuls les gardes parvinrent par endroits à s'organiser et à riposter. On se battait partout, dans chaque rue, chaque ruelle, presque chaque maison.

Seschi ne s'était pas trompé en comptant sur la haine accumulée par des années de captivité. Un chaos invraisemblable avait pris possession de la ville. Profitant de la confusion, le jeune homme se dirigea vers les appartements du roi. Il escomptait s'assurer de sa personne pour exiger la libération des sacrifiés. Lorsqu'il arriva, les lieux étaient déserts. Pris au dépourvu par la révolte des esclaves, Galyel avait tenté de rameuter ses gardes, mais la plupart d'entre eux s'était dispersés dans la cité. Ceux qui restaient avaient été massacrés sans pitié. Les idées obscurcies par le vin, ivre de fureur, Galyel avait dû fuir le palais pour éviter d'être tué.

Seschi lâcha un juron effroyable et explora l'endroit. La chambre empestait les vomissures et les excréments. Une fille éventrée gisait sur le lit souillé du nomarque. Écœuré, Seschi se dirigea vers elle, mais ne put que constater sa mort. Un courtisan abruti ronflait, écroulé dans un coin, indifférent à ce qui se déroulait autour de lui. Une porte épaisse attira l'attention du prince. À l'aide d'un énorme coffre de bois massif, il la fit enfoncer.

— Seschi, regarde ! dit Aria qui était entrée la première.

De l'autre côté s'ouvrait une pièce sombre qui abritait les trésors de Galyel. Il y avait là des coffrets remplis d'or, d'argent, de bijoux, de tissus fins, des statuettes, des poteries. La jeune femme plongea les mains dans un récipient de faïence rempli à ras bord de turquoises.

— C'est le trésor qu'il a accumulé par ses pillages, explosa-t-elle. On ne peut pas lui abandonner tout ça !

Seschi n'hésita pas un instant.

— Emparez-vous de tout, rugit-il. Qu'il ne lui reste rien !

Ses compagnons se firent un plaisir de lui obéir. En quelques instants, les joyaux, pectoraux, colliers d'argent et d'or, pierres précieuses, turquoise, cornaline, malachite, lapis-lazuli, tout fut glissé dans des sacs de cuir ou des coffres. Puis Seschi ordonna de regagner le port, où l'*Esprit de Ptah* avait abordé en fin de journée. Chemin faisant, il tenta de faire le point malgré les rafales de vent qui soufflaient sur la cité livrée au chaos.

Il n'espérait plus désormais rattraper Galyel. Celui-ci avait dû trouver refuge dans une garnison, et organisait une riposte. Il valait donc mieux rompre le combat avant d'être pris au piège. Les Égyptiens n'étaient pas assez nombreux pour tenir tête à l'armée royale. En revanche, Galyel allait sans doute ordonner à Morokh de ramener ses guerriers de la Vallée maudite. Peut-être alors serait-il possible de retourner là-bas et de délivrer les prisonniers. Mais pour cela, il fallait encore accentuer la confusion. Une nouvelle idée avait germé dans son esprit. Lorsqu'ils arrivèrent devant l'*Esprit de Ptah*, il s'adressa à Khersethi.

— Tu vas charger le butin sur le navire. Ensuite, tu prendras avec toi le groupe des Chypriotes, dix de nos meilleurs guerriers, et tu t'empareras du *Cœur de Cypris*.

Il lui indiqua l'endroit où il avait repéré le navire de Tash'Kor et poursuivit :

— Les Chypriotes sont trop nombreux pour qu'on les prenne à bord. Nous allons récupérer leur bateau, dont tu prendras le commandement. Ensuite, tu m'attendras. J'ai encore quelque chose à faire ici.

Malgré son jeune âge, il était difficile de résister à sa fougue. Khersethi avait l'impression de se trouver devant son père, quelques années plus tôt, lorsqu'il combattait les troupes de Meren-Seth.

— Sois prudent, Seigneur ! dit-il.

Seschi emmena avec lui une vingtaine de soldats commandés par Hourakthi et se fondit dans la nuit. L'orage n'avait pas faibli. En plusieurs endroits, dans la cité, sur la presqu'île, et sur les montagnes environnantes, la foudre avait embrasé des arbres et des demeures, ajoutant au climat d'apocalypse. Une clameur faite de hurlements de douleur et de cris de panique provenait de la ville. Livré aux esclaves, le palais royal était la proie des flammes. Seschi se dirigea vers la presqu'île, dominée par une haute colline.

À peu de distance du port s'étendait un vaste pré au milieu duquel était enfermé le troupeau royal. Sur l'ordre du jeune homme, les guerriers avaient apporté des cordes, des fagots de bois et quelques jarres d'huile prélevés dans les entrepôts. En quelques instants, les cordes furent liées aux cornes des vaches. Puis on fixa à chacune un fagot de bois que l'on imprégna d'huile.

Dans la cité, la panique était à son comble. Attaqués, massacrés par les esclaves ivres de colère, les habitants étaient persuadés qu'un ennemi inconnu avait débarqué pendant la nuit et mettait la ville à sac. La vue des agresseurs en armes, originaires de tous les coins du monde, confirma cette impression. Mais le minos Galyel avait compris ce qui s'était passé. Un garde rescapé lui avait raconté comment le prince égyptien avait libéré les prisonniers, avant de leur ouvrir le magasin des armes. Fou de colère, Galyel, après avoir fui le palais, avait trouvé refuge dans un bastion situé sur la route du sud. Là, il avait su rassembler sa garde éparpillée, promettant les pires châtiments à ceux qui se défileraient. Il était trop tard pour faire revenir Morokh et ses guerriers. Mais ses soldats étaient assez nombreux pour repousser et écraser ces chiens d'esclaves. Malheureusement, les armes avaient été emportées par les rebelles. La lutte promettait d'être dure.

— C'est ce chien d'Égyptien qui est responsable de tout ! hurlait-il. Il faut le capturer vivant. Je veux le voir mourir à petit feu.

Il lui ferait payer son crime très cher. On l'avait informé que le trésor royal avait été pillé. Il en écumait de fureur. Jamais il n'aurait dû accueillir ce misérable. Il aurait dû le broyer, le donner à bouffer aux porcs, le…. Galyel manquait de s'étouffer tant sa rage était grande. Terrorisés, ses soldats et ses capitaines tremblaient devant lui. N'avait-il pas éventré, dans un mouvement de folie, le garde qui lui avait apporté la nouvelle du pillage ?

On lui apprit que les fuyards s'étaient dirigés vers le port. Ils s'apprêtaient sans doute à embarquer avec le fruit de leur rapine, mais ils n'avaient pas encore quitté les quais. Ils ne pourraient partir avant la fin de la nuit. Malheureusement, l'aube était proche. Galyel explosa :

— Il faut les rattraper avant qu'ils ne réussissent à s'enfuir !

Revêtant une tenue de combat, il prit lui-même la tête de son armée et se rua en direction du port en empruntant l'artère principale. Les révoltés, comprenant qu'ils ne pourraient s'opposer à cette contre-attaque furieuse, se replièrent et libérèrent le passage. Ne rencontrant aucune résistance, Galyel crut qu'il tenait la victoire. Il ne ferait qu'une bouchée de ce maudit Égyptien et de sa poignée de guerriers. Il imaginait déjà tout ce qu'il allait faire subir à ce porc immonde. Il mettrait un temps très long avant de mourir. Quant à la putain qui l'accompagnait, la fille de ce chien de Radhamante, elle ne serait pas en reste, elle non plus. Tant pis si sa mort déclenchait une nouvelle guerre.

Soudain, un phénomène insolite attira son attention. À la limite du port, une myriade de feux s'allumèrent en quelques instants. Il ne comprit pas immédiatement ce qui se passait. Il ne pouvait s'agir d'incendies : il n'y avait pas de maison à cet endroit. Il comprit encore moins lorsque, comme dans un cauchemar, les feux se mirent à bouger, semblèrent hésiter, puis se dirigèrent vers lui dans un grondement de tonnerre.

— Le troupeau ! Le troupeau brûle ! s'égosilla un homme près de lui, en proie à la panique.

Dans la nuit finissante, alors que le ciel pâlissait vers l'est, un spectacle hallucinant cueillit le tyran. Dans un vacarme d'enfer, les quelque cent bêtes de son troupeau traînaient chacune derrière elle un fagot de bois enflammé. Poussé par la terreur et canalisé par ces maudits Égyptiens, le troupeau se dirigeait vers la ville, vers la rue principale où il se trouvait. Comprenant enfin le danger, il voulut arrêter ses soldats. Mais ceux-ci, galvanisés par son enthousiasme et paniqués ensuite par le phénomène inattendu, marquèrent un instant de confusion totale. Galyel était pris au piège et il le savait. Il tenta de s'enfuir, mais la foule était si compacte autour de lui qu'il ne put faire plus de quelques pas, bousculant ses guerriers et quelques citadins affolés. Tandis que le grondement de tonnerre s'amplifiait d'instant en instant, des hommes churent sur le sol inégal et rocailleux, d'autres furent piétinés. Hurlant de rage et de terreur, Galyel tenta désespérément d'écarter ses soldats. En vain. Au dernier moment, il fit face au danger et une vision d'apocalypse lui emplit l'esprit. Le grand taureau blanc offert par l'Égyptien, le superbe animal qu'il voulait sacrifier dès le lendemain, fonçait droit sur lui, environné de flammes. Lui-même ne brûlait pas, mais le fagot décomposé par la course folle l'éclairait, dans cette fin de nuit, d'une auréole de lumière infernale. Il crut se trouver devant l'image du dieu Minos lui-même. Il comprit alors qu'il allait mourir. L'animal se rua sur lui sans même le voir, Galyel se protégea dérisoirement de ses bras, puis un coup de corne imparable lui pénétra le ventre. Tandis qu'une douleur insoutenable lui vrillait les entrailles, il se sentit décoller de terre. Le puissant taureau l'emporta dans sa course infernale. Il sentit ses tripes se vider sous les coups de boutoir de la bête. Puis un coup plus violent l'expédia en l'air, et il retomba sur un tas de paille qui amortit sa chute. Étonné d'être encore en vie, il porta les yeux sur son abdomen, constata qu'une masse informe et sanglante se répandait sur ses jambes, accompagnée par une souffrance intolérable. Il savait, pour avoir fait subir l'éventration à tant de condamnés, qu'il ne mourrait pas tout de suite. L'instant d'après, un nouveau choc le heurta, suivi d'une atroce sensation de brûlure. Un fagot enflammé venait de le projeter en arrière. Autour de lui la paille s'embrasa. Il hurla de douleur, de fureur, de haine, de rage. De peur. Personne ne lui accordait plus aucune attention, aucun secours. Il brûlait vif et constatait que cela faisait atrocement souffrir.

Pendant ce temps, Khersethi s'était emparé du *Cœur de Cypris*. Les Chypriotes avaient déjà pris place à bord, heureux de retrouver leur navire. Le capitaine avait ensuite ordonné à ses hommes de détruire les cinq autres vaisseaux de guerre de Galyel. Bientôt, la flotte de Kytonia s'embrasa, interdisant une éventuelle poursuite.

Près de son navire, Seschi, qui n'avait pas renoncé à tenter de sauver Khirâ, s'interrogeait sur la possibilité de contourner la cité pour gagner la Vallée du Minotaure. Le jour naissant lui dévoila l'étendue du désastre. Le troupeau, rendu fou furieux par le feu, avait achevé de désorganiser l'armée. Le jeune homme avait aperçu, au loin, le roi Galyel se diriger vers le port en vociférant. Le taureau blanc l'avait sans doute piétiné. Les lueurs des incendies illuminaient la ville.

Les animaux, enfin débarrassés de leur fardeau enflammé, s'étaient éparpillés dans les ruelles, achevant de semer le chaos et la terreur. Certains d'entre eux s'étaient enfuis dans la campagne, franchissant les portes de la cité. Seschi s'aperçut également que de nombreux esclaves avaient rompu les combats pour s'échapper. Sans doute trouveraient-ils refuge à Arméni. Mais tout cela ne résolvait pas son problème. Il était désormais impossible de traverser la ville. Il lui fallait pourtant trouver une autre solution.

Soudain, Hobakha le rejoignit.

— Seigneur! Une femme est à bord, qui souhaite te parler.

— Une femme?

— Elle n'a pas voulu donner son nom. Mais elle a quelque chose d'important à te dire.

39

Un peu plus tôt, dans la Vallée interdite...

Lorsque la lourde porte se referma sur eux, Khirâ hurla sa rage et son impuissance. Comme ses compagnons, six autres filles et sept jeunes hommes, elle était nue, sans même un pagne pour se couvrir. Cet état ne l'aurait pas gênée en d'autres circonstances. À Mennof-Rê la nudité était naturelle, et elle n'avait rien porté avant l'âge de dix ans, comme le voulait la coutume. Mais il régnait dans les lieux une froideur désagréable. Cette vallée n'était qu'un défilé peu engageant, enfoncé entre deux parois rocheuses qui le surplombaient à pic d'au moins deux à trois cents coudées. L'étendue herbeuse où ils se tenaient longeait le rempart. Au-delà commençait une végétation sombre et menaçante.

L'impressionnante épaisseur des vantaux n'augurait rien de bon. Sans doute la force du monstre était-elle phénoménale pour que l'on dressât ainsi devant lui une porte aussi robuste. Khirâ se mit à trembler, de peur, de froid, elle ne savait plus. Tandis que les prêtres psalmodiaient leurs litanies, les sacrifiés restèrent à proximité, redoutant de s'aventurer dans les sous-bois mystérieux. Puis les officiants disparurent et une armée d'excités les remplaça. On espérait bien apercevoir la Bête, ne fût-ce qu'un instant, et, si possible, assister au massacre de l'une de ses proies. Mais il fallait repousser les sacrifiés vers la forêt afin d'attirer le monstre. Des pierres jaillirent des remparts, lancées par la foule hystérique. Khirâ et ses compagnons durent reculer jusqu'à la limite des arbres pour éviter d'être lapidés. Quatre d'entre eux avaient été blessés. Malheureusement pour les spectateurs, le Minotaure ne se montra pas. Déçus et frustrés, ils se retirèrent lentement, après l'avoir copieusement insulté. En vérité, personne ne l'avait vu depuis plusieurs années. On ne connaissait plus de lui que ses grondements effrayants, renvoyés par les échos. Mais cette fois, seul le silence répondit aux invectives.

Parvenu hors de portée des jets de pierre, Tash'Kor prit Khirâ contre lui pour la réchauffer. Pollys, fou de rage, levait le poing en direction de leurs tourmenteurs.

— Si au moins ils m'avaient laissé mon arc ! grondait-il. Je ferais rentrer leur rires dans la gorge de ces chiens.

— Tu ne l'as pas, dit son frère. Mais nous allons essayer de nous fabriquer des armes. Ce monstre finira peut-être par nous tuer, mais ce ne sera pas sans combattre.

Les autres prisonniers n'étaient pas tous chypriotes. Trois d'entre eux venaient des îles du nord. Une jeune femme à la peau très brune arrivait de Libye, une autre de Palestine. Quatre hommes étaient des compagnons des jumeaux.

— Nous ne pouvons pas rester ici, déclara Tash'Kor.

Il nous faut trouver de la nourriture. Nous allons rester groupés et avancer. Peut-être existe-t-il une autre sortie. Si nous pouvons l'atteindre avant que le monstre ne nous rattrape, nous serons sauvés.

Un rapide coup d'œil lui démontra qu'il faisait preuve d'un optimisme exagéré. Aussi loin que le regard pouvait porter, le défilé s'enfonçait entre les falaises, sans la moindre discontinuité. Les parois rocheuses verticales n'offraient aucune faille où une tentative d'escalade aurait été possible.

Peu rassurés, ils s'engagèrent dans les sous-bois, s'attendant à voir surgir l'abomination d'un instant à l'autre. Mais rien ne se produisit. Ils ramassèrent quelques fruits sauvages qu'ils mangèrent, la gorge serrée. Peut-être s'agissait-il de leur dernier repas. Tant que la lumière fut suffisante, le groupe conserva un certain courage. Cette vallée paraissait grande. Le monstre n'était peut-être pas dans les parages immédiats. S'aidant de cailloux tranchants, Tash'Kor tailla des branches dont il confectionna des épieux. Malheureusement, il ne trouva pas de silex avec lequel il aurait pu allumer un feu pour en durcir la pointe.

Au crépuscule, les quelques fruits ingurgités n'avaient pas calmé la faim des sacrifiés et un froid insidieux les pénétrait jusqu'aux os, diminuant leur résistance. Bientôt, il fit trop sombre pour continuer à se déplacer. Ils choisirent un endroit qui leur semblait offrir un abri contre le vent violent qui s'engouffrait dans le défilé. Grelottants, ils s'assirent sur le sol. Tash'Kor et Pollys s'étaient serrés contre Khirâ pour lui communiquer leur chaleur.

— Les chiens, grommela un guerrier chypriote, ils auraient au moins pu nous laisser nos vêtements.

— Nous allons monter la garde deux par deux, décréta Tash'Kor. Que personne ne s'éloigne.

Ses mains se serrèrent sur l'épieu de fortune qu'il s'était fabriqué. Mais celui-ci n'était guère fiable. Les arbres du Labyrinthe étaient chétifs ou tordus. À l'aide de lianes et d'une grosse pierre, il s'était aussi confectionné une espèce de fléau d'arme. Il doutait que cela fût suffisant pour livrer un combat à armes égales avec la Bête, mais cela avait eu au moins pour mérite de rassurer les autres.

Lorsque la nuit fut tombée, on n'entendit plus que les hurlements du vent dans les frondaisons, s'écorchant aux aspérités des parois rocheuses. Pendant un long moment, il ne se passa rien. Khirâ fut soudain envahie par un espoir insensé. Elle souffla à Tash'Kor :

— Ce n'est pas normal. Tu ne crois pas qu'il aurait déjà dû nous attaquer ?

— Je l'ignore. Jusqu'ici, nous n'avons trouvé aucune trace de sa présence.

— Et s'il était mort ? Ce monstre n'est pas immortel. Il a peut-être péri.

Tash'Kor fit une moue sceptique. Le Minotaure était un chasseur. Sans doute guettait-il ses proies, afin de les évaluer, de savoir comment il allait les tuer. Pourtant, un calme étrange s'était installé dans le défilé, troublé seulement par les appels des rapaces nocturnes et par les sifflements du vent. Parfois éclatait un cri strident, reflet de l'agonie soudaine d'un rongeur capturé par une chouette. Alors, chacun sursautait. Personne ne pouvait fermer l'œil.

— Il n'est pas là ! insista Khirâ qui s'accrochait désespérément à son idée.

Tout à coup, son espoir s'évanouit. Cela commença

par un grondement sourd. Puis, à une distance impossible à évaluer, un cri épouvantable et angoissant explosa, semblable à un meuglement de taureau. Mais il y avait dans les intonations une nuance curieusement humaine. Les falaises se renvoyèrent plusieurs fois l'écho de ce cri terrifiant. Même Tash'Kor, qui pourtant ne manquait pas de courage, sentit une onde de terreur couler le long de son échine.

Khirâ éclata en sanglots. Plus que jamais elle était persuadée d'être poursuivie par une malédiction. Elle était responsable du départ de Mennof-Rê, de la tempête, de l'attaque du village. Les dieux la poursuivaient de leur colère parce qu'elle s'était détournée de sa famille, du dieu vivant qui l'avait prise sous sa protection, simplement parce qu'elle refusait de ne pas être vraiment sa fille. Sa vie avait basculé à partir de ce moment. Des images de Kemit hantaient sa mémoire. Il lui semblait qu'une existence entière s'était écoulée depuis son départ. Elle était devenue une vieille femme. Elle n'avait plus de princesse que le titre. Ces derniers jours, elle avait été jetée dans la fange des cachots de Kytonia, des fosses abjectes au sol couvert d'immondices. À présent, elle était sûre qu'elle allait mourir. Le monstre allait surgir du néant, et les tuer tous, l'un après l'autre. Elle le sentait tout proche.

Pourtant, rien ne se passa dans l'immédiat. Le cœur battant, les hommes s'étaient regroupés, armés de leurs lances dérisoires. Les femmes s'étaient resserrées, formant un cercle, se blottissant dans les bras les unes des autres. Tash'Kor lâcha un juron énorme. La lumière diffusée par la demi-lune ne pénétrait pas la vallée. Leurs yeux s'étaient quelque peu habitués aux ténèbres profondes, mais on n'y voyait pas à plus de trois pas. Le danger pouvait survenir à n'importe quel moment, de n'importe où.

Soudain, le grondement éclata tout près d'eux, sans qu'il fût possible de le localiser. Puis, dans un vacarme épouvantable, l'univers sembla exploser autour d'eux. Une femme poussa un hurlement perçant. Khirâ fut bousculée, écartée violemment par quelque chose de gigantesque. Une insoutenable odeur de fauve la saisit à la gorge. Elle fut projetée dans les jambes des hommes qui s'étaient mis à bramer pour se donner du cœur. Il y eut un fracas de bois brisé, puis la voix terrorisée de la fille s'éloigna. Ils entendirent ses cris de douleur, reflets du combat désespéré que la malheureuse livrait contre la Bête. Enfin, après un appel encore plus strident, tout se calma. On ne savait même pas qui avait été emporté.

Il leur fallut plusieurs minutes avant de comprendre qu'il s'agissait de la Libyenne. Elle était la seule à ne parler ni le crétois ni l'égyptien. Pendant un long moment, on redouta une autre attaque, mais celle-ci ne vint pas. Frappées d'hystérie, deux femmes ne cessaient de geindre. Khirâ les prit contre elle pour tenter de les calmer. Sans succès. Tash'Kor les gifla violemment. Abasourdies, elles finirent par se taire, sans pour autant arrêter de trembler.

Khirâ les consola comme elle put, mais elle avait perdu tout courage. Comment ce monstre avait-il pu mener une attaque aussi rapide et aussi précise ? La nuit était totale. La faible clarté qui coulait des étoiles ne permettait même pas de distinguer le visage de son voisin. Mais peut-être bénéficiait-il d'une vision supérieure à la normale. Il avait attaqué tellement vite que les guerriers n'avaient pas eu le temps de réagir.

Personne ne put fermer l'œil durant le reste de la nuit. Une nouvelle agression pouvait survenir à tout instant. Pourtant, celle-ci ne vint pas. Le lendemain, dès les premiers rayons de soleil, Tash'Kor bouscula ses compagnons.

— Remuez-vous ! Il doit exister un moyen de vaincre ce monstre ?

— Mais comment ? demanda un pêcheur des Cyclades.

— Tout d'abord, nous devons fuir ce lieu maudit. Nous allons nous diriger vers le sud et marcher aussi vite que nous le pourrons. Cette vallée ne peut être infinie. Elle doit s'ouvrir quelque part.

— Personne n'est jamais ressorti de la Vallée maudite, gémit la Palestinienne.

— Ceux qui ont réussi cet exploit n'ont pas dû s'en vanter, de peur de retomber entre les griffes de ce porc de Galyel ! rétorqua Tash'Kor.

— À Arméni, ils auraient été accueillis comme des héros, fit remarquer l'homme des Cyclades. Les Arméniens n'aiment pas beaucoup les Kytoniens.

Tash'Kor ne répondit pas. Il ne pouvait le contredire, mais ils devaient se trouver des raisons d'espérer.

— Écoutez-moi ! déclara-t-il enfin. N'oubliez pas que le monstre est seul. Contre lui, nous sommes treize, dont sept hommes de vingt ans, dans la pleine force de l'âge. Quant aux filles, je suis sûr qu'elles sauront se battre si leur vie est menacée.

Subjugués par sa voix, ils se regroupèrent autour de lui. Il poursuivit :

— Le fait que la Bête nous ait attaqués pendant la nuit prouve qu'elle nous craint. Elle a peur de nous affronter en pleine lumière. Nous devons absolument trouver de quoi nous fabriquer des armes solides. Ainsi, nous serons moins vulnérables. De toute façon, nous en aurons besoin pour chasser.

Les autres approuvèrent sans trop de conviction. Khirâ elle-même faisait preuve de résignation. Elle aurait voulu soutenir Tash'Kor, mais elle savait déjà que tout effort était inutile. Quoi qu'ils fissent, ils étaient condamnés. Quelles chances avaient-ils de triompher d'un monstre envoyé par les dieux pour la punir ?

Ils se mirent prudemment en route, se frictionnant les côtes pour chasser l'engourdissement dû au froid. Malgré le retour du soleil, une fraîcheur pénétrante continuait de régner au fond du défilé. L'humidité omniprésente leur fouaillait les entrailles. Les filles grelottaient de froid et de frayeur. Seule la volonté de Tash'Kor maintenait un semblant de cohésion. Pollys le soutenait, mais sa sérénité habituelle était passablement perturbée. Il semblait être le seul à ne pas redouter le monstre. Au contraire, avec une racine noueuse, il s'était fabriqué une robuste massue qu'il espérait bien avoir l'occasion d'utiliser. Mais Khirâ sentait bien qu'il était anormalement nerveux. Elle le connaissait presque aussi bien que son compagnon. N'étaient-ils pas le reflet l'un de l'autre ?

Suivant la décision de Tash'Kor, ils se dirigèrent vers le sud. Mais la forêt qui se dressait devant eux ne leur facilitait pas la tâche. Le défilé s'étageait sur plusieurs niveaux qui se mêlaient et s'entrecroisaient. Le prince avait tout d'abord pensé qu'en suivant le niveau le plus profond, ils auraient plus de chances d'avancer. Celui-ci longeait le cours d'un ruisseau au faible débit, dans lequel ils pouvaient au moins se désaltérer. Mais parfois son cours se perdait sous un amas de végétation infranchissable. Il fallait alors rebrousser chemin et tenter de trouver un autre passage. Lorsqu'ils en trouvaient un, celui-ci débouchait souvent sur une impasse, et il fallait de nouveau revenir en arrière. Ils comprenaient mieux à présent pourquoi on appelait aussi cette vallée infernale le Labyrinthe. Les arbustes épineux leur griffaient le corps. Bientôt, ils furent couverts de zébrures sanguinolentes, et la douleur s'ajouta au froid. Leur courage s'en allait en lambeaux. Il fallait toute l'obstination de Tash'Kor pour maintenir l'unité du groupe. Parfois, une fatigue intense s'emparait de lui. Alors, il puisait dans le regard confiant de son frère la force de poursuivre le combat. Tant qu'ils seraient ensemble, rien ne prévaudrait contre eux.

Après un détour qui leur avait pris la matinée, ils avaient retrouvé le lit du torrent. Tash'Kor constata avec résignation que, malgré tous leurs efforts, ils ne s'étaient guère éloignés de l'entrée de la vallée.

— Il y a quelque chose là-bas, sur cet arbre, dit soudain l'homme des Cyclades.

— On dirait un animal, confirma la Palestinienne.

Intrigués, ils s'approchèrent. Tout à coup, Khirâ se détourna et se mit à vomir. Ce qu'elle avait pris pour un animal n'était autre que la chevelure de la Libyenne, dont la tête avait été empalée sur une branche. Un peu plus loin, ils découvrirent les restes d'un bras dont les chairs avaient été rongées. Leur angoisse remonta d'un coup au zénith. Ils scrutèrent anxieusement les alentours, leurs lances de fortune brandies de manière dérisoire devant eux. Mais rien ne se produisit. Lentement, ils s'éloignèrent de la macabre découverte. La tension commençait seulement à retomber lorsque le mugissement du monstre résonna, à quelques pas. Un sentiment de panique s'infiltra en chacun. Tash'Kor se plaça devant Khirâ et scruta les environs. Mais, en raison de l'épaisseur de la végétation, on n'y voyait pas à plus de vingt coudées. Les filles se mirent à gémir. Inexorablement, la panique s'installa. Tout à coup, ne pouvant en supporter plus, l'homme des Cyclades prit ses jambes à son cou. Il avait l'impression que le cri venait du sud, sans en être tout à fait sûr. Il lui fallait retourner près de la porte. Il supplierait la foule de lui ouvrir. Il ne voulait pas mourir comme ça. Il préférait encore être lapidé. En quelques instants, les autres le perdirent de vue.

Il était sûr de pouvoir retrouver son chemin. Pourtant, au bout d'un moment, sa belle certitude s'évanouit. Alors, le cri épouvantable retentit de nouveau, cette fois tout proche. Le fuyard poussa un hurlement de terreur et voulut s'échapper. Les arbres lui déchiraient la peau, mais il sentait à peine la douleur. Un souffle énorme et rauque se fit entendre derrière lui, presque sur sa nuque. Il accéléra le pas autant qu'il le put. Soudain, après une dernière trouée de végétation, la falaise se dressa devant lui. Il était pris au piège. Ses jambes se dérobèrent sous son poids. Haletant d'épuisement et de panique, il se retourna.

Son cri de terreur vrilla les tympans des autres. Comme pendant la nuit, les échos d'un combat désespéré leur parvinrent. Il leur sembla que cette lutte durait longtemps, trop longtemps. Puis, il y eut comme un craquement brutal, et tout retomba dans un silence glacial, qui vola en éclats sous un autre mugissement de la Bête. Les filles hurlèrent d'angoisse. N'y tenant plus, Tash'Kor se mit à crier :

— Espèce de grand lâche ! Aie donc le courage de nous affronter ! Montre-nous ta gueule de monstre et bats-toi en guerrier !

Seul le souffle du vent répondit à son défi. Pollys saisit doucement le bras de son frère et déclara :

— Il va être occupé un moment, fit-il remarquer. Nous devrions en profiter pour tenter d'avancer le plus possible.

Tash'Kor acquiesça. Mais il avait compris que cela ne servirait pas à grand-chose. Le monstre connaissait parfaitement cette vallée et pourrait les rattraper lorsqu'il l'aurait décidé. On ne savait même pas à quoi il ressemblait.

Pendant le reste de la journée, ils ne purent franchir plus d'un quart de mile vers le sud. À plusieurs reprises, ils durent s'éloigner du torrent pour rechercher un passage. Leurs corps n'étaient plus que plaies, égratignures et balafres. Une nouvelle nuit d'angoisse commença. Ils avaient trouvé refuge le long de la paroi rocheuse occidentale, ce qui limitait le champ d'action du monstre. Dans la journée, Tash'Kor avait fabriqué deux nouveaux épieux. Mais nulle part il n'avait trouvé de branche assez souple pour être transformée en arc.

Khirâ se blottit contre lui. Lorsque la nuit fut tombée, elle se mit à pleurer silencieusement.

— Nous allons tous périr, gémit-elle. Les dieux m'ont frappée de leur malédiction. C'est à cause de moi que tous ces malheurs sont arrivés.

— Tais-toi

— Non ! Je vais partir, Tash'Kor. C'est moi que les divinités réclament. Je vais marcher à la rencontre du monstre. Une fois qu'il m'aura tuée, il vous épargnera. J'en suis sûre.

— Tu vas rester avec nous, même si je dois t'assommer pour ça.

— Laisse-moi y aller !

Pour toute réponse, il la maintint fermement contre lui et l'embrassa.

— Ou nous survivrons, ou nous mourrons ensemble. Mais jamais je ne t'abandonnerai.

— J'attire la malchance, insista-t-elle.

— Tu manies l'arc bien mieux que le meilleur de mes guerriers. Si je parviens à en confectionner un, nous vaincrons cette abomination. Mais il faut que tu restes avec nous. Nous avons besoin de toi. Et arrête de répéter que tu portes malheur. Personne ne m'a obligé à quitter Kemit. Tu n'es pas responsable non plus de l'attaque des Kytoniens. Cela fait de nombreuses années qu'ils mènent ces attaques pour leurs ignobles sacrifices.

Il l'embrassa encore. Sa voix chaude la rassura un peu. Prise entre les jumeaux, elle ne souffrait pas trop du froid. Recrue de fatigue, elle finit par sombrer dans un sommeil entrecoupé de cauchemars, dont elle ne s'éveilla que le lendemain. Une lumière mauve coulait des hauteurs de la falaise orientale, tandis qu'une frange dorée, au sommet de la paroi occidentale, annonçait le lever du soleil. Une douloureuse sensation de faim creusait son estomac. Le peu qu'elle avait mangé la veille n'était pas suffisant pour la nourrir. Mais elle n'était pas seule dans ce cas. Les autres aussi criaient famine.

— Personne n'a été tué cette nuit, s'exclama Tash'Kor avec satisfaction. Cet endroit était bien choisi. Il ne pouvait s'approcher de nous suffisamment près. Il faudra trouver un endroit similaire la nuit prochaine.

Pendant la journée, ils poursuivirent leur progression difficile vers le sud. Ils découvrirent la tête de l'homme des Cyclades enfoncée sur une branche.

— C'est un chasseur, dit Tash'Kor en ravalant sa peur et sa colère. Il veut nous affaiblir en nous effrayant.

— Et il y parvient, dit la fille du Levant.

— Si nous restons groupés, il ne pourra rien contre nous.

Mais les faits démentirent ses propos. L'attaque suivante eut lieu au crépuscule, alors même qu'ils avaient découvert un nouveau refuge au pied de la paroi orientale. Ils avaient trouvé des fruits en abondance, et même des nids dont ils avaient prélevé les œufs. Ils s'apprêtaient à s'installer pour la nuit lorsque quelqu'un fit remarquer d'une voix tremblante :

— L'odeur ! Vous la sentez ?

En effet, un remugle de chair en décomposition les prenait à la gorge. Khirâ se souvint de la première agression, de l'infecte puanteur qui lui avait donné la nausée.

— Il est là ! hurla-t-elle.

L'instant d'après, un mugissement formidable explosa tout près d'eux. Tash'Kor et Pollys bondirent sur leurs armes rudimentaires et voulurent faire face, malgré la pénombre grandissante. Alors, une silhouette monstrueuse se dressa au milieu du groupe, comme surgie de nulle part. La végétation épaisse avait sans doute permis à la Bête de les approcher au plus près sans se faire remarquer.

Pétrifiés, Pollys et Tash'Kor n'eurent pas le temps d'utiliser leurs épieux. Le monstre les dépassait au moins de trois têtes. Ils aperçurent sa gueule monstrueuse, vaguement semblable à celle d'un taureau. Ses bras, larges comme des troncs d'arbre, se hérissaient de pointes de métal. La Bête poussa un autre meuglement et bondit sur l'une des filles. D'un geste précis, il lui brisa la nuque, lui retournant presque entièrement la tête. Terrorisés, les autres n'osèrent réagir. Puis, sans effort, le monstre jeta sa proie sur ses épaules et bondit dans les fourrés. En quelques secondes, il disparut dans la nuit. Il n'y eut que quelques bruits de branches cassées, puis tout retomba dans un silence lourd, chargé d'angoisse. Enfin, Tash'Kor laissa échapper un rugissement de colère.

— Il était là, devant nous, et je n'ai même pas pu réagir ! Je n'ai pas eu le courage de l'affronter !

De rage, il jeta sa lance sur le sol. Pollys le prit dans ses bras avec affection.

— Et comment aurais-tu voulu le combattre ? Il nous a attaqués par surprise. Tout s'est passé trop vite.

Ils ne dormirent guère non plus cette nuit-là.

Cela faisait à présent dix jours que les condamnés erraient dans le labyrinthe végétal du défilé. Ils n'étaient plus que cinq. Tash'Kor, Pollys et Khirâ avaient survécu, ainsi qu'une fille et un jeune guerrier, Mara et Ceros, tous deux chypriotes. Pas une fois le monstre ne les avait attaqués de front. Il attendait toujours la nuit ou le crépuscule pour agir. Il apparaissait, tuait sa proie sans coup férir, puis disparaissait sans qu'il fût possible de le poursuivre.

Épuisés, le corps couverts de blessures, de sang séché, ils avaient perdu tout espoir. Depuis dix jours, ils n'avaient pas parcouru plus de trois miles. À plusieurs reprises, ils avaient retrouvé les restes d'anciennes victimes. Apparemment, la Bête s'amusait, sans doute pour terroriser ses victimes actuelles, à exposer ses trophées. Ainsi, elle avait réuni les squelettes de ses proies en certains endroits, et les avaient disposés de manière effrayante, posant sur des corps humains des crânes de mouflons ou de vache. Prise par les fièvres, Mara délirait. Il ne faisait aucun doute qu'elle serait la prochaine victime. Désespérée, Khirâ n'avait plus qu'une envie, c'était que tout soit très vite fini. Ses jambes ne la portaient presque plus. Tous avaient maigri, et mouraient de faim.

Au soir du dixième jour, ils s'installèrent, ou plutôt s'écroulèrent au milieu d'une sorte de clairière dont le seul avantage était qu'elle leur permettrait de voir l'attaque arriver. Mais Tash'Kor savait que, même en luttant tous les cinq, ils n'auraient aucune chance face à un monstre aussi puissant. En cet endroit, les falaises s'écartaient légèrement, laissant le soleil éclairer le fond de la vallée au milieu du jour.

Mais la lumière déclina rapidement quand il passa derrière la paroi occidentale. En fin d'après-midi, lorsqu'ils découvrirent cette clairière, ils décidèrent qu'ils n'iraient pas plus loin. Une nouvelle attaque ne faisait aucun doute, car la nuit précédente avait été calme. Or, le monstre ne leur laissait jamais plus de deux jours de répit.

Ce fut presque avec soulagement qu'il vit apparaître le Minotaure, alors même qu'il faisait encore jour. Comme Tash'Kor l'avait supposé, il avait décidé de livrer ce soir le dernier combat. Cette fois, ils purent le détailler. Le monstre possédait en effet une tête de taureau sur un corps d'homme. Son corps épais était

476

recouvert d'une sorte de pelage sombre, presque noir, qui le rendait invisible la nuit. Ses épaules et ses bras étaient équipés de bandes de cuir hérissées de pointes de métal. Sa taille surtout était surprenante : il devait atteindre les quatre coudées et demie.

Il s'approcha, d'un pas nonchalant et lourd, certain de vaincre les petits humains qui lui faisaient face. Khirâ se saisit d'un épieu, tout comme Pollys et Tash'Kor, qui se placèrent devant elle. Le prince chypriote hurla :

— Va-t'en ! Essaie de t'échapper.

— Jamais sans toi ! riposta-t-elle. Tu l'as dit toi-même. Ou nous mourrons ensemble, ou nous triompherons de ce monstre. Et il ne nous a pas encore tués.

Elle vint se placer à ses côtés. Ceros l'imita, tremblant des pieds à la tête. Seule Mara resta allongée sur le sol, dévorée par la fièvre, déjà indifférente à sa mort prochaine.

Soudain, le monstre marqua un temps d'arrêt. Son regard se porta dans une autre direction, derrière les prisonniers. Stupéfaits, ils se détournèrent. Un homme les rejoignait, armé d'une énorme massue.

— Seschi ! s'exclama Khirâ.

40

Le Minotaure poussa un mugissement de fureur. Le nouvel intrus lui paraissait bien plus dangereux que les autres, et il n'aimait pas son allure. Contrairement à ses compagnons, il ne semblait pas avoir peur de lui. Le monstre gronda une nouvelle fois. La vallée sombre lui appartenait, et il tuait tous ceux qui osaient fouler son territoire. Il haïssait tout ce qui venait de l'extérieur, et surtout ces êtres aux faces grimaçantes qui tentaient de l'apercevoir depuis la grande porte, et l'insultaient parce qu'il ne se montrait pas. Parfois, la porte s'ouvrait pour en laisser passer quelques-uns. Alors, il les traquait, tout comme les mouflons et les chèvres sauvages dont il se nourrissait d'ordinaire. Les derniers avaient mieux résisté que les autres. Deux d'entre eux s'étaient révélés particulièrement dangereux. Ils avaient fabriqué des objets qui blessent, et il avait dû redoubler de ruse pour les approcher. Une fois, l'un d'eux avait réussi à le blesser. Il en avait éprouvé de la colère sur le moment, qui avait ensuite fait place à une intense jubilation. Il aimait la chasse, et celle-ci était beaucoup plus intéressante lorsque le gibier se défendait.

Mais il savait qu'il finirait par les massacrer tous, l'un après l'autre. Depuis dix jours qu'il les pistait, il avait mesuré leur épuisement, senti naître leur résignation. Grâce à son flair développé, il percevait l'odeur de la peur sur leur peau. Il savait ce qui les effrayait, comme par exemple empaler la tête de l'un d'eux sur une branche, ou abandonner un membre rongé sur leur passage. Il aimait l'odeur de leur frayeur. Il les épiait, pour s'en enivrer. Alors, il se sentait puissant, invulnérable.

Un profond chaos occupait son esprit. Parfois surgissaient en lui des souvenirs confus, l'image d'une femme qui lui avait apporté, bien longtemps auparavant, le reflet d'un sentiment inconnu, une sensation de plénitude, d'apaisement et de sécurité. Mais elle avait disparu. Pendant des mois, des années, il avait hurlé sa terreur et sa colère, son angoisse de la solitude. En vain. Il ne l'avait jamais revue. Avec le temps, il s'était persuadé que les masques grimaçants de la Grande porte avaient dévoré la femme au doux visage. Peu à peu, il s'était mué en un bloc de haine féroce, qui massacrait avec plaisir les audacieux qui osaient le défier.

Il n'avait pour toute arme que ses mains gigantesques, et les gantelets de cuir à pointes de métal que lui avait offerts... quelqu'un, il y a bien longtemps. Un homme dont il n'oublierait jamais le visage, le regard effrayant. Il aurait aimé le tuer, lui aussi, pour la peur qu'il lui avait inspirée. Mais aujourd'hui, il possédait la force ! Tout tremblait devant lui.

Sauf cet inconnu qui brandissait un grand bâton. Sa peau ne trahissait pas la peur. Au contraire, il humait sa colère, sa détermination. Il jeta un nouveau barrissement, pour l'impressionner. Mais l'autre continua à avancer. Ivre de fureur, il se rua sur lui.

Lorsqu'il vit la Bête le charger, Seschi s'arrêta et l'attendit de pied ferme. Il avait ressenti un soulagement intense quand il avait vu que Khirâ vivait encore. Il était arrivé à temps. Ses forces s'en étaient trouvées décuplées. Il avait alors désiré combattre le monstre tout seul. Il devait exorciser l'angoisse qui ne l'avait pas quitté depuis son départ de Kytonia. En réponse au cri caverneux de la Bête, il poussa un long hurlement de défi. Il ne ressentait aucune frayeur. Il avait trop envie de se battre, de détruire cette abomination qui avait failli tuer Khirâ.

Le Minotaure écarta les bras pour le saisir. Au dernier moment, Seschi s'esquiva, et les bras énormes se refermèrent sur le vide. L'instant d'après, une douleur atroce vrillait les reins de la Bête. Suivant les enseignements de Khersethi, Seschi avait riposté d'un vigoureux coup de massue qui l'avait atteinte dans le bas du dos. Il eût été suffisant pour briser la colonne vertébrale de n'importe quel être humain, mais la taille du monstre était telle qu'il chancela à peine. Un épouvantable rugissement de colère jaillit de ses poumons. Il se retourna. Malgré sa carrure exceptionnelle, Seschi mesurait une tête de moins que le Minotaure. Celui-ci devait peser deux fois plus lourd. Mais le jeune homme avait l'avantage de la souplesse et de la rapidité.

Le monstre attaqua de nouveau, à la manière d'un rhinocéros. En vérité, il ignorait totalement l'art de la lutte. Son seul atout était sa force brutale. Depuis toujours, il s'était appuyé sur la terreur qu'il inspirait à ses proies, une terreur qui les empêchait de réagir. La plupart du temps, il attaquait par surprise, surgissant la nuit au milieu de ses victimes pétrifiées. Pour la première fois, il se trouvait face à un adversaire presque aussi grand que lui, et qui ne le redoutait pas. Il n'aimait pas ce sentiment qui rampait insidieusement en lui, lui provoquait des sueurs froides, et amenait sur sa peau la même émanation acide que sur celle de ses victimes. Cette impression désagréable décupla sa colère, et lui fit perdre toute mesure. Il hurla de nouveau, et frappa l'ennemi de toutes ses forces. Une nouvelle fois, l'autre se déroba.

Seschi avait compris que, si la Bête bénéficiait d'une force colossale, elle était aussi totalement stupide. Il évita une troisième charge puis, au passage, lui projeta son arme dans les tibias. Le monstre s'écroula. Seschi riposta en bondissant sur son dos, le plaqua au sol et d'un coup puissant et précis, lui abattit sa massue sur le crâne. Un craquement sinistre retentit. Le jeune homme recula. Normalement, la tête du monstre aurait dû éclater sous l'impact. Mais il ne sembla pas tellement affecté. Il s'ébroua et, avant que Seschi n'ait pu réagir, se redressa. Ses bras fendirent l'air pour le faucher avec les pointes de métal, mais le jeune homme bondit de côté pour éviter l'attaque. Seschi bénéficiait d'une très grande résistance et pouvait tenir longtemps à ce rythme. Changeant de tactique, il préféra laisser le Minotaure s'épuiser. Il devait surtout éviter d'être touché. Mais les assauts de la Bête trahissaient sa fatigue et sa gaucherie. Seschi parvenait toujours à les esquiver et à riposter, entamant à chaque fois la peau de son adversaire. Le combat se prolongea ainsi, donnant peu à peu l'avantage au prince égyptien. Le Minotaure perdait du sang par plusieurs blessures. Mais il ne s'en souciait pas. Pour la première fois de sa vie, il connaissait la peur et la douleur. Son rival ne lui laissait aucun répit, bondissant, parant ses attaques trop lourdes, trop lentes. Il ne parvint qu'une fois à le toucher. Seschi sentit sa chair s'ouvrir sous l'effet des pointes. Il grimaça, mais la blessure n'était pas grave.

Voyant le sang de son frère couler, Khirâ voulut lui prêter main-forte. Tash'Kor et Pollys la retinrent, puis s'avancèrent pour seconder Seschi.

— Reculez! hurla-t-il. Vous êtes trop faibles pour le combattre.

Ils hésitèrent, puis constatèrent que des archers avaient pris place en silence derrière eux, prêts à intervenir au cas où le prince faiblirait. Mais apparemment, il s'était juré de vaincre seul le Minotaure.

— Emmenez Khirâ! gronda-t-il de nouveau.

Les jumeaux obéirent. Seschi, rassuré, décida de contre-attaquer. Un flot de rage lui donna un regain d'énergie. Pendant ces derniers jours, il avait trop tremblé pour sa sœur; il avait imaginé les crocs du monstre se refermer sur sa chair. Il aurait voulu accélérer le temps, mais il leur avait fallu plusieurs jours pour découvrir l'autre entrée de la Vallée maudite. Il avait poussé les rameurs à la limite de leur résistance. Enfin, ils avaient mis pied à terre. Malgré le dédale végétal opposé par le Labyrinthe, il avait mené ses guerriers à un train d'enfer, ne leur accordant que quelques heures de sommeil parcimonieuses. Tous étaient épuisés. Mais lui ne ressentait pas la fatigue. Il se souvenait de ce que lui avait dit Galyel: certains sacrifiés résistaient plusieurs jours. Il s'était appuyé sur ce faible espoir pour sauver Khirâ, et il était arrivé à temps. Alors, il allait faire payer à cette créature infernale la peur qu'elle lui avait causée. Il savait maintenant pourquoi les coups qu'il lui portait sur la tête ne l'affectaient pas beaucoup. L'étrange tête taurine n'était qu'un simulacre destiné à effrayer les sacrifiés. Elle était sanglée au corps par une espèce de tunique qui le couvrait jusqu'à mi-torse. Seschi devina qu'il s'agissait là d'une trouvaille de l'odieux Galyel, tout comme les brassières de cuir hérissées de métal. Mais cela ne l'arrêterait pas.

Le monstre ruisselant de sang attaqua de nouveau. Seschi s'effaça de côté et fit tournoyer la longue massue. Celle-ci percuta violemment l'abdomen du Minotaure. Les pointes de silex s'enfoncèrent dans les muscles. Seschi la dégagea sèchement, déchirant la peau, plus tendre à cet endroit. Il pivota ensuite sur lui-même et abattit son arme dans le dos du monstre, exactement à l'opposé du premier coup. La respiration coupée, la Bête tenta de se redresser, à la recherche d'un air qui fuyait ses poumons. Mais cette fois, les blessures infligées étaient trop rudes. Il sentit ses jambes se dérober, lui refuser tout service. Un troisième coup lui brisa les genoux. Il s'écroula en poussant un long gémissement. Seschi se jeta alors sur lui, dégaina son glaive et le lui plongea dans le cœur. Le monstre essaya une dernière fois de réagir, mais la douleur vive qui lui avait déchiré la poitrine l'avait privé de sa force. Sa vue se brouilla. Dans une sorte de mirage, il crut apercevoir au loin, en direction de la forêt, le visage de la femme disparue. Puis tout devint noir.

Seschi se redressa et poussa un long cri de victoire, repris aussitôt par ses guerriers, Khirâ, chancelant d'épuisement, s'approcha de lui, suivie par les jumeaux.

Au souvenir de tout ce qu'elle lui avait dit, un remords indicible lui broya la poitrine. Des larmes brûlantes ruisselèrent sur ses joues, qui redoublèrent lorsqu'elle remarqua la longue estafilade qui maculait son bras. Mais le sourire éclatant de son frère la rassura. Il n'était pas gravement touché. Cela ne l'étonna pas. Depuis qu'elle était toute petite, il avait été près d'elle, rassurant, solide. Pour la première fois, elle comprit que les sentiments qui les liaient rappelaient beaucoup ceux de Tash'Kor et de Pollys. Elle se jeta dans ses bras en pleurant.

— Mon frère, pardonne-moi ! sanglota-t-elle.

Il éclata de rire, la souleva dans ses bras puissants et la fit tournoyer, heureux de la sentir vivante.

— Je te pardonne, déclara-t-il en la reposant. Je m'étais promis, lorsque je te retrouverai, de te flanquer une fessée mémorable.

— Attends au moins que j'aie repris quelques forces…

— Rassure-toi ! Je ne le ferai pas

De nouveau, il la serra dans ses bras. Des larmes de joie et de soulagement ruisselaient sur les joues de Khirâ. Elle comprit alors qu'il l'aimait vraiment, d'un merveilleux amour fraternel qui l'avait amené à risquer sa vie pour elle. Ils n'avaient peut-être aucun sang commun, mais jamais elle n'aurait rêvé avoir un frère différent. Elle comprit aussi que l'amour que lui avait toujours porté Djoser était semblable. Pour lui, elle était sa fille, et il ne l'aurait pas aimée davantage si elle était née de lui.

Autour de Seschi apparurent Khersethi, Hourakthi, et même Neserkhet. Seschi avait voulu qu'elle demeurât sur le bateau, mais elle avait refusé catégoriquement. Khirâ remarqua également une jolie fille brune qui couvait Seschi des yeux.

Tandis que les soldats s'occupaient de secourir Mara, d'autres personnes vinrent entourer les jumeaux, parmi lesquelles Jokahn et Leeva, qui riaient et pleuraient à la fois. Tash'Kor, abasourdi, avait constaté que ses hommes étaient mêlés aux Égyptiens. Il se réjouit grandement de cette réconciliation qu'il ne s'expliquait pas.

Relâchant Khirâ, Seschi se tourna vers les Chypriotes. Il y eut un instant de flottement. Ils s'étaient quittés en ennemis. Mais beaucoup de choses s'étaient passées depuis. Le jeune prince avait recueilli Jokahn et ses compagnons, et libéré les esclaves chypriotes de Kytonia, qui avaient lutté à ses côtés. Ils s'étaient mêlés sans difficulté à ses guerriers, à tel point qu'il arrivait désormais à Seschi de les confondre. De plus, ils considéraient Khirâ comme leur reine, et parlaient d'elle avec une grande affection. Aujourd'hui, il venait de sauver leurs princes. Dissimulé dans les sous-bois, il avait observé l'attaque de la Bête, et la manière dont Tash'Kor et Pollys avaient pris la défense de Khirâ. Ils étaient prêts à se sacrifier pour elle. Leur courage était digne de respect. Prenant sa sœur par les épaules, il s'avança vers les jumeaux. Tash'Kor s'inclina devant lui.

— Seigneur Seschi, quelles que soient tes intentions en ce qui nous concerne, soit remercié d'avoir sauvé la vie de Khirâ.

La jeune fille se plaça devant Tash'Kor.

— Ne lui fais aucun mal, mon frère. Moi seule suis responsable de tout ce qui s'est passé. Les dieux m'en ont cruellement punie, qui ont attiré les malheurs sur moi et les miens. Mais, si tu désires prendre sa vie, alors, prends la mienne également.

Seschi écarta les bras.

— Mais je n'ai aucune intention de lui faire du mal. Tu ne trouves pas qu'il y a déjà eu assez de morts comme ça ?

Puis il prit la main de Khirâ, celle de Tash'Kor, et les joignit.

— Je sais que tu voulais tuer ma sœur, prince Tash'Kor.

Embarrassé, l'autre voulut répondre. Un geste l'arrêta. Seschi continua :

— Mais tu ne l'as pas fait. J'ai vu aussi que tu étais prêt à te sacrifier pour la sauver. Et cela me suffit pour savoir que tu l'aimes vraiment. Le sang n'a pas coulé entre nous. Nos ennemis furent communs. Aussi… je voudrais que désormais, nous ne soyons plus des ennemis, mais des frères.

Tash'Kor marqua un temps d'arrêt. Il n'avait osé espérer un tel revirement. La tension qui l'habitait depuis l'attaque de Mallia explosa, se libéra. Parce qu'il avait tenu ses compagnons à bout de bras depuis trop longtemps, il était épuisé, vidé de toutes forces. Bouleversé, il s'approcha de Seschi et déclara :

— Pardonne-moi tout le mal que j'ai pu penser de toi et de ta famille, prince Nefer-Sechem-Ptah. Je remercie les dieux de m'offrir un frère tel que toi. Mon sang est le tien.

Tandis que les guerriers hurlaient de joie, les deux hommes tombèrent dans les bras l'un de l'autre.

Soudain, tout le monde s'écarta. Étonnée, Khirâ vit s'avancer une vieille femme au visage triste, mais empreint de dignité. Seschi lui tendit la main pour l'inviter à s'approcher du cadavre du Minotaure. Sans un mot, elle se pencha, et posa une main douce sur le torse ensanglanté du monstre. Puis elle demanda au jeune homme de lui confier son glaive, avec lequel elle trancha les courroies qui retenaient le simulacre de tête de taureau. Seschi l'aida à l'ôter. Au-dessous apparut une tête difforme, aux joues dévorées par la barbe et la vermine. La mâchoire allongée montrait une denture usée, aux canines extrêmement développées. Il était probable que la Bête n'ôtait ce masque monstrueux que pour dévorer ses victimes.

Stupéfaite, Khirâ vit des larmes couler sur les joues de la vieille femme. Celle-ci s'aperçut de son étonnement et lui adressa un sourire crispé. Lorsqu'elle se releva, elle prit la main de la jeune fille et se mit à parler dans un très bon égyptien.

— Mon cœur se réjouit de te voir en vie, princesse Khirâ. J'avais tellement peur que ton frère n'arrive trop tard.

Puis elle se retira.

— Qui est cette femme ? demanda la jeune fille à son frère.

— La reine Pasiphaé et la mère du Minotaure. C'est elle qui m'a permis de te secourir. Elle seule connaissait l'autre entrée de la Vallée interdite.

— Mais comment as-tu réussi à nous retrouver dans ce labyrinthe impénétrable ?

— Je me doutais que, pour survivre, vous alliez tenter de suivre la vallée vers l'aval, en espérant trouver une ouverture. Nous devions donc la remonter en évitant de perdre trop de temps à nous égarer dans des culs-de-sac.

Il désigna la jolie fille brune.

— Aria a eu une idée formidable. Elle a emporté un long fil de tissu rouge. Il nous a suffi d'en nouer régulièrement des morceaux sur les branches pour marquer notre chemin. Ainsi, nous avons progressé plus vite, nous n'aurons aucun mal à retrouver la sortie.

En effet, grâce au fil rouge, il ne leur fallut que quelques heures pour sortir de la Vallée maudite. Une anse abritée s'ouvrit devant les yeux étonnés de Khirâ et de ses compagnons. L'*Esprit de Ptah* et un second navire les attendaient. Seschi prit Tash'Kor par l'épaule et déclara :

_ J'ai trouvé ce bateau à Kytonia. J'ai pensé qu'il serait plus à sa place entre tes mains qu'entre celles de Galyel.

— Mais… c'est le *Cœur de Cypris* ! s'exclama Pollys.

Ému aux larmes, Tash'Kor prit Seschi dans ses bras.

— Sois remercié, mon frère. Avec mon navire, c'est la vie que tu me rends. Tu n'auras pas désormais d'ami plus fidèle que moi.

Plus tard, tandis que le crépuscule s'installait sur la petite baie, les guerriers avaient allumé des feux. Quelques chèvres et mouflons rôtissaient. Intriguée, Khirâ se rapprocha de Pasiphaé. Celle-ci lui sourit.

— Tu dois te demander comment une femme a pu mettre au monde une créature aussi abominable, n'est-ce pas ?

— C'est-à-dire… J'ai entendu tellement de choses étranges…

La reine médita quelques instants, puis commença un récit effrayant.

— La légende propagée par Galyel, le porc qui sert

de roi à Kytonia, prétend que je suis tombée amoureuse d'un taureau, et que je me suis accouplée avec lui, dissimulée dans un simulacre de vache. Une histoire aussi sordide ne peut avoir germé que dans son esprit dévoré par la méchanceté. La vérité est bien différente.

« Mon père était le chef de la plus importante tribu de bergers du royaume. Tout le sud-ouest de l'île Blanche nous appartenait. Pensant conclure une alliance bénéfique, il m'a offerte en mariage au minos Galyel. En ce temps-là, j'étais jeune et belle. Galyel lui-même était un bel homme. J'ai été séduite par son allure, son regard. Hélas, j'aurais dû me méfier. Le cauchemar a débuté le soir même de mon mariage, où il m'offrit à ses amis.

Khirâ ne put retenir un cri de surprise. Comment un homme pouvait-il se conduire de cette façon ?

— Mais ce n'était que le commencement, poursuivit Pasiphaé. Chaque jour, chaque nuit était un cauchemar. J'avais compris, bien trop tard, que Galyel n'était qu'une brute immonde. Il n'existe pas de mots assez forts pour le décrire. Il est le Mal à l'état pur. Il aime faire souffrir les autres, les diminuer, les rabaisser, les écraser de son pouvoir, de sa volonté. Il détruit tous ceux qui lui résistent. Ainsi fit-il tuer mon père et mes frères qui voulurent me porter secours lorsqu'ils apprirent la manière dont il me traitait. J'ai rêvé de le tuer de mes mains, mais il le savait, et se méfiait de moi. Jamais je n'ai pu agir. J'ai toujours pensé qu'il se nourrissait de la haine des autres.

« Il y eut une nuit plus terrifiante que toutes celles qui avaient précédé. Cette nuit-là fut conçu le Minotaure. Galyel avait appris que j'éprouvais une peur panique à la vue des taureaux. À cette époque, la coutume de Kytonia exigeait que, tous les ans, on sacrifie un garçon, une fille et un taureau en l'honneur de Minos et d'Ouranos. Cette tradition me répugnait, mais il me contraignit à y assister. Cependant, d'ordinaire, ces sacrifices étaient pratiqués suivant des rites qui limitent la douleur. Les jeunes gens et le taureau sont des offrandes, mais aussi des messagers envoyés vers Ouranos et Minos afin qu'ils se montrent cléments. Avec l'avènement de Galyel, les rites sont devenus plus cruels. En tant que premier prêtre d'Ouranos, il pratiquait lui-même l'immolation. Me faisant maintenir par ses gardes, il m'obligea à demeurer près de l'autel où une adolescente avait été solidement entravée afin qu'elle ne pût se débattre. Ce chien prit plaisir à faire durer la mise à mort de cette fille. J'ai encore ses hurlements de souffrance dans les oreilles. Cette hyène de Morokh, sur l'ordre du roi, me forçait à ne pas détourner les yeux. Les autres prêtres eux-mêmes étaient mal à l'aise, mais ils n'osaient rien dire ; ils avaient en mémoire six des leurs qu'il avait fait exécuter parce qu'ils avaient osé s'élever contre sa volonté. J'éprouvai un soulagement lorsque enfin la pauvre cessa de vivre. Puis le garçon subit le même sort.

« Vint ensuite le tour du taureau. Comme je te l'ai dit, j'ai toujours été paniquée par ces animaux. Le sang des sacrifiés inondait l'autel lorsque l'on amena une bête énorme, solidement entravée. Galyel me regarda avec méchanceté et me fit venir au plus près. Mon regard croisa celui de l'animal. Il semblait sentir qu'il allait mourir. Alors, il se débattit violemment. Il est beaucoup plus facile de retenir une fille qu'un taureau puissant. Galyel commença à le taillader. Rendu fou de douleur, le taureau parvint à se dégager. C'était une bête d'une force peu commune. Galyel ne dut la vie qu'aux soldats qui se sont sacrifiés pour lui. Quatre d'entre eux furent éventrés sous mes yeux avant que les bouchers n'intervinssent avec d'énormes masses. Ils finirent par maîtriser le taureau, qui fut frappé, frappé jusqu'à la mort. Sous mes yeux.

« Le soir même, alors que j'étais encore bouleversée par ce que j'avais vu, Galyel me rejoignit dans ma chambre. Il était encore couvert de sang animal et humain. Pendant la nuit entière, il me viola. Ce fut une abomination. Un enfant naquit, neuf mois plus tard. Son corps était vigoureux, mais son visage était atrocement défiguré. En grandissant, sa laideur s'accentua encore. Galyel ne voulut jamais admettre qu'il avait engendré ce monstre. Il inventa alors la légende répugnante de mon accouplement avec un taureau. Elle se répandit rapidement, et beaucoup de gens y crurent. Il hésita longuement à nous tuer, l'enfant et moi, mais il redoutait la colère des dieux, et il nous épargna. L'étrange ressemblance de son fils avec un taureau l'intriguait, et l'amena à penser qu'il était peut-être vraiment le fils du dieu Minos. Pour cette raison, il fut appelé le Minotaure. Cependant, Galyel ne supportait pas sa vue. Je fus donc enfermée avec lui dans cette vallée où personne ne se rendait jamais, et il en fit clore l'accès par une muraille épaisse.

« Mais le Minotaure n'était pas seulement défiguré. Il était aussi dégénéré et violent. Parfois, Galyel nous rendait visite, pour surveiller son évolution. Avec le temps, l'enfant devint de plus en plus dangereux. Sa force était phénoménale. Il ne mangeait que la chair crue des bêtes qu'il abattait de ses mains. Il n'était pas méchant avec moi ; sans doute sentait-il que j'étais sa mère. Si j'étais restée avec lui, peut-être même serais-je parvenue à le rendre inoffensif. Mais un jour, il tua deux esclaves et un garde. Alors, Galyel m'obligea à revenir à Kytonia, et mon fils resta seul. Depuis plus de vingt ans, je vis presque comme une recluse. Toujours en raison de sa superstition, Galyel m'épargna, et je n'eus plus à subir ses assauts bestiaux. Mais qui, à Kytonia, se souvient qu'il existe encore une reine, sinon pour en raconter l'histoire ignoble ?

« Plus personne n'osait s'aventurer dans la Vallée interdite pour nourrir le Minotaure. On lui offrait un mouflon tous les dix jours. Puis Galyel décida qu'il avait été envoyé pour accomplir les immolations destinées aux dieux. On abandonna alors le sacrifice du couple et du taureau, et, depuis plus de vingt ans maintenant, chaque année, sept garçons et sept filles sont enfermés dans le Labyrinthe.

La vieille femme laissa passer un silence, puis reprit :

— Voilà la véritable histoire du Minotaure, princesse Khirâ. Et je suis heureuse aujourd'hui qu'elle soit terminée. Ton frère, le prince Seschi, a mis fin à cette abjection.

— Pourquoi lui as-tu apporté ton aide ? Le Minotaure était ton fils !

— J'avais lu dans les étoiles qu'un homme viendrait, qui serait cause de la mort du Minotaure et de Galyel. Lorsque j'ai aperçu le prince Seschi, j'ai su qu'il s'agissait de lui. Le soir de la cérémonie du sacrifice, ton frère a profité de la gigantesque beuverie à laquelle se livraient les habitants de Kytonia pour libérer les esclaves. Les gardes royaux n'ont pu réagir immédiatement. Je savais qu'il cherchait un moyen de te délivrer, et j'ai décidé de lui venir en aide. Il lui était impossible, après le chaos qu'il avait semé dans la cité, de revenir à l'entrée de la Vallée interdite. Mais je connaissais un autre accès, situé sur la côte méridionale de l'île. Je l'ai rejoint sur son navire, et je lui ai donné l'information. Ensuite, il m'a emmenée avec lui pour que je l'aide à trouver cette entrée.

Plus tard, alors que la nuit était déjà bien avancée, Khirâ et Seschi firent quelques pas ensemble. Aria, dont le tempérament possessif n'attendait qu'une occasion de s'exprimer, avait fait grise mine. Mais Seschi l'avait remise en place sèchement.

Malgré leur longue séparation, la complicité avait de nouveau tissé ses liens entre eux. Ils avaient tellement de choses à se dire, de souvenirs à échanger, de projets à partager. Pourtant, ils parlèrent peu, goûtant seulement le plaisir de sentir la présence de l'autre. Khirâ mesurait à quel point elle avait manqué de discernement, et prenait conscience de la peine qu'elle avait pu causer. Elle s'en ouvrit à Seschi. Celui-ci médita un long moment, puis répondit :

— Personne ne connaît les desseins des dieux. Sans doute ont-ils voulu t'éprouver en t'amenant à vivre cette expérience. À présent, tu as mûri. Mais tu dois aussi apprendre à te pardonner cette erreur. Nous sommes en vie l'un et l'autre, et cela seul compte.

— Me pardonner à moi-même ?

— Un jour, pendant la construction de l'*Esprit de Ptah*, j'ai commis une injustice envers un ouvrier. Je l'ai accusé d'une erreur dont il n'était pas responsable. Il a eu beau se défendre, je n'ai pas voulu l'écouter. Je lui ai donné le fouet et je l'ai chassé. Puis je me suis rendu compte que l'erreur avait été commise par un autre. J'ai châtié le coupable avec d'autant plus de colère qu'il m'avait amené à me montrer injuste. Bien entendu, j'ai réintégré le premier ouvrier, et je lui ai donné double salaire. J'avais réparé mes torts, mais je ressentais une profonde colère envers moi-même. Je me voulais sans défaut, sans reproche, et j'avais donné le fouet à un innocent, par manque de clairvoyance ; c'est un défaut très grave pour un prince. De plus, lorsque je fouettais le coupable, je lui faisais supporter le poids de ma propre faute. Il méritait sa punition, mais j'étais aussi coupable que lui, et j'aurais dû recevoir le fouet, moi aussi. Mais personne évidemment n'aurait osé s'en charger. Pendant plusieurs jours, cette histoire m'a bouleversé. Mon cœur était lourd de remords et je me sentais laid et méprisable. Puis notre grand-père Imhotep est venu me rendre visite. Je lui en ai parlé. Il m'a alors enseigné ceci : chaque expérience apporte sa leçon, surtout s'il s'agit d'un échec. Elle nous invite à ne plus recommencer les mêmes erreurs. Ainsi se forme la sagesse. Mais retenir la leçon ne suffit pas. Il faut aussi avoir le courage de chasser le ressentiment que l'on éprouve envers soi-même. Se vouloir infaillible n'est en réalité que de l'orgueil. L'être humain n'est pas parfait, et il doit s'accepter tel qu'il est, avec ses qualités et ses défauts, ses moments de gloire et ses instants de faiblesse. Le but de la vie est d'apprendre à se connaître soi-même, pour traquer ses défauts et les transformer en qualités. La haine que l'on peut ressentir envers soi-même est stérile et néfaste comme un poison qui ronge l'âme et il faut la chasser. Seules doivent rester les enseignements. Si tu veux te retrouver en paix avec toi-même, tu dois, non pas oublier, mais te pardonner ce que tu considères comme des erreurs. Car, au moment où tu les as commises, tu pensais sincèrement agir tel que tu devais le faire.

— C'est vrai !

Khirâ leva les yeux vers lui et demanda :

— Tu as pu te pardonner !

— Cela n'a pas été facile. Mais aujourd'hui, j'ai chassé le remords, parce que je me suis accepté tel que je suis, et non tel que je voudrais être. En revanche, je ferai tout pour ne plus recommencer. Le pardon envers soi exige beaucoup d'humilité, et non pas de l'indulgence, comme on pourrait le croire.

Khirâ resta un long moment silencieuse, puis se blottit dans les bras de Seschi.

— Merci, murmura-t-elle.

Lorsqu'elle s'écarta de lui, les yeux brillants, elle dit :

— Je voudrais retrouver nos parents. Ils doivent nous croire morts.

— Nous allons leur faire une belle surprise en revenant tous les deux. Mais avant de retourner à Mennof-Rê, j'ai un autre projet.

— Lequel ?

— Suis-moi !

Il l'entraîna à bord de l'*Esprit de Ptah*. Là, il lui montra les coffrets dérobés dans la chambre du trésor de Galyel.

— Où as-tu pris tout ça ? demanda Khirâ, stupéfaite.

— J'ai pensé que Galyel n'en avait pas besoin.

La jeune fille éclata de rire. Seschi poursuivit.

— Ce trésor m'a donné une idée. Nous allons nous rendre dans les îles du nord. Les Arméniens m'ont appris que l'on trouvait là-bas du métal hedj. J'aimerais en rapporter à notre père. J'aimerais que Tash'Kor et toi m'accompagniez. Nous allons d'abord passer par Arméni, où je vais remettre Aria à son père.

— Tu ne l'aimes plus ? s'étonna Khirâ.

— Elle me fatigue. Elle devient de plus en plus jalouse. Elle ne supporterait jamais que je m'intéresse à une autre. Or, le monde regorge de trop de jolies filles pour que je me contente d'une seule.

41

— Mon fidèle compagnon, la mort de mes trois petits-enfants m'a fait prendre conscience que je n'étais pas éternel. Jusqu'à présent, je n'ai vécu que pour Kemit, que j'ai voulu protéger en la dotant d'édifices qui défieraient le temps. Aussi bien à Saqqarâh, qu'à Yêb ou encore à Nekhen, je pense que j'y suis parvenu. Aujourd'hui, je veux me consacrer à mon propre tombeau.

— Mais tu es encore très vigoureux, ô mon maître ! rétorqua Bekhen-Rê.

Imhotep répondit d'un sourire un peu triste.

— Les dieux m'ont accordé d'être le père d'une reine et de deux fils vigoureux, qui tous deux manifestent de brillantes dispositions pour reprendre mon œuvre.

— Ankhaf est le plus doué de mes élèves. Il possède un don inné pour l'architecture.

— Quant à son frère Nâou, il est passionné par la médecine, et m'assiste pour la rédaction de mon livre. J'ai eu à mes côtés la plus douce et la plus aimante épouse qui soit, et sa beauté fait encore pâlir de jalousie des femmes beaucoup plus jeunes. Comme tu le vois, les dieux m'ont comblé, et je leur en suis très reconnaissant. Mais j'approche désormais des soixante ans, et je dois songer à ma demeure d'éternité. C'est pour cette raison que je t'ai demandé de m'accompagner ici.

Imhotep prit l'architecte par les épaules et lui montra l'endroit qu'il avait choisi.

La felouque personnelle du grand vizir les avait amenés jusqu'à cet endroit situé à proximité de la frontière de la Balance des Deux-Terres et de la Basse-Égypte. Légèrement en retrait de la rive occidentale se dressait un petit village, comportant une vingtaine de modestes maisons. Les paysans et les pêcheurs s'étaient prosternés au passage des deux hommes et de leur escorte. Puis des enfants peu farouches les avaient accompagnés dans la savane qui montait en pente douce vers le plateau, ravis de profiter de la présence des guerriers en armes pour s'aventurer dans ce lieu où vivaient des troupeaux d'antilopes et des girafes, mais où rôdaient aussi des lions, des hyènes, et même des rhinocéros. Le fidèle Chereb, qui commandait le détachement d'une vingtaine d'hommes, ordonna aux soldats de se mettre en formation de défense.

— Il y a quelque jours, expliqua Imhotep, j'ai fait un rêve étrange, dans lequel ce plateau m'est apparu. Je le connaissais pour y avoir accompagné l'Horus au cours de parties de chasse. Je marchais au milieu des arbustes. Il y régnait une lumière singulière, qui n'était ni le jour ni la nuit. J'ai compris que j'étais sur les rives du Nil céleste, qui est le reflet de notre propre fleuve, à moins, et c'est plus probable, que ce ne soit l'inverse. Je m'interrogeais sur les raisons de ma présence dans ce lieu sacré lorsque trois silhouettes m'apparurent. Je reconnus Thôt, le neter de la lune et de la connaissance, qui s'était incarné sous la forme du babouin. À ses côtés marchait le nain Bès, son compagnon. Et près d'eux se tenait Sekhmet la lionne. Ce fut elle qui me parla. Ses paroles mystérieuses resteront gravées pour toujours dans ma mémoire.

« — Imhotep, dit-elle, même si tu dois vivre encore de nombreuses années, il est temps de penser à édifier ta demeure d'éternité. L'Horus Neteri-Khet te proposera de partager avec lui son tombeau de Saqqarâh. Tu dois refuser, car ta tâche n'est pas encore achevée, puisqu'elle se poursuivra bien après la mort de ton corps. À l'endroit que nous allons t'indiquer tu élèveras un monument. Au cœur de ce monument, dans un lieu inviolable, tu résideras pour l'éternité, et deviendras le gardien de la force de l'Horus contre les puissances du Chaos. C'est pourquoi il devra être orienté vers le lieu où Khepri surgit chaque matin, pour lutter contre Apophis, le serpent de Seth. Ainsi sera protégée la course de Rê lorsqu'il renaît de sa mère, Nout.

« Lorsque je m'éveillai, poursuivit Imhotep, je conservai en mémoire l'image de ce monument étrange, et ses plans apparaissaient si clairement dans mon esprit que je ne doutai pas un instant qu'ils m'avaient été inspirés par les dieux. Je les ai aussitôt couchés sur le papyrus. Voilà pourquoi nous sommes ici aujourd'hui, mon compagnon.

Sous le regard intrigué de Bekhen-Rê, Imhotep demanda à son scribe, Narib, de lui apporter un grand sac de cuir dont il sortit des rouleaux, qu'il déroula sur le sol.

— Quelle forme singulière, murmura l'architecte. Je n'ai jamais rien vu de semblable.

— Ce rêve m'a été envoyé par la déesse lionne. Elle symbolise la colère de Rê-Horus contre ses ennemis. Le règne du roi Djoser a été marqué par le conflit opposant une nouvelle fois Seth et Horus. Grâce aux dieux, Horus a triomphé. Je pense qu'à présent, ils désirent que nous dressions, face aux forces des ténèbres, un symbole destiné à écarter à jamais leur retour.

— C'est prodigieux, ô mon maître. Quand commençons-nous les travaux ?

— Je dois d'abord en parler au roi. Puis nous ferons venir des maçons, des tailleurs de pierre, des carriers, car le petit village où nous avons abordé ne comporte pas assez d'habitants pour fournir la main-d'œuvre nécessaire.

À Saqqarâh, un vent léger balayait le sommet de la pyramide. En l'absence d'Imhotep et de Bekhen-Rê, c'était Hésirê, le maître sculpteur, qui commentait pour Djoser l'avancement des travaux. Les deux hommes avaient gravi la longue rampe pour accéder au cinquième niveau, désormais quasiment achevé. De là, on apercevait l'ensemble de la cité sacrée et du plateau. Vers l'est se dessinaient les mastabas sagement alignés, où des familles flânaient après avoir porté les offrandes aux défunts. On apercevait le fleuve, sur lequel flottaient des bateaux minuscules. Légèrement au nord se dressait la cité tentaculaire, protégée par son étincelante muraille blanche. Au-delà, à plus de cinq miles, le Nil se séparait en deux larges bras, qui à leur tour se subdivisaient en de multiples ramifications. Là commençait le pays du Papyrus, qui alternait de larges étendues aux nuances de malachite et d'émeraude et des bosquets de palmiers. Vers l'ouest, la savane s'étirait sur deux ou trois miles, puis cédait la place à l'immensité de l'Ament, avec ses moutonnements de dunes et de rocaille. Au sud, on distinguait les rives verdoyantes qui bordaient le fleuve, avec leurs villages jouets construits sur les koms, les tertres artificiels édifiés bien avant l'unification des Deux-Royaumes, et destinés à protéger les habitants des crues. Autour de ces îlots s'agençaient les champs de blé et d'orge, les prés où paissaient les troupeaux. On devinait, sur les berges du Nil et sur les canaux d'irrigation, les dizaines de grues à eau inventées par Imhotep. Et tout à coup, presque sans transition, le vert cédait la place au sable rouge du désert, dont les étendues inquiétantes menaient le regard jusqu'à l'horizon noyé de chaleur et de lumière.

Hésirê, gêné par le silence glacial du nomarque, ne savait plus s'il devait poursuivre. Mais un signe discret du roi l'incita à continuer. Alors, il reprit sa description d'une voix embarrassée.

— Comme tu peux le voir, ô Lumière de l'Égypte, la construction des chapelles se poursuit activement. Six d'entre elles sont terminées. Les quatre dernières sont en voie d'achèvement. Quant aux maisons consacrées aux Royaumes du Nord et du Sud, les colonnes nous ont posé quelques difficultés, mais nous les avons résolues. De même, nous allons bientôt commencer le temple du nord, qui sera accolé à la pyramide, et où sera installé le serdab.

Djoser écoutait avec attention, hochant la tête pour indiquer à son interlocuteur qu'il suivait ses paroles. Mais l'attitude du roi déconcertait le sculpteur. Il ne parlait pratiquement plus. Son visage hiératique coiffé du némès semblait figé dans la pierre. Autrefois, Djoser n'aurait pas manqué de poser d'innombrables questions, il aurait interrogé le plus humble des qenous sur son travail, sur sa rétribution, sur les conditions de vie dans le village construit pour les ouvriers. Lors de ses visites, chacun se réjouissait car il avait coutume d'apporter des victuailles, et il s'asseyait familièrement parmi eux pour bavarder.

Mais tout avait changé depuis la mort de ses enfants. Aujourd'hui, personne ne pouvait plus dire ce que pensait le roi. Le sourire avait déserté son visage, et, s'il était toujours bienveillant envers son peuple, il s'était replié sur lui-même. Seule Thanys le connaissait assez pour savoir qu'il refusait de toute son âme la mort des deux aînés. Il se fondait sur un espoir ténu, selon lequel le cyclone décrit par les navigateurs aurait épargné les deux navires. Les Chypriotes avaient continué leur route, et Seschi les avait poursuivis, ce qui expliquait qu'il ne fût pas encore revenu.

Parfois pourtant, l'absence des deux enfants lui devenait insupportable, et ternissait cet espoir auquel il était le seul désormais à s'accrocher. Thanys elle-même avait fini par accepter leur disparition. Tout en admirant le panorama magnifique que l'on découvrait depuis le sommet de la pyramide, il tentait de deviner quelles erreurs il avait pu commettre envers Khirâ pour justifier son étrange fuite. Avant cet événement on l'eût bien étonné en lui rappelant qu'elle n'était pas vraiment sa fille. Lorsqu'il avait retrouvé Thanys, après l'avoir crue morte pendant deux années, il l'avait acceptée telle qu'elle lui était revenue, avec le bébé qu'elle portait dans les bras. Par la suite, Khirâ avait été élevée avec Seschi comme sa jumelle, puisqu'ils avaient sensiblement le même âge, et il l'avait adoptée. Avec le temps, il avait fini par penser qu'elle était réellement sa fille. Il y avait toujours eu entre Khirâ et lui une grande complicité. Il aimait son caractère indocile, toujours prompt à tout remettre en question. Étant enfant, sa mère n'était pas différente. Il estimait que c'était ainsi que l'on progressait. Malgré les innombrables contraintes de sa fonction, il avait toujours préservé du temps pour ses enfants, et Khirâ en avait largement eu sa part, tout comme il lui avait toujours témoigné de la tendresse et de l'affection. La confiance et l'admiration sans bornes qu'il lisait dans ses yeux verts le confortaient lorsque parfois le doute s'emparait de lui.

Pourtant, elle était partie. Elle n'avait pas supporté d'apprendre qu'elle n'était pas née de lui, et en avait adressé de véhéments reproches à Thanys. Alors, il cherchait à comprendre, sans y parvenir.

Ce départ tragique avait aussi provoqué la disparition de son fils. Sa fougue et son caractère heureux, hérités de sa mère, Lethis, lui manquaient terriblement. Et surtout, il savait que les circonstances avaient dressé l'un contre l'autre ce frère et cette sœur qui n'avaient pas de sang commun. Leurs personnalités vigoureuses et entières s'étaient souvent affrontées par le passé, mais ces joutes constituaient une manière d'exprimer l'amour fraternel qui les unissait. Cette fois, il semblait bien que fût née entre eux, au moins de la part de Khirâ, une haine incompréhensible. Il en gardait une rancune tenace envers les princes chypriotes. Il leur avait offert l'hospitalité, et ils l'avaient trahi. Il n'ignorait pas pour quelle raison ce maudit Tash'Kor avait enlevé Khirâ. Il avait fait preuve de naïveté. Il aurait dû chasser ces deux intrus, voire les faire emprisonner pour complicité avec les Peuples de la Mer. Mais ils étaient venus se placer sous sa protection. Alors, il avait laissé parler sa générosité naturelle. Leur peuple avait trop souffert pendant la sécheresse pour qu'il pût se résoudre à persécuter ses princes. Il en venait à penser que ce que l'on tient pour qualité chez un homme devient défaut chez un nomarque.

Parfois, une bouffée de colère le prenait, qu'il étouffait aussitôt. L'expérience lui avait enseigné la patience et l'inutilité de ces mouvements d'humeur.

Mais il avait d'autres soucis. Plusieurs riches propriétaires avaient senti qu'il avait été durement atteint par la disparition des trois enfants, et en profitaient pour agir à leur guise. Parce qu'il n'avait pas voulu les affronter en imposant la constitution d'une flotte de secours pour Byblos, ils s'imaginaient que son pouvoir s'était affaibli, et ils se montraient de plus en plus arrogants. Malgré les édits royaux qui protégeaient la propriété des paysans, ces nobles sans scrupules manœuvraient adroitement pour les spolier de leurs terres. Acoquinés avec des scribes peu scrupuleux, ils trichaient sur les bornages, corrompaient les commis chargés du contrôles des moissons. Djoser n'ignorait rien de leurs malversations, mais hésitait à sévir. Le mouvement avait très vite atteint une ampleur inquiétante. Près du tiers de la noblesse manifestait ainsi son hostilité, plus ou moins guidé par Ankher-Nefer, un cousin au troisième degré de l'Horus Sanakht dont le père avait pourtant rallié la cause de Djoser après l'usurpation de Nekoufer. Cet Ankher-Nefer, ambitieux et mégalomane, s'estimait doté de qualités de meneur d'hommes et, conforté par l'appui que lui apportaient les autres, leur servait de porte-parole et de guide. Dans certains nomes, des seigneurs avides de richesses exigeaient une plus grande indépendance. Ce mouvement incontrôlé avait déclenché, en contrepartie, une réaction de fidélité de la part d'autres seigneurs, qui appréciaient la prospérité que le roi avait apportée à Kemit. Ceux-là représentaient plus de la moitié de la noblesse. Une minorité restait prudemment neutre, et attendait de voir comment allaient évoluer les événements. Cette confusion embarrassait Djoser. Une riposte risquait de se traduire par une rébellion ouverte et une sanglante guerre civile. Or, il gardait encore en mémoire la terrifiante bataille de Per Bastet, où des Égyptiens s'étaient entre-tués. Cependant, les circonstances étaient totalement différentes, et pour l'instant, rien ne prouvait qu'il y eût un lien entre cette recrudescence de désobéissances et une résurgence du mouvement sethien.

Il savait qu'un jour prochain, il devrait agir. Les négociants de retour du Levant apportaient des informations de plus en plus alarmantes. L'invasion asiate menaçait l'ensemble de la Palestine et de la Mésopotamie. Des villes comme Mari et Tell Jokha étaient tombées, malgré une résistance acharnée. Ebla tenait encore, mais Adana, en Anatolie, avait été détruite. Byblos n'avait pas encore subi d'attaque, mais multipliait les appels au secours tout en renforçant ses murailles. Il devenait urgent de secourir les comptoirs. Si ceux-ci tombaient aux mains des Barbares venus d'Asie, le Double-Pays en souffrirait grandement. Le commerce s'en trouverait très affecté, notamment l'approvisionnement en bois. Les arbres égyptiens ne permettaient pas la construction de navires de grande taille. Il était donc vital de préserver Byblos et Ashqelôn. Les nobles indociles auraient dû le comprendre, mais ils prenaient prétexte du coût de l'expédition et des probables pertes en hommes pour renâcler. Djoser en venait parfois à se demander s'ils ne résistaient pas dans l'espoir de voir Kemit perdre ses villes du Levant. Mais c'était absurde. Quel intérêt y auraient-ils trouvé ?

Depuis l'enterrement d'Inkha-Es, Thanys avait trouvé refuge à Iounou, auprès de sa mère. Elle n'aimait pas ce qui se tramait dans l'ombre au cœur même du Double-Royaume. Par moments, elle avait l'impression d'être revenue de nombreuses années en arrière, lorsque les Serpents avaient entrepris de renverser Djoser et d'imposer leur religion abominable, qui exigeait le sacrifice de jeunes enfants. Derrière tout cela elle sentait planer le fantôme de Meren-Seth. Même après tout ce temps, elle ne parvenait pas à admettre qu'il fût mort. Elle avait déjà cru à son retour lorsque les hordes sauvages avaient attaqué Per Bastet. Elle s'était trompée. Le «roi» qui menait les hordes démentes n'était autre que le propre fils du sombre Nekoufer. Et pourtant, plusieurs éléments avaient éveillé en elle des soupçons qu'elle ne parvenait même pas à expliquer. Elle avait connu ce Neferkherê. C'était un homme brutal et sans charisme, incapable de se faire apprécier des guerriers dont il avait assuré le commandement pendant la courte période où son père s'était proclamé roi. Comment avait-il pu resurgir du néant après tant d'années d'absence, et surtout, comment avait-il pu rassembler autour de lui une armée aussi fanatisée ? Elle avait encore en mémoire la folie hargneuse avec laquelle les rebelles avaient combattu.

Seul Meren-Seth avait su autrefois susciter une telle abnégation. Jamais un Neferkherê n'en aurait été capable. De plus, certains prisonniers avaient évoqué, à mots couverts, la présence d'un autre homme auprès de Neferkherê, un inconnu qui avait disparu peu avant les derniers combats. On n'avait retrouvé aucune trace de lui. Fantasme ou réalité ? Thanys suspectait derrière ce spectre évanescent la présence de leur ennemi.

Il y avait aussi ce point obscur dans le récit de Tayna, l'ex-compagne du prince chypriote. Selon elle, Enkhalil avait reçu, peu de temps avant son crime, la visite d'un homme masqué. Tayna soupçonnait Tash'Kor d'être ce mystérieux inconnu. Mais rien ne permettait de l'affirmer. Thanys, quant à elle, y voyait la manière d'agir de Meren-Seth.

Elle sentait aussi sa marque derrière la révolte qui couvait chez certains nobles. Il n'y avait aucune cohésion apparente dans leur action, sinon leur arrogance. Mais elle était certaine qu'ils tentaient de créer une diversion. Ils n'avaient aucun motif valable pour refuser l'envoi d'une flotte destinée à soutenir Byblos et les comptoirs du Levant. Comment pouvaient-ils être aveugles au point de ne pas voir que leurs propres intérêts étaient gravement menacés, que la perte de ces cités entraînerait l'arrêt des échanges commerciaux avec le Levant ? Et pourtant, ils s'obstinaient à croire qu'ils souhaitaient ce revers. Ils n'agiraient pas autrement si leur but était d'affaiblir Kemit. Cette hypothèse était absurde, à moins d'admettre qu'ils avaient partie liée avec un ennemi extérieur. Mais qui pouvait être cet ennemi extérieur, sinon Meren-Seth, réfugié à l'étranger depuis sa fuite, et qui préparait sa vengeance et son retour dans l'ombre.

Pourtant, un élément venait contrecarrer cette hypothèse. Si tel était le cas, pourquoi avait-il attendu aussi longtemps avant d'agir ?

Elle n'osait même pas parler de ses soupçons à Djoser. Parfois, lorsqu'elle tentait d'examiner la situation froidement, sans passion, elle se traitait de folle. Elle devait alors admettre que le souvenir de Meren-Seth la hantait encore à tel point qu'elle ne pouvait s'empêcher d'imaginer sa présence démoniaque derrière tous les événements insolites. À l'époque où il œuvrait au cœur même de Kemit pour détruire Djoser, il avait fait preuve d'un tel machiavélisme et d'une telle cruauté, que Thanys en restait encore marquée. Mais il n'existait pas le plus petit élément permettant de soupçonner raisonnablement qu'il fût à l'origine des troubles que connaissait le Double-Royaume, sinon un doute obscur sur sa mort.

Peut-être cette sensibilité exacerbée était-elle provoquée par la disparition de ses enfants. Elle ne parvenait pas à accepter le fait qu'elle ne reverrait plus ni Khirâ ni Seschi, qu'elle aimait comme s'il était né de sa chair. Tout comme Djoser avec Khirâ, elle l'avait élevé avec la même affection que son propre fils, Akhty. D'ailleurs, la révélation de sa naissance n'avait pas perturbé le jeune homme. Mais il avait fallu que Khirâ s'enfuît avec ce maudit prince chypriote, provoquant ainsi son départ. Depuis, Thanys se reprochait chaque jour de n'avoir pas su comprendre sa fille, de s'être renfermée sur elle-même, parce qu'elle ne voulait pas parler de l'aventure tumultueuse qui l'avait liée à son vrai père, le fourbe Khacheb. Elle avait manqué de franchise, et surtout de courage. Mais elle n'avait pas, à ce moment-là, trouvé la force de révéler à sa fille quel individu ignoble l'avait engendrée. Elle était encore trop bouleversée par la mort d'Inkha-Es pour évoquer ce sujet brûlant.

Elle avait trouvé refuge à Iounou, auprès de sa mère. Parce qu'elle craignait pour leur vie, elle avait amené Akhty et Hetti avec elle. Ils étaient les seuls enfants qui lui restaient, et chaque jour elle tremblait pour eux, redoutant de voir surgir du néant d'autres tueurs inconnus.

L'héritier de la Double Couronne s'était fait accompagner de son précepteur, Anherkâ, car il adorait étudier. Quant à Hetti, âgée de trois ans, sa présence avait un peu compensé la disparition d'Inkha-Es. La petite fille portait en elle une telle spontanéité et une telle puissance de vie qu'elle accaparait beaucoup du temps de sa mère, et lui évitait ainsi de trop penser à ses blessures.

La présence de Merneith procurait un apaisement à Thanys. Sa sérénité et sa discrétion lui faisaient l'effet d'un baume bienfaisant. Elle reconnaissait elle-même avoir manqué d'audace lorsque son compagnon Imhotep avait été exilé, bien des années auparavant, sous le règne de l'Horus Khâsekhemoui. Elle regrettait de ne pas avoir eu le courage de fuir avec lui. Mais les dieux les avaient réunis, et leur longue séparation n'avait pas entamé l'amour qui les unissait.

Pour sa fille, Merneith évoquait les souvenirs de jeunesse de ce père admirable que Thanys vénérait. La reine éprouvait alors la douce impression de redevenir une enfant protégée par sa mère. Rien de mauvais ne pourrait lui arriver tant que Merneith serait près d'elle.

Thanys lui fit part de ses soupçons au sujet de la présence occulte de Meren-Seth.

— J'espère que tu te trompes, répondit Merneith, car, s'il survivait après toutes ces années, et s'il avait l'audace de s'attaquer de nouveau à Djoser, cela voudrait dire qu'il a passé tout ce temps à constituer une puissance capable de nous anéantir.

Une onde glaciale parcourut l'échine de la reine. Le raisonnement de Merneith expliquait pourquoi le fantôme de Meren-Seth n'avait pas agi avant : il avait dû prendre le temps de se constituer une force importante.

Soudain, cette gêne obscure se cristallisa dans toute son horreur lorsque le chef des gardes se présenta devant les deux femmes.

— Pardonne à ton serviteur la nouvelle qu'il t'apporte, Maîtresse. Mais nous avons retrouvé, près d'un village voisin, les cadavres égorgés de deux enfants.

42

Comme s'ils avaient voulu faire oublier la colère subie par les navigateurs trois mois plus tôt, les dieux de la Grande Verte se montraient particulièrement cléments depuis que les deux navires avaient quitté la Crète. Neserkhet avait tout lieu d'être satisfaite : malgré ses hurlements et ses pleurs, Seschi avait rendu Aria à son père. Les crises de jalousie de la demoiselle avaient fini par le lasser et il avait hâté leur départ. Ennuyé, Radhamante avait conservé son héritière, en se demandant à quel prince au caractère suffisamment souple il allait pouvoir la proposer. Il regrettait le départ de Seschi, qu'il admirait et auquel il s'était attaché.

Il avait accordé à la reine Pasiphaé l'asile qu'elle avait demandé. En raison des nouvelles alarmantes transmises par les voyageurs, elle n'avait pas osé retourner à Kytonia. On avait retrouvé le cadavre calciné et éventré du sinistre Galyel, et son bras droit, le cruel Morokh, avait voulu imposer sa domination. Mais d'autres seigneurs briguaient la succession, et de violents affrontements s'étaient déclenchés, provoquant une véritable guerre civile. Devant ce marasme,

Pasiphaé avait préféré rester en sécurité à la cour de Radhamante. Pour les Kytoniens, elle resterait toujours la mère du Minotaure, la femme débauchée qui s'était accouplée avec un taureau. Jamais elle ne pourrait rétablir la vérité.

Depuis leur départ, Seschi passait beaucoup de temps avec Neserkhet. S'il ne manifestait toujours pas l'intention de la glisser dans sa couche, ce qu'elle n'osait espérer, il lui parlait de leur voyage avec son enthousiasme coutumier, et lui faisait part de ses réflexions sur les uns et les autres, sur les aventures qu'ils avaient traversées. Elle l'écoutait avec passion. Il y avait en lui un mélange de naïveté due à son jeune âge, et une sagesse innée basée sur un solide bon sens. En dépit de ses dix-huit ans, il possédait l'âme d'un chef, servie par un esprit juste et généreux, qu'il avait hérité de son père. Khersethi, qui l'avait formé à l'art de la guerre et du combat, lui avait enseigné une leçon qu'il gardait gravée dans sa mémoire :

— N'oublie jamais que l'homme a besoin d'être traité avec dignité. Un grand chef de guerre ne méprise pas ses soldats. Si tu veux qu'ils te respectent et t'accordent leur confiance, tu dois les respecter toi-même, et savoir les écouter.

Seschi n'avait eu aucun mal à retenir cet enseignement. Il possédait une qualité extrêmement rare chez un homme de son âge : il savait écouter les enseignements de ses aînés et en tenait compte. Son statut de prince de sang ne lui avait pas tourné la tête. Djoser lui-même avait inculqué l'humilité à ses enfants. Les hommes, disait-il, n'étaient rien en regard des dieux qui régnaient sur le monde, et se gonfler d'importance revenait à leur faire insulte. Avec lui, ils avaient appris à respecter jusqu'au plus modeste des habitants de Kemit car, si humble fût-il, son travail était utile à tous.

Ses guerriers ne s'y étaient pas trompés, qui lui avaient accordé une fidélité totale. Les plus anciens avaient suivi Djoser dans ses campagnes, et ils retrouvaient en son fils ses grandes qualités. Il rassurait par sa lucidité et son courage, et il séduisait par sa générosité et son amour immodéré de la vie. Doté de plus d'une curiosité insatiable, il se passionnait pour tout ce qu'il découvrait, et le pauvre Thefris avait fort à faire pour traduire les incessantes questions que le jeune homme posait à Lokos, le marin arménien qui avait proposé de les conduire jusqu'aux îles.

Voyager sur son navire était un enchantement pour la petite Neserkhet. Là où les marins inquiets redoutaient l'apparition de monstres effrayants, elle ne voyait que le ballet joyeux des dauphins qui bondissaient devant le navire, le vol gracieux des exocets qui planaient au-dessus des flots telles des flèches d'argent.

Neserkhet savait que, dès qu'il serait à terre, il attirerait à lui la première belle fille qui lui plairait, mais, tant qu'ils seraient à bord, aucune ne pourrait le lui prendre. Tayna ne constituait pas un danger. Elle n'avait pas voulu retourner à bord du *Cœur de Cypris*. Les Chypriotes continuaient à la rejeter, et elle avait préféré demeurer avec les Égyptiens. Seschi l'ignorait royalement. Cette indifférence déroutait Neserkhet, car Tayna possédait un corps superbe et dégageait une sensualité qu'elle lui enviait. Mais elle n'aurait certes pas songé à s'en plaindre.

Les deux vaisseaux naviguaient à peu de distance

l'un de l'autre. Khirâ, bien sûr, voyageait sur le bateau chypriote. Tash'Kor avait clairement manifesté l'intention de suivre Seschi, escomptant, non sans raison, partager avec lui des aventures mouvementées. De plus, il désirait retourner à Mennof-Rê pour implorer la clémence de l'Horus, et lui demander la main de sa fille. Seschi l'avait assuré de son soutien.

Deux jours après avoir quitté Arméni, les navires parvinrent en vue d'une île montagneuse nommée Thera. À l'inverse de la Crète, on aurait pu la baptiser l'île Noire, en raison de la couleur sombre de ses côtes, qui présentaient une étrange teinte anthracite.

— Voici le port de Kallisté, expliqua Lokos. C'est la ville la plus importante de l'île.

Seschi observa les lieux. Le « port » n'était en réalité qu'une anse abritée bordée de quelques baraquements sommaires destinés à emmagasiner la marchandise. Un peu plus haut sur la grève, des femmes de pêcheurs faisaient sécher des poissons. Une luminosité bleutée inondait l'île, accentuant les contrastes des couleurs : vert de la végétation, noir des plages, nuances de gris et d'ocre des falaises orientales. Vers l'ouest se dressait une barre élevée et escarpée menant vers une montagne lointaine dont le sommet allait se perdre dans une brume épaisse. Les deux vaisseaux durent s'échouer à quelque distance de la rive. Aussitôt qu'ils eurent débuté leurs manœuvres d'accostage, les femmes s'enfuirent, suivies par leurs enfants affolés.

Seschi tenta de les interpeller pour faire valoir leurs intentions pacifiques, mais ce fut peine perdue. Lorsqu'il posa le pied sur la plage au sable noir, il n'y avait plus personne. Une odeur agressive lui fouetta les narines, provenant des claies de séchage. Des yeux, il chercha des habitations, mais, en dehors des magasins, il n'en repéra aucune.

— Où se trouve leur village ? s'étonna Khirâ, qui l'avait rejoint en compagnie des jumeaux.

Lokos expliqua :

— Il est situé plus haut, sur les pentes de la falaise, Princesse. Comme sur l'île Blanche, les indigènes se méfient des attaques des Peuples de la Mer. De temps à autre, des guerriers débarquent et pillent les villages. Ils capturent les femmes, les enfants, parfois aussi les hommes jeunes, pour en faire des esclaves. Sur ces îles, aucune agglomération n'est installée directement sur la côte.

— Je crois que je les comprends, grommela Tash'Kor.

— Nous ne venons pas en ennemis, rétorqua Seschi. Peux-tu faire savoir aux habitants que nous désirons simplement leur acheter du métal argenté ?

— Oui, Seigneur. Il suffit qu'une petite délégation se rende à leur village. Ils verront ainsi que tes intentions sont pacifiques.

Un peu plus tard, Seschi quittait le port en direction de Kallisté. Outre une douzaine de guerriers, il n'emmenait avec lui que Tash'Kor, Khirâ, et Neserkhet qui avait insisté pour venir. Lokos, seul à parler le langage des îles, les accompagnait.

La route menant au village était en réalité un sentier malaisé, à peine assez large pour le passage d'un âne. Épousant les caprices du relief, contournant des pitons rocheux, elle s'élevait en pente abrupte vers une plateforme chaotique sur laquelle était établie la petite cité.

Après quelques jours d'accalmie, l'aïtoumi s'était remis à souffler de plus belle. Il apportait, en plus des senteurs iodées de la mer, des parfums d'olives, de thym et d'herbes sauvages. Parfois aussi, il se chargeait d'une odeur âcre, épaisse, qui ne devait rien à la végétation, et qui prenait à la gorge.

— D'où vient cette puanteur? s'écria Tash'Kor après une quinte de toux.

Lokos pâlit et répondit :

— Il ne faut pas parler ainsi, Seigneur. Tu risques d'incommoder la déesse Thera qui règne sur cette île.

— Qui est Thera? demanda Seschi, intrigué.

— La Dame de Feu. Les habitants la vénèrent, car elle leur apporte l'abondance et la sécurité. Ils ne tolèrent pas qu'on l'offense.

Par deux fois, ils aperçurent des enfants gardant des troupeaux de chèvres qui erraient sur les flancs escarpés des collines. Ils remarquèrent également, au sommet de la falaise, quelques ânes conduits par des hommes aux vêtements sombres, qui les observèrent avec inquiétude.

Enfin, après une ascension pénible, Seschi et ses compagnons arrivèrent au village. Celui-ci était plus grand qu'on aurait pu l'imaginer depuis le port. Un groupe d'hommes en armes les attendait, commandé par un vieillard au regard vif. Derrière les défenseurs se tenait une foule partagée entre la curiosité et l'angoisse. Seschi s'inclina brièvement et s'adressa au patriarche. Le pêcheur traduisit laborieusement ses paroles.

— Je te salue, vieil homme. Mon nom est Nefer-Sechem-Ptah, fils du roi de Kemit. Que la crainte quitte ton esprit. Je ne suis pas venu en ennemi, mais en négociant. Le métal blanc dont ton peuple fabrique des objets et des bijoux m'intéresse, car il a pour les miens une grande signification religieuse. Je suis prêt à t'en offrir un bon prix.

Le patriarche attendit que le marin eût traduit ses paroles. Enfin, il hocha la tête et répondit d'une voix méfiante :

— Si tes intentions sont vraiment pacifiques, alors, soit le bienvenu, prince de Kemit. Mon nom est Balazahr. Je suis le chef du conseil des sages de Kallisté. Ici, il n'existe pas de roi. J'aurais aimé te donner satisfaction, mais je ne pourrai te fournir une grande quantité de ce métal que tu convoites. Nous n'en possédons pas beaucoup. Nous-mêmes l'acquérons auprès de navigateurs en provenance d'un grand pays situé vers le soleil levant. Malheureusement, nous ignorons comment nous y rendre.

Seschi soupira. Il ne serait pas si facile qu'il l'avait imaginé de rapporter le métal précieux à son père. Mais il n'était pas dans son caractère de se décourager. Il ne faisait aucun doute que les dieux lui viendraient en aide.

Une jeune fille s'avança alors. Le visage de Seschi s'éclaira. Il avait rarement vu une telle beauté. Elle était vêtue d'une tunique courte tissée dans un fil de lin grossier, qui dévoilait de longues jambes de gazelle. Une épaisse crinière couleur de vieil or flottait librement sur ses épaules nues, et venait voiler deux seins au galbe parfait. Ses yeux luisaient d'un bleu azuréen, comme deux joyaux. Le jeune prince fut instantanément séduit. Neserkhet poussa un soupir de résignation.

La fille glissa quelques mots à l'oreille du vieil homme, dont le visage refléta la surprise. Puis il s'adressa de nouveau à Seschi.

— Bien entendu, si tu souhaites demeurer quelques jours sur Thera, les Kallistéens auront plaisir à t'accueillir.

Seschi contint son étonnement. Suite à l'intervention de l'inconnue, toute méfiance avait disparu de la voix du vieil homme.

— Sois remercié de ton hospitalité, Balazahr, répondit-il. Je souhaiterais en effet renouveler nos provisions d'eau douce et t'acheter des vivres.

Il aurait aimé connaître la raison de cette aménité subite, mais la jeune fille s'était discrètement éclipsée.

— Voilà ce qui s'appelle un revirement soudain, dit Tash'Kor. Sans l'intervention de cette fille, ils auraient peut-être refusé de nous fournir. Je me demande ce qu'elle a pu lui raconter.

— J'ai bien l'intention de le lui demander, répondit Seschi avec un sourire entendu.

L'explication ne tarda pas. Après avoir donné ses ordres à Khersethi, Seschi flâna dans la petite cité, espérant apercevoir l'inconnue. Celle-ci vint d'elle-même au-devant de lui et lui parla dans un égyptien plus que correct.

— Je suis heureuse de te recevoir à Kallisté, prince Nefer-Sechem-Ptah. Mon nom est Chleïonée.

Stupéfait, Seschi marqua un temps d'hésitation.

— Je suppose que je dois te remercier, Chleïonée. Balazahr a changé d'attitude envers moi aussitôt après que tu lui as parlé. Puis-je te demander ce que tu lui as dit?

— J'ai confirmé à Balazahr que tu étais bien le fils de l'Horus Neteri-Khet et que tu ne venais pas en ennemi.

— Comment pouvais-tu en être si certaine? Et comment se fait-il que tu parles si bien ma langue?

Elle éclata d'un rire clair et passa familièrement son bras sous le sien.

— J'ai vécu à Mennof-Rê lorsque j'étais enfant. Un navire pirate m'avait enlevée avec mes deux sœurs. Nous fûmes vendues à un riche négociant. J'étais très jeune encore. Mon maître, Nebekhet, était un homme bon. Il nous avait achetées pour tenir compagnie à sa fille, Ankheri. Elle était très douce. C'est elle qui m'a enseigné l'égyptien. Nebekhet et sa fille jouissaient de la faveur du roi, et m'emmenaient parfois à la Grande Demeure. C'est là que je t'ai vu. Tu étais encore un jeune garçon à l'époque, mais je me souviens parfaitement de toi et de ta sœur, la princesse Khirâ. Tu peux imaginer ma surprise lorsque je t'ai aperçu ici, à Thera.

— Comment as-tu pu revenir?

— Je n'étais pas malheureuse dans cette famille. Mais mon île me manquait beaucoup. Plus tard, parce que de terribles fléaux pesaient sur le Double-Royaume, le seigneur Nebekhet nous a rendu notre liberté. Mes sœurs ont choisi de rester à son service. Moi, j'ai préféré repartir. C'était il y a cinq ans. J'avais seize ans. Je me suis embarquée à bord d'un vaisseau de commerce en partance pour le Levant. Il m'a amenée à Ashqelôn. De là, j'en ai pris un autre à destination de Byblos, et ainsi de suite. En suivant les côtes de Palestine, puis de Cilicie et d'Anatolie, j'ai mis plus d'une année pour revenir à Thera.

— Tu aurais pu te faire tuer cent fois!

— J'avais appris à me défendre, répondit-elle sur un ton de défi. Je sais manier le poignard mieux que personne. Mais dis-moi, as-tu des nouvelles du seigneur Nebekhet ?

Seschi ne répondit pas immédiatement.

— Je suis désolé. Comme tu l'as dit, de graves menaces pesaient sur Kemit à l'époque. Malheureusement, Nebekhet et sa nouvelle épouse ont été emportés par la Mort Noire, il y a quatre ans.

Les yeux d'azur se mirent à briller, puis des larmes coulèrent sur les joues de Chleïonée.

— Mais Ankheri vit toujours, ajouta-t-il aussitôt. Elle a épousé le seigneur Moshem, qui est l'un des grands amis de mon père. Ils ont trois enfants.

Ils restèrent un long moment silencieux. Puis Chleïonée déclara :

— Mes parents sont morts pendant mon absence. Je n'ai plus ici que des amis, et je n'ai pas pris de mari, malgré de nombreuses propositions. Comment accepter d'être l'épouse soumise d'un pêcheur ou d'un paysan lorsque l'on a connu le Double-Royaume, et lorsque l'on a voyagé aussi loin, dans des conditions aussi difficiles ? Les hommes d'ici sont braves, mais ils m'ennuient. Mes deux sœurs constituent désormais ma seule famille.

Une saute du vent tiède souleva les cheveux de la jeune femme. L'éclat de ses yeux, la douceur de sa peau, qu'il devinait sous l'étoffe grossière, émurent Seschi. Elle poursuivit :

— Les merveilles de Mennof-Rê me manquent. À présent que je suis revenue, il m'arrive de le regretter. Tu vas penser que je suis un peu écervelée, ajouta-t-elle avec un petit rire.

— Pas du tout !

Prise par l'émotion, elle glissa sa main dans celle de Seschi.

— Il n'est pas toujours facile de connaître les secrets de son cœur, Seigneur. Au fond, je crois que, malgré les dangers que j'ai courus, j'ai aimé ce voyage extraordinaire. Cette année passée le long des côtes, où j'ai dû employer mille ruses pour échapper aux hommes qui voulaient abuser de moi, fut riche d'enseignements et de souvenirs. Mais avec qui puis-je les partager aujourd'hui ? Les habitants de Thera ne l'ont jamais quittée. Je suis pour eux comme une étrangère. C'est pourquoi je suis très heureuse de te rencontrer, prince Nefer-Sechem-Ptah.

— Si tu le souhaites, tu peux repartir avec moi. Il y a de la place pour toi sur mon navire.

Elle eut un sourire triste.

— Je n'ai pas de quoi te payer mon voyage, Seigneur. Et je désire plus que tout rester libre.

Seschi accusa le coup. Il avait cru un moment que cette fille tentait de le séduire pour s'introduire à bord de l'*Esprit de Ptah*. Mais elle n'agissait pas par calcul. Il comprit alors la personnalité fière et farouche qui se dissimulait sous cette enveloppe magnifique. Chleïonée avait été esclave, et, même si sa captivité avait été douce auprès d'un brave homme comme Nebekhet, elle connaissait le goût de la liberté. Le fait qu'elle ait réussi à accomplir son voyage de retour prouvait qu'elle était pleine de ressources, de courage et de détermination. Il sut alors qu'il commençait à s'attacher à elle. Il répondit :

— Tu resteras libre, car tu as le moyen de me payer ton passage.

— Lequel ? demanda-t-elle avec méfiance.

— Tu connais le pays où se trouvent les mines de ce métal plus précieux que l'or que nous appelons hedj.

— Le métal sacré des dieux ! C'est vrai, j'ai navigué le long de ses côtes. C'est un pays dangereux et imprévisible.

— Alors, accepte de m'y conduire, et je t'emmènerai à Mennof-Rê, où tu retrouveras tes sœurs.

Elle ne répondit pas immédiatement.

— Oui, j'accepte, dit-elle enfin. Jamais plus une telle occasion ne se représentera. Je te remercie, Seigneur.

L'instant d'après, son visage s'illumina.

— Mais auparavant, ajouta-t-elle, peut-être t'intéresserait-il de rencontrer les artisans qui fabriquent les bijoux de Thera.

— Bien sûr !

— Ils ne sont pas ici. Il faut nous rendre à Emria, un village situé à une journée de marche vers l'est. Et là, je te montrerai quelque chose que tu n'as jamais vu.

43

Après avoir passée la nuit à Kallisté, Seschi et ses compagnons se mirent en route, guidés par Chleïonée. Tracée elle aussi à partir de sentiers de chèvres, la piste menant à Emria était plus large que celle du port. Elle serpentait au milieu d'une succession de collines accidentées et rocailleuses, sur les flancs desquelles on avait construit des cabanes de bergers. Des ânes à demi sauvages s'enfuyaient à leur approche. En certains endroits, ils découvrirent avec surprise des vignes rudimentaires, qui donnaient le vin léger qu'ils avaient bu la veille.

Pendant la nuit, l'aïtoumi avait forci, bousculant les voyageurs, apportant ses odeurs singulières. Ses brusques rafales coupaient parfois la respiration. S'écorchant aux aspérités du relief, il faisait entendre un mugissement permanent, auquel les îliens ne prêtaient plus attention, mais qui impressionna les visiteurs. Peu rassurée, Neserkhet crut y reconnaître le hurlement du khamsin se déchaînant sur l'Ament. Peut-être ces lieux étranges abritaient-ils aussi des démons ? Elle enviait Khirâ, qui, comme à son habitude, refusait de croire à la présence d'esprits malfaisants. Quant à

Seschi, il ne voyait que la beauté extraordinaire du panorama. Pour lui, les démons n'existaient pas tout simplement parce qu'il n'y pensait jamais. Ils n'étaient que des personnages de légende, destinés à effrayer les enfants. Mais comment un homme raisonnable pouvait-il imaginer que ce monde magnifique dissimulait des créatures infernales que personne ne voyait jamais?

Neserkhet aurait aimé se glisser près de lui, mais la fille de Thera ne le quittait pas. Elle n'en était même pas jalouse : elle avait l'habitude de ces aventures, et savait que ce défaut suffisait à faire fuir le prince. Aria l'avait appris à ses dépens. Elle désirait de toute son âme qu'il la considérât comme une femme, et non plus comme une sœur, quitte à le partager avec une autre. Mais pour l'instant, il n'avait d'yeux que pour cette Chleïonée. Neserkhet devait admettre que, outre sa beauté sauvage, elle avait beaucoup de charme. Elle aurait souhaité posséder son assurance. Seschi lui avait parlé du voyage accompli pour revenir dans son île et elle l'en admirait sincèrement. Bizarrement, bien que Chleïonée la tînt involontairement écartée de Seschi, elle ne parvenait pas à lui en tenir rigueur. Sa beauté, son rire, son attitude fière et indépendante la séduisaient, ce qui n'avait pas été le cas pour Aria. Celle-ci lui avait toujours fait l'effet d'une fille capricieuse, à qui rien jamais n'avait été refusé. Chleïonée dégageait une impression de force tranquille, inattendue chez une femme aussi jeune, et une grande générosité naturelle. Neserkhet ne pouvait s'empêcher d'éprouver de l'attirance et de la sympathie pour elle. Et puis, il y avait ce vent, ce vent incessant, étourdissant, qui fouettait le sang, qui collait les vêtements à la peau, qui caressait, qui griffait, qui éveillait parfois des envies troubles dans le creux de ses reins.

Peu à peu, le paysage se modifia. Les arbres cédèrent la place à une maigre végétation arbustive et une herbe rase qui poussait sur un sol noir rappelant celui des plages. Soudain, après avoir escaladé une sente abrupte, ils découvrirent un spectacle magnifique et inquiétant. À environ deux miles devant eux, prolongeant la barre rocheuse qui bordait l'île par le nord, se dressait une montagne gigantesque, de forme vaguement conique, dont le sommet se couronnait d'une couverture nuageuse épaisse et mouvante.

— Par Horus ! murmura Seschi.

— Voici Thera, la Dame de Feu, précisa Chleïonée.

Ni les Égyptiens, ni les Chypriotes n'avaient encore contemplé semblable phénomène. Le colosse devait dépasser en altitude les plus hautes montagnes de l'île Blanche. Chleïonée s'amusa de la stupéfaction craintive des visiteurs. Le volcan avait toujours fait partie de sa vie. On redoutait ses colères, mais il fascinait les habitants de l'île, à tel point qu'il était difficile de vivre ailleurs. Ses cendres fertilisaient le sol, et surtout, il les protégeait en entretenant autour de Thera une méfiance qui dissuadait les pillards. Souvent, la terre tremblait et la montagne crachait du feu. Seuls les plus audacieux se risquaient parfois sur son sol.

Suivant la jeune femme qui s'était résolument engagée sur les contreforts du volcan, la petite colonne le contourna par le sud, suivant une piste approximative qui se hasardait dans un décor chaotique, griffé de crevasses, creusé de points d'eau rassemblant des arbustes chétifs et des épineux. Une herbe jaunie et sèche s'éclairait çà et là de fleurs aux couleurs vives que le vent des îles couchait entre les roches. On eût dit qu'une main de géant avait bouleversé le relief. En contrebas s'étendait la mer d'un bleu profond qui s'insinuait au pied du colosse en une multitude de petites anses bordées de végétation. Contre toute attente, des hommes vivaient dans ce lieu inhospitalier. Au détour d'un promontoire apparut un village.

— Voici Emria, dit Chleïonée. C'est ici que vivent les joailliers.

L'endroit se révéla étonnant, et plus peuplé qu'on aurait pu le penser de prime abord. Si le nombre des maisons construites dans la pierre grise demeurait restreint, ils s'aperçurent que la majorité des habitations étaient creusées dans le flanc du volcan, dont la roche légère et spongieuse était facile à travailler. Des ouvertures étroites permettaient d'y accéder. Des portes massives, doublées d'épaisses tentures de peaux de bêtes, obturaient hermétiquement les entrées. Seschi se demanda contre quel ennemi les indigènes se protégeaient de cette manière.

Le chef du village, Marano, les accueillit avec circonspection, mais la présence de Chleïonée le rassura. Il s'offrit lui-même à faire visiter les lieux aux voyageurs. Toute l'activité du village s'organisait autour de la métallurgie. L'argent n'était pas le seul métal que travaillaient les artisans. Ils connaissaient également le cuivre, l'or, ainsi que d'autres métaux inconnus dont certains n'étaient façonnés que par martelage. Aucun feu n'était suffisamment puissant pour les faire fondre. D'autres au contraire, comme l'étain ou le plomb, se liquéfiaient à basse température. Le travail des métaux constituait la spécialité des Emriens, à tel point que les marins venaient de loin pour acquérir auprès d'eux des armes et des bijoux. La peau noircie par le feu des forges et le soleil, ces métallurgistes étaient des individus taciturnes, qui n'aimaient guère se lier avec les étrangers, cette appellation englobant tout ce qui n'appartenait pas au village. Aussi n'appréciaient-ils pas beaucoup l'invasion de leur territoire. Lorsque Seschi et ses compagnons visitèrent leurs ateliers souterrains en compagnie de Marano, ils répondirent à peine à leurs saluts. Quel besoin ces Égyptiens avaient-ils de grimper jusqu'à Emria pour les visiter? Ceux de Kallisté se chargeaient des échanges commerciaux. Ils n'avaient rien à faire si près de la Dame de Feu. Mais ils gardèrent leur réprobation pour eux, car les étrangers étaient amenés par la très belle Chleïonée, et c'était toujours un plaisir de la contempler.

Devant leur allure crasseuse et hirsute, leurs yeux luisant au feu des creusets, Neserkhet se crut fourvoyée dans l'une de ces cavernes dont parlent les légendes, qui affirment que les métaux sont créés par des êtres difformes vivant dans les entrailles de la terre.

Peu à peu pourtant, les métallurgistes grognons se détendirent devant la bonne humeur inaltérable dont Seschi faisait preuve. Le malheureux Thefris dut faire appel à toutes ses connaissances linguistiques pour traduire ses innombrables questions. Pour finir, on négocia le troc de bijoux et d'échantillons de minerai. Mais, comme l'avait prédit Balazahr, les Emriens ne souhaitaient pas se séparer de l'argent qu'ils possédaient, et dont ils avaient besoin pour fabriquer leurs bijoux. Marano confirma à Seschi qu'ils se procuraient le métal auprès de négociants en provenance de Cilicie. Il lui faudrait donc se rendre sur place.

Un peu plus tard, Chleïonée entraîna le jeune homme à l'écart.

— Je t'ai promis de te montrer quelque chose d'étonnant. Te plairait-il d'approcher la Dame de Feu de plus près ? C'est un spectacle qui en vaut la peine.

Le jeune homme hésita. La déesse risquait de ne pas apprécier la visite d'un étranger. Mais sa curiosité naturelle lui criait d'accepter, ce qu'il fit.

— Il nous faudra partir demain à l'aube, précisa Chleïonée. Le sommet n'est pas très éloigné en distance, mais l'ascension est difficile.

Seschi proposa à ses compagnons de les suivre, mais ceux-ci refusèrent. La Dame de Feu les impressionnait.

Le lendemain, le soleil se levait à peine lorsque Chleïonée et Seschi quittèrent le village. Malgré l'heure matinale, les cavernes résonnaient déjà du bruit des marteaux, du grondement des feux intenses. Sitôt qu'ils furent sortis de la petite cité troglodytique, un air vif pénétra leurs poumons, chargé de senteurs marines, et de l'odeur indéfinissable et âcre déjà perçue à Kallisté. À Emria, elle semblait plus persistante. Un soleil rasant ciselait le relief lunaire en fabuleux contrastes de lumières bleues, roses et mauves. La rumeur des vagues s'écrasant sur la rive, loin en contrebas, composait, avec les sifflements du vent omniprésent et les cris des oiseaux, une symphonie singulière, comme le chant de la montagne elle-même.

Chleïonée gravissait la pente rocailleuse avec l'agilité d'un cabri. En revanche, Seschi la suivait en pestant contre les roches acérées qui lui écorchaient les pieds. Depuis son plus jeune âge, comme tous les Égyptiens, il n'avait pratiquement jamais utilisé de souliers. Sous ses pieds s'était formée une corne dure et résistante qui le dispensait de leur usage. Par fierté, il avait refusé les chaussures solides que lui avait proposées la jeune femme.

— Mes sandales suffiront, avait-il répondu, trouvant ces chaussures très laides.

Il n'avait pas parcouru un demi-mile qu'il se décida à passer ses sandales égyptiennes. À la vérité, cela n'arrangea pas les choses. Elles ralentissaient sa progression —, parfois, des cailloux tranchants s'inséraient entre le cuir et sa chair, et il devait faire appel à tout son amour-propre pour ne pas se plaindre. Chleïonée s'amusait de son désarroi. Connaissant les lieux, elle avait chaussé dès le départ d'épais souliers fermés, fabriqués dans de la peau de chèvre, et dont la semelle se composait de plusieurs couches de cuir collées entre elles. Prenant enfin Seschi en pitié, elle sortit deux autres souliers du sac qu'elle portait en bandoulière et les lui tendit.

— Tes sandales ne te seront d'aucune utilité ici. Mets plutôt ça ! Ils devraient être à ta taille.

Il remercia d'un grognement. Il dut cependant reconnaître que les souliers le protégeaient efficacement. Même s'ils représentaient un poids supplémentaire, il avança beaucoup plus vite.

Plus ils s'élevaient, plus le paysage devenait grandiose. Peu à peu, les arbustes et l'herbe rase laissèrent la place à des mousses desséchées et des lichens racornis. Puis la végétation disparut totalement, ne laissant apparaître que la roche à nu, offrant toute une palette de gris et de bruns ternes. La couronne de brumes qui ceignait le sommet de la montagne sacrée se frangeait d'or et de rose sous les rayons du soleil naissant. Vers le bas, l'émeraude des forêts agrippées aux flancs de l'île reprenait ses droits, constituant comme une fourrure mouvante, ondoyant sous les assauts violents de l'aïtoumi. Vers l'orient, la barre montagneuse qui venait mourir sur les contreforts du volcan se parait de contrastes éblouissants, alternant des combes encore plongées dans les ténèbres bleues et des dentelures rocheuses illuminées par une lumière d'un ocre irréel. La beauté incomparable des lieux séduisit Seschi. Cette île abritait quelque chose de magique. Inquiétante, attirante, fascinante, dangereuse, une divinité mystérieuse régnait sur Thera, à laquelle elle avait donné son nom.

Essoufflé, il rejoignit Chleïonée qui l'attendait plus haut, dressée sur un gros rocher. Les yeux pétillants, elle le contemplait, ravie de lui faire partager ce spectacle inoubliable. Elle bondit à bas de son perchoir, lui prit la main et l'entraîna encore plus haut, vers le sommet perdu dans la brume. Bientôt, la luminosité rasante du soleil ne fut plus qu'un souvenir, une lueur incertaine à l'orient, qui diffusait sur la roche noire une lumière diaphane. Le brouillard épais étouffait les sons lointains, fracas des lames sur la côte, appels des aigles de mer. Le vent des îles s'insinuait entre les énormes masses rocheuses, faisant naître des tourbillons de brume et de poussière, dévoilant par endroits des perspectives étranges qu'il drapait l'instant d'après. On eût dit que le monde était en mouvement. Un grondement étrange faisait résonner leur poitrine.

— Quel est ce bruit ? demanda-t-il, un peu inquiet.

— C'est la voix de Thera, répondit Chleïonée.

Un malaise indéfinissable envahit Seschi. Çà et là, le sol laissait échapper des fumerolles mystérieuses, comme si le feu avait couvé juste au-dessous. Soudain, le grondement s'intensifia. Simultanément, une violente vibration fit trembler la roche sous leurs pieds, les déséquilibrant.

— Que se passe-t-il ? s'inquiéta-t-il.

— N'aie pas peur ! Cela arrive souvent sur l'île.

Il ne répondit pas, mais il sentit que la voix de sa compagne n'était plus aussi assurée. Cependant, elle était trop fière de lui montrer sa déesse pour reculer. L'odeur épaisse les prenait désormais à la gorge. Une quinte de toux secoua le jeune homme.

— Il n'est peut-être pas très prudent d'aller plus loin ! éructa-t-il, les yeux pleins de larmes.

— Tu n'as encore rien vu, s'obstina-t-elle. Nous sommes presque arrivés.

Curieusement, la température, qui avait diminué à mesure qu'ils gravissaient les pentes du volcan, se réchauffa brusquement. Enfin, ils parvinrent sur une espèce de plate-forme étroite, bordée par une dentelle rocheuse qui s'ouvrait sur un gouffre impressionnant. Tirant Seschi par la main, Chleïonée l'invita à s'approcher du bord. Peu rassuré, il obéit, et découvrit un panorama inimaginable. Presque sous ses pieds se creusait une immense gueule béante, large d'au moins mille coudées, et profonde de cinq cents. Les pentes torturées dévoilaient un chaos de roches éboulées, brisées, qui s'enfonçaient jusqu'à une sorte de lac grondant. Des geysers de lave jaillissaient, éclaboussant les rives noires et grises, qui frémissaient sous l'effet de courants internes. Parfois, la surface de ces rives crevait, et un magma rougeâtre apparaissait, qui laissait échapper des tornades de fumerolles incandescentes. Fasciné, Seschi ne pouvait détacher ses yeux du spectacle. Chleïonée se blottit contre lui.

— Il y a très longtemps, expliqua-t-elle, on pratiquait ici des sacrifices humains, pour apaiser les colères de la déesse. Une jeune fille descendait dans le cratère et s'avançait jusqu'au lac. Elle emportait avec elle les messages que le grand prêtre lui confiait pour Thera.

— Comment pouvait-elle accepter de se jeter volontairement dans ce lac de feu ?

— On lui faisait absorber des herbes qui orientaient sa volonté vers la déesse.

Il demeura un long moment songeur.

— C'est étrange, dit-il enfin. Dans le Double-Royaume, on pratiquait autrefois ces sortes d'immolations. Une secte maudite a tenté il y a peu de les réintroduire. J'ai failli moi-même en être victime. En Crète, j'ai vaincu un monstre auquel on sacrifiait tous les ans des vies humaines. Ma mère m'a conté qu'au cours de ses voyages, elle a croisé des peuplades qui se livraient à ces rituels abominables. Je crois que ces offrandes macabres reflètent la terreur que les hommes éprouvent pour leurs dieux. Mais c'est totalement stupide. Les vraies divinités ne peuvent exiger que l'on se sacrifie pour elles, puisqu'elles nous ont donné la vie. Je pense au contraire que la meilleure manière de les honorer est de profiter pleinement de cette vie.

Une explosion brusque au cœur du cratère l'interrompit. Malgré la chaleur, Chleïonée frissonna. Elle lui semblait tout à coup anormalement nerveuse.

— Qu'y a-t-il ? finit-il par demander.

— Rien ! Il me semble seulement que le lac de feu

était moins important la dernière fois que je suis venue.

— Et... cela veut dire quoi ?

— Je ne sais pas.

Une nouvelle éruption de lave jaillit du lac, projetant des panaches de roche en fusion jusqu'à mi-hauteur du cratère. Le vent tourbillonnant leur apporta une onde de chaleur presque brûlante. Seschi recula, refoulant sa frayeur soudaine.

— Es-tu sûre que Thera apprécie notre visite ? grogna-t-il.

— Je voulais lui rendre hommage avant mon départ. Je suis souvent venue jusqu'ici toute seule. Il ne m'est jamais rien arrivé.

Des volutes de fumées se rabattirent vers eux. Ils se mirent à tousser d'abondance.

— Il serait peut-être temps de rentrer, suggéra-t-il. Cet endroit m'impressionne.

— C'est d'accord. Mais avant, nous allons descendre jusqu'à la mer. J'ai autre chose à te montrer.

Elle lui prit la main et l'entraîna jusqu'à une pente composée d'un éboulis de cailloux, sur laquelle elle se lança avec enthousiasme. Bondissant d'un pied sur l'autre, ils déclenchèrent de petites avalanches de roches dans une succession de roulements légers. Ils eurent tôt fait de rejoindre ainsi la lisière de la végétation, et achevèrent de dévaler les flancs du volcan jusqu'à la côte. Après avoir traversé une forêt clairsemée de chênes kermès, d'acacias et de pins laricios, ils parvinrent dans une petite baie abritée, bordée d'une plage de sable noir. L'endroit était tout à fait désert.

Chleïonée se défit alors de tous ses vêtements, et invita Seschi à l'imiter. Avant qu'il ait terminé, elle se mit à courir vers l'eau, dans laquelle elle plongea sans hésitation. Seschi se lança à sa poursuite. Après avoir fait mine plusieurs fois de lui échapper, elle se laissa capturer. Leurs bouches s'unirent, leurs corps s'apprivoisèrent…

Malgré la fatigue due à l'expédition, ils n'avaient rien perdu de leur énergie, et leurs ébats se poursuivirent tard dans l'après-midi. Épuisés, ils finirent par s'endormir, bercés par le léger fracas des vagues sur le sable noir.

Lorsqu'ils s'éveillèrent, le soleil était déjà bas sur l'horizon. Seschi se dressa sur un coude et contempla sa compagne. Rarement il avait rencontré une fille aussi bien faite. Elle ne possédait pas, comme beaucoup d'Égyptiennes, de petits bourrelets disgracieux dus aux friandises. Ses jambes étaient longues, aux muscles fins et délicatement attachés. Ses seins ronds étaient fermes, haut placés, et les courbes de son ventre et de ses hanches harmonieuses. Sa peau, hâlée par le mystérieux vent des îles, avait une teinte plus claire que la sienne, et elle était douce et soyeuse sous ses doigts. Son visage reflétait une beauté parfaite, soulignée par le bleu clair de ses yeux. Jamais encore il n'avait rencontré une chevelure de cette couleur. Une vague dorée lui croulait sur les épaules, et descendait jusqu'au milieu de ses reins. Il se pencha sur ses lèvres et y déposa un baiser chaud, qu'elle lui rendit.

— Mon compagnon Tash'Kor affirme qu'une déesse règne sur son île, Chypre. Elle a nom Cypris. Après t'avoir rencontrée, je suis sûr qu'elle doit te ressembler.

Chleïonée sourit, puis lui tendit de nouveau les bras.

— Je suis heureux que tu aies accepté de me suivre, dit-il doucement.

— Mais que feras-tu de moi? Je ne suis qu'une fille des îles. Je ne suis pas noble.

— Quelle importance? J'ai envie que tu restes près de moi. Jamais je ne me suis senti aussi bien avec une femme.

Il avait peine à parler. C'était la première fois qu'il prononçait ces mots. Il s'étonna lui-même de sa sincérité. Nombre de filles avaient dormi dans ses bras, mais jamais aucune n'avait éveillé en lui une telle sensation de plénitude, et un tel désir. Ce n'était pas seulement l'attirance sensuelle qu'il avait ressentie pour nombre de compagnes de passage. Depuis sa première expérience avec une jeune esclave alors qu'il n'avait pas encore atteint ses quatorze ans, il avait découvert qu'il adorait les femmes. Toutes étaient différentes, et il se souvenait de chacune avec reconnaissance. Contrairement à la plupart des hommes qui ne pensaient qu'à assouvir leurs envies, il avait compris très tôt que les femmes aiment donner du plaisir pour peu que l'on sache se montrer attentif. Filles de noble ou de cultivateur, il les traitait avec le même respect, et ses relations avec chacune avait été vécues avec intensité et passion. Sa tendresse, sa générosité et sa bonne humeur faisaient que ses victimes ne pouvaient même pas lui en vouloir de s'intéresser très vite à une autre. À cause de cela, aucune jusqu'à présent n'avait su lui résister. Mais lui-même ne s'était jamais attaché.

Avec Chleïonée, il éprouvait un sentiment nouveau. Son corps, sa peau l'attiraient, mais surtout, sa personnalité, son esprit indépendant le séduisaient. Il se sentait en harmonie avec elle. Ils s'embrassèrent de nouveau. L'envie commençait à renaître en eux lorsqu'un grondement sourd les ramena à la réalité. L'instant d'après, une vibration ébranla le sol. Au loin, sur les flancs de la montagne, quelques roches se détachèrent, et roulèrent en contrebas. Des nuées d'oiseaux jaillirent des bosquets, déployant dans le ciel crépusculaire des draperies vivantes et criaillantes. Puis le frémissement cessa.

— Que s'est-il passé ? questionna le jeune homme, inquiet.

Chleïonée sourit de son trouble.

— Ne t'inquiète pas ! Cela arrive souvent ici.

— C'est dangereux ?

— Non !

Elle hésita, puis son sourire s'effaça et elle ajouta :

— Enfin, la plupart du temps. La Dame de Feu n'a pas manifesté sa colère depuis avant ma naissance. Pourquoi le ferait-elle aujourd'hui ?

— Mais que s'est-il passé avant ta naissance ? insista-t-il.

— Il vaut mieux éviter d'évoquer les choses mauvaises, répliqua-t-elle nerveusement. Cela peut les provoquer.

Elle se redressa et jeta un regard anxieux vers le sommet de la montagne de feu.

— Nous devrions rentrer ! ajouta-t-elle.

Ils se mirent en route sans un mot. Le soleil illuminait la couronne de nuages du volcan de lueurs rouges éblouissantes. Avec circonspection, les groupes d'oiseaux revinrent se poser dans les frondaisons. La lumière extraordinaire qui baignait Thera dans le ciel crépusculaire aurait dû émouvoir Seschi. Mais il ne la voyait plus. Malgré les efforts qu'elle faisait pour la dissimuler, il ressentait l'inquiétude de sa compagne.

Il observa le sommet de la montagne. Tout semblait calme. Pourtant, il ne pouvait chasser le malaise qui l'avait envahi lors du léger tremblement de terre.

44

Le chemin menant vers Emria, rarement utilisé, serpentait à travers un fouillis d'arbres et de buissons d'épineux impénétrables qui entravaient leur progression. Il grimpait et descendait sans cesse, empruntant parfois de véritables lacis destinés à contourner des éboulements infranchissables. Seschi avait hâte de retrouver les siens. Malgré sa nature optimiste, l'attitude de Chleïonée entretenait son angoisse. Depuis le dernier tremblement de terre, elle demeurait silencieuse et marchait d'un pas rapide

Tout à coup, un bruit insolite se fit entendre, une sorte de martèlement feutré qui s'amplifiait irrésistiblement.

— Qu'est-ce que c'est ? demanda Seschi, inquiet.

Chleïonée n'eut pas le temps de répondre et se mit à hurler. L'instant d'après, une multitude de formes grises apparut, surgissant des fourrés, bondissant des roches éboulées.

— Des rats ! s'écria Seschi.

Il souleva sa compagne dans ses bras et n'eut que le temps de courir s'abriter derrière un gros rocher pour leur éviter d'être submergés par la vague de rongeurs.

Mais ceux-ci ne leur accordèrent aucune attention. Ils filaient comme des flèches, sans pousser le moindre cri, ce qui rendait leur fuite encore plus impressionnante. Ils traversèrent la sente, puis disparurent, vague sombre avalée par les broussailles situées en contrebas, en direction de la mer. Éberlués, Seschi et Chleïonée quittèrent leur refuge.

— Mais pourquoi agissent-ils ainsi ? demanda le jeune homme.

— Je… je ne sais pas ! répondit-elle, tremblant de frayeur rétrospective.

Encore une fois, il devina qu'elle lui mentait pour ne pas l'effrayer. Elle comprenait sans doute ce que signifiait cette fuite éperdue des petits mammifères. Il s'obstina :

— Tu le sais ! Dis-le moi !

— Non ! Cela… cela ne s'est jamais produit depuis ma naissance.

Cette fois, elle disait la vérité.

— Mais c'est déjà arrivé dans le passé, n'est-ce pas ?

— Les vieux… racontent n'importe quoi, répondit-elle avec un sourire crispé.

— Ces rats ont peur de quelque chose ! insista-t-il. Et toi aussi.

Elle respira profondément pour maîtriser sa nervosité, puis reprit sa course sans lui répondre. Force lui fut de la suivre. Il comprit qu'elle redoutait la colère de la Dame de Feu. Mais quelle forme terrifiante pouvait-elle prendre ? Chleïonée courait presque, à présent, autant que le lui permettait l'état de la sente. Il avait peine à se maintenir derrière elle.

Il faisait presque nuit lorsqu'ils parvinrent à Emria,

où les autres les attendaient avec anxiété. Khirâ adressa un virulent reproche à son frère.

— Où étiez-vous passés ? J'étais morte de peur, vous êtes partis depuis l'aube ! Le sol a tremblé.

— Nous l'avons senti aussi.

— Cela n'a pas l'air d'affoler les habitants. Ils disent que cela arrive très souvent.

Seschi ne répondit pas. En réalité, la secousse n'aurait guère inquiété Chleïonée si, le matin même, elle n'avait constaté l'augmentation du lac de lave. Et puis, il y avait eu l'épisode de la fuite éperdue des rats. Cette fois, il l'avait sentie bouleversée.

Il la chercha des yeux, mais elle avait disparu. Il la retrouva en compagnie de Marano, le chef du village, et de quelques vieux artisans. Ils contemplaient d'un air perplexe le sommet de la montagne, illuminé par les derniers reflets du soleil couchant. Tout paraissait calme. Pourtant, lorsqu'il voulut les interroger, ils se détournèrent sans répondre. Revenant vers les demeures troglodytiques prêtées par les indigènes, Seschi tenta de faire parler Chleïonée, mais elle éluda ses questions.

— Tout cela ne veut rien dire, répondit-elle de manière laconique.

— Tu crains une colère de la déesse, n'est-ce pas ?

Elle hésita puis finit par dire :

— C'est surtout la fuite des rats qui inquiète les anciens. Mais ils ne sont pas seuls. Les ânes, les chèvres et les mouflons se sont enfuis, eux aussi. Seuls restent nos chiens, parce qu'ils ne peuvent se passer de nous. Les vieux disent que c'est arrivé il y a bien longtemps. Et peu après, la Dame de Feu est entrée en éruption. Une coulée de lave a détruit la forêt et une partie du village.

— Nous devrions partir pendant qu'il en est temps.

— Ils affirment que cela serait dangereux. J'ai expliqué ce que j'ai vu dans la montagne, ces fumées étouffantes qui montaient du sol. Ils redoutent autre chose d'encore plus terrifiant.

— Mais quoi?

— Je ne peux t'en dire plus; ils ne veulent pas en parler. Mais ils assurent que la seule manière de nous protéger est de rester dans le village, à l'abri des cavernes. Ceux qui tenteraient de fuir maintenant seraient condamnés. Ils vont poster des sentinelles pour surveiller le volcan.

— Nous sommes pourtant loin du sommet. Il y a au moins deux miles d'ici au cratère.

— Marano dit que la colère de Thera sera sur nous plus vite que le vent le plus rapide.

— Il refuse surtout d'abandonner son village. Je peux le comprendre, mais il met notre vie en danger.

Chleïonée se blottit contre lui.

— J'ai peur, Seschi. Peut-être la déesse n'a-t-elle pas apprécié que je t'amène auprès d'elle.

— Je crois au contraire qu'elle nous a attirés vers elle pour nous prévenir qu'une éruption se préparait. Ainsi, nous avons pu prévenir les tiens.

Seschi hésita. Le volcan semblait parfaitement calme. Il était encore temps de quitter les lieux. Mais ils ne pourraient aller très loin. Avec la nuit, la sente menant à Kallisté, bordée de précipices, allait devenir dangereuse. Ils ne pouvaient qu'attendre le matin.

Après un repas frugal, les Égyptiens se retirèrent dans les cavernes prêtées par les indigènes. Ceux-ci paraissaient anormalement nerveux, ce qui ne rassura pas leur invités. Les grottes s'enfonçaient profondément à l'intérieur de la montagne. Une appréhension saisit les visiteurs : si un nouveau tremblement de terre se déclenchait, les cavernes risquaient de s'écrouler ; ils seraient écrasés ou périraient d'asphyxie et de faim. Mais les indigènes insistèrent pour qu'ils s'installassent dans les alvéoles les plus reculés de la caverne. Afin de les rassurer, certains restèrent avec eux.

Les cellules taillées dans la roche étaient tout juste assez grandes pour abriter deux ou trois personnes. Chaque caverne abritait ainsi plusieurs familles. Au grand désespoir de Neserkhet, Chleïonée s'isola avec Seschi. Elle comprit à leur attitude qu'il avait une nouvelle amante. Elle se retrouva en compagnie de Leeva, que la perspective d'une colère prochaine du volcan n'avait pas l'air d'angoisser outre mesure. Cependant, son calme naturel ne parvint pas à apaiser Neserkhet. Des sentiments contradictoires s'étaient emparés de son esprit, provoqués par l'anxiété, et par autre chose, qu'elle ne parvenait pas définir. Depuis plusieurs jours, ce vent sauvage qui lui griffait la peau avait éveillé en elle des envies nouvelles, qu'elle avait peine à contrôler. Elle avait parfois le désir de s'offrir au premier homme venu, afin qu'il la délivrât d'une virginité dont elle ne voulait plus. Le visage épanoui de Khirâ qui dormait dans les bras de Tash'Kor la mettait mal à l'aise. Elle-même était-elle donc si laide pour que personne ne voulût d'elle ? Elle savait bien que non. Dans la journée, elle s'était mirée nue dans l'eau d'une mare. Si elle ne possédait peut-être pas la beauté flamboyante de Chleïonée ou de Khirâ, elle était très jolie. Nombre d'hommes la contemplaient avec une lueur de convoitise dans le regard. Elle en était sûre. Mais aucun d'eux ne lui convenait. Elle n'avait d'yeux que pour Seschi, qui passait son temps à papillonner de l'une à l'autre. Elle voulait qu'il l'aimât, au moins une fois. Elle avait pensé profiter d'une nuit pour le rejoindre, et se glisser dans sa couche. Il saurait alors qu'elle était aussi désirable qu'une autre. L'atmosphère étrange qui avait régné pendant la journée, cette angoissante vibration du sol qui l'avait terrorisée, les vols désordonnés des oiseaux, la fuite des animaux, tout avait contribué à lui donner l'audace de mettre son envie à exécution. Chleïonée n'avait pas encore partagé la couche de Seschi depuis leur départ de Kallisté. Mais elle s'était doutée, lorsqu'elle l'avait vue partir seule en sa compagnie, le matin même, qu'il allait se passer quelque chose entre eux. Elle ne s'était pas trompée.

Elle en aurait hurlé de déception. Elle avait compris, au travers des conversations furtives qu'elle avait surprises, qu'il se préparait quelque chose de terrible, où ils allaient peut-être perdre la vie. Une sensation de déchirement la bouleversait. Elle ne pouvait accepter de mourir ainsi, sans avoir été aimée par un homme. Peu importait qu'elle fût obligée de le partager avec une autre.

Soudain, une légère vibration fit frémir le sol de la caverne. Elle se mit à trembler. Il lui semblait percevoir les forces titanesques qui s'assemblaient au cœur de la Dame de Feu, une puissance formidable qui allait bientôt se déchaîner. Elle crut devenir folle. À ses côtés, Leeva avait déjà trouvé le sommeil. Elle se redressa, comme dédoublée. Ce qu'elle allait faire relevait de la démence, de l'audace la plus inconsciente, mais elle devait agir. Silencieusement, elle passa sa robe, puis se glissa hors de la cellule. À l'extérieur un large couloir desservait les autres cavités. De faibles lampes à huile installées dans des niches diffusaient une lumière parcimonieuse. Elle se glissa furtivement jusqu'à la chambre qui abritait Seschi et Chleïonée. Une tenture de laine grossière masquait l'entrée. Elle hésita une fraction de seconde, puis, poussée par une force impérieuse, pénétra à l'intérieur. Les reflets d'une lampe éclairaient les visages des deux amants endormis. Ils avaient réussi à trouver le sommeil. Mais l'amour devait apaiser la plus sombre des angoisses. Elle les observa un long moment. Seschi avait passé un bras protecteur autour de sa compagne. Les traits de Chleïonée étaient fins, délicatement ciselés. Les mèches folles qui lui tombaient sur les yeux la rendaient émouvante. Elle se surprit à n'éprouver aucune jalousie envers elle, contrairement à ce qu'elle avait ressenti envers Aria. Une chaleur équivoque s'était installée dans ses reins et son ventre.

Soudain, Seschi s'éveilla. Stupéfait, il la contempla, comme s'il rêvait.

— Neserkhet ? Que fais-tu ici ?

Elle crut qu'elle allait mourir de honte. Puis elle refoula ce sentiment abject. Elle devait tuer le doute en elle.

— Je... j'ai peur. Je voudrais... dormir avec vous.

Seschi la regarda comme s'il la découvrait pour la première fois. Il savait ce qu'elle désirait et s'étonna d'éprouver une attirance soudaine pour elle. Il avait toujours considéré Neserkhet comme le reflet de sa sœur Khirâ. Il avait compris depuis longtemps qu'elle était amoureuse de lui, mais il avait toujours refusé de profiter d'elle, de peur de la faire souffrir. Il y avait en elle quelque chose d'enfantin et de pur qu'il respectait.

Mais le voyage et les épreuves avaient métamorphosé la jeune fille en femme. Il s'aperçut alors qu'elle était belle. Cependant, il ignorait comment allait réagir Chleïonée. Celle-ci s'était éveillée, et avait entendu la demande de Neserkhet. Ce fut elle qui tendit la main vers elle.

— Viens ! dit-elle doucement.

Elle se défit de sa robe et se glissa, nue, entre eux. Malgré l'épuisement de la journée, il était difficile de résister à l'appel de cette chair chaude, bouleversée par le désir et l'angoisse de la mort. Les frémissements du sol, la menace terrifiante qui planait dans l'air éveillèrent leurs sens exacerbés. Seschi enlaça Neserkhet. Chleïonée posa une main douce sur la joue de Neserkhet, la caressa. Puis sa caresse descendit le long du cou, effleura un sein, le ventre. Une onde de plaisir équivoque envahit la jeune fille. Elle aurait voulu parler, mais les mots lui semblaient insipides, vides de sens. Elle comprit qu'elle ne pouvait être jalouse de Chleïonée, parce qu'elle était aussi attirée par elle. Elle se cambra, poussa un gémissement. Il n'en fallait pas plus pour réveiller le désir assoupi des deux amants.

Ils s'aimèrent longtemps, à trois, comme un défi lancé à la face de la mort furieuse qui se préparait à fondre sur eux. Les narines emplies des odeurs masculines et féminines de Seschi et de Chleïonée, Neserkhet s'offrit avec passion, sans pudeur. Le torrent d'amour qu'elle avait trop longtemps retenu en elle explosa, se déversa, se mêlant à ceux de ses partenaires. Ce n'était pas un homme aimant deux femmes, mais simplement trois êtres humains qui s'aimaient. Jamais Neserkhet n'avait pensé que l'on pût éprouver un plaisir si intense, un plaisir si fort qu'il faisait perdre la tête, oublier jusqu'à son nom. Lorsque enfin elle sombra dans un sommeil réparateur, ses doigts restèrent emmêlés à ceux de Seschi, tandis que son autre main était posée sur un sein de Chleïonée. Écroulée sur les corps apaisés de ses deux compagnons, elle ne ressentait plus aucune frayeur, mais une sérénité, une plénitude qui gonflait ses poumons d'une irrésistible envie de vivre. Une confiance nouvelle s'était répandue en elle. Cette nuit n'était pas un accident, il y en aurait d'autres, qu'ils partageraient tous les trois. Et la Dame de Feu ne pourrait rien y changer.

Jamais de sa vie elle ne s'était sentie aussi bien.

Oupouaout, le dieu loup, se tenait devant elle. Elle avait toujours éprouvé une certaine attirance pour ce dieu venu du fond des âges, qui rappelait Anubis l'embaumeur. À Bahariya, on le vénérait peut-être plus que dans la Vallée sacrée. On l'appelait «celui qui montre le chemin». Une foule de sentiments confus baignait l'esprit de Neserkhet. Le dieu lycanthrope semblait satisfait de la décision qu'elle avait prise. Mais il paraissait aussi lui adresser un avertissement. Il lançait un cri vers elle, fait de dizaines d'autres. Une soudaine sensation d'angoisse envahit Neserkhet, qui s'éveilla instantanément. Elle ne comprit pas ce qui se passait. Le hurlement de *Oupouaout* se prolongeait dans la réalité. De l'extérieur provenaient des appels aigus. Seschi et Chleïonée s'éveillèrent à leur tour.

— Il se passe quelque chose, gronda Seschi.

— Les chiens! Les chiens hurlent à la mort! s'écria Chleïonée.

Ils passèrent leurs vêtements à la hâte et sortirent dans le couloir. Tash'Kor et Khirâ les rejoignirent, en compagnie de quelques autres. Seschi se précipita vers l'entrée de la caverne. Il constata que l'aube était proche. Vers l'orient, le ciel s'illuminait d'un mauve tendre, prometteur d'une journée magnifique. Une certaine agitation régnait déjà dans la rue principale. Les Emriens sortaient peu à peu des habitations troglodytiques. Les chiens hors d'haleine poursuivaient leurs hurlements malgré les admonestations de leurs maîtres. Puis l'un d'eux, saisi d'une panique totale, fila comme une flèche en direction de Kallisté. Deux ou trois autres le suivirent, mais la plupart revinrent vers leur maître.

Le jeune prince tourna les yeux vers le sommet du volcan. Ce qu'il vit lui glaça le sang dans les veines. Dans un silence absolu, il vit la couronne du cratère exploser sous l'impact de forces extraordinaires. Simultanément, un nuage se forma, d'où jaillissaient des lames de feu et des projectiles. L'endroit où il s'était rendu la veille en compagnie de Chleïonée devait être devenu une véritable fournaise. Il frémit à l'idée que le phénomène aurait pu se produire au moment où ils s'y trouvaient. Mais il n'eut guère le temps d'y réfléchir. Là-haut, le nuage augmentait de volume à une vitesse stupéfiante. Des volutes de cendres derrière lesquelles on devinait le rougeoiement d'un intense feu interne commençaient à dévaler la pente de la montagne. Elles eurent tôt fait d'atteindre les premières traces de végétation, qui s'embrasèrent comme de l'étoupe. L'absence du moindre bruit donnait à ce phénomène hallucinant l'allure d'un rêve.

Soudain, ce silence trompeur explosa en un vacarme assourdissant qui fit vibrer leurs entrailles. Les spectateurs pétrifiés sursautèrent, rejoints tout à coup par la terreur.

— La Dame de Feu explose, hurla une femme.

Prise par la panique, elle se mit à courir à la suite des chiens.

— Nooon ! hurla Marano. Reviens ici ! Tu n'as aucune chance.

Mais la femme ne l'écoutait plus. Elle se lança dans une course folle sur la sente rocailleuse, trébucha, s'écroula, se releva, puis disparut à la vue. Un homme voulut se précipiter à sa poursuite, sans doute son mari. D'autres le retinrent.

— Elle est déjà perdue ! gémit Chleïonée.

Neserkhet et elle s'étaient blotties contre Seschi. Mais celui-ci était aussi désemparé qu'elles. Le nuage pyroclastique se déployait à présent sur toute la montagne, pulvérisant les premiers arbres qui s'embrasaient comme des brindilles. Le jeune homme comprit que rien ne pourrait arrêter la vague de feu qui roulait vers eux à la vitesse d'un ouragan. Le vacarme s'amplifiait d'instant en instant.

Marano dut hurler pour se faire entendre. Il ordonna à tous de rentrer dans les cavernes et d'obturer les entrées avec les portes épaisses en peau de bête. On lui obéit sans discuter. Parce que le vieux chef avait compris que la Dame de Feu risquait de s'éveiller, il avait déjà demandé aux habitants des baraques externes de les abandonner pour trouver refuge dans les grottes. Les sentinelles arrivèrent au pas de course. Elles n'eurent que le temps de s'engouffrer dans leur caverne. En quelques instants, les lourds panneaux se refermèrent. On les barricada à l'aide de lourdes barres de bois que l'on cala avec des blocs de pierre.

Seschi comprit alors contre quel ennemi ils protégeaient les villageois. On se réfugia au plus profond de la caverne. Neserkhet se mit à gémir. Elle avait vu le nuage de cendre et de feu dévaler la montagne dans leur direction. Si les portes ne résistaient pas, ils allaient tous périr brûlés vifs. Le vacarme assourdissant, un instant étouffé par les panneaux, recommença d'augmenter. On eût dit le hurlement d'un monstre à la dimension du monde.

Puis il y eut le souffle d'une explosion, un grondement de tonnerre assourdissant, une onde de chaleur étouffante. À l'extrémité du couloir, les panneaux se mirent à vibrer, des étincelles jaillirent, puis les lourds vantaux s'embrasèrent sur les côtés. Une lueur infernale se refléta sur la roche à nu, provoquant un terrifiant sentiment de panique. Les barres de soutien, arc-boutées sur les panneaux, trépidaient sous l'impact colossal. Chacun avait conscience que, si elles cédaient, l'haleine de feu s'engouffrerait d'un coup au cœur de la caverne.

Un craquement sinistre retentit. Les occupants crurent que tout était perdu. Mais, contre toute attente, les multiples épaisseurs de peaux tenaient bon. La tempête de feu dura ainsi près de deux heures. Deux heures d'angoisse interminables. Parfois, les parois de la caverne tremblaient, et des quartiers de roche tombaient. Les panneaux finirent par se consumer totalement. Une fumée épaisse envahit les lieux. On déchira des linges, que l'on se plaqua sur le visage. La température avait atteint les limites du supportable. Les vêtements devenaient brûlants sur la peau. Seschi crut qu'ils ne tiendraient jamais. Mais les Emriens le rassuraient. Selon eux, la colère de Thera allait bientôt se calmer. Il fallait chasser la peur et patienter. Sans leur présence, il devait s'avouer qu'il aurait cédé à la panique. Mais il avait décidé de leur accorder une confiance totale. Ils connaissaient leur volcan. Depuis des siècles, des dizaines de générations s'étaient succédé dans ce village étrange. Sans doute y avait-il eu d'autres éruptions de ce genre. Mais cela n'avait pas empêché les habitants de tenir bon, de s'accrocher à leur territoire avec une ténacité digne d'éloges. Seschi se demandait quel démon pouvait bien pousser ces gens à vivre dans un endroit aussi extrême, où leur vie pouvait à tout moment leur être ôtée. La seule réponse qui lui apparaissait clairement, outre la protection qu'elle leur offrait, était que la Dame de Feu exerçait sur ses occupants une étrange fascination. Ils refusaient de croire, niant l'évidence, qu'elle pouvait les détruire. Nombre de leurs ancêtres avaient dû trouver la mort en bravant ses colères. Mais les survivants n'avaient pas fui pour autant.

Peu à peu, l'ouragan de feu s'apaisa. Il fallut attendre encore plusieurs heures pour que la température redevînt supportable. Il se risquèrent prudemment jusqu'à la sortie. Il ne restait pratiquement rien des panneaux protecteurs. Les énormes barres de blocage elles-mêmes étaient calcinées. Mais le système avait rempli son office : tout le monde était sauf. À l'extérieur flottait un nuage de cendres si épais qu'il occultait la lumière du jour. On n'y voyait pas à plus de quelques pas. Des flocons pulvérulents, semblables à de la neige grise, tourbillonnaient au gré du vent violent qui s'était mis à souffler. Il s'avéra impossible de sortir.

Par chance, chaque caverne comportait des réserves

d'eau et de nourriture. Il fallut attendre deux jours pour que la cendre recouvrant le village fût suffisamment refroidie pour se risquer à l'extérieur. Le deuxième jour, une pluie diluvienne se mit à tomber, transformant le village en un bourbier innommable. Lorsqu'elle cessa, le nuage de cendres n'avait pas disparu, mais avait considérablement diminué. Hagards, épuisés, les citadins s'aventurèrent tels des fantômes dans le village dévasté. Une boue épaisse recouvrait ce qui avait été la rue principale. Les maisons qui la bordaient n'existaient plus. Il était presque impossible même de déceler leur emplacement. Les alentours, autrefois recouverts de végétation, étaient uniformément gris. Une poussière dense flottait encore dans l'air, mais l'aïtoumi la chassait peu à peu vers l'ouest, dévoilant l'étendue des dégâts. Par miracle, on ne déplorait aucune victime. Partout les panneaux avaient résisté. Cette idée seule suffit à redonner le sourire aux Emriens. Thera les avait une fois de plus épargnés. Sans doute avait-elle une raison d'exprimer sa colère. Il n'était pas besoin de la connaître. Les dieux avaient leurs propres préoccupations. L'important n'était-il pas qu'ils fussent tous en vie ?

Marano décida cependant de descendre à Kallisté en compagnie des Égyptiens. Il souhaitait demander de l'aide à ses habitants pour la reconstruction du village. Ainsi avaient pratiqué leurs ancêtres depuis que l'homme occupait l'île.

Sur le chemin de Kallisté, le paysage s'était totalement transformé. Sur plus de deux miles, la végétation avait disparu, laissant la place à une morne étendue grise. À quelque distance du village les attendait un spectacle affligeant. Agrippé à un rocher se tenait un corps calciné, sur lequel s'acharnaient déjà des choucas et des corbeaux. Ils comprirent qu'il s'agissait de la femme qui avait tenté de fuir peu avant l'explosion. Le nuage pyroclastique l'avait rattrapée avant qu'elle n'ait eu le temps de se mettre à l'abri. Les squelettes noircis de ses doigts crispés sur la roche racontaient les souffrances qu'elle avait dû endurer.

L'époux de la femme, qui accompagnait Marano, s'écroula en larmes. Gémissant, insultant le volcan, il s'arracha les cheveux de douleur. Ses compagnons eurent toutes les peines du monde à le réconforter. Sur l'ordre de Seschi, les Égyptiens aidèrent les Emriens à creuser une sépulture pour la malheureuse.

Ils avaient à peine terminé que des bruits de voix retentirent en contrebas. Peu après apparut une foule inquiète, menée par Pollys, Khersethi et Hobakha. Dès qu'ils aperçurent les survivants, une explosion de joie retentit. Pollys courut serrer son frère dans ses bras. Riant et pleurant à la fois, les jumeaux s'étreignirent, puis invitèrent Khirâ à partager leurs embrassades. Les retrouvailles furent joyeuses et animées, chacun voulant raconter ce qu'il avait vécu.

Ce fut dans cette ambiance euphorique que l'on arriva à Kallisté. La petite cité avait été, elle aussi, recouverte de cendres, mais celles-ci avaient été apportées par les vents. En raison de son éloignement, le nuage pyroclastique ne l'avait pas touchée.

Trois jours plus tard, les deux navires reprenaient la mer après avoir fait le plein de provisions. Chacun constata avec amusement que le prince, arrivé célibataire sur Thera, repartait avec deux compagnes.

Chleïonée avait parfaitement accepté la présence de Neserkhet à leurs côtés. La nuit surnaturelle qu'ils avaient partagée avait tissé entre eux des liens nouveaux et solides.

Bientôt, Thera fut hors de vue. En s'éloignant, ils constatèrent qu'un épais nuage flottait encore sur la partie occidentale de l'île. Ils comprirent pourquoi peu après. Une traînée rougeâtre avait coulé du volcan jusqu'à la mer. Là où le feu avait rencontré l'eau s'élevait une gigantesque colonne de vapeur, qui témoignait de l'intensité du combat que se livraient les deux éléments. La petite plage où Seschi et Chleïonée avaient fait l'amour pour la première fois devait avoir disparu sous la lave.

Seschi repensa aux paroles de la sorcière de l'île Blanche. Une civilisation fabuleuse devait naître des petites cités et villages qui jalonnaient ses côtes. Mais une civilisation promise à l'anéantissement par un cataclysme d'une ampleur sans précédent. Au loin, la silhouette de la Dame de Feu se découpait dans la lumière bleue de midi. Il sentait bouillonner en elle une puissance phénoménale, prête à se manifester à tout moment. Soudain, une vision s'imposa à lui, comme un rêve aux reflets de cauchemar. En une fraction de seconde, il vit le volcan tout entier exploser dans un embrasement d'apocalypse. Tandis que l'île elle-même se déformait sous le souffle létal jailli des entrailles de la terre, une boule de feu monstrueuse née de la disparition de l'éruption s'élevait très haut dans le ciel, emportant avec elle une quantité incommensurable de roche en fusion, de gaz et de poussière. En quelques instants le ciel s'obscurcit, les ténèbres envahirent l'île et la mer, jusqu'à ce que l'horizon disparût.

Puis l'onde de choc heurta les eaux, soulevant une vague d'une hauteur formidable, trois cents, peut-être quatre cents coudées. Pétrifié, Seschi vit le Léviathan foncer sur lui, l'atteindre et le dépasser en quelques secondes. Vers le sud se trouvait l'île Blanche. Par les yeux de l'esprit, il vit le raz de marée gigantesque poursuivre sa progression dévastatrice, vers cette civilisation merveilleuse qui avait construit des palais sur les rives de Crète. Il entendait le hurlement de terreur des habitants pris au piège, incapables de fuir devant cette vague haute comme une montagne qui fondait sur eux.

— Seschi !

Il la vit percuter la côte, exploser sur les falaises qu'elle pulvérisa et submergea. Il vit des villes qui n'existaient pas encore disparaître en quelques instants. Les forêts, les hommes, les animaux, tout était balayé, emporté par la fureur des eaux, tandis que le ciel se couvrait des ténèbres d'un invraisemblable nuage de cendres[1].

— Seschi !

Dans sa main se glissa celle de Neserkhet.

— Mon prince tremble, s'inquiéta-t-elle.

— Ce n'est rien, répondit-il en reprenant ses esprits.

— Que s'est-il passé ?

---

1. L'explosion du volcan de Thera a vraisemblablement eu lieu au quinzième siècle avant Jésus-Christ, provoquant le plus grand cataclysme de l'histoire de l'humanité. Un nuage de cendres titanesque naquit de cette éruption, et parcourut la terre entière. On trouve mention de son passage jusqu'en Chine. Le raz de marée consécutif frappa les côtes de la Crète, provoquant l'effondrement de la civilisation minoenne. Dans ses deux dialogues, le *Timée* et le *Criton*, Platon s'inspira de ce désastre pour imaginer l'Atlantide, donnant ainsi naissance à l'un des plus grands mythes de tous les temps.

— Rien. Je repensais à ce que nous avons traversé. Je crois… que nous avons eu beaucoup de chance.

Chleïonée les rejoignit et se serra contre eux, les yeux brillants. Une émotion profonde la tenait. Elle ne pouvait s'empêcher de penser que sa décision de quitter l'île avait peut-être provoqué la colère de la Dame de Feu. Pourtant, elle avait été épargnée. Alors, s'agissait-il d'une coïncidence ?

— J'ai eu trop peur, dit-elle enfin. J'ai peine à quitter ceux de Kallisté. Mais j'aurai plaisir à revoir Ankheri et mes sœurs.

Chassant la vision apocalyptique qui l'avait assailli, Seschi porta son regard vers l'orient.

— Sauras-tu retrouver la route menant vers la Cilicie ?

— Je le crois. Vers l'est, on rencontre beaucoup d'autres îles. Puis il faut longer les côtes d'Anatolie pendant plusieurs jours, jusqu'à un port nommé Ardemli. C'est là que l'on trouve ce métal que tu appelles hedj.

TROISIÈME PARTIE

Le Heb-Sed

45

Mennof-Rê...

Il ne faisait désormais aucun doute que l'on assistait à une résurgence de la secte des Serpents. En différents endroits, on avait retrouvé les corps d'enfants égorgés, vidés de leur sang. Immédiatement après le premier crime, Semourê avait interrogé Kenerouka, qui avait remplacé Mekherâ à la tête du temple de Seth. Cet homme âgé avait été l'un des plus virulents opposants de Djoser, auquel il ne pardonnait pas de vouloir imposer le culte d'Horus comme religion principale de Kemit. Cependant, il avait toujours condamné et combattu les fanatiques, et sa fidélité au Double-Royaume était indubitable. Après la chute de la secte maudite, le souverain avait obtenu gain de cause, et le temple de Seth, épuré de ses membres réprouvés, l'avait rallié. Au fil du temps, les relations entre les prêtres et le roi s'étaient améliorées. Les revenus des terres dépendant du temple sethien avaient augmenté, et personne n'avait été lésé. Avec l'âge, Kenerouka s'était assagi, et Djoser l'avait nommé en remplacement de Mekherâ à la mort de ce dernier, survenue pendant l'épidémie. On s'était étonné qu'il désignât ainsi un ancien adversaire, mais il estimait Kenerouka pour son intégrité et sa droiture. S'il commettait une erreur, le vieux prêtre n'hésitait pas à la lui faire remarquer, sans aucune courtisanerie. Djoser tenait cette attitude pour une grande qualité, trop rare à la Cour.

Kenerouka n'avait pas oublié l'époque troublée où près de la moitié de ses condisciples avaient déserté le temple pour rejoindre les rangs des adorateurs de Seth-Baâl, déité hybride de la guerre et des ténèbres instaurée par Meren-Seth. Et la réapparition d'atrocités identiques à celles qu'elle avait engendrées lui faisait redouter un retour en force d'un fanatisme aveugle et meurtrier.

— Mon cœur est triste, seigneur Semourê. Je pensais que les temps maudits étaient révolus. Ces crimes odieux me révoltent. Malheureusement, je ne pourrai t'être d'un grand secours. À aucun moment je n'ai dû affronter d'opposition de la part de mes frères, et je peux t'assurer que ces meurtres les affligent autant que moi.

Semourê connaissait suffisamment le vieil homme pour savoir qu'il était sincère, et qu'il avait déjà mené sa propre enquête. Il fallait donc chercher ailleurs.

À la vérité, rien ne pouvait expliquer ces crimes. En deux mois, cinq enfants avaient été massacrés. Cependant, à la différence de l'époque de Meren-Seth, leurs mères n'avaient pas été tuées. On s'était contenté d'enlever les bambins, que l'on retrouvait égorgés quelques jours plus tard. Depuis le début, l'enquête piétinait. Moshem avait lancé ses meilleurs hommes sur différentes pistes, qui toutes s'étaient avérées infructueuses. Moshem et Semourê s'étaient rendus eux-mêmes sur les lieux de l'ancien temple maudit de Petom, ils avaient également investi la demeure d'Hetta-Heri ayant appartenu à la secte. Dans un lieu comme dans l'autre, tout n'était plus que ruines. Personne non plus n'avait évoqué d'apparitions du fantôme de Peribsen. Hormis le rituel terrifiant de l'égorgement, on aurait pu croire que les meurtres n'avaient aucune relation entre eux.

Compte tenu des remous provoqués par les jeunes nobles qui s'opposaient à Djoser, Semourê soupçonna ces derniers d'être mêlés à ce retour de la secte maudite. Moshem fit surveiller leurs demeures et leurs domaines. Pourtant, après plusieurs jours d'une enquête discrète et efficace, rien ne permit d'établir le moindre rapport entre les partisans d'Ankher-Nefer et les assassinats d'enfants.

— Ne pourrait-il s'agir que de crimes commis par un fou, ou un fanatique nostalgique de Meren-Seth, demanda Semourê, découragé.

— Je ne pense pas ! rétorqua Moshem. Bien qu'il ne semble pas y avoir de lien entre eux, sinon la manière dont ils ont été perpétrés, les crimes ont été commis à des endroits éloignés les uns des autres, et d'une façon trop méthodique pour être imputée à des déments. Ces massacres sont l'œuvre d'individus organisés, qui poursuivent un but précis. C'est pourquoi ils seront d'autant plus difficiles à démasquer. Comme autrefois, ils surgissent de la nuit pour frapper, puis ils disparaissent. Et cette fois, il semble qu'il n'existe même pas de temple secret. Ils se contentent de tuer les enfants et abandonnent leurs corps sur place.

Semourê poussa un rugissement de colère.

— Mais quels démons habitent l'esprit de ces

porcs immondes, pour trouver l'ignoble lâcheté de s'attaquer à des gosses aussi petits?

Inmakh lui avait donné deux fils et deux filles, dont la dernière n'avait pas un an. Par précaution, il avait doublé le nombre des gardes qui surveillaient sa demeure. Il savait que Moshem en avait fait autant pour les cinq enfants qu'il avait eus avec Ankheri.

— Quel peut être leur but? demanda-t-il à son ami.

— Je n'en suis pas certain, mais j'en ai une vague idée. J'ai pu constater que la population de Basse-Égypte, où ont eu lieu tous ces crimes, est en effervescence. Des rumeurs se répandent là-bas à la vitesse du vent, qui accusent les gardes royaux de ne pas être capables de veiller à la sécurité des villages. Il est impossible d'arrêter les semeurs de trouble, et ils trouvent là-bas un terrain favorable. On n'a pas oublié le barrage militaire qui interdisait tout contact entre le royaume du Papyrus et celui du Lotus pendant l'épidémie de la Mort Noire. Mes hommes ont entendu se dire de drôles de choses, qui, à mots couverts, accusent le roi de favoriser la Haute-Égypte et de laisser les habitants du Delta sous la menace d'une nouvelle invasion des Serpents. On a reparlé du geste de Thanys abattant une femme pour l'empêcher de traverser les lignes de soldats. Mais j'ai constaté autre chose.

— Quoi?

— Cela n'a peut-être aucun rapport, mais les domaines des nobles qui refusent leur appui au roi sont tous situés en Basse-Égypte. Et Thefir m'a signalé que, depuis quelque temps, certains d'entre eux recrutaient beaucoup de gardes.

— Par Horus! Voudrais-tu dire...

— Il est possible qu'ils profitent du mécontentement de la population pour former des milices secrètes. Dans quel but, sinon de constituer une force destinée à menacer la puissance royale ?

— Ce serait de la folie. Ces mécontents ne sont qu'une poignée. La grande majorité des nobles soutient Djoser. Il a su offrir à Kemit une prospérité telle qu'ils n'ont guère envie de la voir remise en cause par une guerre civile.

— En apparence, oui, mais l'Horus — qu'il vive éternellement — n'a pas hésité à rogner les griffes des grands seigneurs. Ils semblent avoir accepté de bonne grâce de ne plus pouvoir s'enrichir en s'appropriant les terres des paysans comme autrefois, mais combien d'entre eux sont sincères ? Sans prendre véritablement parti, certains ne seraient pas ennemis de voir se constituer une force capable d'affaiblir celle du roi.

— Par les dieux, serons-nous obligés d'enquêter sur toutes les familles nobles ? s'emporta Semourê.

— Je crois qu'il nous faut d'abord éliminer cette menace. Ces manœuvres de discrédit, ces rumeurs malfaisantes sont tout à fait dans la manière d'agir de Meren-Seth. Je redoute que tout cela ne fasse partie d'un nouveau complot destiné à renverser le roi.

— Même si ces imbéciles constituent leurs milices, ils ne représentent pas une puissance suffisante pour inquiéter la Maison des Armes et la Garde bleue, rétorqua Semourê.

— C'est vrai. Mais il y en a une autre !

— Laquelle ?

— Cette armée d'invasion qui dévaste actuellement le Levant. Seul le roi Gilgamesh a réussi à la repousser à Sumer, mais ils ont envahi Akkad, la plaine de l'Hayarden, et menacent Ebla. Dans le nord, ils tiennent l'est de l'Anatolie. Si rien ne les arrête avant, ils viendront jusqu'ici. C'est pourquoi nous devons envoyer une flotte importante pour soutenir Byblos, et même délivrer les villes du Levant avec lesquelles le roi a conclu des traités d'alliance. Cela semble évident, et pourtant, les partisans d'Ankher-Nefer s'acharnent à refuser la formation de cette flotte. Pourquoi, sinon pour affaiblir Kemit ? S'ils ont partie liée avec les envahisseurs, leur rôle pourrait être de préparer ici, en Basse-Égypte, une force intérieure qui facilitera la tâche de l'ennemi.

— Ce serait une trahison ignoble ! s'exclama Semourê.

— Mais les hommes sont prêts à tout pour assouvir leur désir de pouvoir et de richesse. Et puis, si réellement Meren-Seth est bien l'instigateur de ce mouvement, ils ont pu se donner bonne conscience en estimant qu'ils servaient la cause d'un roi qu'ils estiment légitime.

Semourê resta un moment silencieux, puis murmura :

— Ton hypothèse se tient, ami Moshem, mais j'ai du mal à y croire. Meren-Seth a disparu depuis douze ans. S'il vit toujours, pourquoi aurait-il attendu aussi longtemps avant de fomenter un tel complot ?

— Il lui fallait trouver un allié puissant. Il ne pouvait plus compter sur les Édomites. Depuis que l'Horus les a vaincus, les voyageurs qui se risquent sur leur territoire pour le commerce affirment qu'ils se tiennent tranquilles. Les Peuples de la Mer ne sont que des pirates impossibles à unifier. Seul cet envahisseur venu d'Asie répondait à l'attente de Meren-Seth.

Semourê hésita, puis déclara :

564

— Nous devons en parler à l'Horus. Mais il nous faudrait plus d'informations sur ces milices secrètes.

— Rien de plus facile. Thefir et ses compagnons sont passés maîtres dans l'art de la dissimulation. Ils peuvent s'y introduire sans difficulté.

Quelques jours plus tard, Semourê et Moshem pénétraient dans le bureau de Djoser, auquel Thanys tenait compagnie.

— Pardonne à tes serviteurs, ô Lumière de l'Égypte, mais nous avons de graves nouvelles à te communiquer.

Moshem expliqua les éléments qui l'avait amené à soupçonner les nobles frondeurs de constituer de puissantes milices privées.

— Le phénomène est beaucoup plus important que je ne l'avais imaginé, Seigneur, conclut-il. Chacun des rebelles dispose d'une armée de plusieurs centaines d'hommes qui subissent un entraînement solide, dirigés par d'anciens soldats mécontents. Cela représente déjà une armée de près de six mille hommes, et leurs rangs grossissent tous les jours.

— Nous pouvons leur en opposer six ou sept fois plus, ajouta Semourê, mais ils rallient peu à peu toutes les forces de Basse-Égypte. Si tu ne réagis pas très vite, nous risquons de voir le Double-Pays éclater. Les envahisseurs auront beau jeu de traverser le Delta. Si Moshem a vu juste, non seulement il ne leur opposera aucune résistance, mais il risque même de s'allier à l'ennemi pour mieux te renverser.

— Ankher-Nefer aurait donc partie liée avec l'ennemi, rétorqua Djoser. Je ne peux croire cela. Lui et ses amis sont des filous, mais ce sont avant tout des Égyptiens. En cas d'invasion, ils perdraient tout.

— À moins que l'instigateur de cette révolte ne soit égyptien lui-même, précisa Thanys. Ce qui voudrait dire que Meren-Seth est toujours vivant. Cette manœuvre insidieuse correspond tout à fait à sa manière d'agir.

Djoser demeura silencieux. La crise était beaucoup plus profonde qu'il ne l'avait pensé. Mais comment réagir ? Rien n'interdisait aux nobles de constituer leurs petites armées, destinées à défendre leurs nomes contre les pillards du désert. Jusqu'à présent, on ne pouvait rien reprocher aux partisans d'Ankher-Nefer, sinon de renâcler pour l'envoi d'une flotte de secours à Byblos. Il aurait fallu établir la preuve d'une collusion avec un ennemi extérieur, mais jusque-là, on n'avait rien trouvé. Cependant, s'il ne frappait pas immédiatement, le mouvement allait prendre une ampleur telle qu'un affrontement avec ces milices dégénérerait en une véritable guerre civile. L'ennemi n'aurait aucun mal à envahir un pays dévasté par les combats internes. Thanys disait vrai : si Meren-Seth avait survécu, il y avait de fortes chances pour qu'il fût derrière ce complot.

— Je ne peux pourtant pas faire arrêter Ankher-Nefer et ses amis parce qu'ils possèdent une milice, dit-il enfin. Si je les emprisonnais, je me mettrais à dos l'ensemble des riches propriétaires. J'ai eu trop de mal à me les concilier.

— Il y a peut-être un autre moyen, suggéra Thanys.

— Lequel ?

— Nous devons à tout prix éviter un affrontement entre Égyptiens, et faire taire ces rumeurs selon lesquelles tu traites moins bien les habitants du Delta. Si Moshem a vu juste, si les Asiates s'apprêtent effectivement à nous envahir et que certains nobles se sont alliés à eux, leur rôle est de constituer une force destinée à contrebalancer celle de la Maison des Armes et de la Garde bleue. Mais quelles sont les raisons qui poussent les hommes à s'enrôler dans ces milices ?

— Thefir n'a décelé aucune motivation religieuse fanatique, comme ce fut le cas à l'époque de Meren-Seth, répondit Moshem. Seul l'appât du gain attire ces individus auprès des nobles. Ceux-ci se sont grassement enrichis grâce à la prospérité nouvelle du pays, et à quelques manœuvres frauduleuses au détriment de leurs paysans.

Thanys se tourna vers Djoser.

— Voilà comment tu peux les attaquer : un contrôle fiscal !

— Continue !

— Tu m'as dit que, contrairement à ce que tu as exigé, certains scribes peu scrupuleux leur avaient permis de spolier nombre de paysans de leurs biens. Tu tiens là le moyen de piéger à la fois tes ennemis et les fonctionnaires complices. Mais, simultanément, tu imposes l'envoi d'une flotte puissante à Byblos, et tu offres aux guerriers qui s'engageront dans cette flotte une solde double de celle que leur payent les félons. Cette annonce doit être largement diffusée en Basse-Égypte, et surtout dans leurs domaines. Il ne fait aucun doute que leurs milices vont connaître une grosse hémorragie.

— J'ai la liste complète des domaines, ô ma reine, renchérit Moshem avec enthousiasme. Et je sais combien sont payés ces soldats.

— Ainsi, poursuivit Thanys, tu gagneras une armée déjà constituée, formée aux frais de ces traîtres. Et tu ne risques pas de mécontenter les autres nobles, bien au contraire. Et si Moshem s'est trompé, si ces nobles n'ont pas partie liée avec l'ennemi, cette opération t'aura au moins permis d'assainir l'administration fiscale de ses scribes malhonnêtes.

— Et la double solde sera de toute manière couverte par les amendes que tu leur infligeras, conclut Semourê.

Le visage de Djoser s'éclaira d'un sourire. Une nouvelle fois, la grande complicité qui unissait ses compagnons avait porté ses fruits. Il lui sembla être revenu des années en arrière, à l'époque de l'adolescence où, en compagnie de Thanys, de Semourê et de Piânthy, ils établissaient leurs plans de chasse. La même exaltation les animait encore aujourd'hui. Bien sûr, Moshem n'avait pas été mêlé à ces aventures, mais il s'était tellement intégré au cercle de ses proches qu'il lui semblait avoir toujours été là. Il ne manquait que Piânthy. Il chassa l'émotion qui l'avait envahi un instant et déclara :

— Eh bien, je crois que je n'ai plus rien à ajouter. Nous allons opérer ainsi que vous l'avez dit. Que ceci soit écrit et accompli !

Quelques jours plus tard, la Cour était rassemblée autour de son roi. On n'avait fourni aucune information sur les raisons de cette réunion importante, qui regroupait toute la noblesse de Basse-Égypte et des nomes proches de Haute-Égypte, et une grande animation régnait dans la salle du trône. Après avoir observé longuement la foule bruyante, Djoser exigea le silence et prit la parole.

— Les nouvelles que nous avons reçues de Byblos sont alarmantes. L'envahisseur asiate menace Ebla.

La ville résiste encore, mais elle ne tiendra pas long-temps. Ensuite viendra le tour de Byblos, puis d'Ash-qelôn. Nous devons protéger nos comptoirs du Levant. Aussi ai-je décidé l'envoi d'une flotte d'une centaine de navires de guerre pour défendre nos intérêts. Cha-cun d'eux emportera deux cents guerriers. Cependant, je ne veux pas dégarnir la Maison des Armes, au cas où l'ennemi parviendrait malgré tout jusqu'à Mennof-Rê. Je vais donc recruter des volontaires payés sur le trésor royal. Leur solde sera double, et comportera de plus une part du butin pris à l'ennemi.

— C'est de la folie ! s'écria Ankher-Nefer.

— Silence ! clama Djoser.

L'autre blêmit. Jamais le roi n'avait répondu sur ce ton. Parce que les regards de ses amis convergeaient vers lui, il riposta crânement :

— Jamais je ne consentirai à dégarnir mes propres domaines pour la formation de cette flotte.

Djoser le fixa dans les yeux, puis pointa le doigt sur lui.

— Ankher-Nefer, n'oublie pas que Kemit appar-tient à l'Horus, et que lui seul décrète ce qui est bon pour le Double-Royaume !

— Mais…

— L'offre sera faite aux guerriers dont tu as constitué ta milice. Comme elle sera faite aux soldats recrutés par tes amis. Et tu ne pourras interdire à ceux qui souhaiteraient s'enrôler de le faire. Quant à toi, j'estime avoir reçu trop de plaintes de paysans qui t'accusent de les avoir spoliés lors du bornage et de l'ensilage. J'ordonne donc que tes biens soient soumis à un sévère contrôle fiscal. Il en sera fait de même pour tous les nobles soupçonnés d'avoir fraudé.

Djoser communiqua ensuite la liste des seigneurs concernés. Le souffle coupé, Ankher-Nefer ne sut que répondre. Cette liste mettait clairement ses amis et lui-même en accusation. Il aurait voulu répliquer, réagir, mais il comprit qu'il ne pouvait rien faire. Il ne faisait aucun doute que la grande majorité des mercenaires allaient déserter son domaine pour intégrer l'armée royale. Il balança les bras, comme s'il allait dire quelque chose, puis s'effondra sur son siège, vaincu. Djoser eut à ce moment la confirmation qu'il existait un autre chef derrière ce pantin sans consistance. Ankher-Nefer parlait haut et fort, mais perdait très vite ses moyens dès que l'on faisait preuve d'inflexibilité.

Mais Thanys ne s'était pas trompée : la grande majorité de la noblesse, soulagée d'être épargnée par le décret, se réjouit intérieurement. On approuva chaleureusement la décision de l'Horus.

Le recrutement, préparé avec efficacité par Moshem et Semourê, porta immédiatement ses fruits. Des capitaines parcoururent le pays des Papyrus pour claironner l'offre royale, qui connut le succès escompté. En quelques jours, les milices secrètes se désagrégèrent au profit de la Maison des Armes. Parallèlement, Ho-Hetep, le Directeur des Greniers, envoya dans chacun des domaines une armée de scribes zélés qui épluchèrent les rouleaux comptables. Les explosions de colère et les menaces des nobles furieux n'entamèrent aucunement l'assurance des fonctionnaires. Certains se virent même proposer des arrangements à l'amiable, qu'ils refusèrent férocement avant d'en référer à Ho-Hetep. Celui-ci les avait choisis pour leur intégrité autant que pour leur opiniâtreté.

Curieusement, les crimes commis sur les enfants cessèrent. Sans doute l'imposante présence militaire dans le Delta n'y était-elle pas étrangère.

Le succès de l'opération dépassa les espoirs de Djoser. L'armée se constitua plus vite qu'il ne l'avait pensé. Tout n'était pas gagné pour autant. Une fois de plus, le spectre de Meren-Seth se dressait devant lui. Mais comment en être sûr ? Et, si tel était le cas, où se trouvait-il en ce moment ?

46

Un mois après avoir quitté Thera, L'*Esprit de Ptah*
et le *Cœur de Cypris* longeaient les côtes d'Anatolie à
la recherche du petit port d'Ardemli. Devant les navigateurs se découpait un rivage noyé de lumière. Une
plaine étroite à la végétation luxuriante menait aux
contreforts d'une chaîne de montagnes élevées,
estompée par une brume d'un bleu translucide, et aux
sommets couronnés de neige.

Après avoir mouillé dans des îles innombrables,
posées sur les eaux comme autant de joyaux, ils avaient
fait escale dans la ville de Troie[1]. C'était une cité
importante, admirablement fortifiée, située sur les
rives occidentales d'Anatolie. Ils avaient ainsi pu
renouveler leurs vivres et leur eau douce. Les Troyens,
peuple méfiant et guerrier, les avaient accueillis avec
circonspection. Mais certains navires marchands de
Byblos faisaient du cabotage jusqu'à Troie et plusieurs
négociants du port parlaient quelques mots d'égyptien.

---

1. On estime que Troie fut créée vers trois mille cinq cents avant
Jésus-Christ. On a compté jusqu'à neuf niveaux successifs de construction, chaque nouvelle cité étant reconstruite sur les ruines de l'ancienne.

Ils avaient ensuite contourné les côtes découpées d'Anatolie par le sud. Parce qu'elle avait voyagé en passant d'un bateau à l'autre, barque de pêcheurs ou felouque de commerçants, Chleïonée n'avait aucune idée précise du temps nécessaire pour rejoindre le port d'Ardemli. Elle ne pouvait compter que sur sa mémoire visuelle pour reconnaître l'endroit.

Agrippée à la figure de proue du *Cœur de Cypris*, Khirâ contemplait, sur l'autre vaisseau, la silhouette robuste de son frère donnant ses ordres. À ses côtés se tenaient ses deux compagnes. Elle n'ignorait pas que Neserkhet était depuis longtemps amoureuse de Seschi, mais elle ne pensait pas qu'elle arriverait à ses fins. Seschi avait toujours considéré la jeune Bédouine comme une sœur. Leurs relations s'étaient métamorphosées depuis l'éruption de la Dame de Feu. Contrairement à ses conquêtes précédentes, il semblait ne plus pouvoir se passer ni d'elle, ni de Chleïonée. Khirâ avait peine à comprendre les liens qui les unissaient. En Égypte, il arrivait fréquemment que des nobles ou de riches négociants aient plusieurs concubines. Le roi lui-même se devait d'avoir plusieurs femmes autour de lui. Si Djoser n'avait pas usé de ce privilège, la plupart de ses prédécesseurs ne s'en étaient pas privés. Il n'existait cependant qu'une seule épouse légitime.

En règle générale, épouses et concubines n'entretenaient pas de mauvaises relations. Mais il était excessivement rare qu'elles éprouvassent une réelle affection les unes pour les autres. Bien souvent régnait une jalousie latente qui se dissimulait sous le masque de l'hypocrisie. Pourtant, Neserkhet et Chleïonée étaient devenues inséparables. Le fait de partager le même homme ne paraissait pas les gêner. Au début, Khirâ avait pensé qu'elles jouaient la comédie pour ne pas contrarier son frère. Mais elle s'était rendu compte qu'une grande complicité unissait les deux filles. Une anecdote lui avait confirmé leur attachement. Peu avant d'arriver à Troie, une lame brutale avait déséquilibré l'*Esprit de Ptah*, et Neserkhet avait basculé dans les flots. Alarmé, Seschi avait voulu plonger, mais Chleïonée l'avait déjà précédé. Nageant comme un poisson, elle avait rejoint sa compagne et lui avait maintenu la tête hors de l'eau. Le *Cœur de Cypris*, qui naviguait en arrière, les avait recueillies, et elle s'était occupée des deux naufragées. L'inquiétude qu'elle avait surprise dans le regard de Chleïonée lorsque l'on avait remonté Neserkhet n'était pas feinte. Et c'était dans ses bras que Neserkhet s'était réfugiée pour calmer sa peur. Khirâ avait compris à ce moment-là que leur affection était véritable.

Elle avait peine à le comprendre. Elle-même ne supporterait jamais de partager Tash'Kor avec une autre. Tayna ne représentait plus un réel danger, mais elle préférait la voir à bord de l'*Esprit de Ptah*. Il était d'ailleurs étonnant que Seschi ne se fût pas intéressé à elle, malgré ses efforts pour attirer son attention. Il continuait de l'ignorer. Neserkhet estimait même qu'il lui parlait parfois rudement. Pour une raison inexplicable, il ne l'aimait pas.

En revanche, une amitié solide était née entre les jumeaux et lui. Depuis que leur haine extravagante avait disparu, ils s'entendaient à merveille. Les épreuves traversées les avaient rapprochés. Il n'y avait entre eux aucune rivalité, mais de l'estime et du respect. Seschi était reconnaissant à Tash'Kor d'avoir voulu se sacrifier devant le Minotaure pour sauver Khirâ. Quant au Chypriote, il appréciait les qualités de chef du jeune homme. Et surtout, Seschi lui avait permis de récupérer le *Cœur de Cypris*, grâce auquel il avait pu demeurer indépendant, libre de voyager où bon lui semblait.

Pollys s'accordait à merveille avec Seschi. Jouissant, tout comme lui, d'un caractère rêveur et optimiste, les aspects ténébreux de l'âme humaine lui étaient totalement étrangers. Il ne voyait dans les combats que des joutes amicales, et ne comprenait pas que des hommes pussent s'entre-tuer par intérêt ou par appétit de pouvoir. Il partageait son temps entre de virils affrontements avec son frère ou Seschi, et la musique. À Troie, il avait acheté, contre une petite fortune, une harpe, pour remplacer celle que les Kallistéens avaient détruite. Les femmes se regroupaient souvent autour de lui pour l'écouter. Il possédait une voix chaude et sensuelle, dont il connaissait le pouvoir sur les filles. Leeva avait succombé à son charme. Sans toutefois négliger les occasions de passage, il avait fait d'elle sa favorite.

Ainsi se déroula le voyage en direction de la Cilicie. Un matin, Chleïonée montra la côte avec insistance. À l'embouchure d'une petite rivière se dressait une cité de faibles dimensions, cernée par une muraille grossière, semblable à celles rencontrées sur l'île Blanche.

— Ardemli, déclara-t-elle triomphalement.

Seschi savait que les navires de Byblos commerçaient régulièrement avec les petits ports du sud de l'Anatolie. Aussi fut-il surpris lorsqu'il constata que les portes de la cité se refermaient, tandis que des hommes en armes prenaient place aux remparts.

— Ils pensent que nous allons les attaquer ! dit Khersethi.

— Ils sont pourtant plus nombreux que nous, répondit Seschi. Ils n'auraient guère de mal à nous repousser.

Par prudence, il fit accoster les deux navires à distance, puis descendit à terre avec Khersethi, Tash'Kor et Pollys, qui comprenaient la langue locale. S'avançant avec circonspection, les quatre hommes se dirigèrent vers la porte principale. Du haut des remparts, un homme âgé les interpella. Sans doute s'agissait-il du roi de la cité. Par l'intermédiaire de Tash'Kor, le dialogue se noua.

— Qui es-tu et que veux-tu ? demanda le souverain.

— Je suis le prince Nefer-Sechem-Ptah, fils de l'Horus Neteri-Khet. Je viens à toi en paix. Je désire seulement acheter du métal hedj.

— Je sais que les Égyptiens recherchent ce métal. Mais qu'est-ce qui me prouve que tes intentions sont pacifiques ?

— Je n'ai que ma parole à t'offrir, noble roi.

Il s'avança encore, dégaina son glaive et le laissa ostensiblement tomber à terre.

— Vois : je viens à toi sans arme. Il te serait facile de me faire abattre par tes archers. De plus, mes guerriers ne sont pas assez nombreux pour attaquer ta cité. Dis-moi plutôt la raison de ton hostilité. Les marchands égyptiens de Byblos vantent pourtant l'hospitalité des gens de ces côtes. Y a-t-il eu conflit avec eux ?

— Les Égyptiens de Byblos ne sont pas nos ennemis, grommela enfin le roi.

Il y eut un instant de flottement, puis les lourdes

portes s'entrouvrirent, et un capitaine invita les quatre hommes à entrer. La petite cité se composait de maisons cubiques en pierre recouverte de chaux. Sur les toits se dressaient des abris de bois destinés à protéger du soleil. Des vêtements et des peaux de bêtes y séchaient, qui répandaient dans l'air une odeur forte.

Une certaine effervescence régnait dans la ville. D'ordinaire, les enfants étaient les premiers à entourer les visiteurs. Seschi et ses compagnons n'en virent aucun. En revanche, les femmes comme les hommes portaient des armes de fortune, dont tous paraissaient décidés à se servir. La foule curieuse et inamicale les encercla. Visiblement, ces gens redoutaient une attaque. Mais qui pouvait bien menacer ces paisibles citadins?

Le roi descendit des remparts pour venir à leur rencontre. Seschi s'inclina brièvement devant lui.

— La protection de la Maât soit sur toi, grand roi, dit-il.

— Que Hacilar, déesse de la fécondité, fasse prospérer ta maison, répondit le vieil homme sur le même ton.

Un peu plus tard, Seschi et ses compagnons étaient reçus au palais. C'était une bâtisse plus grande que les autres, constituées de plusieurs cubes juxtaposés, et reliés entre eux par des ouvertures pour le moins fantaisistes. En fait, Ardemli semblait avoir été construite de bric et de broc autour de ruelles tortueuses, le long desquelles les générations successives s'étaient agglutinées sans aucun souci de fonctionnalité.

Le roi, Massary, invita Seschi et ses compagnons à s'asseoir sur le sol couvert de peaux de chèvre et de mouflon. Tandis que des servantes proposaient une bière aigre, le souverain se lança dans un discours volubile, que Tash'Kor eut quelque peine à comprendre. Enfin, il traduisit pour Seschi.

— Il dit que la cité d'Adana, une grande ville de l'est, est tombée aux mains d'un ennemi sanguinaire venu des grandes plaines d'Asie. Des hordes barbares ont brûlé les villages et les récoltes, emporté les troupeaux. La plupart des hommes ont été massacrés, les femmes violées et transformées en esclaves. Ils redoutent à présent que l'envahisseur ne s'attaque à Ardemli et aux petits villages de la côte.

— Cela explique leur méfiance, conclut Seschi. Mais a-t-on signalé de ces Asiates dans la région ?

Tash'Kor posa la question.

— Non ! répondit Massary. Adana est tombée depuis plus d'un mois. Nous avons appris la nouvelle par des réfugiés qui sont venus nous demander l'hospitalité. Depuis, nous avons pris les armes, et nous envoyons des éclaireurs dans la montagne. Mais ceux-ci n'ont encore rien remarqué d'inquiétant.

Seschi en vint alors au but de sa visite.

— Grand roi, accepterais-tu de nous fournir du métal hedj.

— Nous n'en possédons pas de grosses quantités. Il vaudrait mieux te rendre jusqu'aux mines de Yumuktepe. C'est un petit village situé à trois jours de marche, sur le plateau, au-delà de la vallée. L'un de mes guides peut t'y conduire, et je te prêterai quelques ânes.

Le lendemain, Seschi et les princes chypriotes quittaient la petite ville. Khirâ, Neserkhet et Chleïonée avaient tenu à les accompagner. Une soixantaine de guerriers menaient la dizaine de petits ânes dociles fournis par Massary. Au dernier moment, Tayna s'était jointe à la caravane. Elle ne tenait pas tellement à rester au port, en compagnie des Chypriotes. Même si leurs chefs étaient devenus les meilleurs amis du monde, ils conservaient à l'égard de la jeune femme une rancune tenace. De son côté, Tayna restait farouchement repliée sur elle-même, pétrie d'un orgueil qui l'aidait peut-être à supporter l'hostilité et la solitude. Seule Neserkhet tentait parfois d'adoucir cette solitude, mais leurs conversations restaient limitées. Tayna ne lui manifestait qu'une sympathie polie. Ce rejet obstiné était sans doute provoqué par le fait que Tayna n'était pas chypriote, mais originaire d'Ugarit, une petite cité située au nord de Byblos.

Après avoir traversé la plaine étroite qui bordait la mer, la piste s'enfonçait entre deux hautes falaises aux flancs abrupts. Au creux de la vallée resserrée, la rivière se transformait en un torrent impétueux. Avant que celle-ci ne disparût derrière un coude du défilé, Seschi jeta un dernier coup d'œil à Ardemli. La petite ville, blottie autour de sa baie, lui sembla bien fragile. Si l'envahisseur poursuivait son avance, jamais elle ne pourrait lui résister. Heureusement, elle n'était accessible que par la mer ou par cette piste incertaine. Il fallait espérer que cela serait suffisant pour qu'elle reste ignorée de l'ennemi. Hobakha avait ordre de prêter main-forte aux citadins en cas d'attaque. Il n'était pas souhaitable de retrouver la ville prise au retour.

47

Il fallut deux jours et deux nuits pour traverser les profondeurs humides de la vallée étroite. Puis la colonne suivit un sentier escarpé qui gravissait le flanc occidental. Bien que difficilement praticable pour une caravane de cette importance, cette route mystérieuse était empruntée depuis des temps immémoriaux. Les sabots des ânes transportant le précieux minerai vers la côte avaient tracé un chemin malaisé, qui longeait un précipice de plus en plus élevé. Suant et soufflant, les voyageurs parvinrent enfin au sommet. Sans transition, le paysage changea totalement d'aspect. Si dans la vallée foisonnait une végétation luxuriante due à l'humidité, le plateau, en revanche, révélait un paysage désolé, balayé par un vent violent qui soulevait des tourbillons de poussière.

Après avoir repris des forces, les caravaniers se remirent en route. Bientôt, la piste s'enfonça dans un relief chaotique. Coiffées de gros rochers en équilibre, d'étranges colonnes se dressaient par groupes comme de grandes sentinelles immobiles. Sebag, le guide, expliqua qu'on appelait ces mystérieuses formations les *guerriers de pierre*. Neserkhet, impressionnée, se demandait s'il ne s'agissait pas là de géants pétrifiés. Les hurlements de l'ouragan paraissaient sourdre de leurs entrailles, se modulant parfois pour ressembler à des rires macabres. Son imagination aidant, elle pensa un moment qu'ils allaient s'animer, marcher sur eux et les écraser de leurs masses énormes. Nerveuse, elle ne quittait pas Chleïonée, que les colosses ne semblaient pas inquiéter.

Après un jour de marche au milieu de ce décor insolite, ils atteignirent le village minier de Yumuktepe. Bâti sur un socle rocheux surélevé, il était protégé par un bouclier de guerriers de pierre. Une route encaissée entre deux rangées de colonnes coiffées permettait de franchir ce rempart naturel. Le long de cette piste étroite et sinueuse s'échelonnaient des postes de défense installés entre les géants rocheux. Dès l'apparition de la caravane, des appels de trompe retentirent pour avertir les habitants.

Au loin, les voyageurs aperçurent quelques groupes d'hommes et d'enfants affolés qui couraient pour se réfugier dans la petite cité. Afin de montrer leurs intentions pacifiques, Seschi fit arrêter sa troupe bien avant le village et s'avança en la seule compagnie de Tash'Kor et de Sebag. Très vite, une foule méfiante se rassembla devant la double porte de bois du village. Mais la présence du guide, qu'ils connaissaient bien, rassura les autochtones. La tension retomba dès qu'il eut expliqué les raisons de la venue du seigneur égyptien. Heureux d'en avoir été quittes pour la peur, les villageois accueillirent les Égyptiens avec hospitalité.

Comme à Ardemli, les demeures n'étaient que des

bâtisses carrées, accolées les unes aux autres de manière bizarre. Çà et là, des enclos abritaient des jardins potagers et quelques arbres fruitiers, abricotiers et orangers. À l'orient, le socle surplombait une vaste dépression verdoyante qui menait à une chaîne de collines dans lesquelles était creusé le réseau de mines. Un petit lac bordé d'une végétation abondante occupait le centre de la dépression. Tout autour, des champs cultivés fournissaient de l'épeautre, de l'orge et quelques légumes. Plus loin, une herbe clairsemée nourrissait des troupeaux de chèvres et de mouflons.

Le troc eut lieu dans la demeure du chef du village, Mar'Dhen. Outre des jarres de vin rapportées des îles, Seschi proposa des graines donnant un blé de meilleure qualité, de l'orge, et des outils, qu'il compléta de bijoux taillés dans des pierres inconnues des villageois : malachite, cornaline, lapis-lazuli, et même de magnifiques turquoises. Depuis toujours, la seule richesse des indigènes reposait sur cette mine d'argent que leurs ancêtres exploitaient depuis des siècles. Cette richesse était toute relative, car le troc ne coûta guère à Seschi. Les demandes de Mar'Dhen étaient ridiculement basses, à tel point qu'il ajouta de lui-même les pierres précieuses. Après quelques tergiversations de pure forme, le marché fut conclu.

Mar'Dhen, ravi de sa transaction, fit préparer quelques bêtes afin de fêter la visite des Égyptiens. Malgré l'obstacle de la langue, l'accueil des villageois fut chaleureux. Lorsque les lingots furent chargés dans les sacs de cuir apportés à cet effet, on fit franche ripaille sous le ciel étoilé.

Le lendemain, à l'aube, les visiteurs se préparaient à repartir lorsqu'une bande de gamins essoufflés déboulèrent en hurlant sur la place du village. Parlant tous en même temps, ils rameutèrent les habitants. Intrigués, les Égyptiens s'approchèrent. Pour une raison inconnue, un vent de panique souffla sur la population. Les gens se mirent à courir en tous sens ; certains se précipitaient chez eux, en ressortaient avec des armes grossières, d'autres filaient vers les champs pour rameuter les bergers et les mineurs qui avaient déjà gagné les galeries. Seschi s'informa auprès de Mar'Dhen. L'homme semblait avoir vieilli d'un coup. Il répétait sans cesse un mot inconnu

Hittite. Tash'Kor traduisit :

— C'est ainsi qu'ils désignent les Asiates. D'après les guetteurs, une armée importante se dirige sur Yumuktepe. Elle sera là dans environ trois heures, et elle compte au moins six cents guerriers.

Mar'Dhen prit les mains de Seschi avec ferveur et se lança dans un discours volubile.

— Il nous supplie de rester, dit le prince chypriote. Sans le secours de nos soldats, ils sont perdus.

Seschi s'écarta en compagnie des jumeaux.

— Que décides-tu, mon frère ? demanda Tash'Kor. Nous avons encore le temps de partir. Ce combat n'est pas le nôtre.

— Par Horus, répliqua Seschi, voudrais-tu abandonner à leur sort ces gens qui nous ont si bien accueillis ?

— Non, bien sûr, je ne suis pas lâche, mais je pense à nos compagnes.

— Ici aussi il y a des femmes et des enfants. Et rien ne nous dit qu'une autre armée ennemie ne se dirige pas vers Ardemli. Si nous partons maintenant, nous risquons de nous trouver face à une troupe beaucoup plus nombreuse, qui anéantirait la nôtre. Nous ne pouvons pas courir ce risque. En revanche, ce village peut être facilement défendu par des hommes décidés. Nos femmes y seront à l'abri tant que nous résisterons.

— C'est bien ! s'écria Pollys. Dans ce cas, nous combattrons côte à côte, mon frère.

Seschi éclata de rire.

— Nous allons faire regretter à ces Hittites de s'être aventurés jusqu'ici.

Tash'Kor aurait aimé partager leur optimisme, mais un malaise avait surgi en lui, un pressentiment terrible qui lui commandait d'emmener les siens très loin pour les protéger. Pourtant, il ne pouvait abandonner Seschi.

— Nous avons trop peu de temps pour organiser une défense efficace, rétorqua-t-il faiblement.

— J'ai déjà quelques idées ! riposta le prince d'un ton joyeux. Ne fais pas cette tête-là ! Ces chiens ne nous ont pas encore vaincus.

Il revint vers Mar'Dhen et lui annonça son intention de rester. Soulagé, le chef du village leva les bras et en informa les habitants. Aussitôt, la panique s'atténua. Spontanément, les hommes se mirent aux ordres de Seschi et de Tash'Kor. Ils apportaient avec eux des armes rudimentaires, haches de pierre, javelots de chasse, frondes, poignards de silex.

Seschi fit le compte des combattants dont il disposait. Outre la soixantaine de soldats chypriotes ou égyptiens dont il avait fait son escorte, les villageois pouvaient aligner un peu plus de trois cents hommes de tous âges. Ils n'étaient pas habitués à se battre, mais le travail de la mine avait entretenu leur force et leur résistance. C'étaient des individus vigoureux et solides, bien décidés à ne pas se laisser massacrer sans réagir.

Tandis que les femmes et les enfants trouvaient refuge au cœur du village, les guerriers installèrent des lignes de défense derrière les rangées d'épieux acérés qui ceinturaient le village. Celui-ci n'était accessible que par la piste bordée de géants de pierre et par deux autres endroits dégagés, ouvrant vers le sud et vers l'ouest. Seschi fit placer la moitié des effectifs devant la porte principale, et répartit l'autre moitié sur les points vulnérables. Il dispersa ensuite ses archers le long des postes de guet logés entre les énormes colonnes rocheuses, de chaque côté de la route. L'ennemi serait ainsi pris sous un tir croisé. Un fin réseau d'étroites galeries surélevées joignait ces points de défense au village.

Une poignée de guerriers tenta de rassembler à la hâte les troupeaux égaillés dans les pâturages. Ils ne purent en ramener que la moitié, ce qui serait suffisant pour tenir un siège de plusieurs jours. Malheureusement, les envahisseurs auraient eux aussi de quoi se ravitailler.

Les dernières bêtes étaient à peine à l'abri dans le village que les guetteurs annoncèrent l'arrivée de l'ennemi. Bientôt, une horde grondante apparut à l'entrée du défilé rocheux. Sans doute les Hittites étaient-ils sûrs de leur victoire car ils n'employaient aucune stratégie. Ils avançaient en rangs serrés en maintenant une allure soutenue, et en braillant des cris de guerre destinés à effrayer leurs adversaires. Ils ne prirent même pas la peine de vérifier s'il existait d'autres accès que la route et s'y engouffrèrent avec fureur. Les habitants des villages qu'ils avaient ravagés jusqu'ici ne possédaient pas d'armes susceptibles de les inquiéter. Il leur suffisait d'apparaître pour déclencher une panique totale. Certains tentaient parfois de résister. On prenait alors plaisir à les massacrer, à violer leurs femmes et à châtrer leurs enfants mâles. Ainsi était la loi : les femmes devaient porter la marque du vainqueur, afin d'engendrer des guerriers solides, et non de misérables paysans.

Dissimulé derrière une colonne rocheuse, Seschi les observa. Leur aspect aurait fait fuir les plus courageux. Torse nu, la peau couturée de cicatrices, ils étaient vêtus de peaux de bête mal tannées, dont l'odeur agressive pénétra les poumons des défenseurs.

— Qu'est-ce qu'ils puent ! murmura Khersethi.

Ils portaient le crâne rasé, hormis une longue queue de cheval entremêlée de lanières de cuir. Certains arboraient des colliers dans lesquels étaient passés des objets étranges, desséchés. Seschi se rendit compte qu'il s'agissait d'oreilles ou de doigts humains. Il resserra sa prise sur son énorme massue et fit signe à Khersethi d'attendre son ordre. Lorsqu'il estima que l'ennemi était suffisamment engagé dans la passe, il se dressa et hurla :

— Tirez !

Deux nuées de traits fulgurants jaillirent de chaque côté de la piste et frappèrent les premiers attaquants. Une douzaine d'hommes s'écroulèrent, tués ou blessés. Peu habitués à rencontrer de la résistance, les Asiates marquèrent un temps d'arrêt. Une seconde vague de flèches cloua sur place la tête de la cohorte, mais ceux qui suivaient bousculèrent les hésitants. Il y eut un instant de flottement, puis, malgré les tirs qui creusaient des coupes claires dans leurs rangs, ils reprirent leur course en braillant de plus belle. Bientôt, les archers durent décrocher, sous peine de voir leur retraite vers le village coupée.

Sur l'ordre de Seschi, les Égyptiens abandonnèrent leurs postes. Les galeries secrètes les menèrent rapidement à l'abri des murs de Yumuktepe. Ceux-ci n'excédaient pas la hauteur d'un homme. Derrière, les villageois attendaient l'envahisseur de pied ferme, bien décidés à défendre férocement leur cité. Seschi et ses compagnons prirent leurs positions autour de la lourde porte principale, surmontée d'un rempart. Une fois de plus, les arcs firent merveille, fauchant plusieurs agresseurs à chaque volée de flèches. Mais le nombre parlait en faveur des Asiates, que la vue de leurs camarades blessés ou mourants ne décourageait pas. Des clameurs de rage montaient de leurs rangs. En quelques instants, ils furent sur les remparts, qu'ils tentèrent d'escalader. Un peu partout s'engagèrent des combats acharnés. Seschi avait insisté pour que Khirâ se mît à l'abri, mais elle avait refusé, arguant qu'elle savait se servir d'un glaive aussi bien que d'un arc. Furieux et inquiet, il avait dû céder. En cela, elle se montrait aussi têtue que sa mère. Chleïonée non plus ne lui demanda pas son avis, et stupéfia le jeune homme en prouvant qu'elle savait se battre, et que les gueules patibulaires des assaillants ne l'impressionnaient pas. Galvanisés par la présence des deux jeunes femmes, les villageois redoublèrent d'ardeur. Malgré leur infériorité numérique, ils parvinrent à repousser le premier assaut. Seschi, frappant de sa massue et de son casse-tête, occit à lui seul plus d'une dizaine de Hittites. Sa haute taille et sa force peu commune surprirent les attaquants, dont pas un ne parvint à l'atteindre. Tash'Kor et Pollys luttaient côte à côte, dos à dos, feintant, frappant avec une coordination extraordinaire qui leurrait leurs adversaires.

Bientôt, les Asiates, déroutés par une telle résistance, cédèrent le pas. Emportant leurs morts et leurs blessés, ils se retirèrent. Quelques flèches encouragèrent les retardataires à déguerpir au plus vite. Dans le village, la tension retomba. Les muscles endoloris par l'action, les combattants poussèrent un long hurlement de victoire.

Mais ce succès laissait dans la gorge des Égyptiens un goût amer. Huit des leurs avaient été tués, et trois autres ne valaient guère mieux. Cinq Chypriotes avaient péri, ainsi qu'une trentaine de villageois. Sitôt l'ennemi replié, les femmes secoururent les blessés, apportant des linges et de l'eau pour laver les plaies.

Tout à coup, Khirâ, demeurée sur le chemin de ronde, interpella ses compagnons.

— Venez voir ! Ils se sont installés dans la plaine.

En effet, sans doute parce qu'ils avaient aperçu les troupeaux errant près du lac, les Hittites avaient pris possession des lieux. Un escalier taillé dans la roche permettait de descendre dans les champs, mais il était peu probable que l'ennemi l'ait repéré, parce qu'il était caché à la vue par des replis rocheux. De plus, un assaut par cet escalier n'était guère à craindre. Étroit et abrupt, il était facilement défendable depuis le village. Une poignée d'hommes décidés suffirait à repousser une attaque. En revanche, les Hittites avaient commencé à s'emparer des bêtes, qu'ils massacraient avec rage, ravis de pouvoir ainsi se venger de leur échec.

Soudain, ils revinrent en masse vers le village.

— Que se passe-t-il ? demanda Chleïonée. On dirait qu'ils se préparent à attaquer de nouveau.

— C'est impossible, répliqua Tash'Kor. Ils ne peuvent escalader cette paroi.

Les Hittites s'arrêtèrent à la limite d'une portée de flèche. Leurs rangs s'écartèrent et deux hommes furent amenés avec brutalité, et exposés à la vue des villageois.

— Ils ont fait des prisonniers ! s'exclama Tash'Kor.

À l'émotion qui saisit les autochtones, ils comprirent qu'il s'agissait de deux bergers qui n'avaient pas eu le temps de se mettre à l'abri. Le chef des Hittites, un colosse noir de poils, au visage balafré d'une longue cicatrice, apostropha les défenseurs. Personne ne comprit ce qu'il clama de sa voix rauque, mais cela n'avait aucune importance. Pendant ce temps, les captifs avaient été liés par les pieds à des potences montées à la hâte. Leurs hurlements de terreur vrillèrent les oreilles des défenseurs, impuissants à les secourir. Seschi ordonna aux filles de quitter les remparts. Bientôt, les hurlements devinrent d'épouvantables cris de douleur. Désobéissant à son frère, Khirâ revint près de lui.

— Par les dieux, que leur font-ils ? s'écria-t-elle.

— Tu as voulu le savoir, alors regarde ! gronda Seschi d'une voix sourde, contenant sa colère désarmée.

Pétrifiée par le dégoût et l'horreur, Khirâ comprit que les Hittites avaient entrepris de découper des lanières de chair dans les membres de leurs prisonniers, afin de terroriser la population.

— Ils vont mettre longtemps à mourir, dit la voix lugubre d'un homme, près d'elle.

— Mais on ne peut pas les laisser faire, hurla-t-elle. Il faut tenter quelque chose.

— Et quoi ? répliqua Seschi. En terrain découvert, nous n'avons aucune chance. Ils sont trop nombreux.

Khirâ sentit vibrer en elle une tension intolérable. Les hurlements des malheureux lui déchiraient l'âme. Elle aurait voulu broyer leurs tortionnaires, les réduire en miettes, les anéantir, les écraser comme la vermine immonde qu'ils étaient. Elle ne pouvait détacher son regard des victimes. Il était inhumain de les laisser souffrir ainsi. La distance était grande, mais elle avait déjà réalisé d'autres exploits. Sans un mot, elle engagea une flèche sur son arc, estima la vitesse du vent, la position en contrebas où se tenait l'ennemi. Se concentrant sur sa cible, elle banda lentement son arme. Le trait jaillit, précis, imparable. Il n'y eut qu'un cri, terrible, un cri de douleur et de libération. La flèche était venue se planter dans le cœur du premier prisonnier. Des hurlements de frustration se déchaînèrent aussitôt. Une seconde flèche siffla, qui atteignit le second captif, le tuant net à son tour. Une troisième suivit, qui frappa un guerrier asiate, lui transperçant un œil. L'instant d'après, la horde furieuse reculait pour se mettre hors d'atteinte.

Enfin, Khirâ laissa ses larmes couler.

— Il n'y avait rien d'autre à faire, sanglota-t-elle. Je ne pouvais laisser torturer ces malheureux ainsi.

Seschi la prit contre lui.

— Tu as agi avec courage, dit-il.

Privés de leurs cruelles distractions, les Hittites continuèrent d'insulter les assiégés, mais, sans doute impressionnés par l'exploit de la jeune femme, ils restèrent à distance respectueuse. Enfin, ils se replièrent et installèrent leur campement pour la nuit.

La nuit s'étirait en longueur. Parfois retentissait l'appel d'un rapace nocturne ou d'un loup. Des sentinelles parcouraient le chemin de ronde. La lune pleine illuminait le décor sauvage d'une lumière bleutée et douce, indifférente à la violence stérile des hommes.

Tash'Kor s'était replié sur lui-même. Khirâ, qui commençait à le connaître, ressentait sa nervosité. Lui, d'ordinaire si prompt à soutenir les autres, semblait redouter une menace qu'il ne parvenait pas à définir. Elle se glissa près de lui et passa son bras autour de ses épaules.

— Que mon prince ne cède pas à l'inquiétude. Nous sommes de taille à repousser ces hordes barbares. Nous les avons battues aujourd'hui. Demain, nous les battrons encore.

Il ne répondit pas. Non loin d'eux, Pollys avait pris sa harpe et égrenait de douces mélodies pour les femmes et les enfants. Sa musique joyeuse s'élevait dans la nuit comme un défi jeté à la face des envahisseurs. De leur campement ne parvenaient que des beuglements gutturaux, de grossiers éclats de voix lancés en direction du village. Sans doute s'agissait-il de vulgarités ou de promesses terrifiantes, mais comme personne ne comprenait le sens de leurs paroles, cela n'impressionnait guère les défenseurs.

Seschi observa longuement le camp hittite. Il estima qu'ils attaqueraient peu avant l'aube. Les guerriers qui jetaient des défis n'étaient guère nombreux. La tactique de l'ennemi était simple : les bravades avaient pour but de tenir les assiégés éveillés pendant que le gros des troupes adverses se reposait à distance. La fatigue se faisant surtout sentir au petit matin, après une nuit d'angoisse et de veille, la résistance des villageois devraient s'en trouver amoindrie. Aussi incita-t-il les assiégés à prendre du repos. Il décida lui aussi de dormir un peu le long du chemin de ronde, à proximité de la porte principale, chargeant Khersethi de le réveiller au besoin.

Lorsque celui-ci vint le chercher, il faisait encore nuit, mais la lune pleine inondait le village d'une lumière argentée.

— Ils attaquent ? demanda Seschi.

— Pas encore ! C'est autre chose, Seigneur. Il y a eu un terrible malheur.

À la lueur de la torche, le visage du capitaine était bouleversé. Sans un mot, il entraîna Seschi dans la partie occidentale du village. Un petit groupe de personnes entourait un corps allongé sur le sol, près de la porte. Il reconnut immédiatement Pollys. Tash'Kor était écroulé sur lui, ravagé par le chagrin. Khirâ et Leeva, désemparées, les yeux pleins de larmes, se serraient contre lui. Lorsque Seschi arriva, Khirâ se jeta dans ses bras. Il comprit aussitôt que le jeune homme avait cessé de vivre. Une douleur soudaine l'envahit à son tour. Il s'était attaché à Pollys. Tash'Kor se redressa et poussa un hurlement déchirant, le cri d'une bête blessée, une clameur poignante qui reflétait son désarroi et sa colère impuissante. Puis il s'effondra de nouveau sur le corps de son jumeau. Sa souffrance bouleversa les spectateurs impuissants. Il prit son frère dans ses bras, tenta de faire bouger sa tête, ses mains, de l'animer en des gestes dérisoires et pathétiques ; il lui parla doucement dans sa langue. Si on ne comprenait pas les paroles, on en saisissait le sens. Il le suppliait de revenir, il lui proposait de partager la mort avec lui, de revivre en lui…

Accablés, les autres ne savaient plus comment réagir. Seschi s'agenouilla et constata que Pollys avait été poignardé en plein cœur. Son front était déjà froid, ce qui indiquait qu'il était mort depuis déjà quelque temps. Tash'Kor leva les yeux, puis, comme s'il ne voyait personne, reprit son frère contre lui pour le bercer. Une boule lourde noua la gorge de Seschi. La douleur de Tash'Kor était poignante.

— On l'a trouvé comme ça, au pied du rempart, expliqua Khersethi. Je sais qu'il voulait monter la garde de ce côté, car il redoutait une attaque surprise. Il y avait moins de guerriers à cet endroit, puisque l'ennemi était cantonné à l'opposé. On ne l'a pas découvert tout de suite.

— Qu'a-t-il pu se passer ? demanda Seschi.

— On a vu plusieurs groupes de Hittites rôder pendant la nuit. Une autre sentinelle a été tuée d'une flèche à la porte sud. J'ai l'impression qu'ils ont cherché à nous démoraliser.

Seschi secoua la tête.

— Pollys était un redoutable combattant. Il ne se serait jamais laissé tuer sans réagir, rétorqua-t-il. Il aurait fallu qu'un ennemi se risque sur le rempart sans éveiller son attention. C'est peu probable.

— Mais, Seigneur, si ce n'est pas un Hittite, qui a pu faire ça ?

Ils n'eurent pas le temps d'approfondir la question. À cet instant, une clameur épouvantable retentit. Ils comprirent que l'assaut final était lancé. Comme Seschi l'avait pressenti, les Hittites n'avaient pas attendu que le jour fût levé. Par chance, il avait prévu leur manœuvre, et ses compagnons avaient suivi son conseil en dormant quelques heures. En quelques instants, les défenseurs prirent leurs positions. Seschi releva Tash'Kor à la hâte et ordonna qu'on portât le corps de Pollys à l'abri. Le prince chypriote le regarda, puis son visage se déforma sous l'effet de la rage.

— Ces chiens vont payer leur crime! gronda-t-il.

Il saisit ses armes et se précipita en direction de la porte principale, où résonnaient déjà les échos de la bataille. Khirâ et les guerriers chypriotes le suivirent. Seschi les accompagna, intrigué. Il y avait quelque chose d'incompréhensible dans la tactique des Asiates. Ils reproduisaient stupidement leur mouvement hasardeux de la veille en se précipitant sur le chemin d'accès principal du village. Ils avaient déjà échoué et recommençaient la même erreur. De plus, Seschi estima que leur attaque eût été beaucoup plus efficace sans leurs beuglements hystériques. À leur place, il aurait profité des ténèbres nocturnes pour faire avancer ses hommes en silence jusqu'aux remparts et attaquer sur plusieurs fronts. Puis il se rendit compte que leur nombre était moins important. Il réagit aussitôt. Il avait vu juste.

— Prenez garde! hurla-t-il. Ils vont attaquer les autres accès.

Le chef asiate avait tenu le même raisonnement que lui. À la faveur de la nuit, ses hommes avaient contourné le village et découvert les ouvertures de l'ouest et du sud. Par précaution, Seschi avait posté des guerriers aux endroits sensibles. Peut-être Pollys avait-il aperçu leur manœuvre, et on l'avait tué. Mais si l'envahisseur avait compté sur l'effet de surprise, il en fut pour ses frais. Des volées de flèches accueillirent les premiers assaillants.

De nouveau, les combats recommencèrent, encore

plus acharnés que la veille. Les Hittites avaient repris des forces, mais, contrairement à ce qu'ils espéraient, leurs adversaires s'étaient eux aussi reposés. Leur détermination arrêta net l'élan des assaillants. Des cris de fureur et de souffrance résonnaient partout. Les archers égyptiens et chypriotes firent merveille. Malheureusement, les Asiates étaient trop nombreux. Bientôt, les flèches devinrent inutiles. Une marée humaine se lança à l'assaut des remparts, s'agrippant à la roche, aux épieux. Des faces grimaçantes surgirent de la nuit finissante, des mains épaisses brandissaient de lourds casse-tête, des javelots grossiers sifflaient dans les airs. Bientôt, les agresseurs parvinrent à déborder les défenseurs de la porte sud. Tandis qu'un soleil rouge se levait, découpant sur le plateau tourmenté des ombres fantasmagoriques, la horde sauvage pénétra en force par la brèche ouverte et la bataille, d'une violence inouïe, se répandit dans le village. On se battait sur les remparts, dans les ruelles étroites. D'un côté comme de l'autre, les glaives frappaient, trouaient les ventres, éviscéraient, les casse-tête fendaient les crânes, les lances crevaient les yeux, perçaient les poitrines, les haches tranchaient les membres. La peur et la haine mêlées provoquaient des affrontements d'une rare cruauté, qui effaçaient les actions courageuses. Les Hittites aux yeux luisants se souciaient peu de ceux qui tombaient dans leurs rangs. Une sorte de jubilation malsaine se lisait dans leurs regards hallucinés.

Des blessés se traînaient sur le sol, implorant la pitié d'un ennemi qui ignorait la signification de ce mot. En plusieurs endroits, les Hittites avaient investi des demeures et, dans la fureur des combats, avaient commencé à violer les filles. La plus grande confusion régnait dans le village.

Autour de Seschi, les Égyptiens formaient un rempart qui combattait avec méthode, protégeant un groupe de maisons où s'étaient réfugiées des femmes et des enfants rassemblés par Neserkhet. Une grappe féroce s'acharnait sur le jeune prince, ayant compris qu'il était de loin l'adversaire le plus redoutable. Mais sa puissance et sa science du combat étaient telles qu'aucun ennemi ne pouvait l'approcher. Faisant tournoyer sa longue massue, il écrasait les têtes, défonçait les torses comme des coquilles de noix. Tash'Kor, ivre de fureur et de chagrin, lui prêtait main-forte. Curieusement, il retrouvait avec Seschi la même redoutable coordination qu'avec Pollys. Les deux hommes étaient intouchables, d'autant plus que Khirâ et Chleïonée, postées sur un toit, tiraient flèche sur flèche, abattant un assaillant à chaque coup.

Cependant, malgré leur vaillance, les Égyptiens comprirent qu'ils allaient peut-être perdre la bataille. Tout à coup, il y eut un instant de flottement dans les rangs adverses. Seschi prit conscience qu'il se passait quelque chose, à l'extérieur du village, qui désarçonnait l'ennemi. Sur les remparts, les visages se tournèrent vers l'ouest. Il perçut alors l'écho d'un vacarme lointain. Puis les Asiates semblèrent pris de panique et amorcèrent un mouvement de repli désordonné. Intrigué, il se débarrassa d'un antagoniste et bondit sur la muraille. Il crut alors être l'objet d'une hallucination. Surgis d'un nuage de poussière, des êtres inimaginables, mi-humains, mi-animaux, venaient de faire leur apparition. En peu de temps, ils investirent les lieux, culbutant les Hittites désemparés. Les créatures filaient comme le vent. Épuisé par le combat, Seschi finit par comprendre qu'il s'agissait de guerriers montés sur des chevaux. Thanys lui en avait parlé, autrefois. Elle avait même réussi à apprivoiser plusieurs de ces montures sauvages, inconnues en Égypte.

Mais les arrivants étaient-ils des amis, ou de nouveaux ennemis ? La réaction des villageois lui apporta aussitôt la réponse. Leurs hurlements de joie trahissaient leur soulagement. Ils redoublèrent d'ardeur pour repousser l'envahisseur.

Les chevaux avaient répandu la terreur parmi les Hittites. Les cavaliers eurent tôt fait de les déborder. Abandonnant la lutte, l'ennemi reflua vers la route d'accès, sans même prendre la peine d'emporter ses blessés, qui furent achevés sans aucune pitié par les femmes ivres de rage. Les fuyards furent pris en chasse, cloués au sol par de longues lances. Les alliés providentiels utilisaient également des lanières au bout desquelles étaient fixées de grosses pierres rondes qu'ils faisaient tournoyer. Lorsque l'une d'elles s'abattait sur un crâne, celui-ci explosait comme un fruit mûr. En quelques instants, la situation tourna à l'avantage des villageois. Seules quelques dizaines d'Asiates parvinrent à s'enfuir.

Avec la fin des combats, une profonde lassitude s'empara des défenseurs. Abruti par les combats, fatigué d'avoir trop frappé, Seschi s'assura que Chleïonée et Neserkhet étaient saines et sauves. Chleïonée avait les bras et le ventre couverts d'estafilades, mais son sourire, même s'il ressemblait plutôt à une grimace, le rassura. Il revint vers Tash'Kor, Khirâ et Leeva, réunis autour du corps de Pollys. Le prince chypriote n'avait plus de larmes. Son regard restait fixé sur le visage sans vie de son frère. Plus aucun sentiment ne transparaissait sur ses traits, mais Seschi devinait ses pensées. Il avait lutté avec rage, massacré de nombreux ennemis, pour oublier sa douleur. Il comprenait à présent que, même s'il avait pu anéantir à lui seul l'armée hittite, jamais Pollys ne retrouverait la vie.

Ému par la détresse de son ami, Seschi ne se rendit pas tout de suite compte que les cavaliers encerclaient les siens. Un homme d'une cinquantaine d'années, à la stature puissante, aux yeux d'un gris délavé, les commandait. Il jeta quelques ordres brefs, que le jeune homme ne comprit pas, mais qu'il sentit étrangement hostiles. Mar'Dhen écarta les bras et parlementa avec l'inconnu. Sebag, qui avait échappé au massacre, tenta, dans un sabir laborieux, d'expliquer ce qui se passait à Seschi.

— Lui être roi de ce pays. Il dit jeter armes. Faire vous esclaves.

— Des esclaves ? Mais nous avons combattu aux côtés de son peuple ! s'exclama Seschi, indigné.

Le roi s'avança vers lui.

— Je le sais ! déclara-t-il dans un égyptien correct mais rocailleux.

— Tu parles notre langue ? s'étonna Seschi.

— En effet, mais je n'ai aucune sympathie pour les Égyptiens, pas plus que pour ces chiens de Hittites. Vous serez donc mes prisonniers. Jetez vos armes avant que je ne lâche mes guerriers contre vous.

Abasourdi par une telle injustice, Seschi ne sut comment réagir. Khirâ fut plus prompte que lui. Saisissant une flèche, elle banda son arc et visa le roi.

— Tu ne feras rien de tout cela ! cracha-t-elle. Plusieurs des nôtres ont été tués pour défendre ce village. Cet homme qui gît derrière moi était comme mon frère. Je n'ai rien à perdre, et je sais parfaitement me servir de cet arc. Alors, tu vas nous donner ta parole de roi que tu nous laisseras partir libres, sinon, je te jure que ma flèche te transpercera la gorge avant que tu n'aies pu faire un geste.

Aussitôt, les cavaliers levèrent leurs armes. Khirâ hurla :

— Ordonne à tes hommes de ne pas bouger, ou tu es mort.

Le roi leva la main pour apaiser les siens. Un sourire éclaira son visage. Visiblement, le courage de Khirâ l'impressionnait. Il la contempla avec un certain amusement. Puis son expression changea, reflétant un soudain mélange d'étonnement et de curiosité. Lentement, il approcha sa monture.

— Reste où tu es ! cria la jeune femme.

Il eut un geste apaisant et répondit :

— Ne crains rien ! Je désire seulement voir ma jeune adversaire de plus près. Laisse-moi descendre de cheval.

Il se laissa glisser à terre. Son regard métallique se fixa sur Khirâ, l'examina longuement. Puis il hocha la tête et déclara :

— Je vais te faire une proposition.

— Laquelle ?

— Un concours de tir entre toi et moi. Je suis le meilleur archer de mon peuple. Si tu me vaincs, les tiens seront libres. Dans le cas contraire, vous serez mes esclaves. Cela te semble-t-il honnête ?

— Non, car tu ne me laisses aucun choix.

— C'est exact, mais je tiens beaucoup à ce duel. Je

pressens en toi une adversaire redoutable. Sache cependant que je n'ai jamais été vaincu à ce jour.

— Et tu veux que nous combattions ici, immédiatement ?

— Nous allons d'abord enterrer nos morts. Je désire que tu me donnes ta parole qu'aucun de vous ne tentera de s'enfuir.

Khirâ se tourna vers Seschi. Celui-ci acquiesça d'un signe de tête. Ils n'avaient guère la possibilité de repousser la proposition du roi.

48

Khirâ ravala sa douleur. Berçant toujours le corps
de son frère dans ses bras, Tash'Kor semblait indifférent à ce qui se passait autour de lui. Elle aurait voulu
se blottir contre lui, le consoler, lui dire qu'elle l'aimait, qu'il n'était pas seul. Au lieu de ça, elle devait
se préparer à un concours stupide, dont l'issue décide-
rait de leur liberté ou de leur esclavage. Le sol était
jonché de cadavres, de blessés, d'agonisants, et ce roi
imbécile semblait se réjouir du défi qu'il lui avait
lancé. Comme s'il ignorait délibérément la désolation
qui s'était abattue sur le village.

Avec résignation, chacun se mit à l'ouvrage, chaque
clan dénombrant ses morts. On s'aperçut également
que plusieurs femmes avaient disparu. Parmi elles figurait Tayna. On comprit alors qu'elle avait été emportée
par les Asiates en fuite. Un brusque remords tenailla les
Égyptiens. Parce que personne ne l'aimait, ils n'avaient
accordé aucune véritable protection à la jeune femme.
Elle avait dû se sentir bien seule, et n'avait pas su se
défendre. Mais il était désormais trop tard pour lui
venir en aide.

Vers le soir, les morts avaient été enterrés, et la

petite cité minière avait repris un visage plus humain. Seules les taches de sang qui maculaient le sable et les demeures endommagées témoignaient de la violence des combats. Une certaine tension continuait de régner. Les Égyptiens avaient conservé leurs armes. Apparemment, le roi se moquait bien d'une possible réaction de leur part. Il disposait de trois cents cavaliers, et, malgré leur détermination, ces étrangers ne pouvaient l'inquiéter.

Il les autorisa cependant à donner une sépulture à leurs morts et à accomplir les rites funèbres égyptiens ou chypriotes, tout comme il fit ensevelir les siens selon leurs coutumes. Une quinzaine de compagnons de Seschi avaient perdu la vie, outre Pollys. Tash'Kor semblait avoir vieilli de dix ans en une journée. Khirâ le soutenait comme elle le pouvait. Elle n'avait pas oublié la peine éprouvée lorsque Inkha-Es avait été tuée, mais la douleur de son compagnon lui paraissait encore pire. Toute force l'avait abandonné; par moments, il étouffait. Il resta de longues heures prostré à l'endroit où l'on avait enterré son jumeau, comme s'il avait voulu se laisser mourir sur place.

Vers le soir cependant, Khirâ lui prit la main et dit doucement :

— J'ai besoin de toi.

Il leva les yeux vers elle, des yeux rougis, creusés par la douleur. Il semblait ne pas comprendre. Puis il se redressa et la prit par les épaules. Il la fixa longuement, et l'entraîna vers le champ où devait avoir lieu la compétition. Elle sut alors qu'il avait commencé à réagir. Le roi attendait déjà la jeune femme, entouré de ses capitaines. Il l'accueillit avec un grand sourire, comme s'il ne s'agissait que d'une joute amicale. Khirâ vint à lui.

— Je suis à ta disposition, quand il te plaira.

L'autre poussa un rugissement de joie, puis tendit la main vers l'arc de Khirâ. Il l'examina avec attention et demanda :

— Qui t'a appris à fabriquer un arc semblable ?

— Ma mère !

— Ta mère ? Elle sait donc manier une telle arme…

— Je regrette qu'elle ne soit pas là aujourd'hui, car je suis sûre qu'elle t'aurait vaincu.

Il s'agissait d'une provocation intentionnelle, mais, au lieu de fâcher son adversaire, elle eut l'air de le réjouir.

— Et toi, n'es-tu pas certaine de me battre ?

— J'ai retenu ses leçons, mais je crois qu'elle reste plus forte que moi.

— Ne t'a-t-elle pas dit de ne jamais laisser le doute envahir ton esprit ?

Khirâ le regarda avec surprise. Thanys lui avait en effet plusieurs fois donné ce conseil.

— Si, mais…

— Alors, aie donc confiance en toi.

Khirâ marqua une temps d'hésitation. Bizarrement, elle ne décelait aucune véritable hostilité chez le roi cavalier. Au contraire, son attitude lui semblait un peu paternelle, comme s'il voulait l'aider à le vaincre. Ce comportement insolite et inattendu la désarçonna quelque peu, mais elle dut admettre qu'il avait raison : elle devait se concentrer et garder confiance dans son adresse. Il lui rendit son arc avec un sourire amical et ajouta :

— Je pense que nous pouvons démarrer à soixante pas. Cela ne te gêne pas, n'est-ce pas ?

— Non !

— Les cibles seront les vieilles poteries que tu vois là-bas.

Khirâ acquiesça d'un signe de tête et vérifia soigneusement la souplesse de son arc, l'empennage des flèches, la solidité de la corde.

Bizarrement, la tension était un peu retombée. La compétition engagée entre le roi et la jeune Égyptienne passionnait la foule des villageois. Cette distraction venait à point nommé pour qu'on ne pense pas trop aux morts. La vie rude des plateaux d'Anatolie enseignait aux hommes à ne pas s'attendrir sur leur sort. La vie continuait, et ce jour resterait dans les mémoires comme un jour de victoire. Bien sûr, une cinquantaine d'hommes avaient péri, des femmes et des enfants avaient été violés et massacrés, d'autres avaient disparu. Mais le village, grâce à l'appui des Égyptiens, avait tenu. Mar'Dhen avait voulu intervenir pour défendre la cause de leurs alliés, mais il n'avait pas insisté devant la volonté du roi. Celui-ci tenait à son duel, et le chef du village savait par expérience qu'il était préférable de ne pas le contrarier.

Les deux compétiteurs se mirent en position. Chacun disposait de trois flèches. Khirâ banda son arc, visa lentement. Le premier trait jaillit, siffla, la poterie éclata. Le roi fit une moue approbatrice, puis réalisa le même exploit. Les flèches suivantes, à leur tour, atteignirent leur but.

— Nous sommes à égalité, petite princesse, dit le nomarque avec bonne humeur. C'est bien. Que dirais-tu de passer directement à quatre-vingts pas ?

— C'est d'accord !

Une nouvelle fois, les flèches firent exploser les récipients de terre cuite. Le souverain éclata de rire. Il paraissait sincèrement heureux de la réussite de Khirâ. Malgré son appréhension, elle en venait à penser que, pour une raison connue de lui seul, il désirait qu'elle le battît.

On repoussa les cibles à cent pas. Cette fois, la distance n'était accessible que pour des archers hors pair. Mais, à nouveau, ils se retrouvèrent à égalité.

— Par les dieux ! s'exclama le roi, ravi, je n'ai jamais rencontré une telle adresse. Si ta mère est encore plus forte que toi, personne ne doit pouvoir la vaincre.

Khirâ soupira. Ce bonhomme était insupportable, mais elle devait s'avouer qu'elle commençait à éprouver de la sympathie pour lui.

— Écoute, dit-elle, je voudrais te proposer autre chose. Plutôt que de toucher des cibles fixes, que dirais-tu d'atteindre des objets en plein vol. Chez moi, j'abattais ainsi les oiseaux.

— Voilà une idée qui me plaît, ma belle.

Une première épreuve eut lieu, à la distance de cinquante pas. Lancées à l'aide d'une fronde par des guerriers, les poteries se brisèrent toutes sans exception. Le nomarque fit de nouveau entendre son rire tonitruant. Il semblait se divertir grandement, et satisfait de s'être découvert une adversaire à sa taille.

— Que proposes-tu à présent ? demanda-t-il joyeusement.

— Une épreuve de rapidité. Cette fois, tes hommes jetteront deux objets simultanément. Ils devront être atteints avant d'avoir touché le sol.

— Mais c'est un exploit impossible !

— Reculerais-tu ?

— Certainement non !

Khirâ se mit en position. Deux cibles jaillirent en même temps des frondes. Ayant recouvré toute son assurance, elle effectua deux tirs imparables qui pulvérisèrent les petites poteries. La précision et la maîtrise de ses gestes stupéfièrent le nomarque qui se retint d'applaudir.

Il se mit en place. Ses deux flèches sifflèrent. Mais, si la première atteignit son but, la seconde manqua sa cible. Il poussa un épouvantable rugissement de fureur. Un silence glacial tomba sur l'assistance. On connaissait le roi, et on savait que ses colères pouvaient se révéler redoutables. Chacun le vit serrer les poings, et jeter son arc au sol dans un geste de rage. Puis, contre toute attente, il explosa d'un rire phénoménal, retrouvant d'un coup sa bonne humeur. Khirâ, éberluée, le vit venir à elle en lui tendant les bras.

— Viens, ma fille, que je t'embrasse.

Déconcertée, elle se laissa faire. Puis il la repoussa doucement, la contempla de nouveau avec un plaisir évident. Enfin, il déclara :

— Il est vrai que tu lui ressembles.

— À qui ?

— À ta mère, bien sûr ! Je t'ai menti tout à l'heure lorsque je t'ai dit que jamais je n'avais été vaincu. Une seule personne y est parvenue jusqu'à présent. C'était une princesse égyptienne du nom de Thanys.

Devant la mine stupéfaite de la jeune femme, il repartit de son rire homérique et l'embrassa encore.

— Béni soit ce jour qui m'a permis de te rencontrer. Tu dois avoir tellement de choses à me raconter sur elle.

— Tu connais donc ma mère ?

— Mon nom est Raf'Dhen. J'ai partagé avec elle

des aventures étonnantes, dont le souvenir restera gravé à jamais dans ma mémoire. C'est grâce à elle, à son courage, que j'ai pu revenir dans mon pays pour y devenir roi.

Un peu plus tard, tous étaient réunis autour d'un feu où rôtissait un mouton. Après avoir rameuté ses hommes pour qu'ils servent du vin et de solides tranches de viande, Raf'Dhen entreprit de raconter le périple fabuleux qu'il avait accompli aux côtés de Thanys, éveillant la stupéfaction chez son invitée. La jeune femme n'ignorait pas que sa mère, contrainte de fuir la tyrannie du roi précédent, avait effectué un long voyage avant sa naissance, mais elle en ignorait le détail. La reine parlait peu de cette période de sa vie, dont sans doute seul Djoser connaissait les péripéties. Raf'Dhen combla volontiers ses lacunes en lui narrant par le menu les exploits accomplis par Thanys.

— Par les dieux, s'exclama-t-il, c'était la plus belle femme que j'ai jamais rencontrée. J'étais amoureux d'elle. Je lui avais proposé de me suivre en Anatolie pour devenir mon épouse, mais elle a refusé. Tu as dû t'étonner lorsque j'ai demandé d'examiner ton arc. Il n'y a que mon peuple qui sache les fabriquer de cette manière. C'est avec un arc comme celui-là qu'elle m'a battu.

Il eut un sourire à la fois joyeux et nostalgique.

— Je lui ai enseigné comment les confectionner. Et cette diablesse a encore trouvé le moyen de les améliorer. Elle m'a appris à dompter ces créatures magnifiques que sont les chevaux. Ceux que tu vois là sont les descendants de ceux que nous avons «empruntés» à la tribu qui nous avait capturés. Quelle aventure!

Nous avons lutté ensemble ; elle m'a sauvé la vie, j'ai sauvé la sienne. En ce temps-là, nous avons été très proches. Je l'ai tenu dans mes bras. Je sens encore son odeur, le parfum de ses cheveux. Elle a même dormi contre moi, parce que nous étions prisonniers et que nous avions froid. Et pourtant, jamais elle ne fut mienne. Je l'ai quittée quelque part au nord du pays d'Akkad. Elle était à la recherche de son père exilé. Elle est partie vers l'orient, et je suis revenu ici, en Anatolie, où mon peuple m'attendait. Je ramenais ces chevaux avec moi. La moitié lui revenaient, mais elle m'avait abandonné sa part de butin.

Il écarta les bras en soupirant.

— J'ai eu les chevaux, mais elle n'a pas voulu de moi. Depuis, j'ai souvent rêvé d'elle. Souvent.

Il lui prit la main.

— Aussi, lorsque tu t'es dressée devant moi avec audace, prête à me décocher ta flèche malgré les armes de mes guerriers pointées sur toi, j'ai cru que j'étais victime d'une hallucination. Même si cela relevait de la coïncidence la plus extraordinaire, j'ai tout de suite compris que tu étais sa fille, rien qu'à ta manière de tenir ton arc. C'est pourquoi je t'ai proposé ce concours. Je voulais savoir si ta mère t'avait enseigné son art. Et tu m'as vaincu, comme elle. Ah, par les dieux, je ne sais qui est ton père, mais j'aurais aimé être celui-là. Je t'aurais appris à monter à cheval.

Il avala d'un trait un grand gobelet de vin et s'écria :

— Mais je parle, je parle, et tu ne m'as encore rien dit. Qu'est-elle devenue ? Où vit-elle à présent ?

Ce fut au tour de Raf'Dhen d'être étonné. Il apprit que Thanys avait retrouvé son père, le grand Imhotep, et épousé le prince dont elle avait été séparée.

— Ce prince est mon père, précisa fièrement Khirâ, travestissant la vérité. Et il est l'Horus Neteri-Khet, le souverain du Double-Royaume.

— Béni, béni mille fois soit le jour de notre rencontre, ma belle ! On m'a rapporté tellement d'histoires sur ce qui s'était passé après mon retour en Anatolie, les grandes inondations, les guerres. J'ai cru qu'elle avait péri. Et tu m'apprends qu'elle vit toujours, et qu'elle est devenue reine. Par les dieux, petite princesse, tu ne peux pas savoir la joie que tu m'apportes.

Khirâ crut que, le vin aidant, il allait se mettre à pleurer.

— Ta présence est aussi source de soulagement pour nous, Seigneur, dit-elle. Nous avons eu beaucoup de chance en vérité. Comment se fait-il que tu sois intervenu à temps pour secourir le village ?

— J'étais à la poursuite de ces chiens depuis plusieurs jours. Les Hittites ont pris Adana voici deux mois. J'ai compris qu'ils ne s'arrêteraient pas là, et qu'ils viendraient bientôt attaquer mon royaume. Aussi, j'ai pris les devants. J'ai réuni une armée importante, et je me suis porté à leur rencontre. Ces rats ont peur de mes chevaux. Je les ai fait reculer, mais quelques groupes sont parvenus à s'infiltrer. C'est l'un d'eux que je pistais depuis quelques jours. Je suis arrivé malheureusement trop tard pour les empêcher de vous attaquer.

Il hésita, puis précisa :

— Je veux que tu me pardonnes d'avoir voulu faire de vous mes esclaves. Le souvenir que je conservais des Égyptiens n'était guère flatteur. Il était à l'image de ce roi qui avait contraint ta mère à fuir pour échapper à un mariage odieux. Comme tu peux le constater, j'ai la rancune tenace.

Il écarta les bras, et ajouta

— Mais, désormais, les Égyptiens seront les bienvenus dans mon royaume. N'est-il pas le plus beau du monde ? Holà, guerriers de malheur, apportez-moi encore à boire ! Je meurs de soif !

Deux jours plus tard, le temps de soigner leurs blessés et de renouveler leurs provisions, ils chargèrent les petits ânes et reprirent le chemin du retour. Cependant, une sourde inquiétude rongeait Seschi. Si les Asiates avaient attaqué Yumuktepe, peut-être avaient-ils envoyé des troupes pour s'emparer d'Ardemli.

49

Ils arrivaient en vue de la vallée encaissée menant à la mer lorsque Khersethi, qui commandait un petit groupe d'éclaireurs, décela un mouvement dans les buissons. Il fit signe à ses hommes de se préparer au combat. Puis une silhouette surgit des fourrés, chancelante.

— Tayna?

La jeune femme, couverte de haillons, semblait à bout de force. Elle tituba jusqu'à eux et s'évanouit dans leurs bras.

— J'ai profité de la fuite des Hittites pour leur échapper, Seigneur, expliqua-t-elle lorsqu'elle eut repris quelques forces.

— Quand as-tu été capturée? demanda Seschi.

— Vers la fin de la nuit, je ne me souviens plus très bien. Ils étaient partout. L'un d'eux m'a assommée. Lorsque je me suis réveillée, il y avait d'autres femmes autour de moi. Nous étions ligotées.

Elle éclata en sanglots.

— Ce fut horrible. Ces hommes sont de véritables bêtes. Ils ont... abusé de nous. Deux filles ont tenté de leur résister, ils les ont tuées et, ensuite, ils ont violé leurs cadavres. C'était abominable.

— Je sais, confirma Seschi. Nous les avons retrouvées dans la plaine.

— J'ai cru que tout était fini, que le village avait été détruit, et ses habitants massacrés. Et puis, dans la matinée, sans raison, ils ont rompu le combat et se sont enfuis. Ils semblaient pris de panique. Ils nous ont emmenées. De loin, j'ai aperçu des créatures terrifiantes lancées à leur poursuite. Nous avons couru longtemps, jusqu'à ce que les monstres abandonnent la chasse. Le soir, alors qu'ils s'apprêtaient à camper pour la nuit, j'ai profité de la confusion pour m'échapper. L'un d'eux avait laissé tomber son poignard près de moi. J'ai pu couper mes liens. Je redoutais qu'ils ne suivent ma trace, mais ils ne m'ont même pas recherchée. Je ne voulais pas revenir à Yumuktepe. J'avais trop peur de tomber sur les créatures. J'imaginais qu'elles vous avaient exterminés. J'ai marché vers l'ouest pour retrouver la piste d'Ardemli. Je craignais de tomber sur un fauve, mais je n'ai rencontré que des lézards et des scorpions. Je voulais retrouver Hobakha. C'est le seul qui se soit montré bon avec moi.

Son regard désespéré acheva de désarçonner les autres. Khirâ la prit dans ses bras.

Pendant les deux jours que dura le retour, chacun se montra aimable avec Tayna, pour tenter de lui faire oublier son terrible cauchemar. Bien sûr, elle avait trahi Tash'Kor en le dénonçant à la reine Thanys, mais n'avait-elle pas agi par dépit amoureux ? C'était bien pardonnable. Et puis, Tash'Kor et Seschi s'étaient réconciliés, et ils étaient devenus les meilleurs amis du monde. Pourquoi dans ce cas continuer à lui tenir rigueur de sa faiblesse passée ?

Curieusement, seuls Seschi et Tash'Kor conservaient une certaine distance vis-à-vis d'elle. Malgré l'épreuve ignoble qu'elle avait traversée, le prince égyptien ne pouvait se résoudre à éprouver de la pitié pour elle. S'il fit tout pour faciliter sa réintégration au sein de la petite communauté, s'il dissimula ses sentiments d'antipathie, il ne lui témoigna cependant aucune preuve d'amitié. Neserkhet le lui reprocha un peu au soir du deuxième jour, la veille de leur arrivée à Ardemli.

— Je n'aime pas cette fille ! répondit-il sèchement.

Neserkhet n'osa insister. Il y avait dans le ton de Seschi une incompréhensible haine rentrée. Seschi lui-même eût été bien en peine d'expliquer cette répulsion. Il y avait en elle quelque chose qui le troublait et le mettait mal à l'aise, sans toutefois pouvoir déterminer quoi.

Tash'Kor, quant à lui, éprouvait une trop grande souffrance pour être capable de la moindre compassion. Il avait clairement dit à Khirâ que Tayna n'était pas obligée de suivre l'expédition, et qu'elle connaissait les risques.

En revanche, il s'était rapproché de Leeva, qui masquait sa peine avec dignité. Elle avait montré à Tash'Kor un bracelet d'or offert par Pollys. Or, celui-ci lui avait été donné par sa mère, Mallia. Il avait alors compris que son jumeau avait décidé de prendre Leeva pour épouse.

Contrairement à ce qu'elle aurait pensé, la présence de la jeune femme aux côtés de son compagnon n'éveillait en Khirâ aucune jalousie. Parfois, Tash'Kor semblait totalement absent, perdu dans des rêves inaccessibles. Il avait récupéré la harpe de son frère, miraculeusement sauvée de la bataille de Yumuktepe. Le soir, au bivouac, il passait de longues heures à laisser ses doigts courir sur les cordes. Dans ces moments-là, elle avait l'impression de se retrouver devant Pollys. Bouleversée, elle prit l'habitude de le laisser seul. Le dernier soir, elle l'observait ainsi, de loin, lorsqu'une main se posa sur son bras.

— Leeva ?

La jeune femme s'agenouilla près d'elle.

— Pardonne son audace à ta servante, princesse, mais je voulais te parler.

— Qu'as-tu à me dire ?

— Le prince Tash'Kor m'inquiète. Quelquefois, il n'est plus le même.

Khirâ ne répondit pas. Elle avait aussi ressenti la même impression.

— Écoute comme il joue de la harpe, poursuivit doucement Leeva.

La princesse tendit une oreille attentive. Pour la première fois, elle remarqua une chose à laquelle elle n'avait pas prêté attention. Le jeu de Tash'Kor était fluide, léger, assuré.

— Mais… s'étonna-t-elle, il ne savait pas jouer.

— Très mal ! Son frère se moquait de lui lorsqu'il essayait. Mais ce soir, j'ai l'impression d'entendre Pollys.

— C'est impossible, rétorqua Khirâ, mal à l'aise.

— Peut-être que si. Le prince a marché longuement près de moi, aujourd'hui. Il m'a expliqué que Pollys n'était pas vraiment mort, que son esprit continuait à vivre en lui. Il m'a dit :

— Il ne faudra pas que tu t'étonnes : parfois, je serai Pollys. À ces moments-là, je voudrai que tu viennes vers lui. Je sais qu'il t'aimait.

Khirâ sursauta :

— Tu... tu me demandes de partager Tash'Kor avec toi.

— Non, princesse. J'ai cru que mon maître souhaitait seulement me glisser dans sa couche. Je me suis trompée. Il m'estime et me traite avec dignité, comme chacun des siens, mais pour lui, je ne suis qu'une servante. Cependant, le regard qu'il a eu pour moi cet après-midi était celui de Pollys. Pollys, lui, m'aimait, et je l'aimais. Il voulait m'épouser. Il m'avait offert ce bracelet, qui lui venait de sa mère.

Elle lui montra le bijou d'or martelé. Khirâ ressentit une vive émotion : Tash'Kor lui avait fait cadeau du même lorsqu'il lui avait demandé de l'épouser. Leeva se mit à pleurer.

— Je ne sais plus que faire, maîtresse. Je ne veux pas te faire de peine, mais par moments, je crois me retrouver devant Pollys. Son caractère est totalement différent, il devient plus gai, plus spontané, comme l'était mon prince. Dis-moi ce que je dois faire !

Khirâ ne répondit pas. Elle ne pouvait imaginer de partager Tash'Kor avec une autre, comme le faisait Neserkhet avec Chleïonée. Leeva avait eu l'honnêteté de lui faire part de son désarroi. Mais comment l'imaginer dans les bras de Tash'Kor...

Elle se leva brusquement et s'éloigna, abandonnant la jeune femme. Leeva se mit à pleurer. Non loin d'elle, les derniers feux du crépuscule illuminaient la silhouette de Tash'Kor dont les doigts couraient sur les cordes sans aucune difficulté, laissant échapper une mélodie mélancolique et belle. Le profil du jeune prince se découpait clairement dans la lumière de la lune vague. La fermeté qui marquait les traits de Tash'Kor s'était effacée, laissant place à la douceur du visage de Pollys, à sa moue moqueuse. Plus que jamais, Leeva eut l'impression de voir son compagnon disparu. Elle aurait voulu courir vers lui, mais une force mystérieuse le lui interdisait. Elle éclata en sanglots.

L'esprit en déroute Khirâ fit quelques pas, s'éloignant volontairement des feux de camp. Soudain, une silhouette familière se dressa près d'elle : Jokahn. Elle fut heureuse de sa présence. Elle avait toujours eu confiance dans son jugement. Elle lui fit part de sa confusion. Il l'écouta avec patience. Lorsqu'elle eut terminé, il médita un long moment.

— Sans doute est-ce pour lui la seule manière de trouver la paix, dit-il enfin. Il aimait son frère plus que tout. Il ne peut accepter sa mort, et il a décidé de partager sa vie avec lui. Et peut-être cet amour fraternel est-il assez fort pour permettre à Pollys de poursuivre sa vie à travers celle de Tash'Kor. Moi-même, ce matin, j'ai cru revoir mon jeune maître. Il me parlait avec sa voix, avec ses intonations, comme s'il avait été son propre frère.

— Est-ce possible, ô Jokahn ?

— Nul ne connaît les desseins des dieux. Peut-être ont-ils permis à l'esprit de Pollys de venir s'incarner par moments dans celui de son jumeau.

— Que dois-je faire ? Il a proposé à Leeva de rejoindre Pollys à travers lui. Mais mon cœur saigne à l'idée qu'une autre se glisse dans sa couche.

Le vieil homme ne répondit pas immédiatement.

— Je crois que ce phénomène étrange a permis à mon jeune maître de retrouver la paix de l'âme. La seule question que tu dois te poser est la suivante : est-ce que tu l'aimes assez pour ne pas perturber cet équilibre ? Dis-toi que, lorsque Leeva — si elle l'accepte — dormira contre lui, ce n'est pas Tash'Kor qui l'aimera, mais Pollys. À ces moments-là, Tash'Kor sera absent.

— Comme il l'est ce soir, murmura Khirâ.

— L'aimes-tu assez pour cela ? insista-t-il.

Elle hésita, puis soupira :

— Si les dieux ont ainsi permis à Pollys de revenir à la vie, je dois l'accepter.

Le vieil homme la prit affectueusement contre lui.

— C'est bien. Tu dois faire taire ta jalousie, car elle est sans objet. Quand Pollys, par l'intermédiaire de Tash'Kor, réclamera Leeva, conduis-la toi-même vers lui. Tu accompliras ainsi un grand acte d'amour envers lui. Et envers Pollys.

Elle hocha la tête.

— Je le ferai.

— Tu peux le faire dès ce soir. Jamais Tash'Kor n'a su jouer de la harpe aussi bien.

Bouleversée, Khirâ ferma les yeux. Ce que Jokahn lui proposait de faire lui semblait au-dessus de ses forces. Mais sa jalousie n'était-elle pas le reflet de son seul égoïsme ? Elle refusait de partager Tash'Kor parce qu'elle avait décidé qu'il lui appartenait. Mais l'amour devait se montrer généreux. Pollys n'avait pas demandé à mourir, et Tash'Kor souffrait terriblement de sa disparition. Par un violent effort de volonté, elle chassa sa possessivité, puis revint vers Leeva, qui pleurait en silence. Sans un mot, elle lui prit la main et l'amena vers le jeune prince.

— Pollys ? appela-t-elle doucement.

Il se retourna. Khirâ sentit ses jambes se dérober. Ce n'était plus Tash'Kor qui se tenait devant elle. La ressemblance physique des jumeaux avait toujours été extraordinaire, mais leurs caractères dissemblables permettaient de les distinguer aisément. Le regard que lui adressait le jeune prince était bien celui de Pollys. Jamais les yeux de Tash'Kor ne reflétaient une telle douceur. Elle se demanda un moment si ce n'était pas lui qui avait été tué à Yumuktepe. Surmontant sa confusion, elle prit sa main et y glissa celle de Leeva. Puis elle se retira discrètement.

Lorsqu'elle se retourna, Leeva était dans les bras de… elle ne savait plus. Elle s'étonna de ne ressentir aucune douleur. Au contraire, une paix étrange descendit en elle. Le sourire de gratitude que lui avait adressé le jeune homme avait mystérieusement agi comme un baume, effaçant un relent de jalousie qui lui restait encore. Elle aussi souffrait de la disparition de Pollys, qu'elle aimait comme un frère un peu incestueux. Elle ne pouvait oublier la nuit extraordinaire qui les avait réunis, Tash'Kor, Pollys et elle, quelques mois plus tôt. Sa mort avait été pour elle un cruel déchirement. Or, si les dieux lui avaient permis de poursuivre sa vie dans l'esprit et le corps de son frère, ne devait-elle pas s'en réjouir ?

Lorsqu'elle s'allongea, un peu plus tard, elle s'étonna encore de la sérénité qui était descendue en elle. Au matin, elle sentit contre elle la présence de Tash'Kor. Quand elle se tourna vers lui, elle constata que le regard de turquoise était redevenu le sien. Un regard dans lequel il n'y avait plus aucune trace de souffrance.

Mais bientôt, ils eurent un nouveau sujet d'inquiétude. Les éclaireurs envoyés par Seschi confirmèrent que les Asiates n'étaient pas venus jusque-là. Pourtant, lorsqu'ils pénétrèrent dans la petite cité, elle était en effervescence. Deux nouveaux navires avaient abordé, que des porteurs déchargeaient sous les ordres des contremaîtres. Dès qu'il apprit leur retour, le roi Massary se porta au-devant de Seschi et de Tash'Kor, auxquels il présenta les capitaines des vaisseaux.

— Ces marins viennent de Byblos, déclara-t-il. Ils disent que la ville est attaquée par les Hittites.

— C'est vrai, Seigneur, renchérit l'un des deux commandants avec un fort accent. Les hordes asiates étaient très proches lorsque nous avons quitté Byblos, il y a huit jours de cela. Il est probable que la cité a été attaquée depuis. Le gouverneur avait demandé des secours à l'Horus Neteri-Khet, mais il les attendait toujours.

— Mais pourquoi avez-vous fui Byblos ? Vos marins n'auraient pas été de trop pour défendre la ville.

— Nous sommes des négociants troyens, Seigneur. Nous devons regagner Troie pour avertir les nôtres au plus vite du danger que représentent ces hordes de démons.

— Nous revenons de votre cité, répondit Seschi. Les envahisseurs en sont loin, mais ils ont pris Adana. Nous les avons nous-mêmes affrontés il y a quatre jours à Yumuktepe.

— Je ne peux laisser Byblos tomber ainsi entre les mains des Barbares, déclara Seschi lorsqu'il se retrouva seul avec Tash'Kor. Qu'en penses-tu, mon frère ?

619

— Nos deux équipages représentent près de cent cinquante guerriers, sans compter nos compagnes, qui ont prouvé qu'elles savaient se battre. Nous devons leur prêter main-forte.

— Alors, demain, nous quitterons Ardemli pour Byblos.

Un peu plus tard, Tayna vint trouver Seschi, qui supervisait le chargement de l'*Esprit de Ptah*.

— Seigneur, j'aimerais te parler.

— Qu'as-tu à me dire?

— Je sais que tu comptes rejoindre Byblos pour combattre les Hittites qui l'assiègent. Mais ces combats prochains me font peur. J'aimerais que tu me déposes à Ugarit, où vit mon père. Il est l'un des personnages les plus importants de la cité.

— Je sais.

— Nous allons longer la côte, et Ugarit est située un peu au nord de Byblos. Tes navires vont passer devant ma ville. Cela ne te ferait qu'un petit détour, supplia-t-elle.

— Ne crains-tu pas que les Hittites assiègent aussi Ugarit?

— Je le crains, en effet. Mais, si c'est le cas, je veux être auprès des miens.

Seschi grommela pour la forme, puis répondit:

— C'est bien, je te déposerai à Ugarit.

Le visage de Tayna s'illumina. Elle prit la main de Seschi dans les siennes et y posa le front.

— Sois béni, Seigneur. Mon père aura grand plaisir à te recevoir. C'est un grand seigneur, lui aussi.

— Je n'aurai pas le temps de lui rendre visite.

— Il te laissera repartir très vite. Mais j'aurai

grande joie à lui présenter le fils de l'Horus Neteri-Khet — Vie, Force, Santé.

— Nous verrons, grogna Seschi.

Il s'éloigna d'un pas vif. La requête de cette Tayna n'avait rien d'extravagant. Elle avait été séparée de sa famille pour suivre un prince qui l'avait aujourd'hui abandonnée. Elle désirait simplement retourner chez elle. Depuis son évasion, chacun l'avait accueillie avec chaleur. Tash'Kor lui-même, depuis que s'était opérée en lui l'étrange métamorphose qui avait dédoublé sa personnalité, ne la considérait plus avec hostilité. Après avoir été rejetée par les Chypriotes, elle était de nouveau admise. Pourtant, Seschi ne pouvait s'empêcher d'éprouver une méfiance inexplicable vis-à-vis d'elle. Quelque chose sonnait faux dans son regard, dans son attitude. Il n'aurait su dire quoi, mais son intuition lui soufflait de demeurer sur ses gardes. Derrière ses sourires, derrière ce masque de gaieté retrouvée, il lui semblait discerner le spectre d'une haine invraisemblable. C'était si ténu, si subtil, que Seschi se demandait parfois si son imagination ne lui jouait pas des tours. Il ne se fondait que sur des regards furtifs et intenses, des éclairs sombres qui passaient dans les yeux de la jeune femme, et qu'il était apparemment le seul à percevoir.

Seule Chleïonée l'avait conforté dans cette sensation fugace. Peu de temps après le retour de Tayna, elle lui avait déclaré :

— Que mon Seigneur ne prenne pas en mal ce que je vais dire, mais je n'aime pas cette fille.

— Serais-tu jalouse ?

— Non ! Je sais que tu la détestes. Mais elle te le rend bien.

621

— Pourquoi dis-tu ça?

— Quand elle sourit, ses yeux ne participent pas. Méfie-toi d'elle.

Le soir même, Massary donna une fête en l'honneur des deux princes. Seschi s'était montré généreux envers lui pour le prêt de ses ânes, et le souverain eut à cœur de le remercier en organisant des festivités improvisées, afin, dit-il, de sceller l'amitié entre Ardemli et Kemit.

Les réjouissances battaient leur plein lorsque Seschi, obéissant à une impulsion soudaine, s'écarta de ses deux compagnes et chercha Tayna des yeux. Elle avait disparu. Il se renseigna auprès de Khersethi, dont les pensées n'étaient plus très claires.

— Pardonne à ton serviteur, Seigneur, je crois que j'ai un peu abusé de…

— Aucune importance. As-tu aperçu Tayna?

— Je l'ai vue s'éloigner avec des gens d'ici.

Il lui indiqua une ruelle. Seschi n'eut pas à aller très loin. Dans un renfoncement, il entendit des gémissements équivoques en provenance d'un entrepôt. La lumière falote d'une lampe à huile attira son attention. Il risqua un regard à l'intérieur. Ce qu'il découvrit l'aurait fait sourire en d'autres circonstances. Mais la conduite de Tayna, s'offrant sans retenue à trois hommes simultanément, était étonnante. Lorsqu'une fille avait été violée, elle en restait traumatisée pendant longtemps. Certaines en demeuraient marquées à vie. Ce qui ne semblait pas être son cas. Si elle avait réellement été violée…

Il se retira sur la pointe des pieds et gagna le port, où les deux navires attendaient, bercés par les vaguelettes. Il huma longuement les effluves maritimes que la nuit venait rehausser, et auxquels se mêlaient les odeurs de viande grillées et de bière de la fête proche. Peu à peu, un lent travail se fit dans son esprit. Il comprit alors les raisons de la haine inexplicable qu'il éprouvait envers Tayna.

Étouffant sa colère, il revint chercher Tash'Kor et Khersethi, ainsi qu'une douzaine de gardes, et retourna dans la ruelle. L'irruption de la troupe armée dans le magasin encombré de ballots de paille provoqua un mouvement de panique chez les trois compagnons de Tayna. Tremblants de frayeur, ceux-ci, des jeunes gens d'Ardemli, s'enfuirent dans la rue sans même prendre le temps de passer un vêtement. Tayna, stupéfaite et furieuse de s'être laissé surprendre, voulut s'échapper. Devant les yeux éberlués de ses compagnons, Seschi bondit sur elle et la saisit violemment par les cheveux. Elle tenta de le griffer et de le mordre. Il répondit d'une gifle magistrale qui expédia la jeune femme au sol. À demi assommée, Tayna se traîna sur la paille en gémissant, la lèvre fendue. Seschi lui jeta ses vêtements et lui ordonna de les mettre.

— Que se passe-t-il, mon frère ? demanda Tash'Kor. Quel crime a-t-elle commis pour que tu la traites ainsi ?

— Elle va nous l'expliquer. Ne trouves-tu pas étrange de la retrouver ici avec trois hommes après avoir été soi-disant victime d'un viol il y a quelques jours ?

— Elle a toujours eu un tempérament chaleureux, l'excusa Tash'Kor, embarrassé par la violence de Seschi.

— Si ce qu'elle a subi était aussi terrible qu'elle l'a dit, elle n'aurait pas eu envie de recommencer de sitôt, rétorqua-t-il avec fermeté. De même…

Il arracha brusquement le collier de la jeune femme.

— Si elle a réellement été capturée par les Hittites, pourquoi ne lui ont-ils pas pris ce collier ? Ce sont des pillards, et ce bijou a de la valeur.

Il assena une nouvelle gifle à Tayna qui se mit à glapir de rage et de peur.

— Pourquoi veut-elle à tout prix que nous la ramenions chez elle, à Ugarit, alors qu'il est fort probable que les Asiates y sont déjà.

— Son père y vit, argumenta Tash'Kor. Elle veut le revoir.

— Mais elle serait plus en sécurité avec nous. Byblos est une ville importante, capable de se défendre. À Ugarit, elle est sûre de se jeter dans les bras de l'ennemi. Sa conduite ne peut s'expliquer que d'une seule manière : elle a partie liée avec lui.

Décontenancé, Tash'Kor objecta :

— Comment peux-tu la soupçonner ainsi ? Les Asiates étaient en fuite. Ils ont pu oublier de lui arracher son collier. Quant à sa conduite de ce soir, elle a toujours aimé les hommes.

— Je refuse de croire qu'une fille victime d'un viol puisse se comporter ainsi. Mais il y a d'autres raisons.

Seschi tira brutalement les cheveux de Tayna vers l'arrière et grinça :

— Tu n'as pas été capturée, comme tu le prétends, mais tu as délibérément quitté le village.

La jeune femme tenta vainement de se défendre.

— Je... ne comprends rien à ce que tu dis, sanglota-t-elle.

— Ce n'est pas par amour pour Tash'Kor que tu es venue en Égypte, mais pour nuire à l'Horus Neteri-

624

Khet, mon père. Tu n'es pas née à Ugarit. Tu es égyptienne, toi aussi.

Tash'Kor regarda Seschi avec stupéfaction.

— Mais… comment peux-tu affirmer cela ?

— Une Levantine ne parlerait pas l'égyptien sans le moindre accent. Tu as rencontré son père. Quelle langue a-t-il utilisé ?

— L'égyptien ! Mais cela ne veut rien dire.

— Cela change tout, au contraire. Comment était-il ?

— C'était un homme d'un certain âge. Je ne me souviens pas très bien de lui.

— Et il t'a immédiatement confié sa fille ?

— Elle voulait rester avec moi. Il n'a pas émis d'objection.

— Et pour cause. Tu lui avais confié tes projets de vengeance.

— C'est vrai.

— Mais ceux-ci pouvaient se retourner contre toi. Si tu avais été démasqué, c'était la mort qui t'attendait, toi et les tiens. Or, elle a accepté malgré tout de te suivre. Il lui fallait une autre raison pour qu'elle courre un tel risque.

— Laquelle ?

— Mon père a un ennemi mortel, qui s'est juré de le détruire. C'est pour cela qu'elle a été envoyée à Mennof-Rê. En réalité, elle t'accompagnait pour t'aider à accomplir ta vengeance. Elle savait que tu voulais tuer Khirâ. Et elle t'a encouragé à le faire.

— J'étais jalouse ! répliqua Tayna.

Une gifle magistrale lui fit éclater la lèvre.

— Silence ! gronda Seschi, qui avait visiblement du mal à contenir sa fureur. Tayna le sentit et se recroquevilla.

— Elle n'était pas jalouse. Son but véritable était d'atteindre mon père au travers de la mort de sa fille. Mais elle a compris avant toi que tu étais amoureux de Khirâ, et que jamais tu ne la tuerais. C'est pourquoi, lorsque tu as fui avec ma sœur, elle est revenue à Mennof-Rê pour te dénoncer. Mais elle ne l'a pas fait immédiatement après ton départ. Elle a volontairement attendu Per Bastet pour quitter ton bord. Elle se doutait que je me lancerais à ta poursuite, et c'est ce qui s'est produit. Mais elle savait pertinemment que je n'aurais jamais le temps de te rejoindre, même avec l'*Esprit de Ptah*.

— Je ne comprends pas…

— Où avais-tu l'intention de te rendre en quittant Kemit ?

— À Ugarit.

— Elle le savait. Et elle escomptait que, ne pouvant te rejoindre à Busiris, je me lancerais à ta poursuite.

— Pour quelle raison aurait-elle agi ainsi ?

— Une fois sur place, elle nous aurait fait capturer par les Hittites. C'est pour cette raison qu'elle m'a demandé de l'emmener.

— C'est insensé… protesta faiblement Tash'Kor.

— Non ! Elle prétendait vouloir sauver Khirâ. En réalité, elle désirait nous tendre un piège en utilisant la haine qui nous opposait. Toutefois, rien ne s'est passé comme elle l'espérait. Le typhon a bouleversé ses plans. Elle n'avait pas envisagé que tu modifierais ta route et mettrais le cap sur la Crète. Elle n'avait pas non plus prévu notre réconciliation. Elle a été contrainte de nous suivre sans aucun moyen d'agir. C'est alors que l'attaque de Yumuktepe par les Hit-

626

tites lui a fourni une occasion inespérée. Elle a décidé de les prévenir de la présence des enfants de l'Horus. Et elle a profité de la nuit pour s'échapper. Elle voulait que les Hittites nous capturent, Khirâ et moi. Mais ils ont perdu la bataille. Alors, elle a changé ses plans, et elle a demandé au chef des Asiates de prévenir son père pour qu'il nous tende un nouveau traquenard à Ugarit. Puis elle a simulé son évasion et nous a rejoints en jouant les victimes. À présent, elle veut que nous la ramenions là-bas, afin que nous tombions dans son piège.

— Mais as-tu une preuve de ce que tu avances ? protesta faiblement Tash'Kor.

— La preuve, la voici !

Il arracha brutalement le collier de la fille.

— Elle s'est fait connaître de l'ennemi en lui montrant ceci.

La prisonnière blêmit, mais ne répondit pas.

— Tu t'es trahie, Tayna. Ce bijou est le signe de reconnaissance qui t'a permis de te faire reconnaître des Hittites.

Il montra à Tash'Kor le symbole porté sur le médaillon d'or.

— Je ne comprends pas votre écriture ! répondit le Chypriote.

— C'est le signe sacré du crocodile. Il signifie voracité et avidité ; il qualifie souvent un ennemi sournois, comme le pillard du désert qui attaque lâchement les caravanes. Mais il symbolise aussi l'agression et la colère. Il doit représenter ici la motivation de ceux qui le portent. Quelque chose m'intriguait chez cette fille, et c'était ce joyau. J'ai déjà rencontré ce signe étrange. Le sage Imhotep m'a montré un médaillon semblable, prélevé sur le cadavre du fils de l'usurpateur Nekoufer, lors de la bataille de Per Bastet. Il est tout de même singulier de retrouver ce symbole sur elle. Malheureusement, je n'ai pas fait le rapprochement tout de suite. J'aurais pu la démasquer plus tôt.

Tash'Kor pâlit.

— Mais alors, si elle a quitté le village dans la nuit…

— Pollys l'a aperçue, et il s'est étonné de son attitude, acheva Seschi.

Un début de panique s'empara de Tayna devant le regard chargé de haine de Tash'Kor. Elle se mit à hurler.

— Je n'ai pas tué Pollys. Lui au moins était bon avec moi.

— Sa bonté lui a coûté la vie ! rugit Seschi. Il ne s'est pas méfié de toi. Il ne voyait le mal nulle part. Mais seul quelqu'un qui le connaissait bien, en qui il avait une confiance absolue, a pu le tuer de cette manière, en lui plongeant par surprise un poignard dans le cœur.

Ivre de rage, Tash'Kor dégaina son glaive.

— Je vais la tuer ! hurla-t-il.

Seschi leva le bras pour l'arrêter.

— Elle sera à toi, mon frère, mais je n'en ai pas encore fini avec elle.

Il la saisit par les cheveux et lui tordit violemment la tête en arrière.

— Parle ! Ton père et toi, agissiez-vous pour le compte de Meren-Seth ? Peut-être même es-tu sa propre fille ?

Malgré ses traits déformés par la douleur, elle le regarda avec étonnement.

— Je t'assure, Seigneur, je n'ai jamais entendu parler de ce Meren-Seth. Mon père est le noble Kherou, d'Ugarit.

— Alors, ton père connaît Meren-Seth !

Soudain, au moment où il s'y attendait le moins, elle se dégagea, roula sur elle-même et lui décocha un violent coup de pied. Avant qu'il n'ait pu réagir, elle avait bondi par la fenêtre proche, tel un chat sauvage.

— Sa fuite est un aveu ! s'écria Seschi. Rattrapez-la !

Ils se lancèrent à sa poursuite. Tash'Kor, galvanisé par la haine, hurlait comme un dément.

— Laissez-la-moi ! Elle a tué mon frère !

Mais, en raison de la nuit, la traque ne s'avéra pas aisée. Tayna, se sentant perdue, avait quitté la ville en direction de la montagne de l'ouest. Bientôt, les poursuivants s'engagèrent sur un sentier étroit qui escaladait une falaise élevée. Le vent des îles s'était mis à souffler, manquant de déséquilibrer les soldats, s'écorchant en sifflant aux aspérités de la roche.

Malheureusement pour elle, Tayna ne pouvait rivaliser avec des guerriers entraînés. Bientôt, elle se retrouva acculée sur une plate-forme sans issue, bordée d'un côté par une paroi rocheuse infranchissable, de l'autre par un précipice qui surplombait la mer de plus de deux cents coudées. Les soldats se déployèrent, lui interdisant toute retraite. À la lueur blafarde la lune, ils virent sa silhouette, en équilibre au bord de la falaise. Tash'Kor allait bondir sur elle lorsqu'elle l'arrêta d'un geste.

— Arrière !

Seschi retint le bras de Tash'Kor.

— Prends garde ! Elle n'hésitera pas à t'entraîner dans sa chute.

Tayna respirait fortement. Elle savait qu'elle ne s'en sortirait pas. Son visage aux traits sensuels se déforma sous l'effet de la haine incommensurable qui l'habitait.

— C'est vrai, tu avais raison ! cracha-t-elle à Seschi. C'est bien moi qui ai tué Pollys. Cet imbécile s'est trouvé là au mauvais moment.

Elle éclata d'un rire cynique, que les rafales de vent emportèrent dans la nuit.

— Il ne s'est pas méfié. Il croyait que j'avais peur, et il a voulu me protéger.

Seschi dut prendre Tash'Kor à bras-le-corps pour l'empêcher de se jeter sur elle.

— Attends ! Elle n'a pas tout dit.

Il s'adressa à Tayna.

— Qui était l'homme masqué qui a rencontré le Sumérien Enkhalil ?

Pour toute réponse, elle cracha dans leur direction.

— Vous ne saurez rien de plus de moi, sinon ceci : écoute-moi, toi, le fils de l'usurpateur. Mon père détruira le tien, car il est le seul héritier légitime des Deux Couronnes.

— Meren-Seth ! souffla Seschi. Elle est la fille de Meren-Seth

— Je vais la tuer ! rugit Tash'Kor.

Il se précipita vers elle. Mais elle recula et, sans hésitation, se jeta dans le précipice. Son hurlement de terreur déchira longuement la nuit éclairée par une lune parcimonieuse. Puis il y eut un choc sourd et le cri fut tranché net. Seuls subsistèrent les gémissements du vent. Seschi et Tash'Kor s'approchèrent du bord. Tout en bas, le corps de Tayna gisait, étendu dans une posture grotesque.

— J'aurais aimé vider les tripes de cette garce moi-même, gronda Tash'Kor.

Plus tard, alors que la petite troupe regagnait Ardemli, il demanda à Seschi :

— Qui est ce Meren-Seth dont tu as parlé tout à l'heure ?

Seschi lui conta l'histoire de ce descendant de l'usurpateur Peribsen, qui s'était dressé contre Djoser douze ans auparavant.

— Sa mort reste un mystère. On pensait qu'il avait péri dans l'incendie de sa cité de l'Ament. Mais, depuis les troubles qui ont agité le Double-Pays récemment, et surtout l'assassinat de ma sœur Inkha-Es, la reine Thanys était persuadée qu'il survivait quelque part, et qu'il préparait sa vengeance. Nous savons à présent qu'il avait trouvé refuge à Ugarit. Nous savons aussi qu'il a conclu une alliance avec les Hittites pour envahir le Levant et surtout Kemit. Mais tu l'as rencontré. Parle-moi de lui.

— Mes souvenirs sont plutôt vagues. En réalité, je ne l'ai vu qu'une fois. Il m'a semblé assez âgé. Un détail me revient : son bras gauche était paralysé.

— Sans doute une blessure reçue lors du dernier combat contre mon père.

Il reprirent leur chemin sans un mot.

— La seule chose qui me préoccupe, ajouta soudain Seschi, c'est le regard de cette vipère lorsque je lui ai parlé de Meren-Seth. Malgré ses talents de comédienne, elle a semblé réellement étonnée.

50

Lorsque les deux navires arrivèrent à proximité de Byblos, quelques jours plus tard, une grande effervescence régnait dans la cité et aux alentours. Une centaine de navires égyptiens occupaient le port et la côte, au nord et au sud de la ville.

— La flotte de l'Horus est là ! exulta Seschi.

Il s'attendit à entendre des échos de combats, mais, apparemment, ceux-ci avaient déjà cessé, s'ils avaient jamais eu lieu.

— Ils auraient pu nous attendre, grommela Hourakthi.

Arborant les couleurs de Kemit, l'*Esprit de Ptah* et le *Cœur de Cypris* gagnèrent le port. Il ne fut pas facile de trouver un emplacement au milieu de l'imposante flotte royale. Un désordre indescriptible régnait sur les lieux. Les jetées étaient encombrées de ballots hâtivement déchargés, soldats et portefaix se bousculaient. Les deux vaisseaux durent se ranger au bord à bord avec un lourd bateau de guerre, dont le capitaine se mit à hurler, jusqu'au moment où il reconnut Seschi. Il se jeta alors aux pieds du jeune homme en le suppliant de ne pas lui tenir rigueur de son mouvement d'humeur.

Quelques instants plus tard, Hanekht, le commandant de la flotte royale, arrivait au pas de course, prévenu par un lieutenant. Éberlué, il marqua un temps d'hésitation puis serra Seschi dans ses bras.

— Seigneur, vous êtes vivant ! Que les dieux soient remerciés. Depuis plusieurs mois, nous vous avons cru mort, emporté par la tempête.

Puis il aperçut Khirâ et Tash'Kor.

— Par Horus ! La princesse ! Et le… le…

— Et le prince Tash'Kor, acheva Seschi. Qu'il soit traité avec les plus grands égards. Il n'est pas notre ennemi.

— Mais il a enlevé la princesse… rétorqua Hanekht. On dit qu'il voulait la tuer.

— On l'a dit. Tu peux constater qu'elle est bien vivante ! Ce serait trop long à t'expliquer. Mais toi, parle ! Que s'est-il passé ?

— Nous sommes vainqueurs, Seigneur ! L'Horus Neteri-Khet est ici. Il t'expliquera tout bien mieux que moi.

— Mon père ?

— Une nouvelle fois, il nous a conduits à la victoire, Seigneur.

Quelques instants plus tard, ils pénétraient dans le palais du gouverneur, installé sur les hauteurs. Un capitaine était parti en courant pour annoncer la nouvelle au roi. Lorsque celui-ci vit apparaître ses deux enfants, bien vivants, une profonde émotion l'envahit, qu'il maîtrisa à grand-peine. Bousculant le protocole qui exigeait que l'on se prosternât devant le dieu vivant, Djoser n'attendit pas que Seschi et Khirâ fussent près de lui. Il se leva et vint à eux pour les prendre dans ses bras.

— Que les dieux soient mille fois remerciés, dit-il, les yeux brillants.

Puis il éclata d'un rire sonore, triomphant, reflet de la joie qu'il éprouvait. Enfin, son regard se posa sur Tash'Kor. Son visage se figea. Le Chypriote s'agenouilla à ses pieds. Khirâ et Seschi se placèrent de part et d'autre, en signe de protection.

— Tout est ma faute, ô mon père, déclara Khirâ. C'est moi qui ai incité Tash'Kor à partir. J'ai appris la vérité sur ma naissance, et je ne pouvais supporter de ne pas être ta fille. Je sais aujourd'hui que ce n'était de ma part que de l'orgueil stupide. Pardonne-moi !

Elle se jeta à ses genoux, à côté de son compagnon. Seschi prit la parole :

— Père bien-aimé, le prince Tash'Kor mérite ton amitié et ton estime. Lorsque nous avons quitté Kemit, je voulais prendre sa vie, et les dieux savent combien je le haïssais. Mais les épreuves terrifiantes qu'ils nous ont envoyées ont bouleversé les sentiments destructeurs qui nous animaient alors. À présent, il est devenu comme mon frère. Nous avons combattu ensemble.

— Je l'aime, père, renchérit Khirâ avec flamme.

Djoser finit par sourire devant la fougue déployée par ses enfants pour défendre leur compagnon. La joie de les revoir était trop forte pour qu'il ne répondît pas à leur attente.

— Sans doute la sagesse parle-t-elle par votre bouche, dit-il enfin. Vaincre un ennemi au cours d'une bataille est un exploit valeureux. Mais il est encore plus méritant de chasser la haine et d'établir une vraie relation d'estime avec son ancien adversaire.

Il s'avança vers le Chypriote.

— Relève-toi, prince Tash'Kor. Si tu as su conquérir l'amitié de mon fils et l'amour de ma fille, sois le bienvenu.

Le jeune homme se redressa.

— Grand roi, déclara-t-il, puisses-tu me pardonner la haine stupide que j'ai pu éprouver envers toi et ta famille, et les peines que mes errements ont provoquées. Les dieux sont bons, qui ont su éviter un affrontement entre le prince Seschi et moi. Lorsque nous nous sommes retrouvés, notre ennemi était commun, et il m'a sauvé la vie. Mais c'est une longue histoire, et je ne veux pas abuser de ton temps.

— Au contraire, je tiens beaucoup à l'entendre.

Il fallut plusieurs heures pour raconter au roi toutes les péripéties qu'ils avaient vécues, en lui rapportant pour finir la mort de Tayna et sa filiation probable avec Meren-Seth. Le gouverneur de Byblos avait improvisé une fête pour célébrer la victoire et le retour des enfants royaux. Le palais était presque trop petit pour accueillir la joyeuse assemblée qui s'y pressa pour écouter la narration des jeunes gens.

Lorsque leur récit fut terminé, la nuit était depuis longtemps tombée sur Byblos.

— Mais toi, père, tu ne nous as rien dit, s'exclama Khirâ. Comment se fait-il que tu sois ici ?

Il leur fit alors part des difficultés qu'il avait rencontrées avant de constituer la flotte de guerre.

— Votre mère a eu une idée adroite, un contrôle fiscal qui nous a permis de démasquer les traîtres, et d'éliminer un bon nombre de scribes sans scrupules. Ensuite, j'ai pris la tête de l'escadre, et nous avons fait voile vers Byblos, aussi vite que les dieux nous l'ont permis. Par chance, nous n'avons pas essuyé de tempête, et nous avons même bénéficié de vents favorables. L'ennemi venait juste de mettre le siège devant la cité lorsque nous sommes arrivés. Nous avons débarqué au nord et au sud, et nous avons pris les Asiates en tenaille. La victoire fut nôtre en moins de trois jours. Nous avons capturé plus de quatre mille prisonniers, et leur roi, un nommé Tadounkha, a été tué. Byblos a peu souffert de la bataille, puisque nous sommes intervenus pratiquement au même moment que l'ennemi

— Il faudrait envoyer un détachement à Ugarit, déclara Seschi. Peut-être Meren-Seth s'y trouve-t-il encore.

— Je vais donner des ordres en conséquence, répondit Djoser.

À ce moment, un homme s'avança et se prosterna devant le nomarque.

— Pardonne l'audace du serviteur que tu vois, ô Lumière de l'Égypte, mais j'ai écouté l'histoire du prince et de la princesse, et je comprends que tu veux envoyer une expédition à Ugarit pour capturer Meren-Seth.

L'attitude embarrassée de l'homme intrigua Djoser.

— Sais-tu quelque chose sur lui ?

— Oui, ô Taureau puissant : tu ne pourras le capturer, car il est mort.

— Mort ? Meren-Seth ? Comment le sais-tu ?

— Il y a douze ans, je faisais partie des soldats qui ont combattu les troupes des Serpents.

Djoser examina attentivement son interlocuteur.

— C'est vrai, je me souviens de toi. Ton nom est Ankh-Netef. Mais tu étais plus svelte alors.

— Sois mille fois remercié de garder en mémoire le nom de ton humble serviteur, ô grand roi. Il est vrai que le négoce nourrit mieux son homme que l'armée. Lorsque j'ai quitté la Garde bleue, peu après cette magnifique victoire, je me suis lancé dans le commerce. Mes affaires m'ont amené à Byblos où je me suis établi. C'est ainsi que, quatre ans après mon installation, j'ai vu arriver un homme que je connaissais trop bien. Je l'avais souvent vu à la Cour, à l'époque où il se faisait appeler Kaïankh-Hotep. J'avais ensuite lutté contre lui lorsqu'il avait jeté bas le masque et dévoilé sa véritable origine. J'étais présent dans le désert, à tes côtés, ô Lumière de l'Égypte. Ce souvenir illuminera ma vie jusqu'à ce qu'Anubis m'appelle pour rejoindre le Nil céleste.

— Comment peux-tu être sûr qu'il s'agissait de Meren-Seth ?

— Je l'ai approché de trop près pour oublier son visage, Seigneur. Ses traits étaient creusés et rongés par la maladie, mais c'était bien lui. Il était accompagné par une demi-douzaine de fidèles. Il s'est installé dans une pauvre demeure proche de la mienne. J'ignore d'où il venait ; il prenait à peine soin de dissimuler son visage. C'est ainsi que j'ai pu le repérer. Je voulais signaler sa présence au gouverneur, mais je n'en ai pas eu le temps. Il est mort dès le lendemain de son arrivée. Je suppose qu'il était gravement malade. Il toussait et crachait du sang. Après son décès, ses compagnons lui ont fait construire un petit mastaba dans la nécropole. Il doit être encore là, Seigneur.

— Pourquoi n'en as-tu pas parlé au gouverneur de l'époque ?

— Seigneur, nous vivions des temps bien étranges.

La sécheresse sévissait, et l'épidémie de Mort Noire commençait à toucher la cité. Le gouverneur a péri dans les premiers. Ce que nous avons dû affronter ensuite fut effroyable. Je fus moi-même touché par la maladie, et je n'ai survécu qu'au prix de terribles souffrances. Lorsque Isfet, déesse du chaos, ordonna enfin aux fléaux de se retirer, j'avais fini par oublier cette histoire. Je m'en suis souvenu aujourd'hui parce que tu as prononcé le nom maudit. Me pardonneras-tu ma négligence, ô Taureau puissant ?

— La Mort Noire m'a frappé aussi, Ankh-Netef. Je comprends que tu aies pu oublier. Cependant, j'aimerais que tu me montres ce tombeau.

Le lendemain, le roi se rendit dans la nécropole. Il ne fallut guère de temps pour retrouver le mastaba abandonné, à l'intérieur duquel était gravée, sur une stèle de granit, la titulature de Meren-Seth, ainsi que son ascendance, où figurait le nom de Peribsen. Le monument était dans un état de délabrement avancé, preuve qu'il n'était plus entretenu depuis des années.

— Peut-être s'agit-il d'une mise en scène, suggéra Seschi.

— Je ne le pense pas. S'il avait voulu faire croire à sa mort en prenant la peine de se faire construire une sépulture, il aurait fait en sorte que je l'apprenne. Or les dieux l'ont repris dans la clandestinité. Il y a de fortes chances pour qu'il soit bien mort, et que ceci soit son tombeau. Une demeure d'éternité misérable, que personne n'entretient plus depuis des années. Quelle fin dérisoire pour celui qui prétendait régner sur le Double-Royaume.

— Mais alors, dans ce cas, s'il ne s'agit pas de Meren-Seth, de qui Tayna était-elle la fille ? Avant de se jeter du haut de la falaise, elle a affirmé que son père était le seul héritier légitime du Double-Pays. C'est pourquoi j'ai aussitôt pensé à lui.

— Je vais ordonner une expédition sur Ugarit, déclara Djoser. Mon fils, tu en prendras le commandement. Peut-être en apprendrons-nous plus.

Dès le lendemain, une douzaine de vaisseaux quittaient Byblos. Deux jours plus tard, trois mille hommes investissaient Ugarit. Mais ils n'eurent pas à combattre. Dans les ruines de la ville anéantie, un véritable charnier les attendait. Il était visible que les Hittites avaient occupé la petite cité. Sans doute rendus furieux par leur défaite de Byblos, et redoutant de voir les Égyptiens les attaquer, ils avaient fui, après avoir massacré une partie de la population. Ils n'avaient emmené avec eux que les hommes et les femmes valides, transformés en esclaves. Partout gisaient des cadavres de vieillards, d'enfants, abattus à la lance ou à la hache. Ailleurs, des demeures avaient été incendiées, dans lesquelles on avait enfermé les habitants avant d'y mettre le feu.

— Par les dieux, rugit Seschi, quelle sorte d'hommes est-ce donc là ?

L'estomac nauséeux et la rage au cœur, il envoya des éclaireurs parcourir les environs, afin de débusquer d'éventuels fuyards. Mais les Asiates avaient déguerpi depuis déjà plusieurs jours.

Il ne fut pas facile, dans les ruines de la petite ville détruite, de retrouver la demeure de Kherou, le père de Tayna. Enfin, Tash'Kor finit par la reconnaître. Il n'en restait plus que des débris calcinés. Une épouvantable odeur de brûlé et de chair grillée les saisit à la gorge lorsqu'ils pénétrèrent la maison avec circonspection. Hormis quelques cadavres de serviteurs, il ne restait rien ; la demeure avait été soigneusement pillée par l'ennemi avant sa fuite.

— Voilà ce qu'ils auraient fait de Byblos si mon père n'était pas intervenu, gronda Seschi. Qu'Apophis leur bouffe les tripes !

Suivi de Khersethi, il parcourut les décombres, à la recherche d'un indice quelconque qui aurait prouvé la présence de Meren-Seth en ces lieux. Soudain, son attention fut attirée par les débris d'un fauteuil au trois quarts consumé. Sur les accotoirs, qui n'avaient pas entièrement brûlé, des signes peints restaient encore lisibles.

— Viens voir ! dit-il à Tash'Kor.

— Le signe du crocodile, reconnut le prince chypriote.

— Oui, mais cette fois-ci, il s'agit d'un hiéroglyphe, et non de son équivalent en écriture cursive. Sa signification est la même. Il prouve que je ne me suis pas trompé. Ce Kherou est bien l'ennemi de mon père. Mais à quel titre peut-il se prétendre héritier légitime de la Double Couronne ?

Sur le chemin du retour, Seschi se montra plus silencieux qu'à l'accoutumée. Il ne pouvait chasser de son esprit cet ennemi évanescent, qui disparaissait sitôt qu'on l'approchait de trop près. Il n'avait jamais pu se débarrasser d'une sourde angoisse à l'évocation de l'aventure terrifiante qu'il avait vécue à l'âge de six ans, lorsque les membres de la secte du Serpent les avaient enlevés, Khirâ et lui, afin de les offrir en sacrifice à leur dieu barbare. À l'époque, il était trop jeune pour se rendre compte de la perversité innommable des prêtres fanatiques, mais Inmakh, à qui ils devaient la vie, lui avait raconté par le détail cette période troublée. Il ne savait que penser. Peut-être Meren-Seth avait-il réellement péri de la Mort Noire, et le tombeau de Byblos était-il bien le sien. Le soldat qui avait révélé sa disparition était digne de confiance. Personne d'ailleurs ne l'obligeait à dévoiler ce qu'il savait. Pourtant, Seschi ne pouvait rejeter tout à fait l'hypothèse d'une mise en scène. Meren-Seth avait voulu faire croire à sa mort pour renaître dans la peau d'un autre personnage. N'avait-il pas déjà agi de même en endossant la personnalité de Kaïankh-Hotep ? Plus il examinait le problème, plus il était convaincu qu'il était toujours vivant. Sans doute attendait-il d'avoir triomphé pour se faire reconnaître. Les enfants égorgés dont lui avait parlé Djoser tendaient à confirmer une résurgence de la secte maudite de Seth-Baâl, qu'il avait créée.

La seule chose qui troublait le jeune homme était ce signe du crocodile, symbole d'agressivité et de colère. Il ne correspondait pas à la secte des serpents. Mais s'il ne s'agissait pas de Meren-Seth, qui pouvait être cet autre adversaire, assez puissant pour conclure une alliance avec les Hittites et répandre ses ramifications jusque sur le sol de Kemit ?

51

De retour à Byblos, Seschi fit part de sa découverte à son père.

— C'est à n'y rien comprendre, grommela le roi. Même si Meren-Seth est mort depuis plusieurs années, il n'en reste pas moins qu'un inconnu prétend être l'héritier légitime des Deux Couronnes et qu'il a organisé un complot pour me renverser, en s'appuyant sur une alliance avec les Hittites. À Kemit, il a su rassembler des nobles mécontents, dirigés par Ankher-Nefer. J'ai su leur rogner les griffes, mais je doute qu'ils renoncent si facilement à leur lutte sournoise. Dès mon retour à Mennof-Rê, je les ferai arrêter.

— Je suis sûr que ce Kherou a un rapport avec l'homme masqué qui a rencontré le criminel Enkhalil, ajouta Seschi. Tayna n'a pas eu l'air étonné lorsque je lui ai posé la question.

Quelques jours plus tard, la flotte guerrière reprit la mer. Djoser avait laissé sur place un quart de ses effectifs, au cas où les Hittites tenteraient une nouvelle attaque. Leur armée s'était scindée en une multitude de petites unités qui pillaient sans vergogne les pays traversés. Mais, d'après les dernières nouvelles reçues de Sumer, Gilgamesh et Ashar les avaient repoussés au-delà du pays d'Akkad. Mari et Til Barsip avaient été reconquises. Ebla, qui soutenait un siège difficile depuis plusieurs mois, avait été libérée. Un peu partout, l'ennemi avait fui.

Après deux semaines d'une traversée sans incident, l'armée entrait triomphalement dans Mennof-Rê. Thanys, prévenue par un messager que Khirâ et Seschi étaient vivants, se rendit sur le port pour les accueillir. Si elle se réconcilia aussitôt avec sa fille, elle reçut Tash'Kor avec réticence. Cependant, tout comme Djoser, lorsqu'elle fut informée de l'histoire du jeune homme, et de l'odyssée qu'il avait vécue en compagnie de Khirâ, elle accepta ses motivations et lui pardonna ses mensonges. Sa fille était vivante, et cela seul comptait. Il avait risqué sa vie pour elle, et Seschi, dont elle avait connu et approuvé la haine, le considérait désormais comme son frère.

Immédiatement après son retour, Djoser chargea Moshem d'arrêter Ankher-Nefer et ses amis. Mais celui-ci avait disparu, ainsi que trois de ses compagnons. Les autres, au nombre d'une vingtaine, ne purent fournir aucune explication. Traînés devant Djoser, ils se prosternèrent devant lui.

— Tes serviteurs implorent ton pardon, ô Lumière de l'Égypte. Ankher-Nefer nous a trompés. Il nous a dressés contre toi à force de belles paroles. Il affirmait que tu n'étais pas l'héritier légitime du trône d'Horus et qu'un jour prochain, le véritable souverain de Kemit reviendrait pour reprendre sa place. Il nous avait promis de rétablir tous nos privilèges, et nous l'avons cru.

— Qui est ce soi-disant souverain ? s'emporta Djoser en giflant l'un des accusés.

— Nous l'ignorons, ô Taureau puissant ! geignit l'homme. Nous ne l'avons jamais vu. Seul Ankher-Nefer le connaissait.

— Quand s'est-il enfui ?

— Peu avant ton retour, Seigneur. Tes messagers avaient apporté la nouvelle de ta victoire de Byblos. Alors, il a disparu avec ses proches conseillers.

Pendant les mois qui suivirent, la vie reprit son cours normal. Tash'Kor souffrait toujours de sa double personnalité. Parfois, Pollys transparaissait. Il se rapprochait alors de Leeva, jouait de la harpe. Pourtant, avec le temps, cet étrange comportement s'estompa, et finit par disparaître. Tash'Kor avait fini par accepter la mort de son jumeau. Mais son comportement singulier eut une conséquence inattendue : Khirâ, qui avait pensé ne jamais admettre une autre femme auprès de Tash'Kor, s'était attachée à Leeva. Malgré la disparition progressive de Pollys, elle incita Tash'Kor à la garder près d'eux.

Chleïonée avait retrouvé ses deux sœurs, restées au service de Moshem et d'Ankheri. La fougue de Seschi avait porté ses fruits : la jeune femme était enceinte, tout comme Neserkhet. Il ne fallut pas attendre très longtemps pour que Khirâ attendît elle aussi un héritier. Thanys commença à comprendre avec stupeur qu'elle n'allait pas tarder à devenir grand-mère.

Les travaux de la cité sacrée touchaient à leur fin. Le sixième niveau était pratiquement terminé. La rampe étroite menant à son sommet s'étirait en direction du Nil, interdisant encore l'achèvement de la muraille d'enceinte. Mais l'édification des différents temples et chapelles avançait à pas de géant.

Jokahn avait enfin pu réaliser son rêve : travailler aux côtés du grand Imhotep. Les deux hommes avaient immédiatement sympathisé. Malgré son grand âge, plus de soixante-dix ans, Jokahn avait retrouvé l'enthousiasme de sa jeunesse pour se joindre aux collaborateurs du grand vizir. Il possédait de profondes connaissances, et de longues discussions rapprochaient souvent les deux hommes, notamment au sujet de l'astronomie, pour laquelle Jokahn se passionnait.

Aux épreuves succéda une période de calme. La prospérité du Double-Royaume s'était encore accrue. Grâce à la victoire de Byblos, on avait développé les échanges économiques avec le Levant. Le commerce était florissant. Dans les prés paissaient d'immenses troupeaux aux bêtes magnifiques. Dans tous les nomes, chacun mangeait à sa faim, et les ennemis semblaient avoir été repoussés pour longtemps.

La dix-huitième année du règne de Djoser commença par une crue idéale, qui apporta une grande quantité de limon noir et fertile. Elle permit d'irriguer tous les champs sans inonder les villages, reliés par les chemins de terre surélevés qui permettaient la circulation.

Un nouveau chantier s'était ouvert au nord de Mennof-Rê, auquel participaient les habitants du petit village proche. Ayant accompli sa tâche, Imhotep songeait à édifier sa propre maison d'éternité ; sa forme étrange ne laissait pas de surprendre les rares personnes admises sur ce plateau désert, situé sur la frontière séparant les

royaumes de Basse et de Haute-Égypte. De lourds
bateaux de transport déchargeaient d'énormes blocs de
calcaire et de grès, que des traîneaux tractés par des
ânes et des bœufs emportaient au milieu des palmiers,
acacias et sycomores. À proximité, les paysans qui
récoltaient les figues avec l'aide de petits singes dressés, se demandaient avec amusement quelle idée fan-
tasque avait encore germé dans l'esprit du grand vizir.
Puis, peu à peu, leur amusement fit place à une crainte
respectueuse devant l'aspect insolite du monument.

À l'époque des semailles, lorsque les eaux noires se
furent retirées, Tash'Kor épousa Khirâ, enceinte de
quatre mois. L'enfant, un superbe garçon, naquit peu
après la fille de Neserkhet et les jumeaux de Chleïonée. Au grand désespoir des demoiselles de la Cour,
Seschi s'était assagi. À la vérité, il n'avait plus trop
guère le temps de batifoler. Djoser lui avait confié le
poste de Directeur de la Marine, qui occupait tout son
temps. Il lui revenait de superviser aussi bien le
négoce avec les comptoirs du Levant, la Mésopotamie
et les îles, que les grands transporteurs de pierre.

La Maât avait répandu sa bénédiction sur la Vallée
et le spectre du serpent Apophis semblait s'être éloigné. Aussi l'annonce de la découverte de deux nouveaux corps d'enfants égorgés fit-elle l'effet d'un
coup de tonnerre.

52

— Cette fois, le doute n'est plus permis ! s'écria Djoser, en proie à un violent accès de colère. Que Meren-Seth soit vivant ou non, la secte a repris ses activités. Moshem, il faut débusquer ces chacals de leur tanière.

Les deux enfants avaient été retrouvés, une nouvelle fois, dans la région de Per Bastet. Celle-ci, dévastée par la *Mort Noire* cinq ans auparavant, n'avait pas retrouvé sa population antérieure. Plus de la moitié de ses habitants avaient été tués par l'épidémie, mais aussi par les terribles combats fratricides qui s'étaient déroulés dans le Delta. Par manque d'hommes valides, la ville de la douce déesse chatte n'avait pas encore effacé toutes les ruines dues aux batailles. Djoser avait pensé un moment y envoyer des colons, mais il avait abandonné le projet, considérant que les terres appartenaient à ceux qui y vivaient déjà. Il fallait seulement laisser à la population le temps de se reconstituer. Il avait renforcé la garnison, destinée à défendre cette région fragile contre les incursions des pillards. Mais les soldats ne pouvaient être partout, et l'abondance d'enfants ne pouvait que tenter les criminels de la secte maudite.

Le mois suivant, peu avant la pleine lune, on découvrit deux nouvelles petites victimes, cette fois dans la région de Bouto, au nord-est du Delta. Malgré les efforts de Moshem, les assassins restaient insaisissables. Comme au plus noir de l'époque de Meren-Seth, ils surgissaient de la nuit, enlevaient les enfants et disparaissaient.

Fort de sa propre expérience, Seschi fit renforcer la garde autour de sa famille, et recommanda à Tash'Kor d'en faire autant.

Un autre souci s'ajouta bientôt à cette résurgence malsaine de la secte maudite. Un jour, Imhotep demanda à être reçu par le roi. Djoser observa son premier ministre avec affection. Avec le temps, Imhotep était devenu le personnage le plus populaire du Double-Royaume. Il était le *second après le roi*. Beaucoup le considéraient comme l'incarnation du dieu Thôt, qui détenait tout le savoir de l'univers. Il avait sauvé tellement de gens de maux qui autrefois se seraient révélés mortels que certains lui avaient élevé des chapelles. Djoser lui savait gré de ne pas avoir la tête tournée par une telle popularité. En vérité, Imhotep acceptait cet hommage comme un mal nécessaire. Les yeux de son esprit discernaient des choses que le plus doué de ses élèves avait peine à concevoir. Le phénomène de la création avait engendré chez lui une vision du monde différente, qui s'exprimait à chaque instant par de nouvelles idées, s'appliquant tantôt à l'architecture, tantôt à l'astronomie, à laquelle il regrettait de ne pouvoir consacrer plus de temps. Mais sa grande passion restait la médecine, qu'il continuait d'étudier en compagnie de son fidèle Ouadji.

À près de soixante ans, Imhotep conservait un corps svelte et dépourvu de la moindre graisse superflue. À l'inverse de tous les grands seigneurs, pour qui un embonpoint de bon aloi constituait le symbole de la réussite, Imhotep ignorait cette petite marque de vanité. Il ne trouvait de joie que dans le travail et la recherche. Sa science n'avait d'égale que la patience avec laquelle il traitait ses collaborateurs. Il avait conscience de posséder un esprit bien plus profond que le leur, et en remerciait chaque jour son dieu favori, le subtil Thôt à tête d'ibis. Comme Djoser avait été choisi pour régner sur le Double-Pays, il avait été élu par le Magicien pour apporter aux Égyptiens de nouvelles connaissances. Ses ingénieurs et ses ouvriers lui vouaient une admiration fervente et une adoration inconditionnelle, à telle enseigne que ses scribes avaient pris l'habitude, afin de lui rendre hommage, de verser un peu d'eau sur le sol avant de commencer leur travail[1]. La bonne humeur et l'enthousiasme qu'il apportait à tous ses travaux se transmettaient sans difficulté à ses collaborateurs, et l'on venait de loin pour avoir une chance de travailler avec celui que l'on considérait déjà comme un dieu, presque au même titre que le roi Neteri-Khet.

Cette fois cependant, le front d'Imhotep trahissait un certain souci.

— Je te sens soucieux, mon ami, dit Djoser. Quelque désagrément troublerait-il ton cœur ?

— Pardonne-moi de t'ennuyer avec ces détails, divin roi, mais nous allons manquer de cuivre.

---

1. Cette tradition se perpétuera pendant des siècles, et contribuera à confirmer le caractère divin accordé à Imhotep.

— Comment cela?

— Tu sais combien les outils, surtout les scies, s'usent rapidement. Des caravanes apportent régulièrement le minerai du Sinaï. Or, la dernière est arrivée il y a plus de six mois. Une autre était attendue voici deux lunes, et elle n'est toujours pas là. Il semble que la route commerciale avec cette région ait été coupée.

Djoser ne répondit pas immédiatement.

— Cela voudrait-il dire que les mines sont épuisées...

— Certainement pas. Je me suis rendu moi-même sur place voici quelques années. Les filons sont très riches et dureront encore des siècles. Je crains plutôt une invasion.

— Qui pourrait avoir envahi le Sinaï? Les Édomites se tiennent tranquilles depuis que nous les avons repoussés dans leur désert.

— Ceux qui détiennent le cuivre contrôlent la construction de la cité sacrée, Djoser. Sans lui, nous serons obligés d'arrêter les travaux. Et ils sont pratiquement terminés.

— C'est impossible, s'exclama le roi.

— Mais ce n'est pas tout. Je suis convaincu que cette invasion a un rapport avec le retour de la secte de Meren-Seth.

— Comment cela?

— L'homme qui prétend être l'héritier légitime du trône d'Horus n'a pas renoncé à son projet. Ces assassinats d'enfants nous prouvent que la secte de Seth-Baâl est de nouveau active. Il y a plus grave. Le défaut d'approvisionnement en cuivre ne signifie pas seulement une carence en outils, mais aussi en armes. Il ne s'agit pas d'un hasard. Seschi m'a fait part d'une information qu'il a reçue du Levant. Contrairement à ce que l'on pensait, les Hittites ne sont pas retournés dans leurs steppes du nord. Il semblerait qu'ils aient opéré un regroupement et se soient dirigés vers le sud. Ton ennemi, quel qu'il soit, a compris que les raisons de la défaite de Tadounkha reposaient surtout sur un manque d'armes. Mais il sait qu'il peut trouver du cuivre dans le Sinaï. Le roi hittite mort, il a dû user de son influence pour le remplacer. Il a sans doute rassemblé les bandes éparses en leur faisant miroiter les richesses du Double-Royaume. Il les a menées ensuite au pays des Turquoises où il s'est emparé de nos mines. Il fait ainsi coup double : il peut fabriquer des armes tout en privant Kemit de son approvisionnement en métal. Il est même possible qu'il ait conclu une nouvelle alliance avec les Édomites, toujours prêts à nous envahir.

— Tu penses donc que Meren-Seth ne serait pas mort...

— C'est possible, mais plusieurs éléments me troublent.

— Lesquels ?

— D'après ce que tu m'as dit, le tombeau de Byblos semble être le sien. Il a pu simuler sa mort, mais dans ce cas, pourquoi n'a-t-il pas fait en sorte que tu l'apprennes ? De même, ces sacrifices d'enfants me semblent n'avoir d'autre but que d'accréditer le fait que Meren-Seth soit encore en vie. S'il s'agissait réellement d'une résurgence de la secte de Seth-Baâl, nous serions de nouveau confrontés au rituel monstrueux observé à l'époque, c'est-à-dire l'immolation sur un autel et l'absorption du sang des victimes par les participants. Or actuellement, les assassins se contentent de tuer les enfants et de les égorger.

Djoser médita quelques instants.

— Je suis pratiquement sûr que le tombeau de Meren-Seth n'est pas un simulacre, dit-il. Cet ancien guerrier rencontré à Byblos n'avait aucune raison d'inventer cette histoire, et le nom et la filiation inscrits sur la stèle correspondent.

— Donc, Meren-Seth est mort, mais on veut nous faire croire qu'il a survécu. L'homme qui est derrière tout ça l'a connu, et il est au courant de l'existence de la secte et de ses pratiques.

— Mais qui peut-il être ?

— Un homme suffisamment puissant pour rassembler l'armée asiate. Un homme capable aussi de susciter un fanatisme tel que sa propre fille n'a pas hésité à se sacrifier pour ne pas avoir à révéler sa véritable identité.

— Tash'Kor l'a rencontré. Je l'ai interrogé. Il m'a parlé d'un homme d'une soixantaine d'années, au visage dur, qui se faisait appeler Kherou.

— *Kherou*, la voix, l'expression du Verbe. Sans doute n'est-ce pas là son vrai nom, déclara Imhotep. Mais il est significatif de son appétit de pouvoir.

— Quoi qu'il en soit, nous ne pouvons attendre que l'ennemi nous envahisse. Nous allons riposter en envoyant l'armée dans le Sinaï.

Quelques jours plus tard, un navire en provenance du Levant apporta la confirmation de l'hypothèse d'Imhotep. De son bord débarqua une vingtaine de mineurs en haillons, qui demandèrent à rencontrer le roi. Djoser les reçut immédiatement. Un homme de forte corpulence, et un autre, filiforme, les accompagnaient, Mentoucheb et Ayoun. Le chef des mineurs prit la parole.

— Ô Lumière de l'Égypte, nous venons implorer ton secours. Depuis quelques mois, des hordes venues de l'est se sont emparées de nos villages. Ils nous ont transformés en esclaves. Les femmes et les enfants eux-mêmes sont obligés de travailler dans les mines. D'autres sont contraints de fabriquer des armes en grande quantité. Ils nous imposent des cadences telles que beaucoup d'entre nous en meurent. Ils jettent ensuite leurs cadavres aux charognes du désert, sans même nous laisser le temps de les ensevelir.

— Qui les dirige ? demanda Djoser.

— Un homme qu'ils appellent la Voix, parce qu'ils disent qu'il est la Parole de leur dieu.

— L'as-tu vu ?

— Oui, ô Taureau puissant. Je ne saurais te dire qui il est, mais il s'agit d'un Égyptien, car il parle notre langue sans aucun accent. Sa voix gronde comme le tonnerre, et tous nous le redoutons.

— Quel est son aspect ?

— Je ne l'ai aperçu que de loin. Il peut avoir de cinquante à soixante ans.

— Y a-t-il un signe particulier dont tu te souviennes ?

— Oui, ô divin roi. Son bras gauche ne peut bouger. Il pend le long de son corps. Et il y a autre chose : il porte sur sa poitrine un signe étrange, que l'on retrouve sur les vêtements de ses gardes.

— Quel signe ?

— Pardonne à ton serviteur, ô Lumière de l'Égypte. Je ne connais pas les medou-neters.

Imhotep prit un tesson de poterie et dessina le symbole du crocodile.

— C'est bien ce signe ! s'écria le mineur.

— Comment vous êtes-vous enfuis ?

— Nous voulions te prévenir de notre détresse et implorer ton aide, Seigneur. Un soir, nous avons réussi à déjouer la surveillance de nos gardiens. En nous déplaçant de nuit, nous avons fui par les montagnes du nord, et nous avons rejoint la côte de la Grande Verte. Trois des nôtres ont péri pendant ce voyage. Enfin, nous sommes arrivés à Ashqelôn, où nous avons trouvé un navire commandé par les seigneurs que voici.

Mentoucheb prit la parole.

— Je faisais escale là-bas lorsque ces hommes m'ont expliqué leurs malheurs. Ils m'ont supplié de les mener vers toi, ô Lumière de l'Égypte.

— Sois-en remercié, mon ami, dit Djoser.

Après avoir donné des ordres pour que les mineurs rescapés fussent bien traités, le roi s'adressa à Seschi.

— Mon fils, dit-il, l'armée partira dès demain pour le Sinaï. J'en prendrai moi-même la tête. Semourê et Thanys gouverneront en mon absence. Je désire que tu me secondes.

— Ce sera une grande joie pour moi, ô mon père.

— Nous partirons donc dans trois jours. Ces mineurs nous accompagneront. Ils connaissent le pays et nous serons utiles. Que ceci soit écrit et accompli.

53

Tandis que l'armée se préparait au départ, Imhotep et Thanys vinrent trouver Djoser.

— Seigneur, dit le grand vizir, je souhaiterais que tu m'accordes l'autorisation de t'accompagner. Les signes magiques indiquent une prochaine conflagration des puissances divines. Ils montrent le retour d'un ennemi féroce, que tu as déjà combattu par le passé.

— Meren-Seth ! s'écria Djoser. Il est donc vivant.

— Je n'en suis pas sûr. Trop d'éléments restent troubles. J'ai interrogé les astres à son sujet, et.. comment dire ? rien ne répond. Il semblerait qu'il soit réellement mort. Pourtant, l'esprit qui l'anime est bien celui de Seth.

— Devrai-je donc affronter son fantôme ? demanda le roi avec inquiétude.

— Je l'ignore. Mais je pense que tu auras besoin de mes connaissances.

— Je comptais sur toi pour assister la Grande Épouse dans sa tâche durant mon absence.

— Justement, je crois que Thanys veut te demander quelque chose.

La jeune femme s'approcha.

— Oui, mon frère bien-aimé. Je désire partir avec toi. Je pressens, derrière les combats que tu vas livrer, une nouvelle bataille entre Seth et Horus. C'est le dieu rouge qui se cache derrière cet ennemi sournois. Qu'il ait pris ou non le visage de Meren-Seth n'a aucune importance. Mais Hathor doit se tenir aux côtés de son époux, car elle est la Dame de la Turquoise, cette pierre sacrée que l'on ne trouve que dans les mines du Sinaï.

— Qui assurera le gouvernement ? objecta-t-il.

— Semourê et tes proches conseillers sont capables de s'en charger. Ils sont tous compétents et dignes de confiance.

— Te rends-tu compte des dangers que nous allons affronter, les serpents, les fauves, la chaleur infernale ? Sans parler des combats ?

La véhémence de Djoser n'impressionna nullement Thanys qui éclata de rire.

— Dois-je te rappeler le voyage que j'ai effectué voilà vingt ans ? Je résisterai aux rigueurs du climat, et je sais toujours me battre. De plus, je crois que nos guerriers apprécieront ma présence.

— Cela, je n'en doute pas !

Djoser soupira. Il savait déjà qu'il céderait. Il se sentait de taille à braver l'adversaire le plus redoutable, à défier les dieux eux-mêmes, pourquoi pas. Mais il n'avait jamais pu résister à la volonté de Thanys. En vérité, il était ravi de la savoir près de lui. Car elle avait raison : tous deux représentaient l'incarnation du couple divin Horus et Hathor. Ils devaient livrer combat ensemble.

Deux jours plus tard, la flotte quittait Mennof-Rê sous le regard de la foule enthousiaste massée sur les quais et les rives. Commandée par Seschi, elle suivit le bras oriental du Nil, puis s'engagea dans le dédale marécageux qui s'enfonçait loin vers l'est, en direction des ruines de la Vallée rouge, où Djoser avait vaincu une première fois les hordes barbares de Meren-Seth.

Dans cette région sauvage vivaient les Bergers des marais. C'étaient des individus frustes, qui vivaient nus ou vêtus d'un pagne grossier en fibre de palme. Efflanqués, le corps sculpté de scarifications, ils portaient en outre des cheveux longs qu'ils relevaient en un chignon épais, planté d'os et de bijoux divers. Contrairement aux habitants de Mennof-Rê, qui, à l'imitation des prêtres, inclinaient à se débarrasser de toute pilosité superflue, ils se laissaient pousser moustache et favoris. Farouchement attachés à leur indépendance, ils n'avaient jamais été entièrement soumis aux princes des Deux-Terres. En raison de leur apparence grossière, les citadins raffinés des villes les méprisaient. Toutefois, les grands propriétaires terriens leur confiaient volontiers leurs troupeaux, aux périodes les plus sèches de l'année, lorsque l'herbe des champs devenait jaune et ne suffisait plus à nourrir les bêtes. D'une honnêteté scrupuleuse malgré leur aspect peu engageant, ils en assuraient les soins avec une conscience et une compétence que les pasteurs égyptiens eux-mêmes ne possédaient pas toujours.

Habitués depuis l'aube des temps à combattre les différentes peuplades qui avaient tenté de s'emparer de leur territoire, les Bergers constituaient de redoutables combattants. Djoser avait toujours entretenu d'excellentes relations avec ce peuple marginal, qui lui vouait une grande admiration depuis l'époque où, adolescent, il venait pêcher dans les marais. Cette admiration s'était encore renforcée lorsque les Bergers avaient lutté à ses côtés contre les Serpents. Leur chef, Mehrou, avait été un ami et un allié du roi. La Mort Noire l'avait emporté et son fils, Yabakhi, lui avait succédé.

Djoser désirait le rencontrer pour lui demander son aide, car seul son peuple connaissait le dédale des marais. Plutôt que de traverser le désert de l'Àabeth, situé à l'est de Tourah, le roi avait préféré utiliser les navires pour tenter de joindre le nord de la mer Rouge. Malgré cet itinéraire plus long, il gagnerait ainsi deux jours et éviterait d'épuiser ses troupes. Mais il fallait pour cela obtenir l'aide de guides indigènes.

Lorsque la flotte royale envahit leur territoire, les Bergers se montrèrent. Les rives se couvrirent de leurs silhouettes sombres, armées de lances et de boomerangs. Leurs visages reflétaient une certaine anxiété. Leur puissant allié avait-il décidé de les combattre ? Pourquoi investissait-il les marais avec une armée aussi importante ? Cependant, lorsque Djoser fit accoster le vaisseau amiral à proximité de leur village principal, ils furent quelque peu rassurés.

Yabakhi, jeune colosse de la taille de Seschi, s'inclina devant Djoser pour le saluer, sans toutefois se prosterner. Il tenait ainsi à affirmer son indépendance. L'Horus avait respecté la volonté de liberté du père, il respectait aussi celle du fils, sachant que la qualité de leurs relations constituait le meilleur garant de la fidélité du peuple des marais. Malgré son impatience, Djoser dut accepter le repas que lui offrit Yabakhi. Les Bergers adoraient discutailler pendant des heures, pour mettre en avant leur amitié pour les habitants de la Vallée noire et évoquer les combats contre leurs ennemis communs. À la vérité, ces tribus formaient un obstacle périlleux pour tous les envahisseurs qui tenteraient d'investir leur territoire. Les Serpents de Meren-Seth en avaient fait la dure expérience quelques années plus tôt. Après quelques palabres de pure forme, Yabakhi consentit à fournir des guides.

Ceux-ci se révélèrent très précieux, puisqu'ils permirent à la flotte d'aborder à moins d'une journée de marche de la côte du lac Amer. Au-delà, les hauts-fonds interdisaient la navigation des lourds vaisseaux de combat.

Après quelques heures de marche pénible au cœur des marécages, l'armée parvint enfin sur les rives du lac. Tandis qu'il accordait un peu de repos à ses guerriers, Djoser effectua quelques pas en compagnie d'Imhotep, Thanys et Seschi. Hormis la végétation qui s'étirait au nord-ouest, le paysage n'offrait, de part et d'autre du lac, qu'une vaste étendue sablonneuse qui menait jusqu'à l'horizon. Des oiseaux passaient en groupes serrés dans un ciel d'un bleu intense, portés par des vents puissants. Imhotep contempla longuement le panorama immense.

— Quel endroit curieux, dit-il enfin. On dirait que le fleuve-dieu a tenté de se frayer un chemin jusqu'à ce lac perdu au milieu des sables. Si nous parvenions à creuser ici des canaux semblables à ceux de Men-nof-Rê, nous pourrions peut-être lui permettre d'accomplir sa volonté.

— Il y faudrait un grand nombre d'ouvriers, objecta Djoser.

— Certainement. Mais ce n'est pas un projet irréalisable.

Il médita encore quelques instants, puis ajouta :

— Je pense qu'il serait possible de relier la Grande Verte au lac Amer. Et même, en poursuivant le canal vers le sud, on pourrait joindre la mer Rouge. Nos vaisseaux navigueraient ainsi de Busiris à Sumer, et nos marchandises passeraient d'une mer à l'autre sans recourir aux caravanes, qui sont lentes et peu sûres. Par les dieux, il faut que je prenne note de ce projet…

L'armée contourna le lac Amer par le nord, puis le longea vers le sud, en direction de la mer Rouge. Bientôt, le lac disparut et le désert reprit ses droits. Seuls quelques marécages boueux prolongeaient ses rives vers le sud, confirmant l'idée du canal d'Imhotep[1].

Trois jours plus tard, la côte de la mer Rouge apparut. Malgré la sollicitude dont elle était l'objet de la part des guerriers, Thanys refusait la litière que les capitaines ne cessaient de lui proposer. Sa résistance et son courage forçaient l'admiration des soldats, qui avaient à cœur de ne pas faiblir devant elle. En dépit des années, elle avait continué d'entretenir son corps aux exercices de combat. Elle demeurait l'un des meilleurs archers des Deux-Terres et allait régulièrement s'entraîner à la Maison des Armes, où elle faisait l'admiration de tous. Quant à Imhotep, malgré ses

1. Un premier canal fut creusé sous le règne de Sesostris Ier, 2000 avant J.-C, qui reliait la mer Rouge au delta du Nil. L'idée fut reprise par Néchao II, au IVe siècle avant J.-C., et concrétisée par Darius, le roi des Perses. Ce canal, qui reliait Bubastis à la mer Rouge en passant par le lac Timsâh et les deux lacs Amer, fonctionna jusqu'à l'époque d'Alexandre le Grand. Il fut ensuite remis en service par les Romains — notamment par l'empereur Trajan —, puis par les Arabes au VIIe siècle. Une tentative de la République de Venise avorta au début du XVIe siècle. Le canal actuel fut construit au XIXe siècle sous l'impulsion du Français Ferdinand de Lesseps.

soixante ans, il ne ressentait pas la fatigue. Doté par les dieux d'une résistance au-delà de la normale, habitué à exiger toujours plus de son corps, il bénéficiait d'une excellente condition physique. À la vérité, il ne lui venait jamais à l'idée de se plaindre. Pour lui, tout était sujet d'étonnement et d'intérêt. Parfois, il s'écartait de la colonne pour observer un rocher, un nid d'oiseau, une plante inconnue. Le soir, il consignait scrupuleusement le résultat de ses constatations. Parfois, il dessinait quelque projet de temple qu'il avait en tête, ou bien se penchait sur le futur réseau de canaux dont il comptait équiper les nouvelles terres de Mennof-Rê. Thanys le contemplait avec émotion et tendresse. Elle avait compris pourquoi Imhotep fascinait tous ceux qui avaient la chance de travailler à ses côtés. Il possédait un génie immense, qui lui permettait de voir au-delà des apparences, de percer des mystères qu'aucun autre être humain n'était capable de discerner ; sa vision était bien plus vaste que celle des autres. Malgré cela, il continuait de poser sur le monde un regard étonné, toujours prompt à s'émerveiller. Cette fantastique faculté de s'émouvoir lui conférait un peu l'esprit d'un enfant enthousiaste et curieux de tout. Autour de lui gravitait une trentaine de ses gardes, commandés par le fidèle Chereb, dont les cheveux crépus étaient devenus gris. Son scribe, le brave Narib, le suivait également, accompagné par quatre serviteurs chargés de transporter les rouleaux de papyrus dont leur maître faisait une grande consommation.

Un soleil de plomb écrasait la côte désolée. Malgré les précautions prises, les réserves d'eau douce commencèrent à s'épuiser. Bientôt apparut une palmeraie, indiquant la présence d'une oasis. Quelques soldats assoiffés s'y précipitèrent. Au milieu des arbres s'étendaient des bassins. Ils y plongèrent leur casque et voulurent se désaltérer. Ils avaient à peine bu quelques gorgées qu'ils recrachèrent en toussant de belle manière. Dathren, le plus vieux des mineurs, expliqua à Djoser que ces bassins ne contenaient qu'une eau saumâtre, impropre à la consommation. Puis il entraîna le roi vers le sud. À environ un demi-mile plus loin, il lui indiqua une source abondante, dont l'eau était douce et tiède.

— Elle est chauffée par les dieux souterrains[1], expliqua-t-il.

Les lieux offraient asile à un grand nombre d'oiseaux que l'arrivée de la gigantesque caravane militaire perturba. Des rapaces migrateurs côtoyaient des essaims d'ibis, d'oies sauvages et de flamants roses, qui faisaient entendre un vacarme assourdissant.

— En tout cas, nous ne manquerons pas de viande, fit remarquer Seschi en préparant son arc.

Il organisa lui-même une chasse en compagnie des archers, qui s'étaient spontanément placés sous les ordres de Thanys. L'armée ne repartit que le lendemain, reposée et le ventre plein. Les nouvelles provisions de viande et d'eau douce avaient été chargées sur les petits ânes dociles transportant le matériel. Formé à l'école du vieux général Meroura, qui avait vaincu les hordes de Peribsen, Djoser avait toujours

1. Il s'agit de la Source de Moïse (Uyûn Mûsa). Selon la Bible, après la traversée de la mer Rouge, les Hébreux campèrent en cet endroit, d'où le prophète fit jaillir miraculeusement de l'eau douce. Cette source, aujourd'hui captée et canalisée par les Bédouins, est d'origine thermale, ce qui explique sa température élevée.

équipé ses armées d'animaux de bât, estimant que des hommes fatigués par le port d'un équipement trop lourd perdaient leur efficacité guerrière.

Pendant six jours, la colonne longea la mer Rouge, dans un paysage désolé, partagé entre l'étendue maritime immuablement bleue et le désert de sable uniforme. Un vent chaud et sec ne cessait de souffler, desséchant la gorge, coupant la respiration. Des grains de sable cinglaient la peau brûlée par un soleil impitoyable.

Hormis quelques hameaux de pêcheurs farouches ignorant sans doute qu'ils vivaient sur un territoire dépendant de l'Égypte, l'endroit se révéla totalement désert. Pourtant, à certains signes, il était visible que des caravanes empruntaient cette piste depuis déjà plusieurs siècles[1].

Peu à peu cependant, le relief se modifia. Le désert se couvrit de dunes de plus en plus élevées. Puis apparurent des montagnes dont les contreforts s'avançaient jusqu'à la limite de la mer. À un endroit, la piste se resserrait tellement qu'elle ne laissait qu'un passage étroit, dominé par un mont de forme pyramidale, d'où s'écoulaient des eaux chaudes et sulfureuses[2].

D'après le chef des mineurs, Dathren, l'ennemi n'avait pas investi le pays jusqu'à cet endroit. Suivant les indications du vieil homme, Imhotep dessina la carte de la région. À un ou deux jours de marche, on

1. L'exploitation des mines de cuivre et de turquoise du Sinaï date vraisemblablement du néolithique, au VIe millénaire avant J.-C.
2. Ce lieu, d'une très grande beauté, est aujourd'hui appelé : Hammam Faraun Malun, les Bains du Pharaon maudit. Il s'agirait, selon la légende biblique, de l'endroit où les eaux de la mer Rouge se sont refermées sur l'armée égyptienne poursuivant les Hébreux.

rencontrait un port, Markhâ, face auquel s'ouvrait une vallée qui menait vers le mont Maghâra, où se trouvaient les mines de cuivre.

— L'ennemi s'est emparé de Markhâ, Seigneur, expliqua le vieil homme. C'est dans ce port que les navires de Kemit viennent charger le minerai de cuivre. Ils l'amènent aux caravanes qui traversent le désert en direction de Mennof-Rê.

— Nous allons le leur reprendre, gronda Djoser.

Il examina attentivement le plan tracé par le grand vizir. Avant Markhâ, une première vallée ouvrait vers l'est, et contournait un massif montagneux par le nord pour mener aux mines de turquoise de Sarabît. Les mines de cuivre se situaient plus au sud, près d'un mont appelé Maghâra.

— Les Asiates occupent-ils Sarabît ? demanda-t-il.

— Non, ô Taureau puissant. Les turquoises ne les intéressent pas.

— Ces Barbares n'ont aucun goût, déclara Thanys.

— Les turquoises sont sans utilité pour fabriquer des armes, précisa Djoser.

— Ma famille vivait à Sarabît, poursuivit Dathren. Depuis toujours, notre village est dédié à la déesse Hathor, la Dame de la Turquoise. Mes ancêtres sont venus de Kemit voici plusieurs générations pour exploiter les riches filons qu'elle a enfouis sous la terre de ce pays. Celui-ci paraît hostile à première vue, mais nous y vivions libres sous ta protection. Jusqu'au jour où ces monstres nous ont attaqués. Nous pensions que le désert et la montagne nous protégeaient. Mais ils ont surgi du sud en si grand nombre que nous n'avons même pas pu nous défendre. Ils nous ont capturés et emmenés à Maghâra, où ils nous obligent à extraire de grosses quantités de minerai dont ils fabriquent des glaives et des pointes de lance.

— Cela confirme ce que nous pensions, ajouta Imhotep. Ils s'arment pour préparer l'invasion du Double-Pays.

— Par où t'es-tu échappé ? demanda le roi.

— En quittant Maghâra, nous avons suivi la vallée de l'Ignâ, qui s'ouvre sur un plateau désertique menant, au nord, jusqu'à Sarabît. Nous connaissons très bien la montagne, Seigneur. Souvent, nous allions y chasser le bouquetin.

— Pourquoi avoir fui par là ?

— Les Asiates n'osent pas s'y aventurer, parce qu'il est facile de s'y perdre. Et la piste de Budra, qui mène par le nord-ouest jusqu'à Markhâ, est jalonnée de postes de gardes. Par ce chemin, nous aurions été repris aussitôt.

— C'est la voie d'accès la plus facile pour rejoindre la mer Rouge, remarqua Seschi. Sans doute pensent-ils que nous risquons de les attaquer par cette vallée.

— Exactement, mon fils. Mais nous allons leur réserver une surprise. Tu dis qu'il n'y a aucun ennemi à Sarabît, dit-il à Dathren.

— Il n'y en avait plus lorsque nous sommes repassés. Nous voulions savoir ce qu'était devenu notre village. Nous nous sommes avancés avec prudence, mais les lieux étaient totalement déserts. Et c'est là que nous avons découvert…

Il se tut un instant, le visage assombri, puis continua d'une voix altérée :

— Ces hyènes puantes ne méritent pas de vivre, Seigneur. Il ne reste rien de Sarabît. Ils ont brûlé nos maisons. Mais le pire… ah, qu'Apophis leur broie les entrailles et leur dévore le cœur ! Ils ont massacré nos vieillards et nos plus jeunes enfants, tous ceux qui auraient été incapables de travailler dans les mines Nous avons retrouvé un véritable charnier.

Il cracha sur le sol.

— Qu'ils périssent tous ! gronda-t-il.

Djoser lui posa la main sur l'épaule.

— Nous vengerons les tiens, mon ami. Je te le promets. Ces misérables ne perdent rien pour attendre.

Il invita ses capitaines à se pencher sur le plan dessiné par Imhotep.

— Nous n'allons pas descendre jusqu'à Markhâ. Nous devons les prendre par surprise. Dathren affirme que les Hittites sont très nombreux, et il vaut mieux mettre toutes les chances de notre côté. Nous allons donc remonter par ici, à la hauteur du mont Matalla, en direction de Sarabît. Puis nous traverserons le plateau emprunté par les mineurs lors de leur fuite. Nous prendrons ainsi l'ennemi à revers et nous attaquerons Maghâra par les hauteurs.

— Cela va nous demander deux à trois jours de plus, Seigneur, objecta un capitaine.

— Mais cela épargnera des vies. Dans la vallée de Budra, les Asiates peuvent nous prendre en tenaille. C'est cela que je veux éviter.

Seschi intervint.

— J'approuve ton idée, mon père. À Maghâra, la vallée est profonde et difficilement défendable. Il faudrait trouver le moyen d'y attirer la totalité des Hittites. Combien sont-ils ?

Le vieux mineur soupira.

— Hélas, ils sont aussi nombreux que ton armée, Seigneur. Mais il n'y a là qu'une partie des troupes ennemies. Au sud de Maghâra, il existe une immense oasis, Tahuna. C'est là que se sont installés les envahisseurs. Des prisonniers affirment qu'ils sont là-bas aussi nombreux que les étoiles.

Seschi examina longuement le plan.

— Grâce à l'effet de surprise, nous pouvons vaincre ceux de Maghâra, déclara-t-il enfin. Mais il faut à tout prix les empêcher de prévenir les autres de notre présence. Nous devons leur interdire toute retraite.

— Alors, il faudra contourner le plateau par les pistes de la montagne, et suivre ensuite la vallée du Sidri.

Le vieil homme, qui avait compris le principe du plan, griffonna quelques reliefs sur le plan, et situa le chemin qu'il suggérait.

— Cela sera encore plus long, grommela le capitaine récalcitrant.

— Les Hittites redoutent la montagne, répondit Dathren. Nous ne risquerons pas d'en rencontrer.

— De plus, cette solution a un avantage, renchérit Seschi. Le Sidri nous amène au sud de Maghâra, et nous permet donc de couper toute retraite à ces chiens.

— Nous suivrons donc cette piste, déclara Djoser.

Dathren intervint.

— Il faudra être prudent, Seigneur : les serpents et les scorpions y pullulent. De plus, si l'ennemi a placé des veilleurs au sommet des montagnes, même éloignées, il risque d'apercevoir l'armée. La vue porte très loin dans le Sinaï.

— Alors, nous voyagerons de nuit. Que ceci soit écrit et accompli.

Le lendemain soir, ils atteignaient l'entrée de la vallée dominée par le mont Matalla. Cette montagne présentait une forme curieusement conique, dont les flancs étaient ciselés par l'érosion. On eût dit un gigantesque gâteau le long duquel avait coulé une avalanche de crème. Abandonnant résolument la piste côtière, les Égyptiens s'engagèrent dans les terres. Le relief accidenté et hostile alternait des dépressions creusées dans un calcaire tendre et clair, et des monts plus sombres, à la roche de couleur rouille. Balayée par les vents, la vallée présentait d'étranges formations dues à l'action du gel nocturne et des vents incessants. Au milieu ruisselaient des traînées de cailloux, reflets de la rivière éphémère qui parfois dévalait furieusement le défilé, à la suite de forts orages. Une végétation parcimonieuse s'agrippait à des anfractuosités abritées, formant des taches d'un vert jaunâtre où nichaient rongeurs, insectes et serpents. Par endroits, on retrouvait le squelette blanchi d'un bœuf ou d'un âne abandonné par une caravane précédente.

Le jour suivant, la vallée s'éleva, puis franchit un petit col dont l'autre versant menait jusqu'au village de Sarabît. Ainsi que l'avait dit Dathren, il ne restait de la petite agglomération que des ruines calcinées.

Avant de poursuivre, Djoser tint à visiter les mines de turquoises. Celles-ci n'étaient en réalité que des boyaux étroits, d'un accès peu commode, mais dont les filons regorgeant de richesses étaient exploités depuis des siècles. À l'intérieur, les torches illuminèrent une roche d'un ocre rougeâtre. Dans les blocs arrachés à leur gangue se cachait parfois une magnifique pierre bleue. Mais, pour la découvrir, il fallait casser des milliers de cailloux. Intriguée, Thanys parcourut les boyaux en compagnie de Djoser. Soudain, une pierre se détacha de la paroi et roula jusqu'à ses pieds. Elle la prit en main et l'examina. Puis, mue par l'intuition, elle demanda à Dathren comment la briser. Le vieil homme alla chercher une masse de dolérite et voulut casser la pierre. Mais Thanys l'arrêta d'un geste et frappa elle-même. La roche se sépara en deux du premier coup, révélant, à la lumière falote des torches, de superbes taches bleues. Quelques coups bien ajustés libérèrent bientôt une pierre magnifique.

— Par les dieux ! s'écria le roi.

Dathren se prosterna devant Thanys.

— C'est un signe, ô Grande Épouse ! La très belle déesse Hathor, la Dame de la Turquoise, veille sur toi.

— Elle veut nous montrer qu'elle nous apporte son soutien, clama Djoser. C'est à elle que nous devrons la victoire. Aussi, je veux qu'un temple soit bâti en ces lieux, afin que les mineurs puissent la vénérer[1].

1. Il s'agit du temple de Sarabît El Khâdim. En réalité, une chapelle fut construite sous la XII⁰ dynastie (2000-1800 avant J.-C), qui fut plus tard agrandie sous la XVIII⁰ dynastie. Mais rien n'empêche de penser qu'il existait déjà en ces lieux, à l'époque de Djoser, une chapelle dédiée à Hathor.

54

Le lendemain, l'armée quitta Sarabît et s'engagea dans la vallée du Khamiâ, qui rejoignait, par le sud-est, celle du Sidri. Il fallut près de sept jours pour parvenir dans la région de Maghâra. Des défilés encaissés et chaotiques s'insinuaient entre de hautes falaises. Dans cet univers grandiose régnait une sécheresse effrayante, qui rivalisait avec celle de l'Ament. Un vent brûlant soufflait en permanence, dévalant des hauts sommets et rendant les gorges arides et les poumons douloureux. Des charognards tournoyaient inlassablement dans un ciel d'un bleu immuable, guettant les cadavres d'animaux. S'il n'avait connu l'existence des mines de cuivre, Djoser aurait douté que des hommes pussent vivre dans un pays aussi inhospitalier.

En raison du manque d'eau, la traversée de ces monts désertiques par une année aussi importante constituait un véritable tour de force. De rares points d'eau avaient été aménagés par les hommes, preuve que la piste était empruntée. La nuit, on dormait à même le sol, après avoir vérifié que nul animal dangereux ne se dissimulait sous les pierres. Scorpions et araignées venimeuses hantaient les lieux, ainsi que des vipères cornues et autres lézards noir et jaune, dont la morsure pouvait se révéler mortelle. Il fallait également se méfier des hordes de fauves, dont les plus redoutables étaient d'énormes lions à crinières sombres.

Les guerriers se réjouissaient de voir le roi commander l'armée en personne. Le soir, avant le repos de la nuit, il effectuait, malgré la fatigue, un tour du camp en compagnie de Thanys ; il échangeait quelques mots avec chacun, en toute simplicité, et chaque soldat se sentait gonflé d'un courage exceptionnel parce que le dieu vivant lui avait adressé la parole. On était prêt à donner sa vie pour lui. Et surtout, la présence de la reine, dont la beauté sans faille ne semblait pas souffrir des rigueurs de l'expédition, adoucissait un peu les conditions difficiles de celle-ci.

Au matin du huitième jour enfin, l'armée parvint à proximité de Maghâra. Dathren déclara :

— Au-delà de cet endroit, nous devons nous montrer prudents, ô Taureau puissant. L'ennemi risque de nous repérer.

— Nous allons établir le campement ici, répondit Djoser. Nous sommes hors de vue. Nous parcourrons le reste de nuit et passerons à l'offensive dès que nous aurons investi les montagnes orientales.

Le soir même, on abandonna les ânes à la garde d'une centaine de soldats et, profitant de la pleine lune, les guerriers s'engagèrent dans la vallée asséchée. Devant Djoser, Thanys et Seschi, le vieux mineur grimpait sur les rochers sans hésitation ni faiblesse. Depuis son plus jeune âge, il avait parcouru ce relief chaotique, et en connaissait le moindre accident, chaque caverne, chaque réservoir naturel. À l'aube, la troupe avait encerclé la zone minière, constituée de deux monts à l'est, et d'un bouclier rocheux dominé par le mont Maghâra à l'ouest. C'était dans les anfractuosités de cette montagne que s'ouvraient les mines de cuivre. Irrésistiblement, l'armée égyptienne se déploya, verrouillant la vallée d'accès méridionale. Dissimulés derrière les escarpements rocheux, les soldats étaient indécelables depuis le bas.

Au moment où le soleil se levait, une lumière d'un rose doré éclaboussa les sommets des montagnes, chassant peu à peu les lacs d'ombre mauve qui noyaient le fond de la vallée. Un air léger et frais baignait les guerriers. Peu à peu, le jour naissant dévoila le village minier, construit sur les flancs du mont central.

Çà et là se dressaient quelques demeures nouvelles, visiblement bâties pour le confort des capitaines hittites qui régnaient sur les lieux. D'où il était, Djoser distinguait les gueules sombres des mines, creusées dans le flanc de la montagne de Maghâra. Des fourmis humaines s'affairaient tout autour, tirant les traîneaux de minerai sous les coups de leurs tortionnaires. Un atelier important avait été construit, où les métallurgistes fabriquaient des armes. Celles-ci s'entassaient sous la garde de guerriers asiates. C'était ce point qu'il fallait attaquer en priorité.

Apparemment, personne ne soupçonnait de présence guerrière sur les hauteurs. Djoser estima le nombre des Hittites à plusieurs milliers, sans doute pas loin de cinq mille, soit la moitié de l'armée égyptienne. Mais ils étaient bien armés.

— Il y a des Édomites parmi eux, remarqua alors Khersethi.

Il ne se trompait pas. Djoser reconnut l'allure de ses

anciens ennemis, qui s'occupaient plus particulièrement de la garde des prisonniers.

— Cela confirme la présence de Meren-Seth,
grommela-t-il.

Les mineurs dormaient à même le sol, enroulés
dans des couvertures, parqués comme des animaux,
hommes, femmes et enfants mélangés. En quelques
instants, les fouets des tortionnaires tirèrent les malheureux de leur sommeil. Puis on les dirigea vers les
mines, à grand renfort de braillements. Un peu plus
loin, trois brutes s'acharnaient à coups de pied sur une
femme étendue à terre. Djoser retint un grondement
de rage. Il aurait aimé intervenir tout de suite, mais il
fallait d'abord neutraliser les postes de garde installés
sur les flancs ou au sommet des éminences rocheuses
dominant la vallée.

Il donna ses ordres. L'instant d'après, des guerriers
rampèrent en direction des veilleurs, qui furent égorgés avant d'avoir pu donner l'alarme. Communiquant
à l'aide d'un système optique à base de miroirs, les
différents groupes informèrent Djoser que les sentinelles avaient été supprimées à tous les points névral-
giques. Il fallait à présent agir très vite. Thanys avait
pris le commandement des archers. Sur son ordre,
ceux-ci se dressèrent dans le silence le plus total et
lâchèrent leurs flèches. Le sifflement des traits attira
l'attention des Hittites. Mais il était déjà trop tard.
Une vingtaine d'entre eux furent cloués au sol avant
d'avoir compris ce qui se passait. De nouvelles vagues
de flèches achevèrent de semer la panique dans les
rangs ennemis. Elles semblaient provenir de tous côtés.
Les Asiates avaient perdu une centaine des leurs avant
de commencer à réagir. Ils se précipitèrent vers l'abri

de surplombs rocheux situés le long de la montagne orientale, sur laquelle avait pris position le gros de l'armée égyptienne. Djoser leva alors son glaive pour donner le signal de l'assaut. Une clameur immense réveilla les échos des montagnes, figeant les Hittites sur place. En quelques minutes, des vagues de guerriers surgirent des anfractuosités des collines crayeuses, et bondirent sur l'ennemi.

La communauté du Sinaï comptait plus de deux mille habitants, tous réduits à l'esclavage. Comprenant que l'Horus venait à leur secours, nombre d'entre eux se rebellèrent et profitèrent de la confusion pour se ruer sur leurs gardiens, qui furent massacrés avec une sauvagerie identique à celle avec laquelle ils avaient traité leurs captifs. Puis ils se ruèrent en direction de la fonderie pour tenter de s'emparer des armes. Mais les Hittites avaient vu le danger et repoussèrent la première vague de prisonniers. Cependant, sous la poussée de Djoser, qui avait pris lui-même la tête de ses troupes d'assaut, ils durent lâcher pied. Les esclaves, libérés, s'emparèrent alors de lances, de glaives et de poignards.

— Les miens combattront à tes côtés, ô grand roi, exulta Dathren.

Un terrible combat au corps à corps s'engagea. Bientôt, des ruisseaux de sang inondèrent la terre aride de la vallée. Mais la supériorité numérique parlait en faveur des Égyptiens. Vers la fin de la matinée, plus de la moitié des Édomites avait été tuée. Quelques survivants tentèrent de s'enfuir par la piste menant à l'oasis de Tahuna. Mais Djoser avait fait placer des archers qui interdisaient toute fuite. La rage au cœur, l'ennemi finit par se rendre. Le roi, qui avait mené la bataille dès le début, était blessé à l'épaule. Mais ses armes étaient couvertes de sang.

Tandis que les mineurs délivrés se prosternaient devant leur souverain en pleurant de joie, Djoser ordonna qu'on leur distribuât nourriture et boisson. Puis il examina les lieux. Une puanteur infecte se dégageait d'une fosse située à proximité des entrées des mines. Il ne put retenir un haut-le-cœur en découvrant un épouvantable charnier, où des corps gisaient, entassés les uns sur les autres. Plus loin, des dizaines de cadavres attachés à des piquets étaient la proie de marabouts.

— Ainsi ces chiens traitaient-ils ceux qui n'avaient plus assez de force pour travailler, Seigneur, grinça Dathren. Ils les attachaient à ces piquets, en plein soleil, et se réjouissaient de les voir lutter contre les charognards et les fauves.

— Ces monstres ne méritent pas de vivre ! s'exclama Thanys, écœurée. Comment des hommes peuvent-ils se comporter ainsi ?

L'attaque avait permis de sauver la femme maltraitée. Mais elle était sans force. Djoser se fit amener les trois brutes qui l'avaient rudoyée, ainsi que les chefs hittites. Ce qu'il avait découvert de la cruauté de ces individus ne l'incita pas à faire preuve de clémence. Quelques instants plus tard, leurs têtes roulaient sur le sol.

Les survivants furent désarmés et entravés. Tandis que les scribes royaux commençaient à les recenser, Djoser gronda, à l'adresse des prisonniers :

— Il n'y aura aucune pitié pour vous. Vous périrez tous dans les mines d'or de Nubie. Que ceci soit écrit et accompli.

Plus tard, Khersethi l'invita à le suivre. Un peu au sud des mines, il avait découvert, sur une paroi rocheuse, un bas-relief représentant une victoire de l'Horus Sanakht.

— Mon frère a ordonné une expédition contre les pillards qui rançonnaient les caravanes, expliqua Djoser.

— Nous graverons aussi ta victoire dans la pierre, ô Taureau puissant, s'exclama Dathren.

— Qu'il en soit donc ainsi[1] !

Vers le soir, tandis que l'armée épuisée prenait un peu de repos, un phénomène inquiétant se produisit. Ce fut comme un souffle rauque qui semblait émaner des profondeurs du sol lui-même. Puis la terre se mit à trembler, jetant à bas les tentes de peau dressées pour la nuit. Le grondement s'amplifia, faisant résonner les poitrines. Le regard affolé, les guerriers se tournèrent vers Djoser, inquiet lui aussi. Les séismes qui parfois secouaient l'Égypte n'étaient pas aussi puissants. Thanys s'approcha de son époux pour le rassurer. Elle avait déjà rencontré des tremblements de terre de cette importance, non loin de la mer Sacrée. Djoser leva les bras pour apaiser les siens.

— Ne craignez rien ! dit-il d'une voix forte pour couvrir le vacarme. On dit que dans ces régions, certaines montagnes vomissent du feu. Sans doute s'agit-il de la manifestation de la colère de Geb, le dieu de la

---

1. Les égyptologues anglais Palmer et Flinders Petries découvrirent, au XIXe siècle, une douzaine de bas-reliefs datant de la Ire à la XVIIIe dynastie. Deux d'entre eux témoignent du passage à Maghâra de Djoser, puis, plus tard, de son fils Sekhem-Khet.

terre. Il désire frapper nos ennemis pour les atrocités commises envers notre peuple. Il nous témoigne ainsi son soutien. Aussi, nous vaincrons, car il guidera notre bras.

Comme pour donner raison au roi, la secousse prit fin aussi brusquement qu'elle avait commencé. Une clameur de soulagement jaillit de toutes les poitrines. Le roi divin avait parlé. Étant un dieu lui-même, il connaissait certainement les intentions des neters.

Pourtant, Djoser comme Thanys eurent peine à trouver le sommeil. Les pectoraux portés par les capitaines hittites étaient marqués du signe du crocodile, accolé au symbole de Seth. Une nouvelle fois, ils allaient devoir affronter leur vieil ennemi, un adversaire insaisissable habité par une sorte de folie meurtrière, qui n'avait d'autre but que de les détruire.

Avant de mourir, les chefs asiates lui avaient hurlé avec défi qu'il serait vaincu par celui qui les dirigeait, car il possédait la force du dieu rouge. Ainsi, leur ennemi inconnu avait persuadé ces brutes sanguinaires d'abandonner leurs croyances barbares pour adopter celles de Kemit, tout au moins dans ce qu'elles avaient de plus inquiétant.

Le lendemain, Thanys, angoissée, interrogea Imhotep.

— Mon père, comment est-il possible que ce chien de Meren-Seth ait réussi à rassembler une armée aussi puissante alors que l'Horus a vu son tombeau à Byblos ? Peut-il s'agir de son fantôme ? Est-il revenu d'entre les morts ?

Imhotep soupira. Pour la première fois depuis la mort d'Inkha-Es, il paraissait épuisé.

— Que puis-je te dire, ma fille ? J'ai étudié les

signes sacrés, j'ai observé les astres, j'ai même fait appel à des sciences mystérieuses utilisées par les sorciers du pays de mon ami Ouadji. La réponse est toujours la même. L'Horus Neteri-Khet doit une nouvelle fois lutter contre un ennemi qu'il a déjà combattu dans le passé. Cet ennemi est l'expression de la volonté de ce dieu obscur né d'une interprétation néfaste et erronée de Seth. Et pourtant, Meren-Seth est mort.

— Mais alors, qui allons-nous affronter ?

55

Le lendemain soir, l'armée quitta Maghâra par la vallée méridionale. Plus loin, cette vallée rejoignait une large plaine conduisant, vers l'est, à l'oasis de Tahuna, où était installé le quartier général de l'ennemi.

Les mineurs de Maghâra avaient proposé au roi de se joindre à son armée, qui se renforça ainsi de près d'un millier d'hommes. Malgré leur appréhension, ils étaient décidés à combattre le démon funeste qui avait envahi leur pays. Ils étaient fermement convaincus que l'individu mystérieux qui avait su imposer sa loi aux Asiates et aux Édomites n'était autre que l'incarnation du dieu rouge. Djoser n'était pas éloigné de les croire. Il régnait dans la vallée du sud une atmosphère malsaine, pénible, comme si l'esprit de Seth la hantait, un esprit assoiffé de combat et de destruction.

Au matin, l'armée établit son campement auprès d'une petite oasis. Thanys, qui avait marché toute la nuit à côté de son époux, avait ressenti sa nervosité. Bien qu'on leur eût dressé une tente chacun, elle le rejoignit sous la sienne afin de le réconforter.

Un doute insidieux s'était emparé de l'esprit de

Djoser, provoquant une angoisse sourde qui lui rongeait les entrailles. Malgré la puissance de son armée, il redoutait cette fois de n'être pas le plus fort. *Parce qu'il ignorait qui était réellement son ennemi.* Malgré la présence rassurante de Thanys, il dut faire un effort pour chasser son anxiété. Ce n'était pas pour lui qu'il avait peur, mais bien pour le Double-Pays et son peuple. Son intuition lui soufflait que ce combat serait le dernier qu'il devrait mener, et de son issue dépendait le sort de Kemit. S'il était vaincu, les Deux-Terres sombreraient dans une période de chaos dont peut-être elles ne se relèveraient jamais.

Pourtant, comment triompher d'un adversaire dont il ignorait tout, et dont il venait à penser parfois qu'il était peut-être le dieu Seth lui-même ? Quelle force lui opposer, lui, simple mortel, même s'il était l'incarnation du dieu Horus ?

Mais c'était impossible ! Les dieux n'apparaissaient que dans les légendes. Dans la réalité, ils luttaient par l'intermédiaire des hommes qui les représentaient. Alors, qui incarnait le dieu Seth face à lui ?

Il se força à raisonner calmement, repoussant par de violents efforts de volonté les ondes de terreur irraisonnées qui le parcouraient par moments. Les paroles de son vieux maître, Merithrâ, lui revinrent en mémoire. Le véritable Seth n'avait pas de rapport avec le dieu guerrier impitoyable que certains s'obstinaient à voir en lui. Il était le neter de la mort, mais aussi de la résurrection, la coquille sèche de l'œuf qui protège la vie en gestation. Seule la perversité des hommes l'avait dénaturé. Mais, tout comme Meren-Seth quelques années auparavant, un homme s'était paré du reflet sombre de l'esprit de Seth. C'était ce monstre qu'il allait devoir combattre.

Peut-être s'agissait-il de l'un des seigneurs qui avaient fui l'Égypte au début de son règne, après avoir soutenu l'imposture de Nekoufer. Pourtant, aucun d'entre eux ne possédait une personnalité forte, capable de soulever une partie de la noblesse égyptienne et de concrétiser une alliance entre les Hittites et les Édomites.

En dehors de Meren-Seth, aucun homme ne possédait un charisme suffisant pour accomplir un tel exploit, sauf...

Soudain, une onde d'adrénaline le parcourut, qui manqua de lui couper le souffle. Un travail s'accomplit dans son esprit, à la vitesse de l'éclair. Puis il s'écria :

— Par les dieux ! Ce n'est pas possible !

Thanys, qui commençait à somnoler, épuisée par la longue marche nocturne, se réveilla en sursaut.

— Qu'est-ce qui n'est pas possible ?

Il la prit par les épaules, le regard halluciné.

— Je sais *qui* est notre ennemi !

56

— Et qui est-il ?

— Sa fille avait raison. Je l'ai affronté et vaincu il y a bien longtemps.

— Meren-Seth ?

— Non ! Nekoufer !

Éberluée, Thanys le contempla comme s'il avait perdu la raison.

— Mais Nekoufer est mort ! rétorqua-t-elle.

— En sommes-nous si sûrs ? Tash'Kor a bien dit que Kherou, le père de cette Tayna, avait le bras gauche paralysé.

— C'est exact.

— Quel âge avait-il ?

— Une soixantaine d'années.

— L'âge qu'aurait aujourd'hui Nekoufer ! s'exclama Djoser.

Il resta un moment silencieux, se remémorant la scène finale du combat qui l'avait opposé à cet oncle maudit.

— Ma lance l'a frappé à l'épaule gauche. Je l'ai vu basculer dans les eaux du fleuve, puis le courant l'a emporté dans un bouquet de papyrus. J'allais donner ordre à mes guerriers d'aller le chercher lorsque des crocodiles ont surgi. Ils ont pénétré dans les papyrus, puis sont ressortis en emportant un corps. Nous avons tous cru qu'il s'agissait de celui de Nekoufer. Mais admettons qu'il y ait déjà eu là un autre cadavre. C'est ce cadavre que les crocodiles ont dévoré, épargnant ainsi Nekoufer, qui a eu la force de se traîner hors de portée.

— Il était horriblement touché, contesta Thanys. Ta lance l'avait traversé de part en part.

— C'est pourquoi son bras gauche est paralysé.

— Mais qui peut survivre à une telle blessure ?

— La haine qu'il éprouvait pour moi a pu le maintenir en vie jusqu'à ce qu'il soit secouru par ses fidèles. Te souviens-tu ? Plusieurs d'entre eux ont disparu peu après cette ultime bataille. Dis-moi ce qu'est devenu Khedran, ce capitaine qui m'avait fouetté pour avoir défié l'Horus Sanakht ?

— Je l'ignore. Personne n'a plus jamais entendu parler de lui. Nous avons pensé qu'il avait fui l'Égypte parce qu'il redoutait ta colère à son égard.

— Mais s'il avait fui pour une autre raison ?

— C'est insensé !

— Non ! Je ne crois pas aux fantômes, ma sœur bien-aimée. Or, Imhotep affirme que Meren-Seth est bien mort. Imaginons que Nekoufer ait survécu à sa blessure. Ses partisans reviennent sur les lieux après le départ de l'armée. Ils entendent des gémissements et le découvrent dans le fourré de papyrus, terriblement mal en point, mais encore vivant. Ils l'emportent et le soignent, puis décident de quitter Kemit et de se réfugier… à Ugarit, où Tash'Kor le rencontrera, bien des années plus tard.

— C'est effrayant, s'exclama Thanys, mais je crois que tu as raison. Cela expliquerait que sa fille ait affirmé que son père était le véritable héritier des Deux Couronnes.

— Cela expliquerait aussi la présence de son fils Neferkherê à la tête des hordes qui voulaient détruire Per Bastet. Cette fois-là déjà, Nekoufer a tenté de m'éliminer.

— Et l'homme mystérieux qui a encouragé le Sumérien Enkhalil…

— C'était l'un de ses hommes. Peut-être même Khedran !

Thanys resta un moment silencieuse, puis déclara :

— Il y a quelque chose que je ne comprends pas : pourquoi avoir attendu aussi longtemps avant de se venger ?

— Il ne possédait pas les moyens de le faire. En quittant Kemit, il avait tout perdu. Ses partisans et lui ont dû vivre dans la pauvreté pendant des années avant de reconstituer un semblant de fortune grâce au négoce. Nekoufer est patient et tenace. Il a dû longtemps ruminer sa revanche. Son symbole, le crocodile, et même son nom d'emprunt, Kherou — la Voix —, sont les reflets de sa volonté de me détruire. Mais il était trop faible pour agir. C'est sa rencontre avec Tadounkha qui lui a fourni les moyens de concrétiser sa vengeance. Je ne sais comment, il s'est lié d'amitié avec lui, s'est imposé auprès de ses capitaines, puis l'a remplacé lorsqu'il est mort. Et il a eu l'idée de s'emparer des mines de cuivre pour forger des armes en suffisance. Son but est bien d'envahir les Deux-Terres.

— Après tant d'années, c'est incroyable.

— Son premier objectif est de se venger de moi. Il

ne peut imposer son règne que par la force, car il sait qu'il ne sera pas accepté par les Égyptiens. Ils conservent un trop mauvais souvenir de la courte période de son règne. Il doit donc me tuer, et tuer ensuite notre fils Akhty. Ma lignée éteinte, il pourra alors s'appuyer sur son armée pour s'emparer du trône d'Horus. Et il sera soutenu par une partie de la noblesse, celle d'Ankher-Nefer et de ses acolytes.

— Voilà pourquoi ils désiraient créer leurs propres milices, ajouta Thanys. Ils comptaient se ranger aux côtés de Nekoufer lorsqu'il envahirait le Delta. Mais cela n'explique pas les massacres d'enfants.

— Nekoufer connaissait vraisemblablement l'histoire de Meren-Seth. Il a voulu nous orienter ainsi sur une fausse piste, et nous faire croire au retour de son fantôme.

— Et il a fait tuer des enfants pour cela ! Quel personnage immonde !

— Il paiera ses crimes. Je le tuerai de mes propres mains. Dans deux jours, nous serons face à lui.

Lorsque l'armée se remit en route le soir venu, Djoser était plus décidé que jamais. Cette fois, toute angoisse l'avait déserté. Il avait démasqué son ennemi.

Les éclaireurs envoyés sur les hauteurs dominant l'oasis de Tahuna assurèrent que l'armée ennemie comptait près de dix mille hommes, soit presque autant que les forces égyptiennes. Une attaque directe par la vallée signifierait de lourdes pertes humaines. En revanche, un défilé étroit situé au pied du mont Tahuna débouchait au cœur même de la palmeraie. Une poignée de guerriers solidement armés suffirait à le tenir. Djoser réfléchit quelques instants. Très vite, un plan s'ébaucha dans son esprit. Ce passage resserré pouvait permettre de créer une diversion en faisant croire qu'une attaque de grande envergure était lancée par là. Si l'on parvenait à attirer les Hittites autour de ce passage, il serait possible d'investir le reste de la palmeraie et de les prendre à revers.

Le plan fonctionna à merveille. Dans le plus grand silence, Thanys profita de la nuit pour placer un millier d'archers de part et d'autre du défilé. À peine le soleil s'était-il levé qu'un groupe d'une centaine de guerriers investit l'oasis en décochant flèche sur flèche. Stupéfaits, les Hittites ne réagirent pas immédiatement. Puis, devant le faible nombre des assaillants, ils poussèrent des cris de victoire anticipée et se lancèrent à leurs trousses, escomptant n'en faire qu'une bouchée. Les Égyptiens rompirent aussitôt le combat et regagnèrent l'abri de l'étranglement.

À la hauteur du défilé, une pluie de flèches s'abattit soudain sur les poursuivants. De nombreux Asiates s'écroulèrent, le corps transpercé. Les cris de victoire firent place à des hurlements de rage. Contraints de reculer, les Hittites constatèrent que leurs agresseurs tenaient une position imprenable. Mais il en fallait plus pour les arrêter. Au milieu des palmiers, un personnage corpulent hurlait des ordres afin de galvaniser ses troupes. Djoser, qui observait les combats depuis le sommet d'une colline proche, ne put retenir un cri de triomphe.

— Khedran ! Je ne m'étais pas trompé.

En revanche, il ne décela aucune trace d'Ankher-Nefer et de ses compagnons. Il faillit lancer l'assaut immédiatement. Mais les troupes ennemies étaient encore trop éparpillées. Il fallait attendre qu'elles se concentrassent sur le défilé. Au loin, Thanys lui adressa un signe signifiant que ses archers tenaient bon. En effet, abrités derrière des anfractuosités situées en surplomb, ils occupaient une position très sûre. La seule manière de les déloger eût consisté à contourner le Tahuna pour les attaquer par derrière. Mais la rage des capitaines hittites les rendit aveugles. Leurs guerriers tombaient les uns après les autres sans parvenir à déborder les défenses égyptiennes. Peu à peu, les Asiates et les Édomites se regroupèrent à l'entrée de la vallée étroite, essayant de prendre d'assaut les plates-formes rocheuses qui protégeaient les archers. Leurs pertes commençaient à s'alourdir lorsqu'une immense clameur réveilla les échos de l'oasis. Par l'ouest de la vallée surgirent alors des milliers de guerriers armés jusqu'aux dents, qui hurlaient le nom royal de Djoser.

— Neteri-Khet ! Neteri-Khet !

Un instant pétrifiés, les Asiates réagirent et abandonnèrent les archers pour se lancer contre ce nouvel envahisseur, que les sentinelles, neutralisées pendant la nuit, n'avaient pas pu repérer.

Une terrible bataille s'ensuivit, chargée de haine et de violence. De part et d'autre, les bras frappaient, des ventres s'ouvraient, des crânes éclataient sous les impacts des casse-tête. Furieux de s'être laissé surprendre, les Hittites combattaient avec l'énergie du désespoir. La fougue égyptienne les bouscula sans ménagement, débordant les défenses, repoussant l'ennemi jusqu'au lac, dont les eaux ne tardèrent pas à se teinter de rouge.

Djoser, suivi par ses guerriers les plus fidèles, et épaulé par son fils, culbutait les groupes asiates qui tentaient de s'opposer à lui. Des yeux, il cherchait son véritable ennemi, cet oncle qui l'avait autrefois combattu. Khedran, capturé peu après l'invasion de la palmeraie, avait confirmé qu'il avait vu juste. Mais Nekoufer n'osait se battre à visage découvert. Sans doute avait-il déjà compris que tout était perdu.

Inexorablement, la victoire se dessina en faveur des Égyptiens. L'une après l'autre, les poches de résistance, acculées contre les montagnes, rendirent les armes. Quelques mouvements de panique se dessinèrent dans les rangs ennemis. Certains rompirent le combat et tentèrent de s'échapper par les vallées ouvertes au sud, d'autres capitulèrent.

Soudain, on repéra un petit groupe d'hommes qui s'enfuyait par l'est. Parmi eux, un vétéran de la garde avait reconnu la silhouette de Nekoufer. Poussant un cri de victoire, Djoser voulut se ruer à sa poursuite. Mais les dernières phalanges hittites lui opposèrent un barrage féroce. Il fallut toute la hargne des soldats d'élite de l'Horus pour en venir à bout. Enfin, constatant que leur roi avait déserté les lieux, les Asiates finirent par déposer les armes.

La tactique du roi avait payé. À la fin de la journée, la victoire était totale. À peine plus d'un millier de Hittites avait réussi à s'enfuir. Près du quart avait péri. Les survivants étaient entravés, prêts à rejoindre les mines d'or de Nubie.

Djoser se fit amener Khedran. Les gardes jetèrent le prisonnier aux pieds du souverain qui lui dit :

— Parle ! Sais-tu où s'est enfui Nekoufer ?

L'autre le regarda, puis lui adressa un sourire tordu, en signe de défi. Djoser marcha sur lui et le gifla à toute volée.

— Ton maître n'est qu'un lâche ! tonna Djoser. Il ose se prétendre seul héritier des Deux Couronnes, mais il n'a même pas le courage de m'affronter seul à seul, comme autrefois.

— C'est qu'il n'a plus la même force, répliqua Khedran. Tu as pris son bras gauche.

— On ne renonce pas à l'honneur d'affronter son ennemi face à face, cingla Djoser. Où est-il parti se terrer, comme le rat qu'il est ? Ne comprends-tu pas qu'il t'a abandonné ?

Khedran baissa la tête.

— En vérité, j'ignore ce qu'il a en tête, dit-il enfin. Sans doute va-t-il essayer de se réfugier dans le désert édomite.

Quelques instants plus tard, après avoir confié la suite des opérations à Thanys et Imhotep, Djoser, Khersethi et une centaine de guerriers se lançaient à la poursuite de Nekoufer.

— À son âge, il ne pourra aller bien loin, souffla Khersethi.

Pourtant, la traque ne se révéla pas très aisée. La moindre anfractuosité, la plus petite dépression pouvait abriter des guerriers décidés à se sacrifier pour leur maître, et ils durent avancer avec précaution. Mais peut-être l'influence de Nekoufer sur ses hommes avait-elle fortement diminué, en raison de ses deux défaites successives. Ils ne rencontrèrent aucun obstacle.

Parfaitement entraînés, les guerriers de Djoser ne lâchaient pas leurs proies. Ils guettaient le moindre indice, trace de sang sur le sable, bout d'étoffe per mettant de déceler le passage de l'ennemi.

La chasse se poursuivit ainsi pendant deux jours. Vers l'est se dressaient des montagnes de plus en plus élevées. La piste devenait de plus en plus difficilement praticable. Mais toujours les soldats découvraient des marques. Bientôt, Djoser comprit que Nekoufer l'entraînait vers une montagne haute, au relief tourmenté.

Enfin, au matin du troisième jour, il l'aperçut, gravissant les flancs de la montagne en compagnie d'une vingtaine de fidèles, apparemment des Égyptiens. Sans doute avait-il espéré déjouer la ténacité de Djoser, car il avait considérablement ralenti l'allure. La fatigue devait y contribuer également. Galvanisé, l'Horus força l'allure, entraînant derrière lui ses guerriers exténués. Khersethi lui-même, malgré son endurance, avait peine à soutenir le pas du souverain. Ils empruntèrent ainsi le lit d'un torrent à sec, où ne subsistaient que quelques flaques d'eau bordées d'une végétation timide. Elles furent cependant suffisantes pour désaltérer les guerriers. Et toujours leurs proies les entraînaient plus haut, escaladant parfois de véritables murailles rocheuses. Autour d'eux se dessinait peu à peu un panorama d'une beauté à couper le souffle. Vers le sud apparut une immense étendue d'un bleu profond. Djoser finit par comprendre qu'il s'agissait là de la grande mer qui menait, au-delà de l'horizon, jusqu'au mystérieux pays de Pount.

Il ne s'expliquait pas pourquoi Nekoufer l'entraînait ainsi vers le sommet de cette montagne grandiose. Bientôt, le sentier quitta le lit du torrent à sec et monta en serpentant sur le flanc du massif. Peu à peu, le relief alentour semblait s'écraser sous un ciel d'un azur limpide. À cette altitude, la température devenait supportable, mais l'air se raréfiait, hachant la respiration des soldats. Un vent frais desséchait la sueur qui ruisselait sur la peau des poursuivants.

Enfin, ils atteignirent le sommet de la montagne. Djoser, essoufflé, voulut se redresser pour repérer Nekoufer. Khersethi, qui avait aussitôt vu le danger, n'eut que le temps de se jeter sur lui pour lui éviter d'être transpercé par les flèches des archers que l'usurpateur avait placés devant lui, en une ultime défense. Les deux hommes roulèrent à l'abri d'un énorme rocher. L'instant d'après, les guerriers égyptiens ripostaient, abattant les tireurs l'un après l'autre. Lorsque Nekoufer se retrouva seul, Djoser s'avança et dégaina son glaive. L'autre l'accueillit avec un ricanement amer.

— Ainsi, tu triomphes une fois de plus, mon neveu, grinça-t-il d'une voix essoufflée.

— Depuis toutes ces années, tu n'as rêvé que de te venger.

— Il ne s'est pas écoulé un jour sans que je pense à la manière dont je pourrais t'éliminer et reconquérir ce trône que tu m'avais volé. Parce que les crocodiles m'ont épargné il y a vingt ans, j'ai fait d'eux mon emblème, le symbole de ma colère. Je m'étais juré de te nuire, par tous les moyens.

Il soupira.

— Mais j'avais tout perdu, y compris mes fidèles compagnons, dont tu viens de tuer les derniers.

— Tu t'es lié d'amitié avec le roi des Hittites. Tu as pactisé avec ces hyènes…

— Tadounkha m'apportait enfin le moyen de concrétiser ma vengeance. Je me suis assuré son alliance. Il m'a fallu pour cela trahir les gens d'Ugarit, qui m'avaient offert l'hospitalité, mais cela n'avait aucune importance. J'ai donné à Tadounkha le moyen de s'emparer de différentes cités sur lesquelles je lui fournissais des renseignements précieux. Je les connaissais bien, pour m'y être rendu souvent pour le négoce.

— Tu n'es qu'un scélérat! Tu as trompé la confiance de ceux dont tu te prétendais l'ami.

— Mon but justifiait mes actes! cingla Nekoufer avec orgueil. Je devais tout faire pour te renverser. Jusqu'à te faire croire au retour de cet imbécile de Meren-Seth. Lui aussi se croyait destiné à gouverner les Deux-Terres. Mais il a échoué lamentablement. Je l'ai rencontré après sa fuite. Il ignorait qui j'étais, mais je savais tout de lui. Il m'a fait part de son échec, de sa volonté de vengeance. J'ai compris quel parti je pouvais tirer de ce crétin. Il n'a pas survécu longtemps. Il était déjà atteint par la Mort Noire.

Il poursuivit son histoire, d'une voix chargée de défi, presque triomphante. Il corrobora ainsi les suppositions de Djoser. C'était bien Khedran qui avait poussé Enkhalil à tuer Thanys.

— Mais ce crétin a manqué sa cible, et il a abattu une gamine. Ta propre fille! ricana Nekoufer.

Djoser dut faire un violent effort sur lui-même pour ne pas bondir à la gorge de l'ignoble personnage. Il avait compris que, se sachant perdu, l'autre mettait un point d'honneur à le défier et l'insulter. Il ne devait pas entrer dans son jeu, soupçonnant une ultime traîtrise. Il gardait en mémoire la poignée de sable qui l'avait aveuglé lors de leur dernier combat.

— Continue, gronda-t-il d'une voix neutre.

— Pendant la sécheresse, j'ai envoyé mon fils Neferkherê dans le Delta. Je savais par mes espions que tu étais à Per Bastet, et gravement malade. T'éliminer était facile. Mais il a été vaincu, et l'épidémie l'a emporté, grinça le vieil usurpateur.

— Ensuite, tu t'es assuré des complices parmi les nobles du Delta.

— Des imbéciles. Ils ont échoué, eux aussi.

— Que sont devenus Ankher-Nefer et ses compagnons ?

— Après leur fiasco, ils m'ont rejoint à Ugarit.

Il eut une moue de mépris.

— Ils comptaient sur mon indulgence. Je les ai fait mettre à mort.

— Tu es immonde.

Pour toute réponse, Nekoufer éclata d'un rire cassé et cynique.

— Je déteste les incapables. Plus tard, par l'intermédiaire de ce crétin de Chypriote, j'ai placé près de toi ma fille, Tayna, pour t'espionner. Elle devait m'amener ton fils Seschi et la bâtarde de ta garce d'épouse. Mais elle a disparu. Deux mois plus tard, alors que je la croyais perdue, elle m'a fait savoir qu'elle se trouvait en Anatolie et qu'elle comptait me livrer ton fils et ta fille. J'espérais bien t'envoyer leurs têtes. Mais ton fils l'a démasquée, et elle a préféré se suicider plutôt que de tomber entre leurs mains.

Djoser sentit une onde glaciale lui parcourir l'échine. Il n'y avait dans la voix de son oncle aucune nuance de chagrin ou de regret. La mort de sa fille semblait le laisser indifférent. Pire encore, il ne lui pardonnait pas son échec.

— Je n'ai été entouré que par des imbéciles ! grommela-t-il. J'ai incité Tadounkha à s'emparer des comptoirs égyptiens du Levant. C'est sur mon instigation qu'il a attaqué Byblos. Ce sinistre crétin a trouvé le moyen de se faire tuer. Je n'ai guère eu de mal à convaincre ses capitaines que j'étais le seul capable de le remplacer.

— Et tu les as guidés jusqu'ici pour t'approprier les mines de cuivre de Kemit et fabriquer des armes.

— J'ai même conclu une alliance avec les Édomites, en leur faisant miroiter les richesses du Double-Royaume. Ils m'ont suivi sans difficulté. Ils n'ont toujours pas digéré leur défaite. Mais ta maudite armée m'a attaqué par surprise, alors que je n'étais pas encore prêt, grogna-t-il enfin. Et nous voici de nouveau face à face.

— Pourquoi m'avoir entraîné jusqu'ici ? demanda Djoser.

Nekoufer se redressa et lui montra le paysage grandiose.

— Ne peut-on rêver d'un plus bel endroit pour mourir ? Lorsque je me suis enfui de la palmeraie, je savais que tu finirais par me rattraper. Car les dieux te protègent, mon neveu. C'est pourquoi tu m'as vaincu. Mes fidèles guerriers n'ont même pas pu t'arrêter.

— Tu aurais pu éviter leur mort en te rendant, répliqua le roi.

— Non ! Je devais tout faire pour te tuer.

Il soupira, baissa la tête, puis répéta, plus bas :

— Tout !

Soudain, il se redressa, dégaina un poignard acéré qu'il dissimulait sous ses vêtements et le jeta vivement en direction de Djoser.

— Nooon ! hurla Khersethi.

Mais le roi avait prévu une dernière perfidie. Il se jeta sur le côté pour éviter l'arme, qui alla se planter dans l'épaule d'un soldat. Djoser s'empara alors d'une lance et marcha sur Nekoufer.

— Prends garde, Seigneur ! hurla un capitaine.

Mais Djoser n'écoutait plus. Pour la première fois, une lueur qui ressemblait à de l'angoisse brilla dans le regard de Nekoufer. Il recula jusqu'à l'extrême limite de la plate-forme constituant le sommet de la montagne. Une fois sur lui, Djoser assura sa prise sur la lance, puis d'un coup violent, l'enfonça dans le cœur de son ennemi.

— Que le sang d'Inkha-Es retombe sur toi ! hurla-t-il.

Les yeux de Nekoufer se voilèrent, il tenta vainement de reprendre une respiration qui le fuyait. Djoser arracha le javelot d'un coup sec. Le regard empli d'une dernière flamme de haine, Nekoufer tituba jusqu'au rebord, tandis qu'un flot de sang jaillissait de sa bouche. Il s'écroula sur le sol, la poitrine agitée de soubresauts. Faisant appel à ses ultimes forces, il se traîna jusqu'au bord du précipice et bascula dans le vide. Un terrible hurlement d'agonie et d'angoisse réveilla les échos des montagnes grandioses, tandis que son corps tournoyait un bref moment dans les airs avant de s'écraser quelques centaines de coudées en contrebas.

Khersethi s'approcha, incrédule. Le monstre n'allait-il pas se relever une dernière fois ? Mais le cadavre disloqué resta parfaitement immobile.

— Cette fois, il est bien mort ! soupira Djoser.

Il prit une profonde inspiration et contempla longuement le paysage extraordinaire. Il lui semblait ressentir la présence d'entités invisibles, qui l'avaient soutenu dans son combat.

— Il avait raison, ajouta-t-il enfin. C'est un endroit magnifique pour mourir.

Puis il revint vers le guerrier blessé, que l'on avait commencé à soigner.

— Mais ce n'est pas une raison pour l'imiter, compagnon.

— Ce n'est qu'une blessure superficielle, Seigneur ! répondit le soldat avec un sourire qui ressemblait à une grimace. Avec ta permission, je préférerais mourir très vieux, entouré de ma nombreuse descendance.

— Ainsi feras-tu ! En ce jour, nous avons anéanti notre dernier ennemi, et la paix va désormais régner sur Kemit pour une très longue période.

57

*Le mérite appartient à celui qui commence, même si le
suivant fait mieux.*

Proverbe arabe

An vingt-cinq de l'Horus Djoser...

Une longue procession s'avançait depuis Mennof-Rê. En tête venait le grand prêtre Sem, Imhotep, que suivaient plus de trois cents femmes aux visages ruisselants de larmes, les bras chargés de gerbes de fleurs. Derrière s'avançaient une vingtaine de guerriers qui portaient, à pas lents, une litière. Sur la litière reposait un sarcophage de bois contrecollé, et recouvert de feuilles d'or. Un masque finement ciselé reproduisait les traits du roi Djoser. Après le cercueil venait le kâ, le double spirituel du souverain défunt, sculpté dans l'ébène, et lui aussi orné d'or. Une douzaine de gardes royaux le transportaient avec respect, le visage grave.

À distance, la Cour observait le rythme mesuré des porteurs. À quarante-cinq ans, Thanys n'avait rien perdu de sa beauté. Elle était entourée de la famille royale. Le jeune héritier, Akhty-Meri-Ptah, qui devait régner sous le nom de Sekhem-Khet, marchait à son côté, le regard durci pour ravaler son chagrin. La jeune Hetti, bouleversée par cette cérémonie qu'elle ne comprenait pas tout à fait, lui tenait la main. Immédiatement derrière, Seschi, les traits douloureux, soutenait ses deux épouses, Neserkhet et Chleïonée. Khirâ s'appuyait sur le bras de Tash'Kor.

Ensuite venaient les princes et leurs familles, Semourê et Inmakh, le fidèle Moshem, dont les cheveux avaient viré au gris, au bras d'Ankheri, puis tous les grands seigneurs. Les nomarques de toutes les provinces étaient présents, suivis par des serviteurs aux bras chargés d'offrandes.

Derrière la Cour suivaient les délégations des différents temples, puis la foule des artisans et des paysans. Sur les visages, la douleur n'était pas feinte.

Thanys sentait à peine les larmes qui ruisselaient sur ses joues. La peine sincère que ressentait toute cette foule l'imprégnait, la torturait. Elle n'aurait jamais imaginé que cette cérémonie l'éprouverait autant. Elle aurait voulu être forte, mais elle ne pouvait résister au chagrin qui la submergeait, malgré elle. Une boule lourde lui nouait la gorge. Cette procession funèbre lui rappelait trop les obsèques de sa fille, la petite Inkha-Es, disparue avant d'avoir pu goûter aux fruits de la vie.

Au terme d'une longue marche silencieuse, la longue colonne atteignit le plateau de Saqqarâh. Alors, la peine se teinta de stupéfaction. Hormis les ouvriers qui avaient travaillé à sa construction, personne n'avait encore pu admirer la cité sacrée enfin achevée.

Une puissante muraille à redans, à l'imitation de celle qui protégeait la capitale, la cernait. Haute de plus de douze coudées, elle s'étendait sur une longueur de mille, et une largeur de cinq cents. À intervalles réguliers se dessinaient des simulacres de portes. On savait qu'elles étaient au nombre de quatorze. Une seule, la quinzième, située à l'angle sud-est, permettait de pénétrer à l'intérieur.

Mais le plus surprenant était cet édifice colossal, dont on ne percevait que le sommet au-delà de l'enceinte. La pyramide comportait désormais six degrés, et s'élevait à une hauteur de cent trente coudées. Ses niveaux, qui symbolisaient l'escalier grâce auquel le roi divin monterait vers les étoiles, étincelaient d'un blanc insoutenable. Ces « marches » n'étaient pas horizontales, mais suivaient une pente d'un rapport de sept sur deux. Le gigantesque monument avait été recouvert d'une couche de mortier blanc, qui reflétait la lumière du soleil, tel un joyau colossal. Jamais depuis l'aube de l'histoire de l'Égypte on n'avait érigé un édifice de cette dimension. Aucun autre au monde ne pouvait lui être comparé en beauté et en taille.

Stupéfaite, la foule observa un long moment de silence. Ce n'était pas seulement le tombeau du grand Djoser qui se dressait au cœur de la cité sanctuaire comme un mystère insondable. C'était aussi le symbole de sa puissance, et le lieu étrange où les dieux invisibles s'incarnaient dans le monde des humains. Avec un sentiment de fierté et de respect non dissimulé, chacun rendit hommage à l'esprit hors du commun qui avait pu concevoir une telle splendeur. Son nom était sur toutes les lèvres : Imhotep. Les ouvriers qui avaient travaillé sur le chantier sentirent, au plus profond d'eux-mêmes, une sorte d'exaltation à l'évocation de ce nom, qui rejoignait celui du roi divin dans leur cœur. Il n'existait pas une famille dans tout

Mennof-Rê qui n'avait eu recours au moins une fois à sa science fabuleuse pour soigner une blessure ou une maladie.

Seuls les prêtres et prêtresses avaient le droit de pénétrer dans l'enceinte sacrée. Cependant, des statues des différentes divinités avaient été érigées à l'extérieur, le long du mur oriental, afin que chacun pût leur rendre hommage.

À la suite d'Imhotep, le convoi pénétra à l'intérieur de la cité. On suivit d'abord un couloir bordé de colonnes à cannelures, et dont la largeur ne dépassait pas les quatre coudées. Le passage déboucha sur une vaste place intérieure, au bout de laquelle se dressait la pyramide. Malgré le chagrin qui broyait les cœurs, chacun ne put s'empêcher d'admirer les proportions parfaites de l'édifice. dont la masse imposante dominait le plateau. La rangée occidentale de onze puits ouvrant vers les galeries souterraines des tombeaux royaux avait été recouverte, et il ne subsistait que la masse imposante de l'édifice dont la blancheur étincelante contraignait à plisser les yeux. Il ne faisait aucun doute qu'il s'agissait là d'un monument à l'image des dieux. Sa beauté majestueuse déconcerta un moment l'assistance, à tel point qu'on en oublia pour un temps la solennité du moment. Mais un regard d'Imhotep rappela aux participants le rite sacré de la cérémonie.

Dans l'épaisseur de la muraille méridionale s'ouvrait un conduit menant vers un puits. Les gardes s'y dirigèrent, y disparurent à la suite du grand prêtre Sem. Suivirent les porteurs de vases d'albâtre, de coffres, et enfin les guerriers portant le kâ. Le double du roi défunt allait prendre possession de son nouveau royaume, et veiller ainsi sur ses trésors.

Tandis que l'on descendait le sarcophage dans les chambres secrètes du labyrinthe, la foule psalmodiait les paroles rituelles saluant la mémoire du roi. Puis les maîtres des différents temples ordonnèrent à la foule de contourner la grande place pour gagner l'allée des chapelles divines, alignées parallèlement à la muraille orientale. On découvrit alors une dizaine de monuments ornés chacun de trois colonnes à cannelures imbriquées dans l'édifice, et bordés d'estrades de pierre auxquelles on accédait par des escaliers. Sous les toitures arrondies, toutes différentes, se creusaient des niches où avaient été installées les effigies des dix plus importantes divinités du Double-Pays. De jeunes prêtresses attendaient déjà, parfaitement immobiles dans de somptueuses robes de lin blanc qui dévoilaient les lignes juvéniles de leur corps.

Lentement, la foule s'installa, le cœur vibrant. La seconde partie de la cérémonie allait commencer. Lorsque chacun eut pris place, Imhotep réapparut à l'entrée de l'allée et leva les bras.

— Peuple d'Égypte, selon la tradition, le rituel du Heb-Sed a vu aujourd'hui mourir son bien-aimé roi, le grand Neteri-Khet, le Soleil d'or. Il a rejoint les dieux. Mais ceux-ci lui ont permis de renaître à la vie.

À peine avait-il prononcé ces mots qu'une silhouette apparut à l'autre extrémité de l'allée des chapelles. Même si chacun savait que le rituel sacré n'était qu'une mise en scène, on avait tellement cru à la mort du roi qu'on avait fini par se convaincre qu'il avait réellement rejoint son père Osiris.

Pourtant, Djoser était bien vivant. Il s'avança d'un pas lent vers Imhotep. Selon la tradition, parce qu'il venait de revenir à la vie, il ne portait aucun vêtement.

Une onde de joie parcourut la foule. Vivement émue, Thanys laissa de nouveau couler ses larmes, mais c'étaient cette fois des larmes de soulagement.

La tradition du Heb-Sed était très ancienne et remontait bien avant l'unification de la Haute et de la Basse-Égypte par le grand Ménès. Rendue officielle par le roi Oudimouh, deux siècles plus tôt, son origine se perdait dans la nuit des temps. Selon l'usage, le roi devait, au cours de la vingt-cinquième année de son règne, accepter de mourir de manière symbolique, puis subir une série d'épreuves afin de prouver qu'il était encore capable de diriger son peuple. Ainsi s'expliquaient les obsèques fictives au cours desquelles on avait enfermé dans le cénotaphe de la muraille sud un sarcophage vide, un kâ, ainsi que des offrandes.

Avant le règne de Djoser, cette cérémonie nécessitait la construction de chapelles et d'édifices de roseaux, qui étaient ensuite détruits. Imhotep avait conçu la cité sanctuaire en y incluant les monuments de pierre destinés au rituel du Heb-Sed, afin que ceux-ci perdurassent.

Selon la coutume, Djoser devait tout d'abord rendre hommage à chacun des dieux principaux de l'Égypte, afin que ceux-ci le reconnussent pour l'un des leurs. Devant chacune des chapelles, il dut prononcer les phrases rituelles, et déposer des offrandes. Chacune des dix chapelles était occupée par l'effigie d'un neter.

Il s'inclina ainsi devant Atoum, le dieu créateur de l'univers. Son nom, symbolisé par le signe sacré du traîneau, signifiait la règle fondamentale qui régit la création, l'origine mystérieuse de toute vie. Atoum s'était engendré lui-même à partir du Noun, le chaos primordial. Son effigie, concrétisée par un homme à tête de bélier surmonté du scarabée Khepri, occupait la première chapelle.

De sa semence étaient nés Shou, l'air, le vide qui séparait la terre du ciel, et Tefnout, son épouse, déesse de l'eau. Avec Atoum, ils constituaient, selon les prêtres de Iounou, la première triade divine. Tous deux avaient ensuite enfanté Geb, dieu de la terre, et Nout, déesse du ciel.

Puis, pendant les jours épagomènes qui clôturaient l'année, Geb et Nout avaient donné naissance à quatre enfants : Osiris, souverain du royaume des morts et neter de l'agriculture ; Isis, son épouse, la Magicienne, la grande Initiatrice, la Mère de l'Égypte ; le troisième jour était apparu Seth, le frère d'Osiris, son ennemi, son reflet obscur, le destructeur qui engendre la vie par le miracle de la résurrection, dieu inquiétant dont on disait qu'il avait crevé le flanc de sa mère pour s'échapper. Le cinquième avait vu l'apparition de la douce Nephtys, sœur et amante d'Osiris, mère d'Anubis à tête de loup.

Enfin, une dixième chapelle complétait la Grande Ennéade, qui abritait le dieu magnifique né le quatrième jour : Rê-Horus, le dieu solaire à tête de faucon, le maître des étoiles, le dieu suprême dont il était l'incarnation vivante[1], et qui synthétisait tous les autres dieux en lui-même.

1. Il s'agit là de la Grande Ennéade de Iounou (Héliopolis), la plus ancienne. Plus tard, Rê supplantera Atoum, et de nouvelles divinités prendront de l'importance, telles Thât, Anubis, Hathor et Maât. Ptah était une divinité vénérée à Mennof-Rê (Memphis). En réalité, les neters égyptiens tirent leur origine de dieux totémiques vénérés depuis la période prédynastique par les tribus installées sur les rives du Nil. Par syncrétisme, ces divinités se trouvèrent amalgamées à mesure que les tribus se regroupaient. Ceci explique leurs noms différents selon les régions.

Lorsqu'il eut accompli ce premier périple, Djoser dut faire la preuve de sa bonne condition physique. Il entama alors une course symbolique qui le mena depuis la cour des chapelles jusqu'à la place principale. Il lui fallait ainsi effectuer dix tours, sous le regard attentif de la foule. Mais sa foulée souple, accompagnée par les paroles rituelles scandées par les prêtres, ne laissait place à aucune inquiétude. À quarante-sept ans, le roi était en excellente forme. La course se termina au milieu de la place principale, entre deux bornes en forme de D, qui représentaient la frontière entre les deux royaumes de Haute et de Basse-Égypte.

Un peu essoufflé, il attendit la venue d'Imhotep, qui le guida vers un autre endroit de la cité, situé au-delà de l'allée des chapelles. La foule se déplaça pour assister à la suite de la cérémonie. Face à face étaient érigés deux monuments symbolisant la Haute et la Basse-Égypte. Celui du sud représentait la Haute-Égypte, le royaume du lotus, celui du nord la Basse-Égypte, la région du Delta, royaume du papyrus. La ligature symbolique des deux plantes concrétisait l'union des deux royaumes. De hautes colonnes cannelées ornées de lotus pour la maison du sud, et de papyrus pour la maison du nord, soutenaient une toiture en arcade. Deux portes décalées vers la gauche constituaient l'entrée des deux temples.

Djoser s'inclina d'abord devant la Maison du sud. Selon le rite, Imhotep le coiffa de la première couronne, la blanche, emblème de son autorité sur la Haute-Égypte. Puis, devant la Maison du nord, il reçut la couronne rouge de Basse-Égypte. À la base de celle-ci se dressait l'uræus, le cobra femelle sacré, image de la colère du roi contre ses ennemis, et symbole de Sekhmet, fille de Rê. On orna ensuite son menton de la barbe postiche de cuir tressé. Puis il reçut le Heq et le Nekheka, la crosse et le fléau, qu'il croisa sur sa poitrine. Enfin, il passa un pagne blanc, tissé dans le lin le plus fin, équipé sur le devant d'un étui ouvragé et décoré protégeant les parties génitales. Alors, majestueusement, il monta les quelques marches d'un dais sous lequel on avait installé son trône, dont les pieds avaient la forme de pattes de taureau, et les accotoirs celle de têtes de lion. Une formidable ovation le salua alors.

La cérémonie se poursuivit par le sacrifice d'un taureau blanc, dont le sang était destiné à purifier le Double-Royaume, et dont la chair serait offerte aux prêtres. On érigea ensuite un pilier Djed, qui symbolisait la résurrection du roi. Puis Djoser dut accueillir, un à un, les nomarques de toutes les provinces du sud et du nord, afin de recevoir leur hommage et leurs présents.

Ce ne fut que bien plus tard, lorsque la foule des gouverneurs eut défilé devant le souverain, que Djoser put enfin quitter la cité sacrée, rejoint par son épouse Thanys, prêtresse de la très belle Hathor. Sur son passage, on lui adressa de chaleureux compliments, lui souhaitant, selon la tradition, de vivre *un million de Heb-Sed*, c'est-à-dire l'éternité[1].

---

1. La durée du règne de Djoser n'est pas connue avec certitude. Selon le papyrus de Turin, il n'aurait duré que dix-neuf ans, selon d'autres sources, vingt-neuf.

ÉPILOGUE

Quelques jours plus tard, Imhotep se rendit sur le plateau où les maçons et tailleurs de pierre venaient d'achever sa demeure d'éternité.

Le soleil entamait sa course ascendante vers le zénith, image de Rê-Horus dans sa gloire, et illuminait la vallée d'une lumière étincelante. Près de lui marchait son fils Ankhaf. Âgé de dix-sept ans, il était le reflet de son père : même démarche, même forme du visage, même regard curieux. Tandis que l'aîné, Amanâou, demeurait l'inséparable compagnon du futur roi, Akhty-Meri-Ptah, Ankhaf ne quittait pas son père pour lequel il éprouvait une admiration sans bornes. Dans son ombre, il avait appris les secrets de la médecine et des étoiles, et percé le mystère des nombres sacrés qui régissaient l'architecture. Imhotep voyait en lui son successeur. N'avait-il pas en projet la construction d'une seconde cité sacrée, qu'il bâtirait lorsque Akhty remplacerait Djoser sur le trône d'Horus[1].

---

1. Il s'agit de la cité sacrée de Sekhem-Khet, dont la pyramide, selon Jean-Philippe Lauer, devait compter sept degrés. Elle ne fut jamais achevée.

Ankhaf possédait une qualité rare : il savait se taire, respectant ainsi les silences de son père, perdu dans ses pensées. Une vague nostalgie troublait Imhotep. L'achèvement de la cité sacrée le laissait quelque peu désemparé Après la cérémonie du Heb-Sed, il avait attendu que la foule ait déserté les lieux, puis il avait erré dans l'allée des chapelles, que des ouabs commençaient à nettoyer, puis ses pas l'avaient amené sur la place principale d'où l'on découvrait la perspective impressionnante de la pyramide étincelante de lumière. Sa majesté, la pureté de ses lignes, dont les proportions répondaient aux règles des nombres sacrés, l'avaient empli d'une légitime fierté.

Avec le livre de médecine qu'il était sur le point de terminer — mais pouvait-il y avoir une fin à un tel ouvrage ? —, la construction de cette pyramide avait été une aventure éprouvante, mais merveilleuse. Mais elle était finie. Il aurait voulu qu'elle se prolongeât encore.

Dans l'esprit enfiévré et bouillonnant du grand homme se dessinaient les silhouettes d'autres monuments, dont la pyramide de Saqqarâh annonçait déjà le projet. Il ne vivrait pas assez longtemps pour voir de ses yeux terrestres leur édification. Mais il savait que ses successeurs s'inspireraient de ses travaux. Peu à peu, l'Égypte se couvrirait d'autres pyramides, qui constitueraient le reflet de cet au-delà auquel chaque Égyptien aspirait : le fabuleux Nil céleste, où régnaient les dieux, et où chacun reprenait vie.

Ce Nil céleste, il le voyait chaque soir dans le ciel constellé d'étoiles, sous la forme d'un vaste fleuve d'une couleur laiteuse qui traversait le firmament nocturne. Et chacune des constellations portait en elle-

même le projet des futures pyramides qui proclame-
raient la grandeur des rois divins qui gouverneraient
l'Égypte dans les siècles à venir.

Si Imhotep ne verrait jamais ces somptueux monuments, il demeurerait celui qui avait conçu le premier
grand monument du monde.

La première pyramide…

D'un naturel optimiste, il chassa ses pensées nostalgiques et s'appuya sur l'épaule de son fils pour gravir la rampe menant vers le monument. Sur les rives
du fleuve-dieu, la petite agglomération s'était agrandie de nouvelles maisons, destinées à accueillir les
qenous, les tailleurs de pierre, les sculpteurs, les géo-
mètres et les serviteurs chargés de l'approvisionnement en vivres de tous ces ouvriers.

— Comment s'appelle ce village ? demanda Ankhaf.
— Gizeh, mon fils !
Tous deux poursuivirent leur ascension, salués avec
déférence par les maçons. Parvenu sur le plateau,
Imhotep contempla l'immense étendue couverte d'une
savane clairsemée, où l'on apercevait çà et là quelques
antilopes addax. Il s'agissait, là aussi, d'un lieu sacré,
semblable à Saqqarâh. Dans son esprit fertile apparaissaient d'autres formes, des pyramides encore plus éla-
borées que celle de Djoser. En les recouvrant d'une
couche de calcaire blanc, il devait être possible de supprimer les degrés. On obtiendrait ainsi une ligne parfaite, expression des rayons de Rê. Il se promit de
prendre des notes à ce sujet le soir même.

Ils revinrent ensuite vers le monument, qui étonnait
et impressionnait ceux-là mêmes qui l'avaient construit. Orienté vers l'est selon la volonté de Sekhmet, il

etait destiné à protéger, chaque matin, le lever du dieu solaire Rê contre l'attaque d'Apophis, le monstrueux serpent de Seth. Selon la croyance, il tentait de le dévorer pour l'empêcher de renaître du corps de sa mère, Nout. Toujours selon cette croyance, c'était le dieu Seth lui-même, gardien de la mort et de la résurrection, qui retenait le monstre, car Apophis était sa créature.

Quelque part dans le réseau de galeries que l'on avait creusé au-dessous, s'ouvrait un puits dont l'accès était seulement connu des initiés, et où reposerait le corps du grand vizir lorsque son temps serait venu de rejoindre les étoiles.

Imhotep et Ankhaf observèrent longuement le mystérieux édifice. En hommage à la déesse Sekhmet qui l'avait inspiré, sa forme était celle d'un lion, et sa tête, fièrement dressée en direction du soleil levant, était celle d'un homme.

Bien plus tard, un peuple admiratif, venu d'au-delà de la Grande Verte, lui donnerait pour nom le *Sphinx*.

FIN

Appendices

Appendices

GLOSSAIRE

AABET (àabet) : l'orient, où se lève le soleil.

AFFRIT : Esprit malfaisant du désert.

AMENT : Le désert de l'ouest, où la tradition situait le royaume des morts, parce que le soleil se couchait dans cette direction.

CALAME : Poinçon de roseau destiné à l'écriture sur le papyrus, le bois, ou des tablettes d'argile.

CALENDRIER : L'année égyptienne était divisée en trois saisons de quatre mois chacune. Chaque mois comptait trente jours de trois *décades*. Les cinq jours restants étaient appelés jours *épagomènes*, et représentaient les jours de naissance des dieux Osiris, Horus, Seth, Isis et Nephtys. Traditionnellement, ces jours étaient consacrés à de grandes festivités. Voici, ci-dessous, un exemple d'année égyptienne comparée à la nôtre.

AKHET : *inondation*

1. *Thôt*   : 19 juillet – 17 août
2. *Paophi* : 18 août – 16 septembre
3. *Athyr* : 17 septembre – 15 novembre
4. *Choiak* : 17 octobre – 15 novembre

PERET : *germination (semailles)*

1. *Tybi*   : 16 novembre – 15 décembre
2. *Mechir* : 16 décembre – 14 janvier

713

3. *Phamenoth* : 15 janvier – 13 février
4. *Pharmouti* : 14 février – 15 mars

CHEMOU : *moissons (récoltes)*

1. *Pakhons* : 16 mars – 14 avril
2. *Payni*   : 15 avril – 14 mai
3. *Epiphi*   : 15 mai – 13 juin
4. *Mésorê*   : 14 juin – 13 juillet

JOURS ÉPAGOMÈNES

14 juillet : Naissance d'Osiris
15 juillet : Naissance d'Horus
16 juillet : Naissance de Seth
17 juillet : Naissance d'Isis
18 juillet : Naissance de Nephtys.

Il convient de préciser que l'année égyptienne ne comportait que 365 jours et non 365,25 jours. Il se produisait donc un décalage régulier de six heures par an, qui embarrassait surtout les religieux pour les fêtes liturgiques. Les paysans se basaient quant à eux sur la réapparition de l'étoile Sothis (Sirius du Grand Chien), après soixante-dix jours d'occultation. Cette réapparition coïncidait avec le 18 ou 19 juillet.

LES DEUX MAGICIENNES : Les deux couronnes royales. Blanche pour la Haute-Égypte, rouge pour la Basse-Égypte.

HEQ : La crosse pastorale, l'un des deux insignes du pouvoir royal.

KÂ : Double spirituel de l'homme.
KEMIT : Nom ancien de l'Égypte, symbolisant le limon fertile noir apporté par les crues.
KOUSH : La Nubie, pays situé au sud de la Première cataracte.

MAKHEROU : État de l'initié parvenu à la parfaite harmonie avec les dieux. (Au féminin : Makherout).
MED : Bâton sacré symbolisant le rang.
MEDOU-NETERS : Les hiéroglyphes, signes sacrés de l'écriture.

714

MÉNÈS : Roi légendaire de Haute-Égypte qui unifia les deux pays. Identifié parfois avec Narmer et/**ou** Aha.

MESURES ÉGYPTIENNES

1 mile égyptien = 2,5 km.

1 coudée = 7 palmes = 0,524 m par excès.

1 palme = environ 7,5 cm.

NEKHEKA : Le fléau ou flabellum, l'un des deux insignes du pouvoir royal.

NETER : Dieu égyptien.

LE NIL : Explication des crues du Nil :

Malgré sa superficie importante (l'Égypte actuelle compte un million de km^2), la surface fertile se concentre essentiellement le long du Nil. Avec un peu plus de 34 000 km^2, elle représente à peine la superficie des Pays-Bas.

Le débit de ce fleuve singulier, cerné par les déserts de Libye à l'ouest et d'Arabie à l'est, ne doit rien aux précipitations locales, puisque dans la région de Louqsor, elles ne sont que de quatre millimètres par an. Le Nil prend sa source au-delà du lac Victoria, région où il pleut en abondance toute l'année. Ces eaux pluviales lui assureraient un débit constant s'il ne recevait également celles d'un affluent nommé le Nil Bleu, qui descend des hauts plateaux d'Éthiopie. Ceux-ci, arrosés en saison par la mousson, déversent leurs eaux dans le cours de cet affluent, qui se transforme alors en une rivière puissante, chargée de limon fertile, dont bénéficie toute la vallée jusqu'au Delta. Ces crues saisonnières régulières, autrefois considérées comme la manifestation de la faveur du dieu du fleuve, Hâpy, provoquaient, vers **la** fin juillet, une élévation importante du niveau du fleuve (jusqu'à huit mètres au-dessus du niveau de l'étiage au Caire). De nos jours, cependant, elles sont fortement contrariées par le barrage d'Assouan.

NŒUD TIT : Amulette de couleur rouge symbolisant la protection d'Isis.

NOMARQUE : Gouverneur d'un nome.

NOME : Division administrative de l'Égypte, vraisemblablement issue des petits royaumes de l'époque prédynastique.

PILIER DJED : Colonne symbolisant la résurrection du roi, lors de la fête du Heb-Sed.

POUNT : Pays mystérieux, qui englobait vraisemblablement la Somalie, l'Éthiopie et le sud de l'Afrique.

SCRIBE : Fonctionnaire dont le rôle consistait à noter par écrit les édits du roi, ou tenir à jour les livres d'une exploitation agricole. Les scribes représentaient une caste très puissante.

LES DIEUX DE L'ÉGYPTE ANTIQUE

ANOUKIS OU ANQET : Patronne de l'île de Sehel, qui s'étend après la Première cataracte. Mère de Satis.

ANUBIS : Dieu à tête de loup. Fils de Nephtys et d'Osiris, élevé par Isis. Guide des morts.

APIS : Incarnation de Ptah en taureau.

APOPHIS : Serpent de Seth. Autre forme du Dieu rouge qui cherche à dévorer le soleil à l'aube.

ATOUM : *Celui qui est et qui n'est pas.* Il se crée lui-même à partir de Noun, le Chaos, Engendre de lui-même Shou, l'Air, et Tefnout, le Feu. L'une des formes de Rê, le dieu soleil.

BASTET : Déesse de l'amour, de la tendresse et des caresses. Autre forme d'Hathor.

BÈS : Le dieu nain, qui préside à la naissance.

la DAT OU DOUAT : Royaume des morts, ou Terre inférieure.

GEB : La Terre supérieure, dont les fruits nourrissent les hommes.

HÂPY : Dieu hermaphrodite symbolisant la crue du Nil.

HATHOR : Épouse d'Horus. Symbolise l'amour mais aussi l'enceinte sacrée où s'élabore la vie.

HEKET : La déesse grenouille. Assiste aux accouchements.

HORUS : Fils d'Isis et d'Osiris. L'un des dieux principaux

d'Égypte. Les rois des premières dynasties, dont ils étaient l'incarnation, l'associaient à leur nom.

ISFET : Le Désordre (en opposition avec la Maât).

ISIS : Épouse d'Osiris et mère d'Horus. L'initiatrice, la Maîtresse du monde.

KHEPRI : Le Scarabée. Dieu de l'aube. L'une des formes de Rê, le dieu Soleil.

KHNOUM : Dieu potier à tête de bélier. Originaire de Yêb (Éléphantine).

MAÂT : La vérité, la justice et l'harmonie.

MIN : Dieu de la fécondité.

MOUT : La mère et la mort. Symbolisée par un vautour.

NEKHBET : Déesse de la couronne blanche de Haute-Égypte. Protectrice du roi, figurée par un vautour blanc.

NEITH : La Mère des mères. Déesse issue de l'océan primordial, mère de tous les autres dieux.

NEPHTYS : Sœur d'Isis et amante d'Osiris, mère d'Anubis.

NOUN : L'océan primordial. Réserve inerte contenant la vie en potentialité.

NOUT : Déesse des étoiles. Le ciel.

OSIRIS : Le premier ressuscité. Père d'Horus, époux d'Isis, et dieu du royaume des morts.

OUADJET : La séduction, autre visage d'Hathor.

OUPOUAOUET : Dieu loup, gardien du secret. Il détient les clés du cheminement initiatique.

PTAH : Dieu des artisans. Divinité principale de Mennof-Rê.

RÊ OU RÂ : La lumière. Le soleil à son apogée.

RENENOUETE-THERMOUTHIS : Déesse des moissons et de la fertilité. Représentée par un serpent.

SATIS : Fille d'Anoukis. Déesse de la Première cataracte. Divinité des femmes et de l'amour.

SECHAT : Épouse de Thôt. Symbolise l'écriture. Préside à la construction des temples.

SEKHMET : Déesse de la colère, représentée par une lionne. Autre forme d'Hathor.

SELKIT : Déesse scorpion. La respiration.

SETH : Le Dieu rouge. Dieu du désert, qui donnera plus tard le Shaïtan de l'islam et le Satan du christianisme.

SHOU : L'Air, qui sépare la Terre (*Geb*) du ciel (*Nout*).

SOBEK : Le dieu crocodile, symbolisant tour à tour Seth, Horus ou Osiris.

TEFNOUT : Le Feu.

THÔT : Dieu magicien à tête d'ibis. Neter de la Connaissance et de la lune.

TOUERIS (OU TAOUERET) : Déesse hippopotame. Préside à l'accouchement et à l'allaitement, avec le nain Bès dont elle est parfois l'épouse.

TABLE DE CORRESPONDANCE
DES NOMS DE VILLES

BIBLIOGRAPHIE

Merveilleuse Égypte des pharaons, A. C. Carpececi, Inter-Livre
Her-bak pois chiche
Her-bak disciple, Scwaller de Lubicz, Éditions du Rocher
Hiéroglyphes, Les Mystères de l'écriture, Maria Carmela Betro, Flammarion
L'Invisible Présence
Les Déesses de l'Égypte pharaonique, René Lachaud, Éditions du Rocher
La Civilisation égyptienne, Erman et Ranke, Payot
Saqqarah, une vie, entretiens avec Jean-Philippe Lauer, Philippe Flandrin, Payot
La Quadrature du cercle et ses métamorphoses, Roger Begey, Éditions du Rocher
Le Mystère des pyramides, Jean-Philippe Lauer, Presses de la Cité
Le Livre mondial des inventions, Valérie-Anne Giscard d'Estaing, Fixot
Atlas historique de l'Égypte antique, Casterman
Les Bâtisseurs de pharaon, Morris Bierbrier, Éditions du Rocher
Les Dossiers de l'archéologie, « Saqqarah : aux origines de l'Égypte pharaonique », n° 146-147, avril 1990
Pour comprendre l'Égypte antique, Jean-Michel Thibaux, Pocket

DU MÊME AUTEUR

Aux Éditions du Rocher

CYCLE DE PHÉNIX

Phénix, 1986, prix Cosmos-2000 1987, prix Julia-Verlanger 1987
Graal, 1998
La malédiction de la licorne, 1990

La porte de bronze, 1994, prix Julia-Verlanger 1995

CYCLE LES ENFANTS DE L'ATLANTIDE

Le prince déchu, 1994
L'archipel du soleil, 1995
Le crépuscule des géants, 1996

La lande maudite

CYCLE LA PREMIÈRE PYRAMIDE

La jeunesse de Djoser, 1996 (Folio nº 3193)
La cité sacrée d'Imhotep, 1997 (Folio nº 3194)
La lumière d'Horus, 1998 (Folio nº 3370)

COLLECTION FOLIO